わかりやすい
コンピュータ
用語辞典

麗澤大学教授
高橋三雄【監修】
ナツメ社

監修のことば

　情報技術の進展はとどまるところがありません。それどころか、技術が進化すればするほど変化は加速度的に速まっていきます。新たな可能性や新しい分野が開拓され、それに伴い今までは思いもつかなかった新たな問題が生じ、その対策も次々とたてられていきます。21世紀を目前にして停滞する日本経済の中にあって、携帯電話、インターネット、パソコンなどの商品が象徴する情報産業だけはめまぐるしく活発です。仕事の効率化、流通の合理化、新製品や新サービスの迅速な提供を目的として登場した情報技術そのものが、今や絶えざるビジネスチャンスを産み出しています。社会全体のリストラ（再構築）や意識の構造改革が求められている中にあって、多くの人々があらためて情報技術の教養を身に付け、実践を図り、自らの新たな存在価値を認識しようと日々、努力しているのも頷けます。

　こうした社会の状況から、私たちの辞典も時事用語辞典としての性格を強めてきています。最近では携帯電話やPHSが音声によるコミュニケーションのツールをはるかに超えて、電子メールやインターネット機能を備えることが当然のようになってきました。これは現在のコンピュータのイメージを大きく変える可能性を秘めています。いつでも、どこでもネットワークを通じてインターネットという巨大なコンピュータ資源にアクセスできるということは、新たなビジネスや仕事の仕方を可能とすることであり、従来からいわれてきたモバイルがさらに現実味を帯びてきたといってよいでしょう。

　メディアの流通も大きく変わろうとしています。MP3や電子書籍をはじめ、インターネットを通じた知的商品やサービスの流通は消費者の購買行動を大きく変えることになります。こうした動きは、ビジネスやマーケティングという視点から情報技術の進展を見なおす必要をせまっています。コンピュータ用語辞典もやがては技術とビジネス、技術と経済を融合した辞典に変身していくかもしれません。

　第5版は以上のような将来への展望と期待を念頭におきながら、注目すべき新たな用語を加えて改訂されました。旧版同様、座右にあって活用していただければさいわいです。

1999年11月

麗澤大学国際経済学部教授
放送大学客員教授
高橋三雄

凡 例

●…見出し語について

収録語は以下のジャンルから約 2994 語を選んだ。

・コンピュータ全般 ・パーソナルコンピュータ関連
・ネットワーク・通信関連 ・マルチメディア関連
・情報処理関連 ・企業, 人名

●…表記方法

見出し語の構成は, 見出し語, (よみ), 欧文正式表記, 本文, 参照項目とした。

> 例 A/Dコンバータ 【エーディーコンバータ】 *analog digital converter*
>   :
>   ～本文～
>   :
>   ◑ D/A コンバータ

●…見出し語の順序

● 先頭文字で, 記号→数字→アルファベット→ 和文に分類し, この順に配列した。

● 和文の配列について

・記号、数字、アルファベット混じりの見出しは、先頭文字から順次、記号→数字 →アルファベット→和文の規則で配列した。

・長音 (ー)、中黒 (・) 区切り記号 (/)(−)(.) は、無視するものとした。

・同一のかなの場合、清音→濁音→半濁音の順とした。ハート/ハード/バード/パート

・促音の「ッ」、拗音の「ャ」「ュ」「ョ」は清音とみなすこととした。

・人名は姓・名の順番とした。

●…参照項目について

◑ のある項目は, ◑ で示された項目に説明文があるものとした。

●…索引について

巻末に全見出し語および、見出し語の欧文の正式表記をまとめた索引を設けた。配列は、本文の見出し語で採用した順序とした。

* 【アスタリスク】　*asterisk*
(1) 多くのプログラム言語の中では乗算(かけ算)記号として使われる。
例：

```
while ( i < j )
    i = 2 * i ;
```

(2) ワイルドカードのこと。MS-DOSやUNIXのコマンド，エディタの検索コマンドなどで1文字以上の任意の文字列に該当する。⊃正規表現
例：

```
dir /w vz*.com
VZIBM.COM      VZIBMJ.COM      VZIBMV.COM
VZMODE.COM     VZSEL.COM
```

? 【クエスチョンマーク】　*question mark*
疑問符。MS-DOSやUNIXのコマンド，エディタの検索コマンドなどでは任意の1文字に該当する。
例：

```
dir /w vzibm?.com
VZIBM.COM      VZIBMJ.COM      VZIBMV.COM
```

/ 【スラッシュ】　*slash*
表計算ソフトなどでは，割り算を実行させるための演算記号として使われる。例えば10/5と入力すると，2という値を返してくる。UNIXの環境下では，ディレクトリやファイル名の区切り記号と

して/が使われている。インターネットのURLの記述(「http://www.netscape.com/index.html」など)で利用される場合も,ドメイン名やディレクトリ名の区切りとして記述する。

@ 【アットマーク】

「アット」と略して読まれることもある。

インターネットでは,メールアドレスの表記に使われる文字で,個人を識別する文字列の後につけ,さらにこの個人がどこの所属なのかを示す文字列をこの@に続ける。例えば国内最大手の商用BBS,NIFTY-Serveへインターネット経由でメールを送る場合,NIFTY-ServeのIDが「ABC01245」なら,指定するメールアドレスは,

ABC01245@nifty.ne.jp

となる。

μ BGA 【マイクロビージーエー】　*Micro Ball Grid Array*

ICのパッケージ形態の1つで,CSP技術を使い,チップとほぼ同じ大きさまで小型化したBGA。

⊃CSP,BGA

数

1 語長 【イチゴチョウ】 *single length*

コンピュータの処理単位である，1語（ワード）の長さのこと。機種によって異なり，16ビット，24ビット，32ビット，64ビットなどがある。

1 次キャッシュ 【イチジキャッシュ】 *Level 1 cache*

CPUに設けられて，最初にアクセスされる高速なキャッシュメモリ。内部キャッシュ。

⊃キャッシュメモリ

1 次群インターフェイス 【イチジグンインターフェイス】 *Primary Rate Interface, PRI*

ITU-Tで規定されたISDNのサービス形態で米国，日本で採用されている1.5Mbps（＝64KbpsのBチャンネル×23本＋64KbpsのDチャンネル×1本）と，欧州で採用されている2Mbps（＝64KbpsのBチャンネル×30本＋64KbpsのDチャンネル×1本）がある。Bチャンネルは束ねてHチャンネルとすることが可能で，6本のBチャンネルを束ねて384Kbpsの回線として使うH0チャンネル，1本の1.5Mbpsまたは2Mbpsチャンネルとして使うH1チャンネルがある。日本のISDN1次群インターフェイスの商品名は「INSネット1500」。

2DD 【ニディーディー/ツーディーディー】 *2Double Density*

両面倍密度ともいう。5.25インチおよび3.5インチフロッピーディスクのメディアタイプのひとつ。2DDは未フォーマットの状態で1Mバイト，フォーマットした状態で640Kバイトまたは720Kバイトの記憶容量をもつ。

720KバイトフォーマットはPC-9800, DOS/V，スーパードライブを搭載しているMacintosh, 多くのワードプロセッサ専用機などで共通に読み書きできるので，異機種間でのデータのやりとりに利用できる。

2HD 【ニエッチディー/ツーエッチディー】 *2High Density*

両面高密度ともいう。フロッピーディスクのメディアタイプのひとつ。未フォーマットの状態で1.6Mバイト，フォーマットした

数

状態で1.25Mバイトもしくは1.4Mバイトの記憶容量をもつ。(ただし, 5インチは1.25Mバイトのみ) サイズは, 3.5インチと5.25インチの2種類がある。最近では, 3.5インチが主流でPC-9801, DOS/Vで利用できる1.44Mバイトがよく使われる。

2項演算 【ニコウエンザン】 *binary operation*

ふたつのオペランドに対しての演算のこと。四則演算はその代表的なものであり, デジタル回路に使われている論理回路のAND, NAND, OR, NOR, XORなどは2項演算を電気的に行うものである。

○オペランド

2進数 【ニシンスウ】 *binary number*

2進法で表した数のこと。0と1だけが用いられる。

デジタル回路では, 信号電圧のオフとオンを0と1に対応させることで, 2進数を取り扱うことができる。この方法は10進数を扱うより回路を単純化できるので, コンピュータ内部では2進数が用いられる。

○8進数, 16進数

10 進数	2 進数
0	0
1	1
2	10
3	11
4	100
5	101
6	110
7	111
8	1000
9	1001
10	1010

2 進数

2次キャッシュ 【ニジキャッシュ】 *Level 2 cache*

CPUの外部, メインメモリとCPU間に設けられた, 2次的に使用されるキャッシュメモリ。外部キャッシュ。Pentium Pro 以降のx86CPUでは, CPUパッケージ内に同梱されるようになったため, 外部キャッシュという言い方をあまりしなくなった。

○キャッシュメモリ

数

2 線式回線 【ニセンシキカイセン】　*2-wire circuit*

通信の情報が往路,復路とも同じ信号線を用いて伝送される回線。半二重,全二重どちらの通信方式にも利用できる。

⊃全二重通信,半二重,4 線式回線

2 分割法 【ニブンカツホウ】　*binary search*

2 分探索法,バイナリサーチともいう。データが降順または昇順に配列されている中から特定の文字列を検索する場合に,まず,データ群を二つに分割し,中央の値と検索しようとする文字列を比較する。検索文字列がデータ中央の値よりも小さければ,前方のデータ群をまた二分割し,中央の値と検索文字列とを比較する。これを繰り返すことによって求める文字列を探し出す。

このデータ検索法の平均探索回数はNを件数とすれば $\log_2 N$ である。

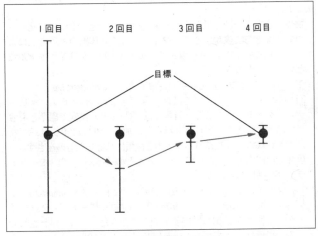

2 分割法

3DNow! 【スリーディーナウ】

AMD 社が Intel 社製 x86 系互換 CPU の K6-2 以降, K6-III, Athlon に組み込んでいる 3D 描画を中心とするマルチメディア機能を拡張する命令群のサポート。

⊃K6

3DO 【スリーディオー】

The 3DO社が開発した，家庭用インタラクティブマルチメディア
プレーヤ。CD-ROMでプログラムを供給し，ゲーム，教育などの
分野をターゲットとしている。The 3DO社はアメリカ最大のゲー
ムメーカーであるElectric Arts社の出資によって設立され，開発
とライセンス提供のみを行い， 製品の製造はAT&T社，松下電器，
三洋電機，クリエイティブメディアなど提携企業が担当した。

3DR 【スリーディーアール】　　3 Dimension Rendering

Intel社が提唱した3Dグラフィックスを高速に描画するためのソ
フトウェア。MICROGRAFX社のOpenGLに比べコンパクトで，
使える機能も限定されていることから，ゲームやマルチメディアな
どのソフトに添付して配布されることが多い。Windows95以降で
本格的に利用される。

3次元グラフィックス 【サンジゲングラフィックス】　　3 dimensional graphics

物体の姿を平面図ではなく，高さ，横幅，奥行きの3つの次元をも
つ立体図として表現するグラフィックス。立体感の表現方法によ
り，ワイヤーモデル，サーフェイスモデル，レンダリングモデルな
どのレベルがある。

3モードドライブ 【スリーモードドライブ】　　3 mode drive

3種類のメディアタイプを読み書きできる3.5インチフロッピー
ディスクドライブのこと。日本ではIBM PC互換機で標準となっ
ている720Kバイトと1.44Mバイトに加え，PC-9800シリーズな
どで使われている1.25Mバイトの3種類に対応したものをさす。
現在では国内で販売されているほとんどの機種が，この3モードド
ライブを採用している。

3.5インチディスク 【サンテンゴインチディスク】　　3.5 inches disk

ケースの短辺が3.5インチ（90mm）のフロッピーディスク。ディ
スクを保護するためにABS樹脂などでできたケースで保護されて
いる。以前はディスクの直径が5.25インチ（130mm），8インチ
（200mm）のものも用いられたが，今では3.5インチディスクが主
流である。○フレキシブルディスク，フロッピーディスク

4GL 【フォージーエル】　　4th Generation Language

○第4世代言語

4色分解 【ヨンショクブンカイ】　　color separation

カラー印刷では，カラー原稿をイエロー(Yellow)，マゼンタ(Ma-

数

genta), シアン(Cyan) 黒(blacK)の4色の要素に分けた版を作り, それぞれの版で印刷し, 重ねあわせて多様な色を再現する。

この4枚のフィルムを作る工程を4色分解というが, DTPソフトウェアではカラーセパレーション機能によってカラーのファイルから4色に分解した4つのファイルを作る機能をもっているものが多い。

⟡YMCK

4 線式回線 【ヨンセンシキカイセン】　*4-wire circuit*

送信, 受信の各通信路に, 独立の伝送線路を使う方式, またはその伝送路のことをいう。

2線式回線と比べ, 送受を反転するためのターンアラウンドタイムを必要とせず, ハイブリッドコイルによる分離度の問題なども生じないので, 優れた伝送特性が得られる。

⟡2 線式回線

4 倍角文字 【ヨンバイカクモジ】

ワードプロセッサなどで使われる文字の大きさのひとつ。標準サイズの文字(全角)にくらべ, 縦2倍, 横2倍の大きさに拡大した文字。

⟡倍角

8 インチディスク 【ハチインチディスク】　*8 inches disk*

直径が8インチのフロッピーディスク。2DDでは1.2Mバイトの容量をもつ。

8 進数 【ハッシンスウ】　*octal number*

8進法で表した数のこと。0〜7の数を用いてすべての数を表現する。1バイトが8ビットであることから, プログラミングなどで利用される。(次ページ図参照)

⟡基数

8 ビット CPU 【ハチビットシーピーユー】　*8 bit CPU*

8ビット単位で処理を行うように設計されたCPU。Rockwell International社6502, Motorola社6800, 6809, Zilog社Z80, Intel社8080, 8088など。

8.3 ファイル名 【ハチサンファイルメイ】　*8.3 file name*

ファイルの名称として半角8文字以下, 拡張子として半角3文字以下という制限があるMS-DOSのファイル名のこと。

10 BASE-2 【テンベースツー】

Thin Ethernetともいう。Ethernetのケーブル規格のひとつ。細

数

10 進数	2 進数	8 進数
0	0	0
1	1	1
2	10	2
3	11	3
4	100	4
5	101	5
6	110	6
7	111	7
8	1000	10
9	1001	11
10	1010	12
11	1011	13
12	1100	14
13	1101	15
14	1110	16
15	1111	17
16	10000	20

8 進数

い同軸ケーブルを使い，各インターフェイスをT型コネクタで数珠
つなぎにする。セグメントの最大長は185メートル。接続可能な
端末は30台まで。特別な付加装置が必要なく，ケーブルも安いの
で，ローコストにLANを構築できる。反面，接続箇所が多いため，
接触不良などのトラブルが発生しがちであり，故障箇所をつきとめ
にくい。(次ページ図参照)

10 BASE-5 【テンベースファイブ】

Ethernetのケーブル規格のひとつ。太い同軸ケーブルをバス型に
配線し，これにトランシーバを取り付けて各コンピュータには接続
する。セグメントの最大長は500メートル。1セグメントに取り
付け可能なトランシーバは100台まで。Thick Ethernet，あるい
は黄色いケーブルを使うのでイエローケーブルともいう。(次ペー
ジ図参照)

10 BASE-T 【テンベースティー】

Ethernetのケーブル規格のひとつ。電話機のケーブルとほとんど
同じ，シールドなしツイストペア線を使う。
中心に集線装置であるハブを置き，ここからスター型に端末を接続
する。セグメントの最大長は200メートル。

数

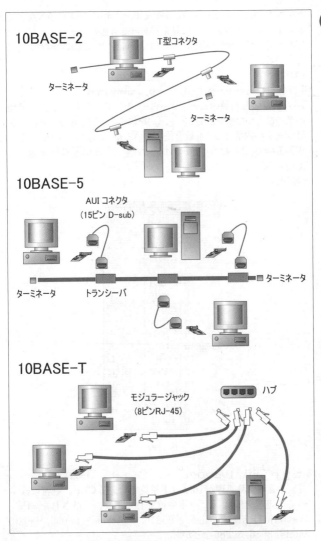

10BASE-2

T型コネクタ

ターミネータ

ターミネータ

10BASE-5

AUI コネクタ
(15ピン D-sub)

ターミネータ

ターミネータ　　トランシーバ

10BASE-T

モジュラージャック
(8ピンRJ-45)

ハブ

10 BASE-2, 10 BASE-5, 10BASE-T

ケーブルが細いので取り回しが楽であり,オフィス内LANなどに適している。ハブから先に異常があっても他の端末(ノード)に影響が及ばず,診断機能付きハブであれば,どの端末に障害が発生しているか診断できる。

◖ハブ

16進数 【ジュウロクシンスウ】   *hexadecimal number*

16進法で表した数のこと。0から9,そしてAからFまでの16個の数でひとつの桁を表し,F(16)を越えると桁上がりする。コンピュータの内部では2進数を使っているが,2進数は桁が長くなりすぎるので,2進数の4桁分を1桁で表すことができる16進数をよく用いる。

◖2進数

10 進数	2 進数	16 進数
0	0	0
1	1	1
2	10	2
3	11	3
4	100	4
5	101	5
6	110	6
7	111	7
8	1000	8
9	1001	9
10	1010	A
11	1011	B
12	1100	C
13	1101	D
14	1110	E
15	1111	F
16	10000	10

16 進数

16 ビット CPU 【ジュウロクビットシーピーユー】   *16bit CPU*

算術,論理演算処理が16ビット単位で行えるCPU。厳密にはすべての処理を最低16ビット単位で行うように設計されたCPU。Western Digital Design 社65816, Motorola社68000, 68020, Intel社8086, 80286などがある。

数

32 ビット CPU 【サンジュウニビットシーピーユー】 *32bit CPU*

算術, 論理演算処理が32ビット単位で行えるCPU。厳密にはすべての処理を最低32ビット単位で行うように設計されたCPU。Intel社80386, 80486, Pentium, Pentium Pro , Pentium II, Pentium III, Motorola社68030, 68040, 68060, Motorola社とIBM社PowerPC601, 603, 604などがある。

32 ビットパーソナルコンピュータ 【サンジュウニビットパーソナルコンピュータ】 *32bit personal computer*

Intel社製80386以降PentiumIIIまで, Motolora社製68020, 68030, 68040, PowerPCなどの32ビットCPUを使ったパーソナルコンピュータの総称。

32ビット単位でデータを処理するため, 16ビットパーソナルコンピュータに比べて処理速度が速い。ただし, 32ビットCPUといってもアーキテクチャや使用するOSが異なれば全体の処理能力や処理速度は違うので, 単純に比較することはできない。

⟿アーキテクチャ

64 ビット CPU 【ロクジュウヨンビットシーピーユー】 *64bit CPU*

算術, 論理演算処理が64ビット単位で行えるCPU。厳密にはすべての処理を64ビット単位で行うように設計されたCPU。DEC社Alpha, MIPS社R4000, R8000, R10000, Sun Microsystems社UltraSPARC, Motorola社とIBM社PowerPC620, 630, Intel社とHewlett-Packard 社Merced (コード名) などがある。

100% Pure Java 【ヒャクパーセントピュアジャバ】

Java言語は当初Sun Microsystems社により, OS依存, 機種依存のないプログラミング言語として開発されたが, その後ライセンス供与を受けたMicrosoft社は独自に自社のOSであるWindows用に特化した仕様へ拡張しはじめたため, これに反発したSun Microsystems社側が「特定のプラットフォームに依存するコードを含まないJava」という意味で用いている。

⟿Java

100BASE-T 【ヒャクベースティ】

伝送速度が100MbpsでCSMA/CDによる高速LANの規格。FastEthernetともいう。Ethernetの規格を定めたIEEE802.3委員会が標準化を担当している。

⟿CSMA/CD

数

100VG-AnyLAN 【ヒャクブイジーエニイラン】

伝送速度が100Mbpsでデマンドプライオリティ方式による高速
LANの規格。CSMA/CD方式を採用した100BASE-Tに競合す
るため，IEEE802.3委員会からIEEE802.12委員会が独立。独自
に規格策定を担当している。○デマンドプライオリティ方式

101 キーボード 【ヒャクイチ/イチマルキーボード】　　*101 keyboard*

101 キーボード

IBM PC/ATおよび互換機で使用される英語キーボードの俗称。
正式には"米国英語101キーボード"という。キートップの数が
101個なのでこう呼ばれる。

104 キーボード 【イチマルヨンキーボード】　　*104 keyboard*

104 キーボード

Windows95以降で使用することを前提に設計されたIBM PC/AT
互換機用の英語キーボード。101キーボードに，左右2個のWin-

dowsキーと，アプリケーションキーを加え，キートップが104個になる。

106 キーボード 【イチマルロクキーボード】 *106 keyboard*

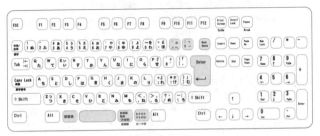

106 キーボード

DOS/V機用の日本語キーボード。日本アイ・ビー・エム(株)のPS55シリーズの5576-A01というキーボードの配列。DOS/V機の普及とともに標準として他社でも採用された。OADGキーボードともいった。⊃OADG

109 キーボード 【イチマルキュウキーボード】 *109 keyboard*

109 キーボード

日本語版Windows95以降の使用を前提に設計されたDOS/V機用のキーボード。106キーボードに，左右2個のWindowsキーと，アプリケーションキーを加え，キートップが109個になる。

数

1-2-3 【ワンツースリー】 *Lotus1-2-3*

Lotus社のスプレッドシート。表計算, グラフ作成, データベース管理の3つの機能を統合し, マクロによってさまざまな処理を自動化できる。また, サードパーティなどから発売されているアドインソフトウェアを組み合わせることで, 機能を拡張できる。

「/」キーによってメニューがオープンする操作性はその後の多くのスプレッドシートに採用され, またファイル形式は多くのスプレッドシートやデータベース管理プログラムでサポートされている。

現在ではMS-DOS用, Macintosh用, Windows用, OS/2用, UNIX用, 大型コンピュータ用, ワードプロセッサ専用機用, パームトップ用など, さまざまなプラットフォームに移植されている。
⇒スプレッドシート

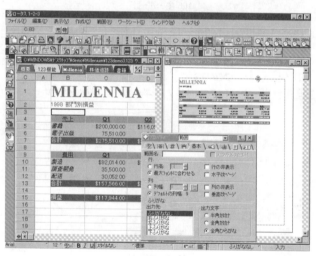

Lotus 1-2-3 2000

286 マシン 【ニイハチロクマシン】 *286 machine*

CPUにIntel社の80286, もしくはその互換チップを搭載しているコンピュータのこと。

386 エンハンスドモード 【サンハチロクエンハンスドモード】 *386*

enhanced mode

Windows 3.xの動作モードのひとつ。80386以上のCPUで実行でき, 最大4G(ギガ)バイトまでのメモリ空間, 仮想記憶による実搭載メモリを越える記憶容量の確保, 仮想8086 モードによるMS-DOSアプリケーションのマルチタスクなどを可能にする。起動するには1024Kバイト以上のXMSメモリが必要。

<u>386 マシン</u> 【サンハチロクマシン】 *386 machine*

CPUにIntel社の386, もしくはその互換チップを搭載しているコンピュータのこと。

<u>440BX</u> 【ヨンヨンマルビーエックス】

Intel社のチップセット。Pentium II , III用。100MHzのバススピードをサポートする。

<u>486 マシン</u> 【ヨンハチロクマシン】 *486 machine*

CPUにIntel社の486, もしくはその互換チップを搭載しているコンピュータのこと。

<u>2000 年問題</u> 【ニセンネンモンダイ】 *year 2000 problem*

コンピュータをはじめとする電子機器が西暦2000年を認識できないために, さまざまなエラーが引き起こされる問題。半導体レベルから応用ソフトウェアのレベルまで, 年を2桁で処理している可能性があるすべてのプログラムに問題がおこり得る。

<u>2000 年問題</u> 【ニセンネンモンダイ】 *year 2000 problem*

コンピュータをはじめとする電子機器が西暦2000年を認識できないために, さまざまなエラーが引き起こされる問題。半導体レベルから応用ソフトウェアのレベルまで, 年を2桁で処理している可能性があるすべてのプログラムに問題がおこり得る。

<u>3270 エミュレーター</u> 【サンニイナナマルエミュレーター】 *3270 emulator*

IBM社のメインフレーム用端末3270をエミュレートする機能を持ったハードウェア又はソフトウェアのこと。ダウンサイジングとはいっても, メインフレームの資源を全てLANに置き換えることは現実的ではなかったため, パソコンやワークステーションがオフィスに設置されはじめた当初から, これらを3270端末の代替として用いる必要が生じた。現在ではイントラネットの普及でNetscape Communicator Professional Editionなどのブラウザが, この3270エミュレーターを備えるようになってきた。

<u>8086 系</u> 【ハチマルハチロクケイ】 *8086 series*

数

Intel 社の 8088 や 8086 から 80286, 386, 486, Pentium, PentiumPro, Pentium II, Pentium III などの CPU の総称。NEC の V30 や AMD 社の Am386, Am486, K6, Cyrix 社の Cx486, など Intel 社互換 CPU も含むこともある。

<u>68000 系</u> 【ロクマンハッセンケイ】　　*68000 series*

Motolora 社の CPU のシリーズをさす。メモリアドレスをセグメントで指定する Intel 社の 8086 系に対して、メモリアドレスがリニアに指定できる、レジスタの数が多いなどの特徴がある Apple Computer 社の Macintosh シリーズをはじめ、Comodore 社の AMIGA シリーズ、Atari Computer 社の ST シリーズ、シャープの X68000 シリーズなどに使用された。Macintosh 用としては Motorola 社が IBM 社と共同開発した PowerPC が登場して使われなくなった。

ABC マシン 【エービーシーマシン】　*Atanasoff-Berry Computer*

1939年，アイオワ州立大学のJhon V. Atanasoff博士と大学院生のClifford E. Berry によって開発された世界最初のデジタル式コンピュータ。30元までの連立1次方程式を計算することを目標としていた。電子式スイッチ回路とコンデンサーによる記憶回路を採用し，試作機では25桁の2進数を記憶することができた。開発途中で第2次世界大戦がはじまり，2人とも大学を離れたことなどによって，未完成に終わり，コンピュータの歴史からは忘れ去られた結果になってしまった。1975年10月，ミネアポリス連邦地方裁判所で争われた訴訟に関連して，ABCマシンは世界最初のデジタル式コンピュータとされた。
⊃ENIAC

Access 【アクセス】　*Microsoft Access*

Microsoft Access 2000

Microsoft社のWindows用RDBMS（リレーショナルデータベースマネージメントシステム）。Windows3.1用のAccess1.1が日本での最初のバージョン。以降，2.0，Windows95用のAccess95，Access97，Access2000と，Windowsのバージョンアップと普及に歩調をあわせる形で売り上げを伸ばし，パソコン用のデータベースソフトとしては他のソフトの追随を許さないトップシェアを維持している。

ACE 【エース】

1991年米国のDEC，Mips，Microsoft，SCO，COMPAQなど約20社が提唱した新世代コンピュータの規格。CPUとしてMips社のRシリーズかIntel社の8086系のプロセッサ，OSにはMicrosoft社のWindowsNT，SCO社のOpenDesktopの使用が規定されていた。

ACK 【アック】 *acknowledge*

肯定応答の略。データ通信で，送信側から通信の開始要求の信号が送られたとき，受信側から受信の準備ができていることを知らせる伝送制御符号のこと。

ACPI 【エーシーピーアイ】 *Advanced Configuration and Power Interface*

Windows98で採用されたシステムソフトウェアでパソコンの電源を管理する規格。Microsoft社の他にIntel社，東芝の3社で策定された。必要な周辺機器の電源をオン・オフする，省電力モードにする，遠隔地からモデムへの着信で電源を起動させる，などの使い方がOS（Windows）の機能としてできるようになる。似たような機能は既にIBM社のパソコンAptivaなどで商品化されていたが，これはOSの機能ではなく独自のBIOSによっていた。

Acrobat 【アクロバット】

⊃PDF

Active Channel 【アクティブチャンネル】

Microsoft社のWindows版InternetExplorer4.0から追加された新機能で，様々なサードパーティからプッシュ型コンテンツの配信サービスを受けられるもの。Windowsのデスクトップに表示されるチャンネルバーからテレビのようにニュースや情報番組を選択し，ディスプレイに表示させる。

Active Desktop 【アクティブデスクトップ】

Microsoft社のWindows版InternetExplorer4.0から追加された

新機能で，WebコンテンツやActive Channelなどのプッシュ型コンテンツをデスクトップ上に壁紙やティッカーとして配置することができる機能。

ActiveMovie　【アクティブムービー】

Microsoft社のWindows95，WindowsNTで動画再生するためのAPI。MPEG1，QuickTimeムービー，Video for Windowsの動画ファイル（AVI）を特別なハードウェアを使用せずに再生することができる。

ActiveX　【アクティブエックス】

マイクロソフト社が提唱している，インターネット上で，動画やサウンドをリアルタイムに再生したり，アプリケーションプログラムを動かすための規格。これにより今まで，文字や写真（静止画）が中心だったインターネットのホームページが，よりマルチメディアライクな形態として提供しやすくなる。さらに，ブラウザ上でアプリケーションソフトを利用できるなどインターネットの活用範囲を広げるものとして注目されている。

Ada　【エイダ】

アメリカ合衆国国防総省が中心になって開発したプログラミング言語。それまで軍用に使われていたさまざまな言語を統一するために1980年，基準書が作成された。

AdaはPASCALを元に，より大規模に，リアルタイム処理が可能なように設計されている。その特徴として，モジュール化，分割コンパイルが可能，エラー処理に関するハードウェア部分の記述が可能なことなどがある。

Adaの名前の由来は，Charles Babbageによる解析機関のプログラマで，世界初のプログラマといわれるAugsta Ada Byron（イギリスの詩人，Byronの娘）によっている。

ADB　【エーディービー】　*Apple Desktop Bus*

Macintoshが採用している，周辺機器を接続するためのバス規格。キーボード，マウス，さらにはモデムなどを直列に接続できる。規格上は16台の機器を直列に接続できるが，実際には3台以下で，ケーブル長16フィート（約4.9m）以内に収めるようにガイドラインが設定されている。

ADO　【エーディーオー】　*Active Data Objects*

Microsoft社のデータベースアクセスのためのAPI。従来のDAOに変わるものとしてAccess2000で使用が推奨されている。

A

Adobe 【アドビ】　*Adobe Systems, incorporated*

ページ記述言語PostScript, プロ用ドローソフトウェアIllustrator, フォトレタッチツールPhotoshopなどを開発したアメリカのソフトウェアベンダー。

1982年, Xerox社パロアルト研究所(PARC)出身のJohn Warnockらによってカリフォルニア州パロアルトに設立。1984年, Apple Computer社はAdobe Systems社とともに最初のパーソナルコンピュータ用PostScriptレーザプリンタ, Apple LaserWriterを発売。MacintoshによるDTPを実現させた。1994年にAldus社を吸収合併。

ADPCM 【エーディーピーシーエム】　*Adaptive Differential Pulse Code Modulation*

アナログデータの符号化・復号化方法のひとつ。一連のサンプルデータから次のデータを予測し, その予測値からの誤差を符号とし, 再生時は誤差と予測値から元のデータを復元する。

音声データのリアルタイムな圧縮・伸張能力に優れている。

ADSL 【エーディーエスエル】　*Asymmetrical DSL*

非対称型デジタル加入者線。米国で実用化された, 従来型ツイストペア銅線ケーブルの電話線で高速デジタル通信を実現する方法の1つ。電話局→加入者の往路が1.5Mbps（ADSL Lite）から8Mbpsに達する方式がある。加入者→電話局の復路は64Kbps程度の低速通信を行う。往・復で速度が異なるので非対称型という。ADSLのメリットは, 対称型のHDSLやISDNと異なり, 電話と共存できる点で, 音声より高い周波数帯域をデータ通信に割り当て, 音声と同じ回線で伝送する。このため, スプリッタと呼ばれる装置を加入者側と電話局側に設置し, 音声信号とデータ信号を分離する。ADSL Lite方式では, 通信速度は低いが, 加入者側のスプリッタを省略できる。

日本ではNTTが2000年後半から首都圏, 大阪圏で「ADSLアクセスライン」としてADSL Lite方式のサービス開始を発表している。

A/D コンバータ 【エーディーコンバータ】　*Analog Digital converter*

アナログ信号をデジタル信号に変換する回路。コンピュータはデジタル信号しか処理できないので, 電流や電圧などのアナログデータを入力情報とする場合, いったんデジタルデータに変換しなければ利用できない。

A/Dコンバータはある時間ごとにアナログ信号を測定し，その値を対応するデジタル値に変換する。アナログ信号の測定をサンプリングといい，1秒ごとのサンプリング数をサンプリング周波数という。そしてデジタル値に変換することを量子化といい，そのビット値を量子化ビット数という。◐D/Aコンバータ

A

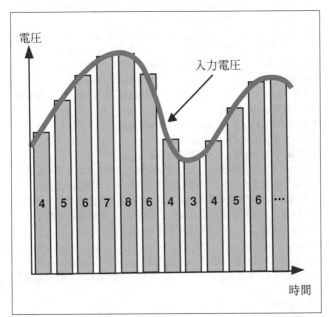

A/D コンバータ

AGP 【エージーピー】 *Accelerated Graphics Port*

Intel社のグラフィックス専用拡張バスの規格。3Dグラフィックスの描画性能を向上させる。AGP（帯域幅32ビット66MHzから533MHz）はPCI（帯域幅32ビット33MHz）の2倍以上の高速でシステムメモリとディスプレイアダプタを直結するため，大容量のVRAMを必要とせず，またPCIのように他の拡張デバイスと競合してパフォーマンスを低下させることがない。例えば3Dグラフィックスや3Dビデオに必要なテクスチャマッピングでは，テク

A

スチャ（立体の表面の地紋）の情報をいったんビデオメモリに記憶
せずに直接システムメモリに書き出すことができるし，PCIネッ
トワークカードで高速通信しても干渉しないので，ネットワーク
ゲームなどでその効果を発揮する。

AGPに対応したIntel社のチップセット，AGP対応のグラフィッ
クスカード，Windows98などAGP対応のOSなどが必要である。

AI 【エーアイ】 *Artificial Intelligence*

人工知能のこと。ある問題に対し推論，連想，判断，さらに学習を
行う人間の知能行動をコンピュータで実現するシステム。大きく
分けて，基本となる事実および規則を蓄積する知識ベース，それと
知識ベースに基づいて推論し，判断する部分とからなる。

エキスパートシステム，画像認識，機械翻訳などの分野で応用が進
められている。

AIM 【エーアイエム】 *Aol Instant Messenger*

○AOLインスタントメッセンジャー

ALGOL 【アルゴル】 *Algorithmic Language*

プログラミング言語のひとつで，数値計算のアルゴリズム記述用
として設計された。1958年に最初のALGOLが発表され，日本で
は1967年に第1版のJIS ALGOL が制定された。ブロック構造
を特徴とし，構造化言語のルーツとなった。同系統の言語として
Ada, PASCAL, PL/Iなどがあげられる。

Alpha 【アルファ】

1992年にDEC社が開発し，現在はCompaq Computer社がライ
センスする64ビットRISC方式のCPU。製造はIntel社に委託さ
れている。

Altair8800 【アルテアハチハチゼロゼロ】

1975年，MITS社が発売した世界最初のマイクロコンピュータ
キット。CPUにはIntel社の8080を採用し，メモリは標準で256
バイト搭載されていた。

Paul AllenとBill Gatesは4Kバイトにメモリを増設したAltair
8800用のBASICインタープリタを開発し，大成功をおさめ，Mi-
crosoft社を設立した。

Alto 【アルト】

1973年からXerox社のパロアルト研究所（PARC）で開発，生産
され，研究実務に使用されたワークステーション。

自社開発のCPU，256Kバイトのメモリ，2.5Mバイトのハード

ディスク，808×606ドットの15インチ縦型ビットマップディスプレイ，マウス，Ethernetインターフェイスを備え，マルチタスクOSが動作した。Altoはアイコンとウィンドウ，マウスによってさまざまな処理ができる最初のGUIマシンでもあった。SUN, Apollo, MacintoshなどはAltoの影響を受けて開発された。PARCでは，最終的に200台以上のAltoが生産され，さまざまな研究や事務処理に使われたという。

ALU 【エーエルユー】   *arithmetic and logic unit*

算術演算，論理演算を行うCPU内の回路のこと。算術演算である加減乗除は加算器，補数を作る回路，シフト回路により行われる。他に論理和や論理積を求める論理演算回路などから成り立つ。

AMD 【エーエムディー】   *Advanced Micro Devices, Incorporated*

1969年創立の半導体メーカー。1991年にIntel社製CPU，80386の互換製品であるAm386を発表し，半年余りで100万個を出荷，x86互換CPUの製造販売が主力事業となる。以後80486互換のAm486, Am5x86, Pentium互換のK5, Pentium Pro, Pentium II互換のK6など，Intel社製品を追いながら，低価格化のほか性能向上や独自の付加価値技術で差別化を図っている。

America OnLine 【アメリカオンライン】

⊃AOL

AMI 【エーエムアイ】   *American Megatrends, Incorporated*

代表的なPC/AT互換機のBIOSメーカー。

⊃互換 BIOS

AMIGA 【アミーガ】

Commodore社が製品化したパーソナルコンピュータのシリーズ。Motorola社の68000シリーズMPU，独自のOSを搭載し，CG, サウンド関連のソフトウェア，ハードウェアが充実していた。
上位機種はグラフィックス処理やサウンド処理用として使われることが多く，とくにビデオ編集ツールのVideo Toasterとの組み合わせで，テレビ番組製作に利用され，一躍有名になった。

AND 【アンド】

論理積。入力aとbがあった場合，両方の入力が共に真(1)のときだけ，出力が真(1)になる論理演算。(次ページ図参照)

a	b	a AND b
0	0	0
0	1	0
1	0	0
1	1	1

AND

Andreessen, Marc 【アンドリーセン, マーク】

Netscape Communications社の創立者で製品担当執行副社長。イリノイ大学学生として，世界初のインターネットブラウザであるNCSA Mosaic開発チームに加わる。Silicon Graphics 社の創立者で会長だったJim Clarkとともに1994年にNetscape Communications社を設立。Mosaicをもとに，商業ベースのブラウザNetscape Navigatorを開発し，同社は急成長した。

ANK 【アンク】 *Alphabet-Numeric-Kana*

JISコードのうち，1バイト（8ビット）コードで表す英文字（記号を含む），数字，カタカナのこと。アスキーコードにカタカナを加えたものである。

一般にいう半角文字と似ているが，2バイト（16ビット）コードで表す漢字と同様，2バイトの半角文字もあるので注意。

anonymous FTP 【アノニマス エフティーピー】

匿名FTPともいう。インターネット上で，"anonymous"というログイン名を使ってFTPを実行すること。ネットワークに接続されているコンピュータでこれが許可されている場合，一般公開されているファイルを読むことが可能。書き込みは禁止されている。

⊃FTP, インターネット

ANSI 【アンシ】 *American National Standards Institute*

アメリカ国家規格協会の略。アメリカにおける規格の統一と標準化を目的にした民間団体。

1928年にASA(American standards association)としてスタート，66年にUSASI (USA standards institute)と改称され，69年に現在のANSIとなった。日本のJISにあたる。

AOCE 【エーオーシーイー】 *Apple Open Collaboration Environment*

MacintoshのSystem7を機能拡張し，アイコンやフォルダによる操作環境で電子メール，接続管理，セキュリティなどの機能を利用できるようにしたもの。メールを送るには，相手のアドレス情報

が登録してある名刺アイコンに送りたいファイルをドラッグ＆ドロップするだけでよい。

AOL　【エーオーエル】　　　*America OnLine*

世界最大のパソコン通信サービス。北米だけでなく欧州やわが国にも拠点をもち，日本語を含む各国語向けのサービスも行っている。早くからインターネットサービスが充実していたこと，初心者向けのわかりやすいGUIソフトを無料配布したことで，最大手だったCompuServeをはじめとする他のライバル会社の不振を尻目に急成長した。

利用者はAOLとよばれる通信ソフトを介して最寄りのアクセスポイントの電話番号につなぐ。インターネットのコンテンツやメールサービスにもアクセスできるが，AOL会員向けのサービスを利用するには必ずこの通信ソフトを使用しなければならない。この通信ソフトはAOLのホストへアクセスすると自動的にアップデートされるようになっており，広告などをダウンロードして告知する機能を備えている。

AOL

AOL インスタントメッセンジャー 【エーオーエルインスタントメッセン
ジャー】　*AOL Instant Messenger*

　AOL社のインターネット用チャットソフト。あらかじめリストに
登録しているユーザがインターネットにアクセスしているかを調
べてメッセージを送り，チャットをすることができる。

Apache 【アパッチ】

　広く普及しているPDSのUNIX用WWWサーバソフト。NCSA
のHTTPd Serverをもとに，有志のプログラマらが拡張機能を継
ぎはぎ（パッチ当て）して作ったというのが名前の由来。

APDA 【アプダ】　*Apple Programmers and Developers Association*

　Apple Computer社製品に関連するソフトウェア，周辺機器などを
開発する個人や業者を支援するために，技術情報の提供や開発用ソ
フトウェアの提供などを目的に設立された機関。

API 【エーピーアイ】　*Application Programming Interface*

　OSと，その上で稼働するアプリケーションプログラムとのイン
ターフェイス。システムコールなどと意味は同じだがOS/2や
Windowsで使われる。動作環境のAPIを通じてファイル入出力や
ユーザーインターフェイスなどのシステム機能が利用できる。

APL 【エーピーエル】　*A Programming Language*

　1957年から1967年にかけ，Kenneth Iversonによって開発された
会話型のプログラミング言語。

　APLの特徴は，配列データの計算が得意なこと，構文が簡単でほ
かの言語と比べて少ないステップ数でプログラムが組める，特殊記
号に多様な機能をもたせていることなどがあげられる。特殊記号
を入力する専用のキーボードが必要である。

Apollo 【アポロ】　*Apollo Computer, Incorporated*

　1980年，世界で最初のエンジニアリングワークステーション，
Apollo DOMAIN DN-100 を発売したコンピュータメーカー。
同年，マサチューセッツ州で設立。ワークステーション業界では第
4位のシェアをもっていたが，1989年4月，業界第3位のHewlett-
Packard社に買収された。Apollo DOMAINは，Xerox社パロアル
ト研究所(PARC)のワークステーション，Altoの影響を受け
て当初からLANをサポートし，カラーグラフィックスや高解像
度化を進めてきた。1988年にはUNIX SYSTEM Vと4.3BSD，
MS-DOSおよびApollo独自の分散型OSであるAEGISを統合し
たDOMAIN/OSを発表した。

APOP 【エーポップ】　*Authenticated POP*

インターネットメール受信のプロトコルPOP3で，セキュリティを強化したパスワード認証方式。パスワードが暗号化されるので，他のネットワーク（プロバイダ）からログインするときにハッキングされる心配がない。サーバとメールソフトがAPOPに対応している必要がある。Becky!, AL-Mail, Winbiff, Eudora PRO, クラリスメールなどが対応している。

Apple 【アップル】　*Apple Computer, Incorporated*

アメリカのパーソナルコンピュータメーカー。本社はカリフォルニア州クパティーにある。1976年，Apple Iを開発したSteve JobsとSteve Wozniakによって設立された。

1977年，Mike Markkulaを加えて株式会社となり，同年4月，世界最初のパーソナルコンピュータ，Apple IIを発表。ガレージで創業を開始した会社は，Apple IIのヒットによって急成長し，1980年には株式を公開。

1983年にはGUIを備えた最初のパーソナルコンピュータ，Lisaを発売した。Lisa はその先進的な設計思想を高く評価されながら，10,000ドル以上もの価格のため，売れ行きは悪く，失敗に終わった。

1983年，JobsはPepsico社のCEO(最高経営責任者)，John Sculleyを社長としてスカウトした。

1984年4月，Lisaの思想を元に2495ドルのMacintosh(128K)を発売。同年9月にはメモリを増やすなどして強化したMacintosh(512K)を発表。1985年2月,Steve Wozniakが退職。同年9月にはSteve Jobsも退職。John Sculleyが会長兼CEOに就任した。

1991年，IBMと業務提携。

1993年，John SculleyはApple Computer社を退職。

1995年，経営危機が表面化。

1997年10月，Microsoft社が資本参加し業務提携することになった。Steve Jobsが暫定CEOに就任。

1998年，オールインワン型のiMacを発売。出荷好調で業績を回復。

Apple Event 【アップルイベント】

MacintoshのSystem7で実現されたプログラム間での通信のしくみ。ひとつのプログラムから，他のプログラムを起動したり，他のプログラムにデータを渡したりできる。この機能の実現にはそれ

ぞれのプログラムがApple Eventに対応していなくてはならない。

Apple File Exchange 【アップルファイルエクスチェンジ】

Macintoshの System7.5 以前に標準で付属する，ファイル変換プログラム。スーパードライブ搭載の MacintoshではMS-DOSのフロッピーディスクをフォーマット，読み取り，書き込みできる。その他にも，ワードプロセッサなどで用いられている独自のファイルフォーマットの変換も行うことができる。

Apple Script 【アップルスクリプト】

米 Apple Computer 社が開発したアプリケーションを制御するためのマクロ機能。アプリケーションの起動・終了だけでなく，アプリケーションのメニューにある機能も自動的に実行できる。スクリプトといわれるプログラムに制御する内容を書き込む。また，ユーザーが行った作業を自動的にスクリプトとして記録し，そのスクリプトを再実行することができる。System7.1以上で利用することができる。

AppleTalk 【アップルトーク】

すべてのMacintoshに標準で装備されているネットワークのソフトウェア，および，ネットワークのプロトコル。Macintoshとプリンタの接続にも使われており，Macintoshの標準的なネットワークプロトコルになっている。接続方法にはLocalTalk, PhoneNet, EtherTalkなどの規格から用途に応じて選択できる。

Archie 【アーチ, アーキ】

インターネット上のFTPサーバにあるファイルの所在を，ファイル名から検索するサービス。検索自体は，Archie専用のソフトを使い，ArchieサーバというFTPサーバ内のファイルの所在を管理している専用サーバに接続して行う。

目的のファイルの所在をArchieで検索し，FTPソフトを使ってダウンロードする，というような使い方をする。 ⊃FTP

ARP 【アープ】　*Address Resolution Protocol*

TCP/IPのLANで，ソフトウェア上のアドレスであるIPアドレスから，対応する物理的なMAC層のアドレスを特定するためのプロトコル。

ARPANET 【アーパネット】　*Advanced Research Projects Agency NET-work*

アメリカ合衆国国防総省高等研究所（DARPA:defence advanced research projects agency）によって構築された広域コンピュー

タネットワーク。アメリカ各地に拡がるさまざまな機種のコンピュータをつなぎ, 資源の有効利用を目指し, TCP/IP をはじめとする各種インターネットワーク技術を生み出した。1960年代後半より1990年まで稼働し, CSNETへと発展的に解消した。
●CSNET, インターネット, TCP/IP

ASCII 【アスキー】 *American national Standard Code for Information Interchange*

情報交換用アメリカ標準コードのこと。7ビットでコントロールコード, アルファベット, 数字, 記号の128種の文字を表現できるコード体系である。

1962年にANSIの規格となり, 続いて67年に7ビット情報交換用ISOコードに準拠。

ASCII 配列 【アスキーハイレツ】

ASCIIで制定された, キーボードの英数字と記号の配列。JIS 配列とは英数字は同じだが, 記号の配列が一部異なる。

ASF 【エーエスエフ】 *Active Streaming Format*

Microsoft社のストリーミング再生が可能な動画と音声のマルチメディアファイルの形式。

ASIC 【エーシック】 *Application Specific Integrated Circuit*

特定用途向けIC(集積回路)/LSI(大規模集積回路)

ASP 【アクティブサーバページズ】 *Active Server Pages*

Microsoft社のWebサーバInternet Information Server 3.0以後の新機能で, Webページに記述されたスクリプト (J Script又はVB Script) をWebサーバで解釈・実行し, その結果をブラウザに送信するもの。Webページの拡張子は.aspとする。NCSAのSSI (サーバサイドインクルード) やSunの主唱するJSP (ジャバサーバページズ) に相当する。

AT&T 【エーティーアンドティー】 *AT&T Corporation.*

米国最大の通信会社。94年4月に, 正式名を米国電話電信会社 (American Telephone and Telegraph Company) より通称のAT&Tへ変更した。

ATA 【アタ】 *AT Attachment*

ANSIで標準化されたIDE接続方式の規格。狭義のIDEはATA, 拡張IDEがATA-2, -3, -4, ATAPIで規定された。ATA-2(=Fast ATA)は16.6MB/秒までの転送スピードの向上。ATA-3はATA-2に自己監視機能SMARTを追加。ATA-4 (=Ultra ATA) で

DMA技術を使い転送速度33MB/秒までが規定。さらに転送速度66MB/秒のUltra ATA/66の標準化が予定される。ATAPI(AT Attachment Packet Interface)はCD-ROMやストリーマなどハードディスク以外のインターフェイスを定めている。

ATAPI 【アタピ】　*AT Attachment Packet Interface*
　〇ATA

AT バス 【エーティーバス】　*AT bus*
　〇ISAバス

Atari 【アタリ】　*Atari Computer*
　アメリカのコンピュータ, ゲーム機器メーカー。社名は日本語で囲碁の「当たり」から来ている。Steve JobsやAlan Kayが在籍していたこともある。Motorola社の68000シリーズマイクロプロセッサを搭載した, STシリーズは, MIDI端子を標準で装備しており, DTM専用機として人気があった。
　〇DTM

Atari 1040ST

Athlon 【アスロン】
　AMD社が1999年に発表, 出荷開始したハイエンドのx86系CPU。K6シリーズの次世代K7に相当する。x86系ではあるが, マザーボードへの接続インターフェイスはAMD社独自のSlot Aを採用, Intel社のSocket 7やSlot 1, 2とは互換性がない。専用チップセットAMD 750を自社で提供する。500, 550, 600, 650MHzの製品がある。

AMD Athlon

Atkinson, Bill 【アトキンソン, ビル】　*Bill Atkinson*

1951年, アメリカ生まれ。カリフォルニア大学サンディエゴ校化学科, ワシントン大学電子工学科修士課程および神経化学科修士課程修了。

78年にApple Computer社に入社。Lisa (83年) やMacintosh (84年) の開発プロジェクトに携わる。

Macintoshの描画ルーチンであるQuickDraw, アプリケーションのMacPaint (84年) やMagicStraiht (85年), HyperCard (87年) などが, 彼の頭脳から生まれたものである。

90年6月, Genral Magic社を創設し, 自らが会長となって次世代思考支援ツール「Personal Intelligent Communicator」の研究開発に着手。

ATM 【エーティーエム】

(1)*Adobe Type Manager* アドビタイプマネージャ

コンピュータディスプレイ, およびPostScriptを搭載していないプリンタで PostScript フォントをなめらかな輪郭線のアウトラインフォントで美しく出力するためのユーティリティ。Macintosh用, Windows用などがある。(次ページ図参照)

⥀WYSIWYG, アウトラインフォント, PostScript

(2)*Asynchronous Transfar Mode* 非同期転送モード

B-ISDNの中核となる伝送・交換技術。データを一定の長さ(53

日本語表示

日本語表示

ATM OFF(上) と ON(下) による表示の違い

バイト)のセル(ブ ロック)に分割し，各々のセルごとに転送情報を
付加したものを単位として伝送する。特 長は，効率のよい伝送が
でき，多様な伝送速度に対応している点。また，パケット交換・回
送交換等，異なるデータ交換方法による統合も可能。

(3)*Automatic Teller Machine* 自動出納機

キャッシュカード，通帳，クレジットカード等を用いて，現金の出
納を顧客が自分で行うオンライン端末。引き出ししかできない機
種を区別して現金支払い機CD（Cash Dispenser）と呼ぶ。銀行
の窓口業務簡素化のため，1971年に三菱銀行（当時）に導入され
たCDがわが国では最初である。現在ではATMが主流で，銀行の
預け入れ，振替の他，定期預金の開設など簡単な取り引きができる
ものまで現れている。また店舗の少ない他の金融機関が郵便局や
都市銀行のATMに乗り入れたり，消費者金融業者が設置して無人
店舗を運営するなど，銀行預金以外の使われ方もしている。

ATOK 【エートック】　*Automatic Transfer Of Kana-kanji*

ジャストシステムが開発した日本語入力システム。ベストセラー
となったワードプロセッサ，一太郎の日本語入力ソフトであったた
め，日本でもっとも多く使われた。

ATOK2からスタートし，1999年に発売された一太郎10には
ATOK13が搭載。

ATV 【エーティブイ】　*Advanced TeleVision*

米国における地上波デジタルテレビの標準規格の旧称。現在は
DTVという。⊃DTV, HDTV

AT 互換機【エーティーゴカンキ】　*AT compatible*
IBM PC/ATシリーズの互換機の通称。⊃PC/AT, DOS/V

AUI【エーユーアイ】　*Attachment Unit Interface*
10BASE-5において，トランシーバからLANアダプタに接続す
る15ピンDBコネクタのインターフェイス。
⊃10BASE-5

AUP【エーユーピー】　*Acceptable Use Policy*
ネットワークの管理者が利用者に対して承認している使い方。こ
れを設けることは，それ以外の使い方を禁止するという制限にな
る。大学，企業のネットワークはもとより，インターネットプロ
バイダやパソコン通信やニュースグループなど，運営主体は大な
り小なりAUPに相当するものを設けている。反面，インターネッ
トの世界は，利用目的を制限せず，良識に期待するネチケット文
化で発展してきた面もあり，その意味では批判的な意味にも使わ
れる。
これとは別に，かつてインターネットのほとんどのバックボーンを
占めていた学術ネットワークでは，非営利目的の使用に限るとい
うAUPがあり商業利用が禁じられることが多かった。このため，
インターネットでAUPといえば商業利用ができないことの代名詞
にもなった。AUPフリー（AUPがない）という場合は後者を指
す場合が多い。

AUTOEXEC.BAT【オートエグゼックバット】
自動実行(auto execute)用バッチファイルのこと。
MS-DOS起動時，ディスクのルートディレクトリに登録されてい
るAUTOEXEC.BATの内容が読み取られ，記述されているコマ
ンドが自動実行される。一般に記述する内容は，環境変数の設定や
メモリ常駐型のプログラム(TSR)の組み込みなどである。

A/UX【エーユーエックス】
Apple Computer社からMacintosh用に提供されている，AT&T
System Vベースのマルチタスク，マルチユーザーUNIX。Macin-
toshのツールボックスの機能をサポートしている。

AVI【エーブイアイ】　*Audio Visual Interleaved*
米Microsoft社が開発した，Windows用のデジタルビデオファイ
ルの名称。画像や音声などの制御信号を収録している。Video for

Windows の標準ファイル形式。このファイルには，.AVIという拡張子がつく。

Award 【アワード】　*Award Software, Incorporated*

代表的な PC/AT互換機のBIOSメーカー。1998年，同業のPhoenix社に吸収合併された。

◯互換 BIOS

awk 【オウク】

UNIXで使用するテキストデータのパターン処理プログラムで，作者の Aho, Weinberger, Kernighanの頭文字から命名。

空白やタブ，記号などで区切られたテキストファイルにおいて，データの欄を並べ換えたり，集計したり，置き換えるといった操作を複雑なプログラミングなしに1, 2行の命令で実行できる。

例：``test.txt'' は空白区切りのテキストファイル

- テキストファイルの行数を求める
  awk 'END {print NR }' test.txt

- 各行に行番号を付ける
  awk '{print NR " " $0 }' test.txt

- 最後のフィールドが256以上の行だけを表示する
  awk '$NF > 256' test.txt

- 3番目のフィールドの平均を求める
  awk '{sum+=$3 }END{print sum/NR }' test.txt

もとはUNIXのツールであったが，MS-DOSにも移植され，GNU版のgawkを serow氏が日本語化したjgawkが無料で配布されている。

A 判 【エーバン】

用紙の大きさを表す判型の一つ。A3判, A4判などのようにして用紙のサイズを指定する。A0判を最大の大きさ（幅841mm×長さ1189mm）として，これを基に2つ折りした大きさが次のサイズになって数字が上がる。パソコンのプリンタでよく用いられるA4判の大きさは，幅210mm×長さ297mmである。

◯印刷用紙

B 【バイト】　*byte*

バイトの略。

Babbage, Charles 【バベッジ, チャールズ】　*Charles Babbage*

イギリスの数学者(1792〜1871)。1822年に歯車機構を用いて20桁の対数を計算する階差機関(difference engine)を設計したが完成に至らず、1833年には汎用機械式デジタル計算機である解析機関(analytical engine)の開発をはじめた。解析機関は記憶部と演算部をもち、プログラムおよびデータの入力にはジャカール織り機(Jacquard loom)からヒントを得てパンチカードを採用した。現在のコンピュータの基本的な要素をもっていたが、当時の技術水準などの制約により未完成に終わった。

BASIC 言語 【ベーシックゲンゴ】　*Beginner's All purpose Symbolic Instruction Code language*

1960年代前半、アメリカのダートマス大学のJohn KemenyとThomas Kurtzによって開発されたプログラミング言語。初心者教育用の会話型言語。

1975年、Altair8800用にBill GatesとPaul Allenが4Kバイトのメモリで動くBASICを開発したことから、パーソナルコンピュータ用言語として注目を集め、その後、各パーソナルコンピュータメーカーがBASICを採用した。

現在では構造化BASICや、Windowsアプリケーション開発用のVisual BASICなどもある。○Microsoft, Altair8800

baud 【ボー】

データ伝送速度の単位。1秒間の電圧周期数。

BBS 【ビービーエス】　*Bulletin Board System*

パソコン通信における電子掲示板もしくは、"パソコン通信"ホストそのものをさす。

電子掲示板とは、不特定多数のユーザー同士でメッセージのやりとりをするシステムである。ホストには、1, 2回線の簡単なものから、AOLやNIFTY-Serveのように何万もの会員がいて常時多数の人間がアクセスできるものまである。個人で運営しているような小規模なBBSを「草の根BBS」という。○草の根ネット

B

BCC 【ビーシーシー】　　*Blind Carbon Copy*

ブラインドカーボンコピー。電子メールやニュースのメッセージ送信の際，相手先に知らせず内密に同内容の控えを第三者に送信すること。またその宛先やメッセージのこと。
⊃CC

BCD コード 【ビーシーディーコード】　　*Binary Coded Decimal*

2進化10進数ともいう。10進数の各桁の値を4ビットの2進数で記述したもの。10 進数に近い取り扱いができる。とくに2進数では小数点以下の演算で避けられない誤差をBCDコードで行えば回避できる。

10 進数	BCD コード	2 進数
10	00010000	1010
11	00010001	1011
12	00010010	1100
13	00010011	1101
14	00010100	1110
15	00010101	1111
21	00100001	10101

BCD コード

BEEP 【ビープ】

パーソナルコンピュータに内蔵しているスピーカで鳴らす音。通常は誤操作したときに警告音を発するが，ゲームではこの音をうまくコントロールして効果音やメロディに使うものもある。

BeOS 【ビーオーエス】

Be社が開発したOS。もと，Be社のPowerPCを2個使用したマルチプロセッサ型パーソナルコンピュータ BeBoxのために開発された。現在はPowerPCのMacintosh用とIntelのx86系のPC用がある。8個までのマルチプロセッサを自動認識し，大容量の3Dグラフィックス，動画，音声などのデータ処理を高速に行うよう特化している。Be社は元Apple社の製品担当重役Jean-Louis Gasséeの設立。(次ページ図参照)

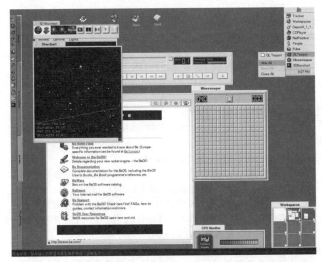

BeOS

BGA 【ビージーエー】 *Ball Grid Array*

ICのパッケージ形態の1つで，底面の基盤に格子状に並ぶ球状の
ハンダを端子とするもの。

Big5 【ビッグファイブ】

コンピュータ用の中国語コード体系の1つ。繁体字（伝統字）中国
語コード体系のなかで最も普及している事実上の標準。台湾の大
企業5社の合意に基づいて成立したためこの名がある。中華人民
共和国で定めた簡体字中国語の標準GB2312とは互換性がない。

BinHEX 【ビンヘックス】

Macintoshのバイナリファイルを通信で交換するため，テキスト
ファイルに変換するユーティリティ。変換されてできたテキスト
ファイルには拡張子.hqxが付加される。

BIOS 【バイオス】 *Basic Input/Output System*

コンピュータの基本動作命令を集めたプログラム群のことで，ビデ
オアダプタやキーボード，フロッピーディスク，ハードディスク，
プリンタといったハードウェアを制御する機能をもっている。
ほとんどのパーソナルコンピュータではマザーボード上のROMに

記録されている。

B-ISDN 【ビーアイエスディーエヌ】　　*Broadband Integrated Services Digital Network*

広帯域統合サービス・デジタル通信網。150Mbpsおよび600 Mbps と伝送速度が高速化され, 従来のISDNより多量のデータを伝送できるようになった。これにより音声や静止画像に加え, ハイビジョンのような精細な動画も伝送できる。

bit 【ビット】　　*bynary digit*

コンピュータで扱う最小の情報単位。binary digitを略したもの。
○ビット

BitBlt 【ビットビルト】　　*bitblock transfer*

メモリから画面へ, 画面からメモリへ, 画面のある場所から別の場所へのビット列の転送処理および演算処理のこと。Windowsなど, ビットマップで画像を描く際にパターンを転送したり画面イメージを移動する操作に使われる。Windows用グラフィックアクセラレータはBitBltを高速化している。

BMUG 【ビーマグ】

カリフォルニア州バークレイにある世界最大規模のMacintosh ユーザーグループ。さまざまな活動を行っており, BBSの運営やフリーソフトウェアを集めたCD-ROM の発行などが有名。以前はBerkeley Macintosh User Groupと呼ばれていたが, 現在では BMUGが正式な名前。

BNC コネクタ 【ビーエヌシーコネクタ】　　*BNC connector*

10BASE-2の配線や高解像度ディスプレイ, 高周波測定装置, ハンディトランシーバなどに使われている小型の同軸ケーブル用コネクタ。はめ込み部を90度回転させるだけでロックでき, 高周波特性が良く, 場所を取らないというメリットがある。(次ページ図参照)
○10BASE-2

BOOTP 【ブートピー】　　*BOOTstrap Protocol*

ハードディスクのないワークステーション端末が稼動するためのプロトコル。起動するとIPアドレスやサブネットマスク, デフォルトゲートウェイなどのネットワーク情報をサーバから取得し, さらにリモートサーバからシステムファイルをダウンロードして動作を開始する。IPアドレスの取得にはRARPプロトコルが使われる。

BNCコネクタ, 右は分岐用の T 型コネクタ

BPLUS 【ビープラス】

NIFTY-ServeおよびCompuServeで採用されているファイル転送プロトコルのひとつ。転送効率が高く, ファイルの送信と受信を意識して使い分ける必要がないため, 扱いやすい。

BPR 【ビーピーアール】　*Business Process Reengineering*

ビジネス・プロセス・リエンジニアリングのこと。ビジネスのプロセスそのものを根本的に見直し, デザインしなおすことによって, 企業の業績を劇的に向上させるための経営手法を指す。リストラクチャリングが組織の統廃合による事業の再編成を行うのに対して, リエンジニアリングは顧客満足の観点から仕事のプロセスに注目し, このプロセスに緩やかな改善ではなく抜本的な革新を施す。このため実施にあたっては, トップダウンによる推進と情報通信技術の活用が必要とされる。

bps 【ビーピーエス】　*Bit Per Second*

データ伝送速度の単位。1秒間に何ビットのデータを伝送できるかを表す。数値が高いほど短時間でデータを送ることができる。一般に同じ意味でbaudという単位も使われているが, bps と baudは一致するとは限らない。

⊃baud

BS　【ビーエス】

(1)放送衛星 *Broadcasting Satellite*

放送衛星を利用したTVや音声，データ放送のこと。地上から衛星に電波を送り，その電波を地球に送り返す。その衛星から送られた電波を受信アンテナ(パラボナアンテナ)で受信するといった放送形態をとる。現在，NHK衛星第一・第二放送・ハイビジョン放送，日本衛星放送(WOWOW)，衛星デジタル音楽放送(St.GIGA)の各局による放送が実施されている。

B

(2)バックスペース *Back Space*

NECのPC-9800シリーズ用のキーボードにある後退キーの表記。DOS/V用の106キーボードではBackspaceキーにあたる。

BSC　【ビーエスシー】　*Binary Synchronous Communications*

2進データ同期通信。1964年にIBMが発表した伝送制御手順。半二重，文字同期方式の伝送を行う。

BSD版　【ビーエスディーバン】　*Berkeley software distribution*

カリフォルニア大学バークレー校(UCB)で開発されたUNIX。UNIXは最初AT&Tのベル研究所で誕生したが，そのソースコードが各地の大学や研究所に配布され，改良が加えられた。中でもUCBではWilliam Joy(現Sun Microsystems社) らのハッカーによって精力的な改良が続けられ，きわめて使いやすいバージョンができあがった。これをBSD版といい，大学や研究者向けに普及している。現在，AT&T版とBSD版とを統合する努力が進められている。

⊂UNIX, Sun Microsystems

B-tree　【ビーツリー】

データベースのインデックス管理アルゴリズムのひとつ。データを木構造でもち，それぞれのデータが次のデータの位置を示すポインタをもっている。そのため，データ全体を検索しなくても，目的のデータをすばやく見つけることが可能。

また，2分割法のようにデータが昇順，あるいは降順にソートされている必要がなく，新しいデータの追加や変更，削除はツリーの部分的な再構成によって行われるので高速に実行される。(次ページ図参照) ⊂木構造

Btrieve　【ビートライブ】

B-tree方式によるISAMツール。排他制御や障害対策，セキュリティ機能などをもっている。NetWareにはNLM(NetWare Load-

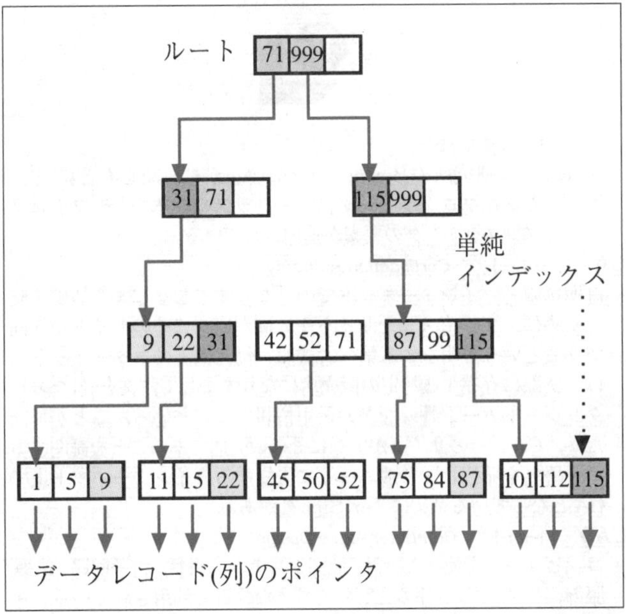

B-tree

able Module)として標準でバンドルされており，クライアントサーバ型のデータベースを効率良く開発することができる。

byte　【バイト】

⇨バイト

B判　【ビーバン】

用紙の大きさを表す判型の一つ。B4判，B5判などのようにして用紙のサイズを指定する。B0判を最大の大きさ（幅1030mm×長さ1456mm）として，これを基に2つ折りした大きさが次のサイズになって数字が上がる。パソコンのプリンタでよく用いられるB5判の大きさは，幅182mm×長さ257mmである。⇨印刷用紙

C++ 【シープラスプラス】

AT&Tベル研究所のBjarne StroustrupがC言語をもとに設計,開発した汎用プログラミング言語。クラスや継承などオブジェクト指向プログラミングの要素が追加されている。

CA 【シーエー】　*Certification Authority*

証明権限者。インターネットでの「なりすまし」による盗聴を防ぐために,アクセスしたサイトや人間が実際にそのサイトや人間であるという証明をする第三者機関。例えば,インターネットでは,実際に存在する特定の販売店になりすまして注文を受けつけ,クレジットカード番号などの信用情報を盗むといったことが可能だが,CAはそのサイトが実際にその販売店であることを証明する電子署名を発行し,一般ユーザに告知する。インターネット上でCAとなっている企業にVeriSign社がある。

CAD 【キャド】　*Computer Aided Design*

コンピュータを使った設計,製図システム。機械,電子回路,建築,服飾,土木,プラントなど,さまざまな分野で利用されている。単に図面を作るだけのものから,使用する部品のデータベースをもってそれを呼び出し,組み合わせられるもの,その設計で正常に動作するかをシミュレーションするものなど機能もさまざまである。

CAD/CAM 【キャドキャム】

CADとCAMを連動させ,設計から製造までコンピュータ化すること。⊃CAD, CAM

CAE 【シーエーイー】　*Computer Aided Engineering*

CADなどで設計を開始する前に,設計に必要なデータの収集,解析を行うこと。
⊃CAD/CAM

CAI 【シーエーアイ】　*Computer Assisted Instruction ,Computer Aided Instruction*

コンピュータを利用した教育システムのこと。教育内容の説明やドリルの出題,チュートリアルなどをコンピュータが行い,生徒が他の生徒の進度に関係なく,自分のペースで個別に学習を進めることができる。

CALS 【キャルス】 *Computer Aided Logistic Support*

コンピュータ支援による兵站(ロジスティック)システム。1980年代半ばから米国国防総省が開発した,兵器の補給のためのシステムが始まり。国防総省の調達に関する全てのデータを一定の規格にもとづいて電子化することで,情報の共有化と紙の書類の削減,処理のスピードアップをはかり,業務の効率化とコストダウンを実現する。その後徐々に機能が拡大され,Computer Aided Acquisition and Logistic Supportや, Continuous Acquisition and Lifecycle Supportなど調達(Aquisition)を加えた定義に変わり,更に最近では,商取引きや決済業務を含めた,Commerce At Light Speed(光速での商取引き)まで広がり民間企業にも浸透しつつある。

CAM 【キャム】 *Computer Aided Manufacturing*

CADで設計した画面にしたがって必要なデータを揃え,実際の製造までを自動的に行うシステム。CADと組み合わせることで,工場の完全自動化,生産計画の完全制御を実現しつつある。

Caps Lock 【キャプスロック】

キーボード上にあるキーのひとつ。スイッチのようにONとOFFの状態があり,ONではシフトキーを押した状態が保たれる。ONとOFFの切り替えは,スイッチのように,1度押すとONになり,次にもう一度押すとOFFになるようになっている。

CAPTAIN 【キャプテン】 *Character And Pattern Telephone Access INformation system*

情報センターと家庭にあるテレビやパーソナルコンピュータを電話回線で結び,ユーザーが必要とする情報をテレビ画面に絵や文字で表示する情報メディア。ビデオテックス(Videotex)の国際規格のひとつ。

CardBus 【カードバス】

ノートパソコンなどに使われている,PCMCIA/JEIDAの規格に対応したPCカードの新しい仕様。バス幅を32ビット化し,より高速にデータのやりとりができることが特徴。⊃PCカード

CASE 【ケース】 *Computer Aided Software Engineering*

コンピュータを利用してソフトウェアを開発する技術。要求分析から基本設計,詳細設計,コーディングそして保守までの各工程をコンピュータの助けによって効率よく進める手法。要求分析から基本設計を支援するものを上流CASE,詳細設計から保守まで

支援するものを下流CASE，全体を支援するものを統合CASEという。CASEに基づくソフトウェア開発ツールをCASEツールという。

CASL 【キャスル】

情報処理技術者試験に出題される仮想のコンピュータ，COMET（コメット）のアセンブラ。4種類の疑似命令，3種類のマクロ命令と23種類の機械語命令で構成される。

Castanet 【カスタネット】

Marimba社のJavaベースのプッシュ型インターネット配信ソフトウェア。Netscape Communicatorのプッシュ型クライアントであるNetcasterの技術に採用されている。

⟳プッシュ型

CAT 【キャット】　　*Credit Authorization Terminal*

クレジット信用照会端末。クレジットカードに記録されている情報をホストコンピュータに問い合わせ，支払いの信用状況を調べるもの。ブラックリストに載っているか，事故カードではないか，支払い限度額を越えていないかといったチェックを素早く行える。

かつては人手によってチェックを行っていたが，クレジットカード利用が一般的になるとともに，信用照会のスピードアップが求められるようになった。そこで登場したのがCATである。

CATV 【シーエーティーヴイ】　　*Cable Television*

有線テレビジョン放送施設のこと。同軸ケーブルのツリー状分配網を利用し，多くのテレビ番組を伝送するシステムをさす。日本では，テレビ放送の難視聴地域対策として普及してきたが，最近ではオリジナル番組やBS放送，CS放送などの衛星波再送出も行われており，数十もの提供チャンネルを備えた都市型CATVも増えている。また，CATVのケーブル網を電話サービスやパソコン通信等に利用するなど，第二の電気通信ネットワークとしても注目を集めており，マルチメディア時代の主役を担うものと期待されている。

CAV 【シーエーブイ】　　*Constant Angular Velocity*

読み出し専用の光ディスクである，追記型光ディスクの記録方式の一種。アナログディスクプレイヤー（レコードプレイヤー）同様，一定速度で回転するディスクドライブで記録するため，外周と内周の情報量が等しくなっている。

⟳CLV

CBGA 【シービージーエー】　*Ceramic Ball Grid Array*

ICのパッケージ形態の1つ。BGA方式で筐体がセラミックのもの。

　◯BGA

C Builder 【シービルダー】

Inprise社のC言語によるソフトウェア開発ツールの製品名。言語製品は旧社名であるBorlandブランドで発売している。

CC 【シーシー】　*Carbon Copy*

カーボンコピー。電子メールやニュースのメッセージ送信の際，同時に同内容のものを別の宛先に控えとして送信すること。またその宛先やメッセージのこと。CCの送付先は直接の通信相手ではなく，確認するだけの第3者。相手先にもCCメールが送られたことは知らされる。通常CCメールに返信はしない。

CCD 【シーシーディー】　*Charge Coupled Device*

電荷結合素子。ビデオカメラやイメージセンサなどに使われる，光を電気信号に変換する素子。

1970年にAT&Tベル研究所で開発された。MOS構造のデバイスで，光が当たったことによって生じた電荷の変化を，次々と隣のブロックに転送し，電気信号に変換する。

CCDが実用化されるまで，ビデオカメラには撮像管という真空管が使われていたが，CCDの採用により，一挙に小型化，省消費電力化，軽量化が実現した。

現在では小型の1/3インチのもので40万画素を超えるものが製造され，大型のものでは高品位テレビ用に200万画素のものも登場している。

CCITT 【シーシーアイティーティー】　*Comite Consultatif International Telegraphique et Telephonique*

国際電信電話諮問委員会。ITUに属する機関で，電気通信の技術や運用の諸問題について規格を検討。ジュネーブに本部を置き，4年ごとに勧告を行い国際的標準化をすすめてきた。

1992年12月のITU総会決議により，CCITTはCCIR（国際無線通信諮問委員会）の一部と統合し，1993年3月からITU-TS（ITU Telecomunication Standard Section：標準化セクター）へと改編された。これまでのCCITT勧告はそのままITU-T勧告と読み換える。

　◯ITU

<u>CD</u> 【シーディー】　*Compact Disk*

　コンパクトディスク。光ディスクのひとつ。ソニーとPhilips社が基本規格を制定しライセンスを提供している。その仕様はRed Book(レッドブック)，Yellow Book(イエローブック)，Green Book(グリーンブック) などで定められている。

　軽くてコンパクト，大容量のデータを記録できるので，さまざまな分野で使われている。通常の音楽用CDは正式にはCD-DAという。

　そのほか，コンピュータ用記録メディアとして使われるCD-ROM，マルチメディア用のCD-ROM XA，対話型操作ができるCD-I，書き換え可能なCD-MO，追記型のCD-WOなどがある。

<u>CD</u> 【シーディー】　*Cash Dispenser*
　◯ATM

<u>CD-DA</u> 【シーディーディーエイ】　*Compact Disk Digital Audio*

　音楽用コンパクトディスク。レッドブックで規定されている。1982年に市場に投入され，それまでのLP/EPレコードに取って代わる存在となった。

　拡張規格として音声と同期した静止画をテレビに表示するCD-G(CDカラオケ)，256色のカラー画像を2枚同時に扱い，歌詞と画像を別々に表示できるCD-EG，オーディオ信号に同期してMIDI信号を出力するCD-MIDI，アナログビデオ信号を記録したCDV，CDサイズのレーザディスクVSDなどがある。

　◯CD

<u>CD-G</u> 【シーディージー】　*Compact Disk Graphics*

　CD(コンパクトディスク)の規格のひとつ。従来の音声に加え，グラフィックスの再生もできる。主にカラオケ業界で利用されてきたが，最近ではゲームソフトや教育ソフトなどの幅広い分野で利用されている。

<u>CD-I</u> 【シーディアイ】　*Compact Disk Interactive*

　対話操作が可能なCD-ROMシステム。グリーンブックで規定されている。パーソナルコンピュータやゲーム機で使われるものと違い，マイコンを内蔵した専用のプレイヤーをプログラムでコントロールする。

　また，プログラムの規格も統一されており，CD-I対応と銘打ったプレイヤーならばどれでも再生できる。

　◯CD

CDMA 【シーディーエムエー】 *Code Division Multiple Access*

符号分割多元接続。デジタル携帯電話の接続方式の1つ。スペクトラム拡散技術を使い，基地局と通話者とを結ぶ単一の周波数を，通話チャンネルごとに異なる符号で符号化することにより，複数ユーザの同時通話を可能にする方式。Qualcomm社が開発し，TIA（通信工業会）で規格化され，北米での標準方式となっている。

cdma2000 【シーディーエムエーニセン】

米国で有力な広帯域CDMAの規格。チップレート3.6864Mcpsで3.75MHzの拡散帯域幅。現在すでに実用化され北米で普及している携帯電話方式cdmaOneと互換性を保ったまま，IMT-2000の次世代標準を実現しようというもの。cdmaOneの特徴である隣接基地局で同期をとるシステムを引き継いでいる。

cdmaOne 【シーディーエムエーワン】

デジタル携帯電話などの移動通信網で，CDMA方式によるサービスの名称。業界団体CDG（CDMA Development Group）が商標登録している。日本ではセルラー電話グループ（DDI），日本移動通信株式会社（IDO）が採用している。

CD-R 【シーディーアール】 *Compact Disk Recordable*

記録可能な追記型CD。CD-Rは，これを開発した太陽誘電の商品名。記録したディスクは，通常のCDと光学的特性など諸特性が同一なため，CDプレーヤで再生が可能。

CD-R

CD-ROM 【シーディーロム】 *Compact Disk Read Only Memory*

コンパクトディスクにデジタルデータを記録し，読み出し専用のメ

モリ (ROM) として使用するもの。

音楽用CDプレイヤーではCD-ROMを読み取ることはできず, 専用のCD-ROMプレイヤーが必要。多くのCD-ROMプレイヤーで, 音楽用CDを再生することは可能である。

記憶容量は12センチのもので約540Mと650Mバイト。ハードディスクとくらべてアクセススピードが遅いものの, 小型で大容量, 大量生産が容易なことからOSやグラフィックデータ, サウンドデータなどを供給するのに使われている。

CD-ROM ドライブ

CD-ROM Extensions 【シーディーロムエクステンション】 *CD-ROM Extensions*

CD-ROMをMS-DOSで使えるようにするための拡張プログラム。CD-ROMドライバとMSCDEX.EXEからなり, デバイスドライバとしてCD-ROMドライバを組み込み, MSCDEX をTSRとしてメモリに常駐させる。通常はCD-ROMドライブに付属している。

⟳TSR

CD-ROM XA 【シーディーロムエックスエー】 *CD-ROM eXtended Architecture*

CD-ROMで音声と画像データを扱うマルチメディアのための拡張規格。CD-Iの機能をCD-ROMで実現しようというもので, デー

タ形式はCD-Iと同じ。画像データは640×480ドット，または320×200ドット。

CDSA 【シーディーエスエー】 *Common Data Security Architecture*
Intel社の提唱するネットワーク環境におけるデータのセキュリティ仕様。ユーザのデジタル身分証明書や暗号化アルゴリズムについての体系が定められている。

CD-V 【シーディーブイ】 *CD Video*
CDの中に記憶された動画とハイファイオーディオが同時に楽しめるように作られたもの。動画の部分は最大5分，動画抜きの音声は最大20分記録可能。CD-V専用のプレーヤを必要とするが，CDの音声は通常のCDプレーヤで再生できる。94年秋に国内の家電メーカーが家庭向けのCD-Vプレーヤを一斉に商品化した。

CD-RW 【シーディーアールダブリュー】 *Compact Disk ReWritable*
再書き込み可能なコンパクトディスク。追記型のCD-Rと異なり，いったん記録したデータの書き換えが可能。CD-ROMやCD-Rよりもレーザー光の反射率が悪くCD-ROMドライブでは読み出しができない。

CE 【シーイー】 *Customer Engineer*
カスタマエンジニア。ユーザーのためにコンピュータのハードウェアのメインテナンスを行う技術者のこと。

Celeron 【セレロン】
Intel社が1998年に出荷開始したPentium IIと同世代のP6アーキテクチャを持つ廉価版CPU。1,200ドル以下のベーシックPCでの使用を目的として設計された。(次ページ図参照)

CEO 【シーイーオー】 *Chief Executive Officer*
最高経営責任者。日本の株式会社でいえば社長にあたる。

CERN 【サーン，セルン】 *Conseil Européen pour la Recherche Nucleaire*
欧州共同原子核研究機関のフランス語の略。
インターネットのWWWが開発されたところとして知られている。

CES 【セス】 *Consumer Electronics Show*
毎年，1月と6月に開催されるアメリカ最大の個人・家庭向け電子製品の展示会。
1月に開かれるものをWinter CESといい，毎回ラスベガスを会場としている。出展内容は，ゲーム機器やゲームソフトウェアなどのエンターテイメント，マルチメディア機器，ビデオ機器，オーディオ機器などが中心。

Intel 社 Celeron

CG 【シージー】　*Computer Graphics*

コンピュータグラフィックスの略語。コンピュータによって図や
動画を作成すること。現実に存在しない構造や形状や動作を表現
することができ, 何度でも修正が可能である。

テレビ番組, 映画, ゲーム, 広告, シミュレーションなどさまざま
な分野で利用されている。

●CAD, サーフェスモデル, ソリッドモデル, ワイヤーフレームモデル

CGA 【シージーエー】　*Color Graphics Adapter*

IBM-PC発売時のカラーグラフィックボード。解像度は

640 × 200 ドット　モノクロ
320 × 200 ドット　4色

の2種類

発売当時でも高性能グラフィックボードとはいえなかった。おも
にゲーム向きのグラフィックボードとして用いられた。

CGI 【シージーアイ】　*Common Gateway Interface*

通常のホームページでは, 単にHTMLファイルに記述されている

文字を表示したり，指定された画像ファイルを表示するだけだが，CGIを使うとHTMLの中にプログラムを埋め込むことができる。したがって，ユーザーがWebブラウザから入力した情報に対して，プログラムを実行しその結果をブラウザに返すといった処理ができる。よく使われる例として，ホームページに何人がアクセスしたかを示すカウンタ表示のほとんどがCGIで作られている。現在ではJavaやJavaスクリプトなどの別の方法もあるが，CGIを使ったプログラムは今なお幅広く利用されている。

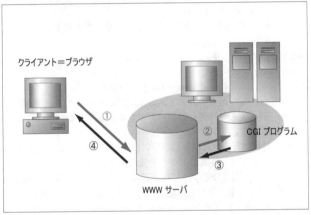

CGI プログラムの実行プロセス

CGMS 【シージーエムエス】 *Copy Generation Management System*
DVDなどで，デジタル著作物の複製を制限したり許可できるシステム。通常のデジタル信号のほかに，媒体に書き込みを許可しない信号，1回だけ許可できる信号，無制限に許可する信号を組み込む。1回だけ許可できる信号のしくみは，SCMSで用いられているものと同様である。
　⊃SCMS

CIM 【シーアイエム】 *Computer Integrated Manufacturing*
コンピュータ統合生産システム。工場の生産部門の自動化だけではなく，資材の発注や品質管理，生産管理などを工場内のLANにより結び付け，総合的に管理する工場の自動化システムのこと。

__CIS__ 【シーアイエス】　*CompuServe Information Service*
CompuServeのこと。
　○CompuServe

__CISC__ 【シスク】　*Complex Instruction Set Computing (or computer)*
複雑な命令セットを備えたプロセッサや計算機技術をさす。現在，
多くのパーソナルコンピュータで使われているIntel社の80x86や
Motorola社の680x0などのマイクロプロセッサはCISCである。
さまざまな命令をプロセッサ内部のマイクロコードによって展開
し，解釈して実行するため，多くのクロックサイクルを必要とする
が，命令の機能が豊富である。
これに対し，命令セットを単純化させて処理速度を向上させようと
いう技術がRISCである。

__CJK 統合漢字__ 【シージェイケートウゴウカンジ】
　○Unicode

__CLV__ 【シーエルブイ】　*Constant Linear Velocity*
読み出し専用の光ディスクである追記型光ディスクの記録方式の
一種。ディスクの外側と内側のデータの記録密度が同じになるよ
うに記録されている。
つまり外側に行くほど情報量が多いわけだが，それを読みとるディ
スクドライブは，外周のデータを読むときは速く，内周のデータ
を読むときは遅くなるように回転速度を調整しなくてはならない。
CAV方式よりもアクセス速度は遅い。○CAV

__CMOS__ 【シーモス】　*Complementary Metal Oxide Semiconductor*
MOS構造の半導体素子を使ったICの総称。低消費電力であり，
かつ高速な動作が可能で，RAMやスイッチング回路に使われて
いる。
　○バイポーラ IC

__CMOS RAM__ 【シーモスラム】
CMOS構造のRAM。低消費電力であることから，バックアップ
電源付きのメモリスイッチやクロックカレンダー回路に使われる
ことが多い。
多くのIBM PC/AT互換機には電源バックアップ付きCMOS
RAMメモリにシステム情報を記憶させておき，マシンの動作状況
の最適化を図っている。不揮発メモリまたはCMOSと呼ばれる。

__CMYK__ 【シーエムワイケー】　*Cyan Magenta Yellow blacK*
シアン，マゼンタ，イエローという色の3原色にブラックを加えた，

減法混色での色の構成要素。印刷業界では並び順が違うだけの
YMCKという言葉を使うことが多い。
◯YMCK

COBOL 【コボル】　*Common Business Oriented Language*

1959年から1961年にかけて制定された，事務処理向けのコンパイ
ラ言語。アメリカ合衆国国防省，コンピュータメーカー，ユーザー
の3団体によるCODASYL によって開発された。

英語に似た構文で，記述スタイルについても細部まで決められてい
る。読んでわかりやすく，ドキュメント性が高い。ただし，基本的
に演算機能は四則演算のみで，技術計算には適していない。

CODASYLはしばしばCOBOLの仕様を改定・強化しており，現
在標準COBOLは日本ではJIS X3002 1992となっている。

CODASYL 【コダシル】　*Conference on Data System Languages*

データシステム言語協議会。1959年，アメリカ合衆国政府，コン
ピュータメーカー，ユーザーの3団体によって構成された。事務用
のプログラミング言語の開発を目的とする団体。

1960年には事務用プログラミング言語としてCOBOLが発表さ
れ，そのあと，データベースの言語についても研究が行われ，CO-
DASYL型データベースを開発している。
◯COBOL

CODEC 【コーデック】　*COder-DECoder*

デジタル信号をアナログ音声信号に変換し，アナログ音声信号をデ
ジタル信号に変換する回路。モデムはCODECの一種である。
◯モデム

color sync 【カラーシンク】

スキャナ，ディスプレイ，プリンタなど異なる装置の間で，同一の
色を扱えるようにシステム環境を整えるカラーマネジメントの機
能を実現するもの。

米Apple Computer社がMacOSの拡張機能として開発した。

COM 【コム】　*Component Object Model*

Windows用に開発されたオブジェクト指向技術で，オブジェクト
間の通信方法を規定したMicrosoft社の規格。OLEの基となって
いる。

COM+ 【コムプラス】　*Component Object Model +*

Microsoft社の規定するCOMの拡張版。オブジェクトを開発する
際にかかる工程がCOMよりも軽減された。

⟳COM, DCOM

Compact HTML 【コンパクトエイチティーエムエル】

(株)アクセスの携帯情報端末組み込み用HTMLブラウザCompact
NetFrontで採用された簡易版HTML。HTML4.0に準拠してい
るが，画像表示はGIFのみで，イメージマップ，背景色や壁紙，
フレーム，テーブル，フォント指定，スタイルシートのタグをサ
ポートしない。またCompact NetFrontの機能としてURLの代
わりに「tel:電話番号」を入力し，電話接続ができる。Compact
NetFrontは，日本の携帯電話製品に多く採用され，同社は1998
年，(株)松下電器産業，日本電気(株)，富士通(株)，三菱電機(株)，
ソニー(株)のメーカー5社とともに，Compact HTML をWWW
の国際標準化団体W3Cに国際規格として提案している。

COMDEX 【コムデックス】　*COMputer Dealer's EXposition*

アメリカで春と秋に開催されるパーソナルコンピュータのデ
ィーラー向け展示会。秋にネバダ州ラスベガスで開催される
COMDEX/Fallは全世界からメーカー，ディーラー，ディスト
リビュータ，その他の関係者が集まる世界最大のコンピュータ
ショー。春に開催されるCOMDEX/Springは，会場は固定化され
ておらず秋に比べると小規模である。

1995年にソフトバンクが買収した。(次ページ図参照)

COMMAND.COM 【コマンドコム】

MS-DOSのシェルプログラム。キーボードから入力されたコマン
ドをCOMMAND.COMが解析し，MS-DOS本体に引き渡す。
DIRやCOPY，TYPEなどの内部コマンドはCOMMAND.COM
に内蔵されている。

Command キー 【コマンド】　*Command key*

Macintoshのキーボードで，⌘というマークの付いているキー。
単独で入力するキーではなく，他のキーと同時に押すことでメ
ニュー選択やショートカットができる特殊キー。

Common Lisp 【コモンリスプ】　*common lisp*

Lisp言語を手続型リスト処理言語として発展させたもの。Com-
mon Lisp委員会で仕様が決定されている。

Commodore 【コモドール】　*Commodore International Limited*

アメリカのコンピュータメーカー。1977年に発売されたApple II
とほぼ同時期に，同機にも採用されたRockwell International社の
8ビットCPUである6502を搭載したPET2001を発売。その後，

COMDEX/Fall 会場

1980年にはVIC-1001, 1982年にはC64を発売した。

1985年以降はMotorola社の68000系マイクロプロセッサを搭載し，グラフィックやサウンド，ビデオ機能に優れたAMIGA(アミーガ)シリーズが中心。

◇AMIGA

Compact Pro 【コンパクトプロ】

Macintosh用のシェアウェアであるファイル圧縮プログラム。StuffItとともに多くのユーザーに使用されている。

Compaq 【コンパック】　　*Compaq Computer Corporation*

アメリカにある最大手IBM PC互換機メーカー。1982年，元TI社員Rod Canionが中心になって設立。世界最初のポータブルIBM PC/XT互換機，COMPAQ Portable Iを発売し，大ヒット商品となる。1986年には世界最初の386を採用したIBM PC/AT互換機，DeskPro386を発売するなど高級互換機を製造し，アメリカビジネス史上，もっとも短期間でFortune500（経済誌Fortuneが発表するトップ500企業）にランクされる優良企業となった。90年代に入って，一時売り上げが低迷，Rod Canionら幹部は社を去っているが，1994年には，米国で売り上げNo.1となった。日

本では，1992年に超低価格DOS/V マシンを投入し，NEC PC-9800シリーズをも巻き込む低価格，高機能パーソナルコンピュータ競争の火付け役となった。1998年にはかつてIBMに次ぐ規模を誇ったコンピュータメーカーのDEC社を吸収合併した。

COMPAQ ProLinea シリーズ

CompuServe 【コンピューサーブ】
米国のパソコン通信サービス。その母体が生まれたのは1969年と古く，ユーザー数の拡大とともに年々その規模を拡張した。1989年には大手ネットワークサービスのThe Sourceを吸収合併，世界最大のBBSとなったがインターネットの普及で低迷し，AOLにコンテンツを売却。日本国内からは，NIFTY-Serveからのゲートウェイ，あるいはKDDのVENUS-P，VANサービスのTYMPASなどを利用してアクセスが可能である。

Computex Taipei 【コンピューテックスタイペイ】
台北国際電脳博覧会。毎年，6月に台北で開かれるコンピュータショウ。台湾製のIBM PC互換機およびその部品の展示が中心で，最近では日本から参加する人も多い。（次ページ図参照）

COM ファイル 【コムファイル】　*COMmand file*
MS-DOS、OS/2、Windowsの実行ファイルで、64KB＝1セグメント以下のサイズに収まるもの。拡張子がCOM。
⊃EXE ファイル

Computex Taipei（左上）と台北電脳街（右下）

COM ポート 【コムポート】　*COMmunication port*
PCに装備されているシリアルポート。マウス、モデムを接続する場合が多い。ツイストケーブルを用いてパソコン同士の接続にも使える。

CONFIG.SYS 【コンフィグシス】
MS-DOSの使用環境を設定するファイル。起動時にその内容を参照し、FILES数、BUFFERS数の指定、シェルの指定、デバイスドライバの組み込みなどを行う。

CONTROL.INI 【コントロールイニ】
Windowsにおいてコントロールパネル機能を定義するファイル。

Cookie 【クッキー】

ホームページを訪問したユーザをWWWサーバがチェックできる機能。ホームページにヒットする（ユーザがアクセスする）と，その情報がWWWサーバ側とユーザのパソコン側のハードディスク内に記録される。次回同じページにアクセスすると，サーバ側ではユーザ側の情報を参照する。いつどのページを見たかなどに基づき，個々のユーザに対して効果的な表示やサービスができるメリットがある反面，個人情報の漏洩や，ウィルス配布に悪用されるなどの弊害も否定できない。ブラウザ側の設定でCookieを無効にすることができる。

Copyleft 【コピーレフト】

FSF(Free Software Foundation)がGNUプロジェクトの中で主張している，「誰もが，作成者の許可を得ることなしに自由に使用でき，多くの人と共有することを目標とし，独占することを禁止する」権利。正式にはGPL(general public licence)という。
具体的には，以下の事柄を実現することを目的としている。

- フリーソフトウェアの複製物を自由に頒布したり販売できること。

- 希望しさえすればソースコードを現実に入手できるか，あるいはその入手が可能であること。

- 入手したソフトウェアを変更したり，新しいフリーソフトウェアの一部として利用できること。

- 以上の各内容を行うことができるということをユーザー自身が知っていること。

なお，ここで使われている"フリー"とは，「無料」という意味だけではなく，「ソフトウェアを配布したり，変更する自由」という意味もある。
⇒FSF, GNU, フリーソフトウェア

CORBA 【コルバ】　*Common Object Request Broker Architecture*

分散オブジェクト間の通信方法を規定した規格。OMGが制定した。現在のバージョンCORBA2では，それぞれ異なるメーカで開発されたORB同士も通信しあえるようになった。
⇒ORB、OMG

CPI 【シーピーアイ】 *Character Per Inch*

プリンタが、1インチ(25.4mm)の幅に印字できる文字の数。文字間隔を示す単位。

CPL 【シーピーエル】 *Character Per Line*

プリンタが、1行に印字できる文字の数。

CP/M 【シーピーエム】 *Control Program for Microcomputer*

1974年にDigital Research社が開発した8086系の8ビットマイクロコンピュータ用OS。フロッピーディスクで起動するOSとして、後のMS-DOSに影響したDOS (Disk Operating System) と呼ばれるOSの起源である。様々な機種に移植された。IBM社から、同社初のパソコンであるPCへの移植を依頼されたが、開発者が応じなかったという経緯があったため、後発のMS-DOSが採用されたという逸話がある。その後16ビットパソコン用のCP/M-86、CP/M-68Kが開発され、MS-DOS互換OSのDR-DOSに発展した。

CPS 【シーピーエス】 *Character Per Second*

プリンタの印字速度を表す単位。1秒間に印字される文字数。

CPU 【シーピーユー】 *Central Processing Unit*

コンピュータの中央処理装置のこと。

パーソナルコンピュータではメモリやディスク、電源などを含めたケース全体をCPUと呼ぶこともある。

CPU ソケット 【シーピーユーソケット】 *CPU socket*

Intel社のCPUをマザーボードに搭載するコネクタ。以下の種類がある。

Socket 1	80486
Socket 2	80486, 486 用 Pentium ODP
Socket 3	80486, 486 用 Pentium ODP
Socket 4	Pentium60,66MHz, PentiumODP120,133MHz
Socket 5	Pentium75-200MHz, PentiumODP125-166MHz, MMX PentiumODP166-180MHz (ZIF ソケット)
Socket 6	80486 DX4 (ZIF ソケット)
Socket 7	Pentium 75-200MHz, MMX Pentium166-233MHz, Pentium ODP 125-166MHz, MMX PentiumODP166-200MHz (ZIF ソケット)

Socket 8	Pentium Pro (ZIF ソケット)
Socket 370	Celeron (ZIF ソケット)
Slot 1	Pentium II, III, Celeron
Slot 2	Pentium II Xeon, III Xeon

CR 【シーアール】 *Carriage Return*

行頭復帰のこと。元々は, タイプライタで, 印字位置を行頭に戻す動作のことをさしていたが, コンピュータでは, 改行キー (リターンキー, Enterキー) によって, 下の行に移ると同時に行頭へ戻る動作のことをさす。

コンピュータ内部では, コードとして認識しているが, コンピュータによってそのコードに若干の差がある。CRコードだけで改行と認識しているものと, CR + LFコードで認識しているものとがある。MS-DOSはCR + LFで改行するが, MacintoshはCRだけで改行となる。そのため, MacintoshのテキストをMS-DOSで読むと, 文書が改行されずにつながってしまい, 逆にMS-DOSのテキストをMacintoshで読もうとすると, LFの分がよけいな記号として表示されてしまう。

CRAY-1 【クレイワン】

Cray Research 社が開発した, 世界最初の商用スーパーコンピュータ。その処理速度は最大140M(メガ)FLOPSに達した。その後, さらに10倍強の処理速度をもつCRAY-2 を発表した。1988年に出荷を開始したY-MP832は4G(ギガ)FLOPS, 1333MIPSの処理速度をもち, Y-MPのバックエンドマシンとして動作するT3Dは150MHzのRISCプロセッサを最大2048台並列動作させ, 300GFLOPSの処理速度を得る。

⊃FLOPS, RISC

CRC 【シーアルシー】 *Cyclic Redundancy Check*

巡回冗長検査, 巡回符号検査, サイクリックリダンダンシチェックともいう。データ伝送時のエラーチェック方式の一種。

データをブロックという単位に区切り, そのブロックにある種の処理を行うことによって巡回符号が得られるようにする。得られた巡回符号をブロックの後ろにつなげて伝送し, 受信側で送信側と同じ処理を行い, 巡回符号が得られるかどうかで伝送中のエラーを検出するもの。この方式はブロック単位で行うためデータ量が少なくて済み, エラーの検出能力も高い。

CRT 【シーアールティ】　　*Cathode Ray Tube*

ブラウン管(braun tube)ともいう。コンピュータやテレビのディスプレイ装置に使う電子管。電子銃から発射された電子ビームを偏向コイルや偏向板に加えた信号で上下左右に曲げ，電子が当たると光る蛍光体をガラス内側の塗布した発光面の任意の位置に当て，画面に点を描く。

モノクロCRTは1個の電子銃と1色の蛍光体からなる。蛍光体には白，緑，黄色などが使われる。

カラーCRTは発光面にR(レッド)G(グリーン)B(ブルー)の3色の蛍光体が塗布されている。電子ビームの制御方式によって，3個の電子銃から3本の電子ビームを発射し，発光面直前に小さな穴の開いた金属板(シャドウマスク)を置くシャドウマスク方式と，1個の電子銃からRGB用3本の電子ビームを発射し，シャドウマスクを使わないトリニトロン方式とトリニトロンの3ビームタイプのダイヤモンドトロンなどがある。⇨トリニトロン

CS 【シーエス】　　*Communication Satellite*
⇨通信衛星

CSMA/CD 【シーエスエムエー/シーディ】　　*Carrier Sense Multiple Access/Collision Detection*

LANのネットワーク制御方式の一種。各端末が送信を行うとき，送信のための通信路が空いているかどうかを確認し，送る方法。空いていなければそのまま送信するとデータとデータがぶつかってしまうので，定められた乱数によって求められた時間だけ待ったあと，再度送信を試みる。Ethernetで採用されている。(次ページ図参照)
⇨LAN

CSNET 【シーエスネット】　　*Computer Science NETwork*

1980年代初期から1991年まで組織されていた，コンピュータ科学研究者中心のネットワーク。NFSNETに統合された。

CSP 【シーエスピー】　　*Chip Scale Package*

ICのパッケージで，チップ（石）とそれを覆う筐体の大きさがほとんど変わらないほどの大きさに収めたもの。またその技術の総称。さまざまな半導体メーカーが開発，提案している。

CSS 【シーエスエス】

(1) Cascading Style Sheet

HTMLでテキスト表示の書式をあらかじめ設定できるW3Cの規

CSMA/CD 方式

格。使用フォント，色，文字ピッチ，段組などが一括して定義でき
るCSS1（CSS Level1）と，XML対応，ダウンローラブルフォ
ント，音声対応を定義したCSS2（CSS Level2）がある。これ
に従い書式を設定した拡張子.cssのファイルをもいう。CSSに書
式を設定しておき，Webページに一括して適用することができる。
単にスタイルシートともいう。

(2)Content Scrambling System
松下電器が開発し規格化されたDVDに採用されているコピー防止
用の暗号化システム。

CSV 【シーエスブイ】　*Comma Separated Value*
データベースやスプレッドシートのデータをテキストファイルと
して保存するフォーマット形式のひとつ。項目間をコンマ「,」で
区切り，レコード間を改行で区切る。ほとんどのデータベースやス
プレッドシートで読み書きできる標準形式。

CS放送 【シーエスホウソウ】 *Commmunication Satellite broadcasting*

通信衛星を使用した衛星放送。BS(Broadcasting Sattelite)は放送専用衛星だが，CSは放送以外の通信用途を目的に打ち上げられたもの。デジタル法式のデータ伝送では放送を含む多目的な利用が可能になり，1989年の放送法改正で通信衛星を使用して放送事業を行うことも認められた。1999年現在日本で視聴可能な衛星デジタル放送サービスにSKY PerfecTV!, DirecTVがある。

CTI 【シーティーアイ】 *Computer Telephony Integration*

コンピュータと電話システムの統合。電話から音声を通じて電子メールの受発信をしたり，電話からWebサーバにアクセスして音声で情報を得るなど先進的な技術から，FAXサーバやプッシュフォンによる自動応答サービスなど既存のものまでを含む。広くデータ通信と音声通信を融合した技術やビジネスを指す。

CUI 【シーユーアイ】 *Character based User Interface*

ユーザがキーボードから文字（character）で命令を入力し，結果が文字で出力されるコンピュータの操作性のこと。アイコンやウィンドウなどの絵（graphic）をマウスで指示する操作性をGUI (Graphical User Interface) というのに対する反対語。古くはAltoやその系統を引き継ぐMacintoshに対し，MS-DOSやUNIXに代表されるコマンドインタプリタを採用したシステムを特にCUIであるといった。現在はエンドユーザにとって純粋にCUIといえるシステムは減ってきており，MS-DOSから発展したWindows, UNIXシステムに採用されたX-Windowなど，ほとんどの環境でGUIをとりいれている。

CU-SeeMe 【シーユーシーミー】

アメリカのコーネル大学で開発されたインターネットを使って，画像や音声をやりとりするための規格。

ビデオカメラを接続し，CU-SeeMe専用ソフトを使って専用のサーバに接続することで，ビデオカメラの画像を見ながら，会話を行うことができる。この機能をうまく利用すれば，海外とのビデオ会議も簡単に行うことができる。

CUG 【シーユージー】

(1)クローズドユーザーグループ *Closed User Group*

BBSにおいて，特定のメンバーだけが読み書きできる掲示板のこと。仲間内の連絡用から企業の情報交換，会議のために設置されることもある。一般にはその存在そのものが非公開となっている。

C

(2)Cユーザーズグループ　*C User's Group*

アメリカを本拠に活動しているC言語のユーザー組織。

Cyrix 【サイリックス】　*Cyrix Corporation*

アメリカのチップメーカー。i486の互換チップCx486DLC/DLC2やPentium互換の「M1」「5x86」「6x86」などを製造している。

C言語 【シーゲンゴ】　*C language*

システム記述能力に優れたコンパイラ言語のひとつ。1972年ごろ、AT&Tベル研究所のBrian KernighanとDennis Ritchieによって、DEC社のミニコンピュータPDP-11のためのOS, UNIXを記述するために開発された。その後、パーソナルコンピュータからワークステーション、メインフレームにまで移植されて普及した。アセンブラに近い自由度があり、簡素なコーディングと高い実行効率を特徴とする反面、エラーチェックが甘く、下手をするとファイルを壊したりするので初心者向きではない。

```c
#define   MAXLINE   1000
main() /* 後側のブランクとタブを取り除く */
{
  int n;
  char line[MAXLINE];
  while ((n=getline (line, MAXLINE))>0){
    while (--n >= 0 )
      if (line[n] != ' ' && line[n] != '\t'
        && line[n] != '\n')
      break;
    line[n+1] = '\0';
    printf("%s\n",line);
  }
}
```

C言語プログラム例（『プログラミング言語C』より）

C シェル 【シーシェル】 *C Shell*

Bシェルの拡張版で，BSD版UNIXに付属している。プログラミング言語としての構文が，C言語に似ているのでCシェルと呼ばれる。プロセスの実行はキー入力で行えるほか，フォアグラウンド/バックグラウンドに切り換えることができるジョブ制御，すでに実行したコマンドのリストを保持または多少変更して，繰り返し実行するヒストリ機能，複雑なコマンド行に簡単な名前をつけてコマンド名として使うエイリアス機能などがある。

C バス 【シーバス】 *C Bus*

NECのPC-9800シリーズの標準外部拡張バス。Cは「compatible」の意。最大データ転送速度は，10Mバイト/秒になる。94年7月には，PC-9800シリーズにPCIバスという高速バスをもつデスクトップの新機種が発売された。さらに同時に発売されたデスクトップ機には，Cバス上でプラグ&プレイ対応を実現する新しいBIOSも搭載された。

D.1 勧告 【ディーワンカンコク】

国際間における専用回線料金の運用原則のひとつで，ITU-T(旧CCITT)が定めた。

1991年にはこのD.1勧告の内容が緩和され，専用線相互の接続を原則として自由にするということ，専用線と公衆網の接続に関しては，公--専接続は国内法制度の枠内で認めた。また公--専--公接続は関係国間合意を条件として，国内法制度の枠内で認めることになった。

D2-MAC 【ディーツーマック】 *D2-multiple analog component*

EC(現在のEU)が標準化した次世代テレビ放送方式。ヨーロッパにはPAL方式とSECAM方式という2種類のテレビ方式があったが，ECの市場統合にともないこの2つの方式を統合する必要がでてきた。そこで登場したのが，現行のテレビ受像機でも視聴でき，専用受像機を使うと高画質になるD2-MAC方式である。

DAO 【ダオ】 *Data Access Objects*

Visual Basic4.0 でサポートされたプログラマがJetデータベース(Microsoft Accessのファイル＊.mdbのこと) のデータにアクセスするためのAPI。Microsoft社の用語。

DARPA 【ダルパ】 *Defence Advanced Research Project Agency*

アメリカ合衆国国防総省の軍事技術研究機関。BSD版UNIXやTCP/IP，インターネットなどの開発を援助してきた。

◯ARPANET, BSD 版, TCP/IP, インターネット

DASD 【ダスド, デイズディー】 *Direct Access Storage Device*

直接アクセス記憶装置ともいう。データへのダイレクトアクセスが可能であり，任意の場所にデータを記録できる補助記憶装置のこと。データを先頭から順番に読む必要がない。フロッピーディスク，ハードディスク，MOなどはDASDである。

DAT 【ディーエーティー／ダット】 *Digital Audio Tape*

デジタル信号で音声を記録，再生するカセットテープ。1985年にR-DATとして規格制定された。4ミリ幅のメタルテープに，最大4時間の記録ができる。オーディオ用としては据え置き型デッキに加え，ポータブルプレイヤーも登場した。

また，デジタルデータが直接記録でることから，バックアップ用ストリーマとしても活用されている。テープ1本で2Gバイトの記録が可能。

D/A コンバータ 【ディーエーコンバータ】　*Digital to Analog conversion*
デジタル信号をアナログ信号に変換する回路。コンピュータの内部ではデータはすべてデジタル信号であるが，それをアナログ信号を必要とする機器に出力する場合，D/A コンバータが必要になる。D/Aコンバータの原理は，図のように抵抗器を多数，はしご型に並べた回路。デジタル信号でスイッチ回路をON/OFFすることにより，対応したアナログ電圧に変換する。8ビットのA/Dコンバータでは255段の階段状のアナログ電圧を発生させることができる。
●A/D コンバータ

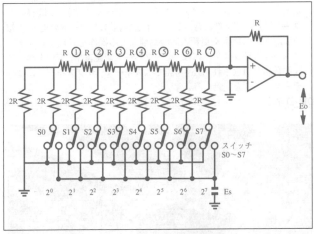

D/A コンバータ

DB/DC 【ディービーディーシー】　*DataBase/Data Communication*
データベース/データ通信のこと。

DB2 【ディービーツー】　*DataBase2*
IBM社のリレーショナルデータベース管理システム。IBM社は，DB2を中心にデータベース管理システムを展開していく計画を発

表しており，これによりメインフレーム，ワークステーション，パソコンなどのすべての機種でDB2の利用が可能になる。

dBASE 【ディーベース】

パーソナルコンピュータ用リレーショナルデータベース管理ソフトウェア(RDBMS)。Ashton Tate社が開発し，現在はBorland International社の製品。対話型操作も可能だが，強力なアプリケーション開発言語をもち，特定業務用にカスタマイズできる。パーソナルコンピュータ用RDBMSのスタンダード的存在で，その言語仕様はxBASE言語とも呼ばれ，dBXL, FoxProなど多くの互換ソフトウェアやQuickSliver, Cliperなどのコンパイラも登場した。95年には，Ver.Vが発売された。

○サブスキーマ/スキーマ

DBMS 【ディービーエムエス】　　*DataBase Management System*

データベースの管理を行うソフトウェアのこと。ユーザーからの要求に応じ，1.レコードの構造定義 2.データの蓄積 3.既存のレコードに対して条件に合うレコードを検索 4.レコードの更新 5.複数箇所からの検索や更新の同時処理などの操作を管理する。データベース管理システムには，データベース記述言語，データベース操作言語が用意され，記述言語ではスキーマ，サブスキーマによりデータベースを定義する。

DB コネクタ 【ディービーコネクタ】　　*Data Bus connector*

DB コネクタ

RS-232Cやディスプレイなどの接続によく使われるコネクタの総称。ピンの数が型番となっており，9本のDB-9から50本のDB-

50が一般的。ピンが出ているオスと，受けになっているメスがあり，ネジで固定できる。

DCE 【ディーシーイー】 *Data Communications (circuit-terminating) Equipment*

データ回線終端装置ともいう。モデムがこれに該当する。データ回線とデータ端末(DTE)との間にあって，DTEから送られてきた信号を変換し，データ回線へ送り出す。

DCI 【ディーシーアイ】 *Display Control Interface*

1994年米Intel社とMicrosoft社が共同で開発したWindows上のグラフィック環境。DCIを使うとGDI(Graphics Device Interface)を経由せずにV-RAMにアクセスでき，高速な動画表示が可能になる。また，Video for WindowsではDCIを使うことによって，圧縮された動画データをランタイムライブラリのコーディックに渡して伸長したデータを受け取ったあと，GDI，ディスプレイドライバを経由せずに直接ビデオメモリに転送できる。

D

DCNA 【ディーシーエヌエー】 *Data Communication Network Architecture*

NTTと国内のコンピュータメーカーが共同開発した，ネットワークアーキテクチャのこと。異なるメーカーのコンピュータ同士を簡単に接続できる。

DCOM 【ディーコム】 *Distributed Component Object Model*

ネットワークで分散オブジェクト環境を実現するため，オブジェクト指向技術COMを拡張したもの。COMと同様Microsoft社の規格でWindowsNT4.0に採用された。

○分散オブジェクト環境, COM

DDE 【ディーディーイー】 *Dynamic Data Exchange*

動的データ交換ともいう。Windows上で，アプリケーション間のデータ交換を行うためのメッセージ規約。

あるアプリケーションで作成したデータを，別のアプリケーションに張り込み，元のアプリケーションでデータを修正すると，張り込んだ先のデータも自動的に修正されるというもの。

DDK 【ディーディーケイ】 *Device Development Kit*

MS-Windows用デバイスドライバを開発するためのプログラムキット。

DDL 【ディーディーエル】 *Data Description Language*

○データ記述言語

DDNS Dynamic Domain Name Service
　⟐ダイナミックDNS

DDR 【ディーディーアール】　*Double Data Rate*
　メモリのデータ転送レートを2倍にする技術。DDR DRAMや DDR SDRAMがある。

DDX 【ディーディーエックス】　*digital data exchange*
　NTTが提供しているデジタルパケット通信サービスのひとつ。デジタルデータ用の回線で，専用回線のDDX-P（第1種パケット交換サービス）と一般の電話回線を使う個人向けのDDX-TP（第2種パケット交換サービス），回線交換のDDX-Cがある。
　⟐パケット交換，パケット通信

DDX-P 【ディーディーエックスピー】
　NTTの提供するするデジタルパケット通信サービスのうち，専用のデジタル回線を利用した第1種パケット交換サービスのこと。専用回線を利用するので，企業が対象となっている。

DDX-TP 【ディーディーエックスティーピー】
　DDXのうち，一般公衆回線を利用するサービス。特定の電話番号からしか接続できないものと，ID番号があればどこからでも接続できるパスワードDDX-TP とがある。毎月の使用料は，接続時間と伝送したパケット量に応じて計算される。
　⟐パケット交換，パケット通信

DEC 【デック】　*Digital Equipment Corporation*
　PDPシリーズやVAXシリーズで，ミニコンピュータの概念を打ち立てた，コンピュータメーカー。マサチューセッツ工科大学リンカーン研究所の技術者が中心になり，1957年に設立。技術者が個人やグループで使えるミニコンピュータの開発・製造を中心としてきた。
　1993年にはWindows NTが動作する超高速RISCチップ，Alphaを搭載したマシンを発売した。1998年にCompaq Computer社に吸収合併された。

Delphi 【デルファイ】
　Borland社(現Inprise社)のWindows用ソフトウェア開発環境。Microsoft社のVisualBasicと同様，フォームからビジュアルにアプリケーションを組み立てていく方式のプログラミングができるが，コーディングに使用する言語はPascalである。
　⟐Pascal言語

DES 【デス】 *Data Encryption Standard*

米商務省が標準として定め，ANSIで規格化された64ビット暗号化方式。56ビット長の秘密鍵を使って暗号化と復号化を行う。余り8ビットはパリティビットとして使われる。

DHCP 【ディーエイチシーピー】 *Dynamic Host Configuration Protocol*

TCP/IPのLANで，端末のIPアドレスをサーバから自動的に割り振る技術。端末のIPアドレスを端末ごとのOSで設定する方法と比較して，サーバだけに設定を行えばいいので管理がしやすい。また，各端末がログインしてきた際に，サーバが手持ちのIPアドレスのなかから，未使用の番号を任意に割り振るようにすれば，少ないIPアドレスを多くの端末に割り振ることができる。ただし，端末はログインするたびに番号が変わってしまい，IPアドレスで端末を指定することが必要な会議システムの利用やサーバの運営はできない。これを避けるためには端末数を一定にして端末に固定アドレスを割り振るか，端末を指定するときにIPアドレスではなくダイナミック DNS で端末に応じて割り振られるドメイン名を使うようにする。

Dhrystone 【ドライストン】

ベンチマークテストのために設計されたプログラムのこと。これにより計算機のハードウェアおよびソフトウェアの性能を評価することができる。その他のベンチマークテキスト用のプログラムには，LINPACK, Whetstone, リバモアループなどがある。

DIALOG 【ダイアログ】

アメリカの代表的な総合オンラインデータベースサービスのひとつ。内容は，文献データベース，辞書型データベース，数値データベースの3つに大きく分類される。

文献データベースにはあらゆる分野の文献が，辞書型データベースには企業情報，通信販売用の商品情報，アメリカ議会図書館の図書目録などが，数値データベースには貿易収支や国民所得などの経済統計情報，アメリカ合州国労働統計局の提供する労働力統計情報などが収録されている。

DIF 【ディフ】 *Data Interchange Format*

データ交換フォーマット。スプレッドシートやデータベース管理ソフトウェア間でデータをやりとりするためのフォーマットのひとつ。テキストファイルで，レコード，フィールドなどを表現する。

diff 【ディフ】

UNIXコマンド。新旧ふたつのテキストファイルの違いをチェックし，相違点を抽出した差分ファイルを作成するプログラム。
旧ファイルと差分ファイルによって新ファイルを作成できる。プログラムの部分修正などに使う。

Digital Research 【デジタルリサーチ】　*Digital Research, Incorporated*

CP/Mを開発したGary Kildallにより，1976年に設立されたソフトウェアベンダー。

Intel系8ビットCPUの事実上の標準OSとなったCP/M，8086系CPU用のCP/M-86，68000系MPU用のCP/M-68K，8086用GUI環境のGEM，MS-DOS互換OSのDR-DOSなどを発売したが，1991年にNovell社に吸収合併された。

DIMM 【ディム】　*Dual In-line Memory Module*

100MHz バス対応 SDRAM 搭載 DIMM

パソコンの主記憶容量増設モジュールでSIMMを改良したもの。SIMMではコネクタピンの表裏が両側とも同じ回路上にあるのに対し，DIMMのピンは2つが別々の回路上にあり，バス幅がSIMMの倍になる。専用のDIMMスロットに装着する。
○SIMM

DIN コネクタ 【ディンコネクタ】　*DIN connector*

ドイツ標準化協会(Deutsches Institut für Normung)で制定されているコネクタ。8ピンのミニDINコネクタはMacintoshのシリアルポートに，5ピンDINコネクタはIBM PC互換機のキーボードポートやMIDIインターフェイスなどに使われている。(次ページ図参照)

DIN コネクタ

DIP 【ディップ】 *Dual In-line Package*

DIP

ICやLSI（大規模集積回路）のパッケージの形態のことで，入出力用のピン状をした端子が両側に2列に並んでいるもの。専用のソケットを使用でき，パッケージの交換などが簡単に行える。

DIP スイッチ 【ディップスイッチ】 *Dual In-line Package switch*
DIP型のスイッチ。小型でプリント基板に直接取り付けることができるので，マザーボードや拡張ボードの設定用に使われる。

Director 【ディレクター】 *Macromedia Director*
マルチメディアタイトルなどを作成するMacromedia社のオーサリングツール。多くの市販マルチメディアタイトルが，このDirectorで作られている。LINGOと呼ばれるプログラム言語をもっている。Windows版とMacintosh版がある。

DIP スイッチ

D

DirecPC 【ディレクピーシー】

米国Hughes Network Systems社の通信衛星を利用したデータ通信サービス。PanAmSat社の衛星Galaxy III-R， PAS-2を使用して，1995年からサービスを開始。企業向け大容量データ配信サービスのほか，家庭やSOHO向けの衛星インターネットサービスがある。下り方向（加入者側）で受信するのに最大400Kbpsの高速なスループットを得られる。日本では企業向けのサービスを宇宙通信(株)が自社の衛星スーパーバードAを使って行い，家庭向けにはダイレクトインターネット(株)が，米国と同じPAS-2を使用して「サッとネット」というサービスを行っている。

⊃衛星インターネット

DirecTV 【ディレクティーブイ】

米国の多チャンネル衛星デジタル放送サービス。加入世帯数は全米で最も多い。Hughes Network Systems社が開発した技術（DSS）によって，同社の衛星DBS（Direct Broadcast Satellite）を使い，1994年より放送が始まっている。日本では宇宙通信(株)が，同社の打ち上げた通信衛星（CS）のスーパーバードCを使い，次世代デジタルTVの標準規格であるDVBに準拠した方式で1997年よりサービスを開始した。

⊃DVB

DirectX 【ダイレクトエックス】

Microsoft社が開発したWindows95，Windows98，WindowsNT用アプリケーションインタフェース。プログラマがマルチメディアアプリケーションを作成する際，これを利用してハードウェアに

直接働きかけることができるようになるため，処理が高速になる。

Display PostScript 【ディスプレイポストスクリプト】

プリンタ用ページ記述言語であるPostScriptのイメージを画面上で表示する技術。画面で見ることができる内容と印刷結果が一致するため，完全なWYSIWYG が実現できる。

はじめてDisplay PostScriptを採用したのはNeXT Computerで，現在ではSilicon Grafix社のIRIS Indigoシリーズ，Sun Microsystems社のSPARC Station などでも採用されている。

⟡ページ記述言語, PostScript, NeXT Computer, IRIS Indigo, Sun Microsystems

DLL 【ディーエルエル】　*Dynamic Linking Library*

プログラムの実行中にライブラリファイルを動的にリンクすること。Windowsでは拡張子が「.dll」のファイルがDLLファイルであり，プログラムは実行中に必要なDLLファイルをリンクし，DLLファイルが供給する機能を利用できるようになる。1個のDLLファイルを複数のプログラムから共有できるので，占有メモリやファイルサイズを減らすことができる。

DMA 【ディーエムエー】　*Direct Memory Access*

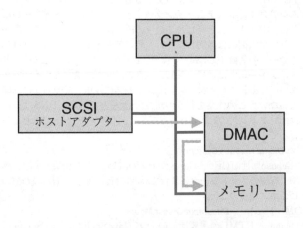

DMA 方式におけるデータの流れ

CPUから独立した入出力装置をもち，メインメモリと直接データをやりとりできる方式。そのためDMA制御を行う専用のハードウェアを用意する必要があるが，CPU は一度入出力の開始命令を出すだけで他の処理にとりかかることができる。

DMI 【ディーエムアイ】　*Desktop Management Interface*
デスクトップ管理用の標準API(アプリケーション・プログラミング・インタフェース)のこと。
LAN上のパソコンやワークステーションの情報を一括して管理する。具体的には，ハードディスクやメモリの容量，搭載しているプロセッサやアプリケーション等を管理している。

DMS 【ディーエムエス】　*Document Management System*
ドキュメント管理システム。文書管理システム。

DNA 【ディーエヌエー】　*Distributed interNet Applications Architecture*
Microsoft社の提唱するWindows2000の使用を前提として可能になる分散ネットワーク環境。そのための一連の技術を総合していう用語。

DNS 【ディーエヌエス】

(1) *Domain Name System*
TCP/IPでネットワークを構築する場合に使われるドメインネームを管理するシステム。インターネットなどでは，各種サーバごとに，IPアドレスと呼ばれる数字の羅列が割り当てられているがこれでは人間には識別しにくい。そこでドメインネームと呼ばれるサーバの名前(文字列)で管理されるケースが多い。しかし，ドメインネームでは逆にコンピュータのほうが認識することができないので，ドメインネームをIPアドレスに変更してやらなければならない。この作業を行うのがDNSサーバである。DNSサーバは，IPアドレスの対応表を持っており，目的のサーバへの橋渡しを行ってくれる。

(2) *Digital Nervous System*
Microsoft社のCEO，Gatesが1999年に発表した企業未来像。無線，有線のネットワークによって高度に統合され，「情報に敏感な」ビジネス環境のこと。

DOM 【ドム】　*Document Object Model*
Dynamic HTMLの主要機能の1つ。JavaScriptなどのScript言語を使ってHTMLのタグを動的に変更することができる。またユーザがマウスクリックやキーボード入力によって，テキストや

画像など，ページ上のオブジェクトの位置やスタイル，属性を変更できるようにする。

DOS 【ドス】　*Disk Operating System*

ディスク装置を外部記憶装置として備えたOSのことだが，一般にはMS-DOSの略称。

⟐OS

DOS/V 【ドスブイ】　*IBM DOS/V・MS-DOS/V*

IBM DOS バージョンJ4.0/Vおよびそれ以降のPC DOS/V, MS-DOS/Vの通称。

日本語表示用のフォントファイルと$DISP.SYS (MS-DOS/VではJDISP.SYS)と$FONT.SYS (MS-DOS/VではJFONT.SYS)という日本語ディスプレイドライバをもっており，日本語表示用ハードウェアを搭載していないIBM PC/AT互換機やIBM PS/2でも日本語が使えるようになる。

ブートし直すことなく，コマンドだけで日本語環境と英語環境に切り換えることができる。また，日本語ドライバ無しで起動すれば，完全にPC(MS)-DOSと同じ英語モードになる。

DOS ウィンドウ 【ドスウィンドウ】　*DOS window*

Windows95 の DOS ウィンドウ

DOS互換ボックスともいう。MS-Windows上でMS-DOSプログラムを実行するためのウィンドウ。

MS-Windowsを386エンハンスドモードで動かしている状態では，仮想8086モードにすることで複数のDOSウィンドウを開き，複数のMS-DOSプログラムを実行することができる。(次ページ図参照)

〇DOS シェル

DOS エクステンダ 【ドスエクステンダ】　　*DOS extender*

MS-DOSで，1Mバイト以上のメモリ空間をアクセスできるようにする，機能拡張プログラム。

MS-DOSでは80286や386/486をリアルモード(8086互換モード)で使うため，プログラムとデータを合わせて最大1Mバイトのメモリしか利用できない。DOSエクステンダはMS-DOSから80286/386/486の本来の動作モードであるプロテクトモードに移行し，1Mバイト以上のメモリ空間でプログラムを動かすことができるようにするもの。

たとえば，386ではDOSエクステンダを使うことで最大4Gバイトのメモリをプログラムおよびデータ領域として利用でき，64Kバイトのセグメント制限もなくなる。また，プロテクトモードへの切り替えやプロテクトモードにおけるCPUの操作に関する細かな規則をDOSエクステンダが吸収するので，プログラマはプロテクトモードであることをあまり気にせず，高級言語でプログラムを開発することができる。

プロテクトモードで複数のアプリケーションが共存できるようなインターフェイスの仕様としてVCPI(Virtual Control Program Interface)，DPMI(DOS Protected Mode Interface)が制定されている。

UNIXのプログラムをMS-DOSに移植する場合，1Mバイトのメモリ制限と64Kバイトのセグメントが大きな制約となってきたが，DOSエクステンダを使うことで可能になったものは多い。

京都マイクロコンピュータのEXE286/EXE386は非営利目的に限り無料配布，無料使用が認められている。

〇VCPI, DPMI, プロテクトモード

DOS シェル 【ドスシェル】　　*DOS shell*

MS-DOS 4.0から搭載されたファイル操作，プログラム切り替えなどの操作画面。DOSSHELL.EXEという外部コマンド。ファ

イルをメニュー形式で画面に表示し，カーソルで選択してコピーや削除をしたり，プログラムを起動する。MS-DOS 5.0からは複数のプログラムを切り替えて実行するタスクスイッチ機能が追加された。

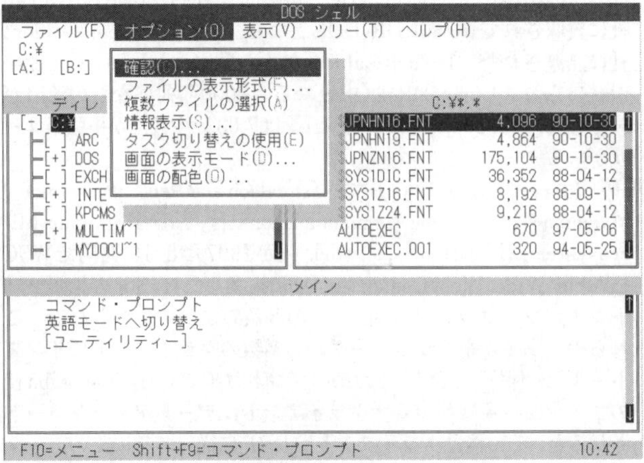

DOS シェル

DPI 【ディーピーアイ】 *Dot Per Inch*

プリンタなどで，1インチの直線をいくつのドット（点）で表示できるか（解像度）を表す単位。300dpiのプリンタであれば，1インチあたり300の点で印刷が行われていることになる。

同様に，スキャナの読み取り解像度の基準にも使われている。

DPMI 【ディーピーエムアイ】 *DOS Protected Mode Interface*

80286以上のCPUをMS-DOSで使う場合，プロテクトモードのメモリ参照を行うための共通インターフェイス規格。MS-Windowsは3.0からDPMIに準拠している。

⇨DOS エクステンダ

DRAM 【ディーラム】 *Dynamic RAM*

半導体回路内のコンデンサにデータを蓄積するタイプのRAM。コンデンサの自己放電によってデータが失われるので，つねにデータの更新を行うリフレッシュ動作が必要になる。リフレッシュ動作

中はデータを外部から読み書きできないので，データ転送速度はSRAMに比べて遅くなる。逆に構造が単純なので，大容量化に向いており，価格も安く，コンピュータのメインメモリとして使われている。

DR-DOS 【ディーアールドス】

Digital Research 社のMS-DOS互換OS。1991年同社がNovell社に買収されてNovell DR-DOSとなり、さらに1996年Caldera社に譲渡された。1999年Caldera社から独立したLineo社で開発が続けられ、Lineo DR-DOSとなる。2000年対応などの改訂が続けられ、1999年現在のバージョンは7.03。少数だが根強いユーザがいる。

DRP 【ディーアールピー】　*HTTP Distribution and Replication Protocol*

Marimba社, Netscape Communications 社, Novell社, Sun Microsystems社, @Home Network 社が1997年8月に共同でW3C (World Wide Web Consortium) に提案したHTTPの拡張プロトコル。プログラムは普通，一連の多数のファイルからなる。これらのファイルをネットワークから多数のクライアントにインストールし，保守・管理するためのプロトコルである。Marimba社のプッシュ技術に基づく。クライアントにデータがダウンロードされると，その後はクライアントがDRPに従って常にこのデータを最新の状態に保つ。サーバ上で何れかのファイルに変更があった場合，クライアント側では最新のファイルを検知し，アップデートされたファイルだけをダウンロードして更新する。

DSL 【ディーエスエル】　*Digital Subscriber Line*

デジタル加入者線。光ファイバーケーブルの前段階として普及が目指されている従来型のツイストペア銅線ケーブルのままで高速デジタル通信を実現する方法。ADSLが代表的なもの。CDSL (Consumer), HDSL (High bit rate), IDSL(ISDN), MDSL(Multi rate), SDSL(Single Line), VDSL(Very high bit rate)などがあり，xDSLとも書く。

DSP 【ディーエスピー】　*Digital Signal Processor*

デジタル信号処理用チップ。アナログ信号をデジタル信号に変換する。内部は，32ビットの浮動小数点計算を高速に行える専用CPUを搭載しており，アナログデジタル変換が高速に行えるようになっている。最もポピュラーな用途としては，ハードディスクレコーディングなどのように，マイクから拾った音を瞬時にデジタル

データに変換し記録する場合になどがある。通信やマルチメディア分野の普及に伴い，これからさらに需要が増えるであろう。

DSS 【ディーエスエス】

(1) *Decision Support System* 意思決定支援システム

モデルやデータを利用して意思決定を支援するための情報を提供するシステム。利用者がコンピュータと対話しながら問題に対する理解を深め，意思決定のための情報を得るために，データベースの検索機能，分析のための統計機能，ビジュアルな表示機能，what-if等のシミュレーション機能を有する。パソコンのソフトにもこれらの機能を備えたものが各種提供されている。また人工知能の応用であるエキスパートシステムも意思決定支援システムの一種とみなすことができる。

(2) *Digital Satellite System* デジタル衛星システム

米国で実用化された多チャンネルデジタル衛星放送システム。Hughes Network Systems社が開発，全米でトップシェアの衛星放送サービスDirecTVで使用されている。

(3) *Digital Signature Standard* デジタル署名標準

米国政府の標準技術協会(National Institute of Standards and Technology, NIST)が開発し，米商務省が標準に認定した公開鍵暗号方式による電子署名技術。

DSS-PC 【ディーエスエスピーシー】

米国の多チャンネルデジタル衛星放送システム，DSSをもとに，DirecTVを運営するHughes Network Systems社とMicrosoft社が共同で開発した衛星データ放送システム。

D-STN 【ディーエスティーエヌ】 *Dual scan Super Twisted Nematic*

ノートパソコン等で使用される液晶ディスプレイの表示形式のひとつ。STN方式(単純マトリクス方式)は，視認性が悪く斜めからは見づらい，画面の反応速度が遅いためにマウスを素早く動かすとカーソルが消える，色数が少なく発色が鮮明でないなどの理由でWindowsには不向きな点が多かった。そこで，STNの画面を半分に分けて，それぞれ別々に色やドットを操作する機能をもたせたD-STNが登場した。STNのメリットである低価格を維持した上で，視認性，反応速度，発色とも格段によくなり，カラーノートパソコン用液晶ディスプレイに使われた。しかし，より高性能なTFT液晶の価格が下がったため，D-STN液晶も使われなくなった。
○TFT

DSU 【ディーエスユー】　*Digital Service Unit*

ISDNなどのデジタル回線用の接続装置。NTTの回線と，電話機やファクシミリなどのISDN機器との間に装着する。NTTのINSネット64の場合，DSUからBチャンネル2本とDチャンネル1本が利用できる。最近では，ターミナルアダプタにDSUの機能が付加されているものもある。

○INS

D-SUB 【ディーサブ】　*D-SUBminiature*

DBコネクタのこと。

DTE 【ディーティーイー】　*Data Terminal Equipment*

データ通信を行う装置。シリアルポートをもったパーソナルコンピュータやワードプロセッサ専用機が該当する。DTEを通信回線につなぐモデムなどの装置をDCEという。

○DCE

DTM 【ディーティーエム】　*DeskTop Music*

シンセサイザーとパーソナルコンピュータやシーケンサを使い，机上で音楽を作成すること。MIDIとMIDIシーケンサ，さらに1台で複数の音を出すことができるマルチティンバ音源の登場によって普及した。

DTP 【ディーティーピー】　*DeskTop Publishing*

パーソナルコンピュータやワークステーションを使って文字や図版，写真を編集・レイアウトし，高品位プリンタやタイプセッタで印刷用版下を印字すること。

最初に"DTP"という言葉が登場したのは，1985年，Aldus社がMacintosh用のレイアウトソフトウェア，PageMakerを発売したときの広告で使われたときだと言われている。

従来の編集者，デザイナー，写植オペレータなどの分業ではなく，ひとりで一貫して版下を作成できるシステム。編集者が細かいところまで指定でき，制作にかかるコストや時間を削減でき，秘密が保持される半面，ひとりのスタッフにかかる負担が増大したり，デザインセンスの欠如やソフトウェアの機能制限などにより，仕上りが美しくなくなる危険性もある。

DTPr 【ディーティーピーアール】　*DeskTop Presentation*

パーソナルコンピュータを使い，リアルタイムで資料やデモを動かしながら行なうプレゼンテーション。パーソナルコンピュータのディスプレイ，あるいはOHPアダプタ，大型モニタなどに画面を

表示し、グラフやアニメーションを動かす。

DTV 【ティーティブイ】 *Digital TeleVision*

米国における地上波デジタルテレビの標準規格。1996年12月に米連邦通信委員会（FCC, Federal Communications Commission）に承認された。

DVB 【ティーブイビー】 *Digital Video Broadcasting*

同名の団体による圧縮方式にMPEG2を採用した次世代デジタルテレビの国際標準規格。衛星放送DVB-S（Satellite），有線放送DVB-C（Cable），地上波放送DVB-T（Terrstrial），マルチポイント映像配信DVB-MC/S（Multipoint），情報サービスDVB-SI（Service Information），スクランブル放送制限DVB-CA（Conditional Access），PCMCIAカードによる放送制限DVB-CI（Common Interface for conditional access）などのやり方を定めた各規格があり1997年に標準化作業を完了した。

DVD 【ティーブイティー】 *Digital Versatile Disc*

音楽用のCDと同じ直径12cmの光ディスクに音声や映像を記録できる大容量の記憶媒体。当初Digital Video Discの略称とされていたが、どんな用途にも使える媒体であることからVの意味をVersatileに改めた。DVDには読み出し専用のDVD-ROM, 書き換え可能なDVD-RAM, 追記型のDVD-Rがあり、記憶容量はディスクの構造により2.6GBから17GBまでと異なる。Video情報は1枚のディスクに2時間ほどの映画が収容できる。次世代のメディアとの期待が高まり、日米欧の開発メーカ10社で一度は規格統一をみたが、DVD-RAMの規格で分裂し、さらに特許料の徴収方法でも足並みが揃っていない。

DV-I 【ティーブイアイ】 *Digital Video Interface*

IBM社とIntel社が開発した、静止画、動画、音声を扱う規格。CD-ROMに最大72分の動画を記録できる。

Dvorak Keyboard 【ドボラックキーボード】

キーボードの、アルファベッドキー配列の一種で、使用率の高いキーをタイプしやすい場所に集合させ、文字入力の効率を上げようというもの。

1936年にワシントン大学のAugust Dvorakによって特許申請された。

DVORAK配列のキーボードそのものはあまり売られていないが、QWERTY(ASCII)配列のキーボードであっても、デバイスドライ

バを組み込むことなどでDvorak配列をエミュレートできる。

DX2 【ディーエックスツー】　　*Intel 486DX2*

Intel社の倍速CPU。外部クロックをそのままにして,内部クロックを2倍にすることで全体の処理速度を1.7倍程度上げたもの。外部クロックごと高速化すれば,処理速度はさらに向上するが,RAMや基板パターンなども高速対応のものにしなければならず,全体のコストが上昇してしまう。倍速CPUならば,マザーボードはそのまま,CPU を交換するだけでも処理速度を向上させることできる。

DX4 【ディーエックスフォー】　　*Intel DX4*

Intel社が1994年に発売した高速486CPU。内部クロックによって75MHz,100MHzの2タイプがある。外部クロックは75MHz版が25MHzで3倍速,100MHz版が33MHzで3倍速か50MHzで2倍速動作となる。内部キャッシュはi486DX2の倍にあたる16Kバイトを搭載。基本的なピン配列はSLエンハンスド486シリーズと共通で,全タイプとも動作電圧は3.3Vのみ。

DXF 【ディーエックスエフ】　　*Drawing Interchange File*

AUTODESK社のパソコン用 CADソフト「AutoCAD」の外部ファイル形式。異機種間でCADデータをやりとりする際に利用するファイル形式である。

D チャネル 【ディーチャネル】　　*D channel*

NTTのデジタル総合サービス網(ISDNサービス)において,一般にISDN回線交換用の通信バスを設定するために,その制御手段を送ることを目的としたチャネル。伝送速度は基本インターフェイス構造では16kビット/秒,1次群速度Bチャネルインターフェイス構造では64kビット/秒になる。

Easy Access 【イージーアクセス】

手先の不自由な人でもマウスやキーボードの操作が行えるように
Macintoshに標準で用意されているcdev。

マウスの代りに矢印キーを使えるようにしたり，アップルキー
とF10キーを同時に押す代りに，アップルキーを押してからF10
キーを押せば良いようにすることができる。

EBCDIC 【エビスディク, エビシディク, イブシディク】　　　*Extended Binary Coded Decimal Interhange Code*

拡張2進化10進コードの略。IBM社が開発したコードで，英数字
と記号を8ビットのコードとして表現する。

2進化10進コードというのは，10進数の0〜9の数字を2進数で表
したもので，10進数の"9"は2進数の"1001"だから，10進数の各
桁は2進数では4ビット以内で表現できる。

この4ビットにさらに4ビットを追加し，8ビットとしたため拡張2
進化10進コードといわれる。

ECC 【イーシーシー】　　　*Error Correcting Code*

情報伝送中に発生した誤りを，コンピュータが自動的に訂正するよ
うにプログラムした検索符号。一般的には，データの誤りを直すた
めに付け加える冗長符号などが挙げられる。誤り訂正符号ともい
う。最近では，サーバなどの安定した動作が必要なマシン向けに，
このECC機能を搭載したメモリも登場している。

ECMAScript 【イーシーエムエースクリプト】

ECMA (European Computer Manufacturers Association,欧
州電子計算機製造者協会) が認定したJavaScriptの標準仕様。
Netscape Communications社のJavaScriptとMicrosoft社のJScript
は完全な互換性がなかったため，この2社にBorland社を加えた
チームで標準化作業を行い，両仕様を統合したもの。Internet Ex-
plorer4.0で採用された。

ECR 【イーシーアール】　　　*Efficient Consumer Response*

消費者により良いサービスを提供するための小売業の新しい取引
関係の概念。米国の食品・日用品業界の5団体が1993年に提唱し
た。従来の取引関係では小売業が必要な商品をメーカに発注し，

メーカは受注した商品を納品していた。ECRでは，小売業が自社のPOSデータをメーカに公開し，メーカは小売業の店舗の在庫管理と商品補充を自動的に行う。これによって小売業側の発注作業や検品作業が不要となり，メーカ側は自社の在庫管理や生産計画が計画的に行えるメリットがある。その結果としてローコスト経営が可能となり，消費者にロープライスの商品を提供することができる。アパレル業界では同様の仕組みをQRS（クイック・レスポンス・システム）と呼ぶ。

EDI 【イーディーアイ】 *Electronic Data Interchange*

企業間電子取引。見積，受発注，物流，決済など，企業どうしの取引をコンピュータネットワークで電子的に行うこと。イントラネット，エクストラネットの普及でWWWを使ったEDIなどが提案されている。

EDO 【イーディーオー】 *Extended Data Out*

一般的なDRAMのデータの読み出し方法を工夫し，アクセス速度を上げる方法。従来のDRAMと比べてデータ転送時のリサイクル時間を15ナノ秒程度短縮できる。EDO-RAMはDRAMと比べ，メモリへのアクセスタイムが短く，製造コストはあまり変わらないため，これからの主流になるといわれている。EDO-RAMを利用するためには対応するチップセットが必要となるが，Intel社の「Triton」などがサポートし始めたため，EDO-RAMを搭載したパソコンが増えている。

⟳アクセスタイム

EDSAC 【エドサック】 *Electric Delayed Storage Automatic Computer*

1949年に完成した，世界最初のノイマン型コンピュータ。ENIACの開発メンバーであるJohn W. MauchlyとJ. Presper Eckert IIによって開発され，2進数形式，プログラム内蔵式，逐次処理を実現した。

EDTV 【イーディーティーブイ】 *Extended Definition Television*

日本の現行放送方式において，放送局の送信設備と家庭の受像機の画質向上を目的としたテレビ。一般にはクリアビジョンと称され，1989年8月から放送中である。今後，EDTV2という名称でEDTVよりさらに高画質でワイドな方向に，実用化されようとしている。

edu 【エデュ，イーディーユー】

インターネットのドメインネームで，学校を表す。

EDVAC 【エドバック】 *Electric Discrete VAriable Computer*
1950年に完成したノイマン型コンピュータ。開発に着手したのは1945年であったが，途中でJohn W. MauchlyとJ. Presper Eckert IIがVon Neumanと対立してプロジェクトから脱退したため計画は大きく遅れ，結局，最初のノイマン型コンピュータの名誉をEDSACにゆずることになった。

EGA 【イージーエー】 *Enhanced Graphic Adapter*
IBM PC用のビデオアダプタ，あるいはグラフィックの規格。1984年にリリースされたIBM PC/ATに合わせて発売された。表示可能な解像度はつぎのとおり。

640×350ドット 16色
640×200ドット 16色
320×350ドット 16色
320×200ドット 16色

E

EI 【イーアイ】 *Enterprise Integration*
EDIやCALSで企業が電子的にネットワーク化され，統合されていること。

EIDE 【イーアイディーイー】
○拡張IDE

EISA 【イーアイサー，エイサー】 *Extended Industry Standard Architecture*
IBM PC互換機用32ビット拡張バスの規格。1988年にAST Research社，COMPAQ社，EPSON，Hewllet-Packard社，NEC，Olivetti社，Tandy社，Wyse社，Zenith社の9社が中心になって制定。16ビットのISAバスを拡張したもので，ISAバスカードも装着できる。サーバ用など，高速かつ安定動作が求められる機種に採用されている。現在ではPCIが主流となりサーバ以外ではあまり見られなくなった。

EJB 【イージェイビー】 *Enterprise JavaBeans*
エンタープライズジャバビーンズ。様々な機種，OSや複数のLAN，WANが混在する企業内システムにおいて運用することを目的とするJavaBeans技術。

EL 【イーエル】 *Electronic Library*
電子図書館のこと。書籍や新聞，雑誌などがデータベースに蓄積

されており，利用者はパソコン通信でELに接続し，ディスプレイ
やプリンタで閲覧することができる。1988年にサービスが開始さ
れた。

Emacs 【イーマックス】

MIT(マサチューセッツ工科大学)のRichard Stallmanによって開
発されたスクリーンエディタ。GNU版EmacsはUNIXでは広く
使われており，MS-DOSにも移植されている。
Emacsの特徴は以下のものがあげられる。

- モードがない
  文字はそのままカーソル位置に入力され，コマンドは Ctrl
  キー+英字キーで入力される。

- カスタマイズ可能
  Ctrl キー+英字キーなどに割り付けられているコマンドは，
  ユーザーが自由にカスタマイズできる。

- 拡張性が高い
  Emacs Lispインタープリタで実行されるLispプログラムを
  記述することで，まったく新しいコマンドを追加することがで
  きる。

- 統合環境である
  Emacsから任意のプログラムを起動し，バッファの中で実行
  できる。Emacsでの編集中にコンパイラを起動したり，電子
  メールの送受信ができる。

EMALL 【イーモール】 *Electronic Mall*

CompuServeのオンラインショッピングサービス。電子ネット
ワーク上の商店街という意味。パーソナルコンピュータのソフト
ウェア，ハードウェアから書籍，レーザディスク，洋服，自動車，旅
行チケットなど，さまざまなジャンルの通販ショップが集まってい
る。日本から注文できるところも多い。

EMB 【イーエムビー】 *Extended Memory Block*

Intel社の80286以上のCPUにおいて，特定のメモリ空間をさす
用語。8086互換の下位1Mバイトメモリ(0〜1024Kバイト)と，
そのすぐ上の64Kバイトメモリ (HMA:High Memory Area) を
除くメモリ空間，すなわち1088Kバイトより上位の呼び名。仮想

EMSに使用されるメモリやMS-Windowsのアプリケーションプログラムとそのデータ空間として使用される。

EMS 【イーエムエス】 *Expanded Memory Specification*

本来は640Kバイトしかメモリを扱えないMS-DOSが，それ以上のメモリ(拡張メモリ)を扱うために作られた規格のひとつ。基本メモリ上にページフレームというのぞき窓のようなものを置き，拡張メモリを管理する。従って，アプリケーション側もEMSに対応していなければ使うことはできない。実際にEMSを使用するには，MS-DOSのCUSTOMコマンドなどでCONFIG.SYSを書き換え，EMM386.EXE等のデバイスドライバを組み込む。現在ではより便利なXMSという規格があり，Windows ではこちらを利用している。

⟡XMS

Enhanced IDE 【エンハンスドアイディーイー】

⟡拡張IDE

ENIAC 【エニアック】 *Electronic Numerical Integrator And Computer*

1946年，アメリカ国防省の依頼により，弾道計算用にペンシルベニア大学で開発された世界最初の汎用電子式デジタルコンピュータ。John W. MauchlyとJ. Presper Eckert IIを中心とするプロジェクトチームが担当した。

全長30メートル，総重量30トン，消費電力140キロワット，1万8800本もの真空管を使った巨大なものだった。

現在のようにプログラムをソフトウェアで供給するのではなく，電気回路の組み合わせでロジックを構成していたので，プログラムを変更するには配線を組み替える作業を必要とした。

以降に開発されたEDSACやEDVACでは，プログラムをメモリに記憶させるノイマン式がとられるようになった。

⟡ABC マシン, EDVAC, EDSAC

ENQ 【エンク】 *ENQuiry*

問い合わせの略。データ通信で，送信側が通信の準備ができたことを受信側に知らせる伝送制御符号のこと。この結果，受信側が受信準備ができていればACK を返し，できていなければNAKを返す。

EOF 【イーオーエフ】 *End Of File*

ファイルの終わりを示す記号，またはラベルソフトウェアによって扱いが異なるが，MS-DOSの場合^ZをEOFとみなす場合が多い。

EOS 【イーオーエス】　*Electronic Ordering System*

電子発注システム。小売業が商品の補充発注を行うために利用する。店舗の端末から補充発注データを入力すると，通信回線を経由して本部や卸等のコンピュータに伝送され，これにもとづいて商品が店舗に配送される。

EPROM 【イーピーロム】　*Erasable And Programmable Read Only Memory*

データ内容を消去し，再度書き込みが可能なROMのこと。

一般に，ROMは読み出し専用で書き込むことはできないが，EPROMの場合は，EPROMイレーサで10～20分間紫外線を当てて内容を消去した後，EPROMライタで再度書き込むことができる。ほかに，X線で消去するもの，高電圧で消去するものなどがあるが，紫外線を使うものがいちばんコストがかからない。

⊃PROM, RAM, ROM

EPS 【イーピーエス】

(1)*Electronic Publishing System* 電子出版システム

コンピュータを使用して，文章，図，写真の編集や割付から印刷までを支援する。DTP(Desk Top Publishing)の登場により実現した。高いグラフィック能力を持つワークステーションやパソコン，イメージスキャナなどを使って画面上で版下を作成し，レーザープリンタ，イメージセッタ等で印刷する。すべてをデジタル処理するため，少人数で迅速に出版作業ができる。また，最近注目を集めているCD-ROM書籍もこの電子出版のひとつである。

⊃DTP

(2) *Encapsulated PostScript*

Adobe社のグラフィックソフト「Illustrator」の出力する標準ファイル形式。PostScript形式のデータで，DTPなどでよく使われる。

⊃EPSF

EPSF 【イーピーエスエフ】　*Encapsulated PostScript File*

PostScrit言語で記述された高解像度グラフィックデータファイル。PostScript の標準フォーマットであり，このファイル形式でデータを保存すれば，アプリケーションおよび機種に依存しないデータ互換が可能。画面に表示するため，ビットマップ形式のデータ(PICTやBMP)をまとめることもできる。

⊃Post Script

ES 【イーエス】　*Expert System*

エキスパートシステム。専門家の知識をコンピュータで蓄え，専門的な問題の解決を図るシステム。人工知能の応用としては初めて実用化されたもの。判断のための情報を蓄積する知識ベース，知識をもとに推論を行う推論エンジン，ユーザーとの対話を行うインターフェース部で構成される。内容は，LispやProlog等の人工知能言語で記述されている。医療診断から原子力制御まであらゆる分野が利用対象になっている。

　⟳AI

ESC/P 【イーエスシーピー】　*EPSON Standard Code for Page printer*

エプソンが提唱したプリンタ制御コード体系。基本はESC/P-80だが，徐々に拡張され，以下のようなものがある。現在ではエプソン以外の製品にも搭載した機種もある。

ESC/P24-J84	24ドットプリンタ対応
ESC/Page	ページプリンタ対応
ESC/Pスーパー	PC-PR201HとESC/Pの自動判別

Estridge, Philip Don 【エストリッジ, フィリップ・ドン】　*Philip Don Estridge*

1938年生まれ，フロリダ大学卒のエンジニア。フロリダ州ボカラトンでIBMの最初のパーソナルコンピュータ，The PCを開発したプロジェクトチームの責任者。

その後，エントリーシステムズ(ESD)事業部部長を経てIBM社製造部門担当役員に就任したが1985年8月，飛行機事故で死去。

eSuite 【イースィート】

Lotus社の100%PureJavaによる初のアプレット製品群。開発ツールであるeSuite DevPackとエンドユーザ向けデスクトップ環境のeSuite WorkPlaceの2つに分けられる。イントラネット環境下でサーバにインストールし，クライアントから表計算やワープロ，データベースや業務アプリケーションをJavaアプレットの形で呼び出して利用する。クライアントはPCだけではなく，NCにも対応している。(次ページ図参照)

　⟳100% PureJava, アプレット, NC

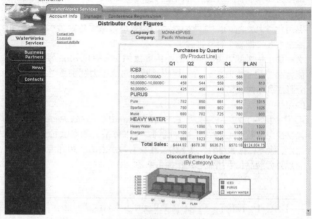

eSuite Dev Pack2.0 で開発されたアプリケーション

Ethernet 【イーサネット】

パーソナルコンピュータやワークステーションで標準的なLAN
の通信方法。1976年にXerox社，DEC社，Intel社の3社が共同
開発し，IEEE802.3として規格制定された。データリンク制御は
CSMA/CD方式で，データ伝送速度は最大10Mbps。ケーブルな
どの形態により，太い同軸ケーブルを使うバス型配線の10BASE-
5，細い同軸ケーブルを使うデイジーチェーン型配線の10BASE-
2，ツイストペアケーブルを使うスター型配線の10BASE-Tが
ある。

‪○‬LAN

EtherTalk 【イーサトーク】

Ethernetのケーブルを使ってAppleTalkネットワークを運用する
ためのソフトウェアのこと。MacintoshにEthernetインターフェ
イスを接続し，コントロールパネルから起動する。

‪○‬10BASE-2, 10BASE-5, 10BASE-T

ETSI 【エツイ】　*European Telecommunications Standards Institute*

欧州電気通信標準化協会。フランスのニースに本部を置くヨー
ロッパ全体の通信規格を標準化するための公益団体。

ETX　【イーティーエックス】　*End Of Text*

テキストの終結の意味。データ通信の際に用いられ，送信したテキスト（データーの集まり）の終わりに置かれ，伝送テキストの終了を示す。

EUC　【イーユーシー】

(1) *Extended Unix Code* 拡張UNIXコード

UNIXの国際化対応のために，1985年に日本語UNIXシステム諮問委員会の提案に基づき，AT&T社のMNLS（Multinational Language Supplement）で規定された文字コード体系のこと。世界各国の文字コードが規定された。

(2) *End User Computing* エンドユーザコンピューティング

⇨エンドユーザコンピューティング

Eudora Pro　【ユードラプロ】

インターネット用のメールソフトの製品名。Windows版とMac版がある。イリノイ大学で開発され，現在ではQUALCOM社が販売を行っている。日本ではクニリサーチが日本語版Eudra Proを発売している。

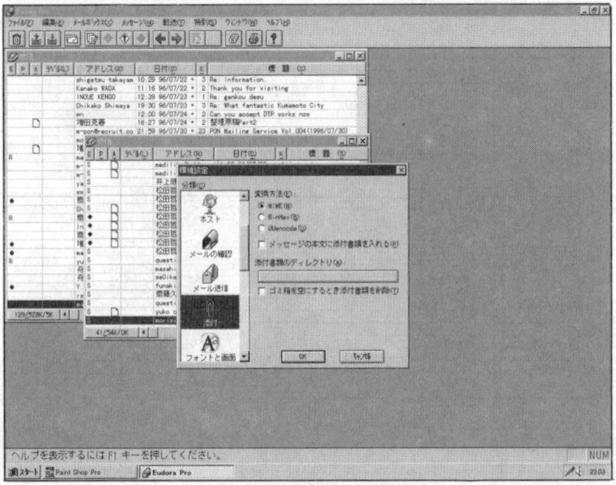

Eudora Pro

EWS　【イーダブリュエス】　*Engineering WorkStation*

エンジニアリング分野での利用を目的とする，ワークステーション

の総称。特にCAD(コンピュータ支援による設計)などの主として技術計算の用途で，個人が占有して使う。EWSでは，命令を縮小してLSIに組み込み高速演算を行う，RISCアーキテクチャのマイクロプロセッサが主流になっている。ネットワーク機能も重視しており，EthernetなどLAN(ローカル・エリア・ネットワーク)とのインターフェイスが標準で装備されている。最近では，エンジニアリング分野での利用だけでなく，銀行や証券会社のディーリングシステムやオフィスシステムなどへの利用が急速に増えている。

Excel 【エクセル】 *Microsoft Excel*

Microsoft社の表計算ソフト。Windows版とMacintosh版がある。MS-DOS用のアプリケーションでは，ロータス社のLotus1-2-3が表計算ソフトのトップシェアを占めていたが，Windows用としては，Excelが圧倒的なシェアを誇っている。グラフ作成やデータベース，マクロ機能などが搭載されており，企業内におけるさまざまな計算処理業務を中心に広い用途で利用されている。

Microsoft Excel 2000

Exchange 【エクスチェインジ】 *Microsoft Exchange*

Microsoft社のグループウェア。サーバのExchange Serverとク

ライアントがある。クライアントはサーバがリリースされる前に
Windows95の「受信トレイ」として登場したため、「受信トレイ」
はMicrosoft社のパソコン通信サービスであるMSNのメール送受
信やインターネットメールの送受信，FAX送信に使われるだけ
で，Windows98では標準でサポートされなくなった。Outlook97
以降がExchangeクライアントとしての機能を持つ。

EXE ファイル 【エグゼファイル】　*EXEcutable file*
MS-DOS、OS/2、Windowsの実行ファイル（コマンドラインか
らファイル名を入力することで実行できるプログラム）のファイ
ル形式。拡張子がEXE。

E メール 【イーメール】　*Electric Mail*
⊃電子メール

E

FA 【エフエー】　*Factory Automation*

コンピュータを使って工場における作業の自動化を図ること。単なる製造工程のオートメーションにとどまらず，CAD/CAMによる設計段階も含め，材料，部品の運搬からロボットによる組み立て，検査，出荷に至る全工程での合理化を図っている。多品種少量生産と製造工程の無人化を図るFMS（フレキシブル生産システム）に技術的基礎を置いている。

　⊃CAD, CAM

FAQ 【エフエーキュー】　*Frequently Asked Question*

よく聞かれる質問という意味あいの用語。多くのユーザが直面する問題やトラブルのQ＆Aをさす。実際にあった質問と回答のほか，あらかじめ想定される事項を含め，まとめて公開する。これを参照することで，ユーザは自力で問題解決ができ，回答者の作業能率も向上する。

Fast ATA 【ファーストアタ】

　⊃ATA

Fast SCSI 【ファストスカジー】

　⊃SCSI

FAST20 【ファストニジュウ】

次世代のSCSI規格。SCSI-2のFAST-SCSIをより高速化し，従来の2倍である1秒間に20Mバイトのデータ転送スピードを実現している。

FAT 【ファット】　*File Allocation Table*

MS-DOS, OS/2, Windowsで，ディスク上に格納されているデータの位置情報を記録しておく領域のこと。ディスクの管理は1クラスタ1024バイト単位で行われるが，連続しない複数のクラスタに格納されたファイルでも，FATの情報によってひとつのファイルとしてシステムに認識される。

MS-DOS3.0で採用され，OSR2以前のWindows95までの16bit長FATのファイルシステムをFAT16という。上記のOSは，Windows98(FAT32), Windows NT(NTFS), OS/2(HPFS)の上位ファイル形式は認識できないが，FAT16 で保存されたファイルであれば，これらすべてのOSで認識することができる。

FAT32 【ファットサンジュウニ】
 Windows95のOSR 2 からサポートされ，Windows98で標準の機能になった32ビットのファイルシステム。2GB以上2TBまでのハードディスクがサポートされ，クラスタサイズが小さくなる（実質的に利用できるハードディスクのサイズが増える）。書き込み失敗によるエラーも起きにくくなっている。

FCC 【エフシーシー】 *Federal Communications Commission*
 アメリカ合衆国連邦通信委員会。通信，電話，放送などを規制する政府組織。
 パーソナルコンピュータは周囲に不用な電磁波を放出してラジオやTVに障害を与えないよう，FCCによる不用輻射(ふくしゃ)規制の対象となっている。
 FCC規制 Class Aは産業・商業地域で使用できるコンピュータ，Class Bは住宅地で使用できるコンピュータの規格である。Class Bの方が規格が厳しい。

FD 【エフディー】 *Floppy Disk*
 ○フロッピーディスク

FDD 【エフディーディー】 *Floppy Disk Drive*
 フロッピーディスク駆動装置のこと。○フロッピーディスク

FDDI 【エフディーディーアイ】 *Fiber Distributed Data Interface*
 光ファイバを使った高速LAN。トークンリング方式によって最高100Mbpsのデータ転送が可能。基幹LANやマルチメディア用LANなどに採用されている。

FDHD 【エフディーエッチディー】
 ○スーパードライブ

FDMA 【エフディーエムエー】 *Frequency Division Multiple Access*
 周波数分割多元接続。アナログ携帯電話の接続方式。基地局と通話者とを結ぶ電波を異なる周波数帯に分割して複数のユーザの同時通話を可能にする方式。

FEP 【フェップ/エフイーピー】 *Front End Processor*
 前処理専用のソフトウェアシステムのこと。処理全体のパフォーマンスを向上させることが目的である。たとえば，コンピュータの処理速度に比べて極めて遅い入出力などの処理を，ホストコンピュータから切り離しFEPで処理することで，ホストコンピュータの余分な機能負担を減らし，計算処理を効率よく実行させることが可能となる。入力したカナを漢字に変換したり，変換に伴う辞書

などの管理をするものを日本語FEPと呼ぶ。コンピュータと通信回線の間に置いて，データ送受信や電送チェックなどを行う通信制御装置なども，ハードウェア面から見るとユーザープログラムがオペレーションシステムにデータを受け渡す前に処理を行うものであり，これに該当する。

FIDO 【フィド/ファイド】

特定のホスト局が存在せず，参加者同士がバケツリレー方式でメッセージを転送する，ボランティアによる全世界規模のコンピュータネットワーク。

finger 【フィンガー】

インターネットを利用している人の詳細情報を表示させるためのツール。これを使うと，ログイン名をはじめ，本名，最終ログイン日時，本人が登録したメッセージなどが表示される。

fj 【エフジェイ】　*from japan*

日本語が使用できるニュースグループの1つ。日本におけるインターネットの前身であるJUNETに設けられ，現在も盛んにメッセージがやりとりされている日本のネットニュースの代表的なトップカテゴリ。その沿革が大学ネットワークの実験であったことから，現在も商用利用が禁じられている。

FKEY 【エフキー】

Macintoshでコマンドキー，シフトキー，数字キーの組み合わせで機能を提供するプログラム。独立したプログラムではなく，システムソフトウェアに組み込んで機能するリソース型のプログラム。

flash 【フラッシュ】

Macromedia社のWeb表示用ベクトル型グラフィックアニメーション。専用のプラグインをブラウザに組み込んで見る。ドットの集積であるビットマップ型のグラフィックに対し，数値計算で描画するベクトル型画像は，サイズが小さい上，いくら拡大しても画質の劣化がないことなどの利点がある。反面，オブジェクト単位の図形的な表現になるため，不規則で複雑な絵や写真などには使えない。ホームページのデザイン的な処理に向いているため，急速に普及した。

FlashPix 【フラッシュピックス】

ビットマップ型の画像ファイルフォーマット。階層化された解像度の情報をもち，最低64×64ピクセル最大1024×1536ピクセルの範囲で出力にあわせて解像度を変更できるのが特徴。Eastman

Kodak社，Hewlett-Packard社，LivePicture社，Microsoft社の共同開発。

flame 【フレーム】

ネットワーク上のメッセージのやりとりで，挑発を意図したもの。いわゆる喧嘩を売るような電子メールの送付や電子掲示板へのメッセージの書きこみなど。

FLOPS 【フロップス】　*floating operations per second*

コンピュータの処理速度を表す単位。1秒間に行われる浮動小数演算の回数で表す。スーパーコンピュータでは30G(ギガ)FLOPSに達するものもある。⟳MIPS

FM 【エフエム】　*Facility Management*

⟳ファシリティマネジメント

FM TOWNS 【エフエムタウンズ】

富士通が1989年に発売したパーソナルコンピュータ。全機種にCD-ROMを搭載していた。画面の解像度は最大640×480ドットで，1600万色中256色を表示できる、また，PCM音源を3つ搭載しているなど，マルチメディア指向を強く打ち出した。

FM V 【エフエムブイ】

富士通が1993年に発売した国内向けパーソナルコンピュータ。PC/AT互換機（いわゆるDOS/V機）。

以降1996年のWindows95ブームにかけ、このシリーズで新機種を投入し、低価格入門機として急速にシェアを伸ばした。

FM音源 【エフエムオンゲン】　*Frequency Modulation oscillator*

正弦曲線の周波数を変調（FM変調）することで各種の音を合成する装置。基本周波数やその倍音，あるいは中間の音など，複数の周波数をミックスするので，本物の楽器に近い音を出すことが可能。優れた音色で音のバリエーションも豊富だが，周波数をミックスする作業などが難しく，目的の音色を合成するには熟練を要する。パーソナルコンピュータでは，ゲームの効果音やテーマ曲にも使われている。

FORTH 【フォース】

1960年代，Charles Mooreによって考案されたインタープリタ型言語で構造化プログラミングが可能。仮想的なスタックマシーンをマクロ的に扱えるように設定され，スタックの操作をプログラムによって行うことができ，かつ，言語系の拡張を容易に行うことができる特徴をもっている。

○構造化プログラミング

FORTRAN 【フォートラン】　*FORmula TRANslation*

1957年，IBM社のJim Backusらによって開発された科学技術計算用のプログラミング言語。

汎用コンピュータ用のプログラミング言語として，COBOLやPL/Iと並んでもっとも普及している。命令の記述が数式の表現と似ているため，複雑な計算式のプログラミングがしやすい。

1958年にFORTRAN II，1962年にFORTRAN IV，1978年にFORTRAN 77，1990年にFORTRAN 90とバージョンアップされてきた。

FPU 【エフピーユー】　*Floating Point Unit*

浮動小数点演算を高速に行う専用プロセッサのこと。○コプロセッサ

FreeBSD 【フリービーエスディー】

UCB（カリフォルニア大学バークレー校）でIntel社x86アーキテクチャ向けBSD版の386BSD から発展したフリーウェアのOS。1993年に最初のバージョンが登場した。AT&T版UNIXソースコードのライセンス侵害とされたため，バージョン2.X以降は，新しく書き起こされた4.4BSD-liteをもとにしている。FreeBSDは，はやく日本電気(株)のPC-9801シリーズに移植されたため，日本ではLinux以前からのユーザが多い。

FrontPage 【フロントページ】　*Microsoft FrontPage*

Microsoft社のWebページ作成アプリケーション。製品版はOffice に含まれており、Webページ作成だけでなく、Webサイトの管理運営をするための機能がある。サブセット版のFrontPage ExpressはHTMLエディタであり、Internet Explorerとともに無料配布される。（次ページ図参照）

FSF 【エフエスエフ】　*Free Software Fundation*

GNUプロジェクトをサポートするための財団。代表はRichard Stallmanで本部はマサチューセッツ州ボストンにある。GNUソフトウェアの配付，マニュアルの配付，ソースコードや寄付など協力物資の受け入れ，サービス名簿の整備などを行っている。
○GNU

FTP 【エフティーピー】　*File Transfer Protocol*

TCP/IPで使われるファイル転送プロトコルのこと。ネットワーク上のホストへのアクセス，ファイルの転送などができる。テキス

Microsoft FrontPage 2000

トファイルとバイナリファイルの転送が可能。

FTPを使う転送コマンドはftpと記述する。

ゲストIDに相当する"anonymous"というユーザーIDを使えば，公開されているものに限り，インターネットのどこのホストにあるファイルでも取り出すことができる。これを"anonymous FTP"という。

⟳anonymous FTP, TCP/IP

FW 【エフダブリュー】 *FoWard*

転送。受信した電子メールやニュースのメッセージをさらに別の人に送ること。またその送り先やメッセージ。

FYI 【フォアユアインフォメーション】 *For Your Information*

役に立つ情報という意味あいのネットワーカーの隠語。相手にとって有益な情報を提供する場合に使われる。インターネットに関するドキュメントをまとめたRFCの中の一分野にFYIがあり，内容はユーザのためのQ&A集である。

⟳RFC

Fネット 【エフネット】 *Facsimile Network Service*

1981年9月からNTTが始めた，ファクシミリ伝送専用のサービス

網のこと。ファクシミリは, 低価格化・小型化が進み, 企業に限らず, コンビニエンスストアや一般の家庭にも普及し始め, ごく身近な存在になりつつある。Fネットは, 1枚の原稿を1回の送信で多数の場所に送信できる同報通信など, 多彩な付加機能を備えているのが特徴である。最近では, 同様のファクシミリ通信サービスを大手VAN業者が提供している。

F

G 【ギガ】　*Giga*

ギガの略。⊃ギガ

G4ファクシミリ 【ジーフォーファクシミリ】

ITU-T(国際電気通信連合電気通信標準化部門)によって定められた，最新のファクシミリの世界標準規格。その特長はG3に比べ，短時間で高解像度画像の伝送が可能な点にある。デジタルデータ網の使用が前提となる。1988年11月，ITU-T勧告でISDN(統合サービスデジタル網)におけるG4ファクシミリの標準化がなされた。

Gates, Bill 【ゲイツ，ビル】　*William H. Gates III*

Microsoft社会長兼CEO(最高経営責任者)。1955年，ワシントン州シアトル生まれ。

小学生時代からコンピュータプログラミングを手掛け，高校時代に友人のPaul AllenとともにComputer Center社でDEC社製ミニコンピュータのバグ調査に従事。

その後，交通量データを分析するシステムを開発し，ふたりはTraf-O-Data社を設立した。

ハーバード大学在学中の1974年，AllenとともにMITS Altair 8800用のBASICを開発。Traf-O-Data社をMicrosoft社と改名した。

Bill Gates

GB2312 【ジービーニサンイチニ】　*GuójiāBiāozhǔn 2312*, 国家標準 2312

コンピュータ用の中国語コード体系の1つ。一般に，中華人民共和国で使われる簡体字表記の漢字フォントが使われる場合はこのコード体系による。漢字はJISと同様に発音順の第1水準，部

103

首順の第2水準がある。また日本語の仮名にもコードが割り当てられている。繁体字フォントを使う場合は，GB2312を拡張したGB12345を使う。繁体字でも同意の漢字は新たなコードに割り当てるわけではなく，フォントを置き換えるに過ぎないので，コード上で簡体字と繁体字の共存（区別）はできない。

GDC 【ジーディーシー】　*Graphics Display Controller*

NECのPC-9800シリーズに搭載されている，グラフィック表示用IC。簡単な命令を与えるだけで，直線や円などをディスプレイに表示できる。

Gecko 【ゲッコ】

Netscape Communications社のCommunicator5.0に相当する次世代ブラウザに組み込まれるブラウザ機能のエンジン。DLLファイルの形式で開発者向けに公開，配布されている。

General Magic 【ジェネラルマジック】　*General Magic Corporation*

次世代の個人用通信機器の開発と情報サービスの実現を目的とし，1990年6月にBil Atkinson を中心に設立された会社。現在はApple Computer社，AT&T社，松下電器産業(株)，Motorola社，Philips社，ソニー(株) と提携している。

これまでに個人用のデジタルコミュニケータ「Personal Intelligent Communicator」のハードウェア基本仕様としてMagic-Cap(General Magic communicating application platform)およびメッセージ通信プログラム言語Telescipt などを開発した。

◯Atkinson, Bill

GEO 【ジェオ】　*Geostationary Earth Orbit*

静止軌道周回衛星。高度3万km以上の上空の軌道上にあって地球の自転と同じ速度で回る通信衛星の総称。地表との距離が長いためタイムラグが生じリアルタイムの双方向通信にはむいていないとされる。衛星放送や大容量の衛星データ通信の下り回線（受信）に使われる。

GIF 【ジフ】　*Graphics Interchange Format*

Compuserveで開発され，標準とされた画像フォーマット。IBM PC, Macintosh, PC-9800など，さまざまな機種で画像をやりとりできる。

GIF アニメーション 【ジフアニメーション】　*Graphics Interchange Format Animation*

GIF形式で作られた複数の画像ファイルを，一定時間ごとに切り替

えることにより，パラパラ漫画のようにコマ送りした動画として表示させるもの。専用のツールを使って複数のＧＩＦファイルを一つのファイルにまとめて使う。インターネットのWWWなどでよく利用される。⊃WWW

GKS 【ジーケイエス】 *Graphical Kernel System*

ISO（国際標準化機構）による２次元コンピュータグラフィックス（平面図）の標準規格のこと。

ハードウェア（ディスプレイ，プロッタ）やオペレーティングシステムからの独立をはかるため，ワークステーションという概念を用いている。

GM 【ジーエム】 *General MIDI*

標準MIDI。メーカーや機種に限定されないMIDIデータを作成するため，1991年，MIDI協議会とMMA(MIDI Manufacturers Association)によって合意された，音源に関する共通仕様。

最低限サポートすべきボイス（音）数，認識しなければならないMIDIメッセージ，プログラムチェンジナンバーに対応する音色，リズム音色の鍵盤への割り当て，などについて定めてある。Windows3.1でマルチメディア音源として採用された。

GM対応音源であれば，メーカーや機種に関わらず，GMスコア（GMシステム用に作成されたミュージックデータ）を同じように再生できる。

GM以前のMIDI音源は，音色などの割り当てが異なるメーカー，あるいは同じメーカーでも機種ごとにばらばらであったため，別の音源で鳴らすと，ピアノのパートをティンパニーが弾く，ということすら起こり得た。

GNU 【グヌー/グニュー】 *GNU is Not Unix*

Richard Stallmanら FSF(Free Software Foundation)によって構築されつつある，UNIXと上位互換性があり，コピーが自由な，統合されたソフトウェアシステム。プログラムの複写，再配布，改変の自由を保証するCopyleft(GPL)を主張している。GNU Emacs(エディタ)，gcc（Cコンパイラ），gawk(awk)などは広く利用されている。

GNUish 【グニューイッシュ】

GNU的な。GNU風のという意味。

Gopher 【ゴーファー】

むずかしいコマンドを使わずに，インターネット上に分散している

さまざまな情報を検索するためのクライアント/サーバシステム。特徴は，ディレクトリツリーがリストで表示されることから，いちいちキー入力を行わなくても目的のデータを選択することができるということ。

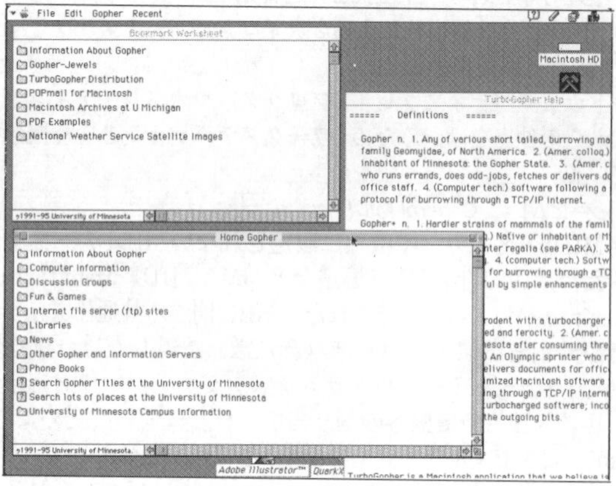

Gopher の画面

Gore, Albert　【ゴア, アルバート】　*Albert Gore*

アメリカ合衆国第45代副大統領。情報スーパーハイウェイ構想の提案者。→情報スーパーハイウェイ

gov　【ゴブ/ジーオーブイ】

インターネットのドメインネームで，政府を表す。
→ドメインネームシステム

GP/IB　【ジーピーアイビー】　*General Purpose Interface Bus*

CPUと周辺機器をつなぐインターフェイスのひとつ。最大で15台の装置をつなぐことができ，測定機によく利用されている。双方向，半二重通信で，コントローラ（controller）がバスの管理を行い，データの送信側であるトーカ(talker)と受信側であるリスナー(listener)を指定する。元々はHewlett-Packard社が開発したものでHP-IBとも呼ばれていたが，IEEEによって標準規格に採用され，IEEE-488バスとも呼ばれる。

GPL　*General Public License*

→Copyleft, GNU

GPS 【ジーピーエス】 *Global Positioning System*

全地球測位システムのこと。24個の人工衛星(米軍が打ち上げたもの)と、地上の制御局で利用者の移動局の位置を測位するもの。人工衛星と移動局との電波の到達時間を計算して位置を求める。各人工衛星の時刻信号を管理しているのが、地上の制御局である。本来、軍事用に構築されたが、現在は自動車のナビゲーションシステムなどにも使われている。

Green PC 【グリーンピーシー】

省電力型パーソナルコンピュータのこと。アメリカ合州国環境保護庁(EPA : Environmental Protection Agency)のエナジースターコンピュータズプログラムによれば動作待ち状態で駆動電力が30ワット以下、あるいはCPU稼働時の30%以下に消費電力を低減できるもの。

3.3ボルトで動作するマザーボードやCPU、パワースリープモード、低輝度モニタなどを採用することで低消費電力を目指している。

エナジースターのロゴ

grep 【グレップ】 *global regular expression*

テキストファイル中の指定した文字列を検索するプログラム。検索文字列のパターンには正規表現が使える。オリジナルはUNIXに用意されていたツールプログラムだが、MS-DOSなどにも移植されている。

GSM 【ジーエスエム】 *Global System for Mobile Communications*

ETSI (欧州電気通信標準化協会) のGSM (移動体通信特別部会 Groupé Spécial Mobile = 仏、又はSMG, Special Mobile Group = 英) で定められた欧州統一標準のデジタル携帯電話の通信方式。日本を除くアジアにも普及し、デジタル携帯電話の世界

的な標準になった。8チャンネルTDMA（フルレートで1搬送波8ユーザが同時に交信できる時分割多元接続方式）。

GS フォーマット 【ジーエスフォーマット】　*GS format*

ローランドが自社の音源に採用しているMIDIの仕様。GM規格を拡張し，独自の音色，トーンエディット，リバーブやコーラスなどのエフェクトなどをサポートした。

○MIDI, GM

GUI 【ジーユーアイ】　*Graphical User Interface*

コンピュータを視覚的に操作できるよう，考案されたインターフェイス。OSやOS上の基本環境として提供されるものをさす。

ビットマップディスプレイにウィンドウを開き，ドライブやディレクトリ，ファイルをアイコンで表示し，マウスなどのポインティングデバイスで操作する。ファイル操作や印刷などはメニューに用意され，アプリケーション間で操作の統一性が保たれている。

1970年代，Xerox社パロアルト研究所（PARC）で実用化の研究が進み，同所のワークステーションAlto上で実現された。これを元に，Lisa, Macintosh OS, X-Window, MS-Windowsなどが開発された。

G 規格 【ジーキカク】　*G-recommendation*

ITU-TS(旧CCITT:国際電信電話諮問委員会) によるファクシミリの国際標準規格。G1からG4までのタイプのファクシミリがあり，G1の伝送速度が最も遅く，G4の伝送速度が最も速く設定されている。また，G1〜G3がアナログの電話回線網（一般の電話回線）を使用するのに対し，G4はISDN回線を利用する。

○ISDN, INS ネット 64

G バイト 【ギガバイト】　*giga byte*

1024Mバイトのこと。

HCP チャート 【エイチシーピーチャート】 *hierarchical and compact discription chart*

　NTTが開発し，ISOで国際標準として認められた構造化チャート記述法。特徴としては

- 丸い枠を使うことで記述密度が上がる
- データの構造を階層的に記述できる
- 処理の概略と詳細とを対応して記述できる
- データと処理の関係を明記できる

などがあげられる。

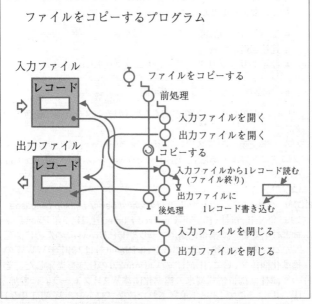

HCP チャート

HD 【エイチディー】　　*Hard Disk*
　○─ハードディスク

HDD 【エイチディーディー】　　*Hard Disk Drive*
　ハードディスクドライブ，ハードディスク駆動装置のこと。
　○─ハードディスク

HDF 【エイチディーエフ】　　*Hierarchical Data Format*
　NCSAで開発された科学研究データ専用のファイル形式。これを作成，閲覧するソフトウェアツールはNCSAから無償で提供されるほか，市販の製品で対応しているものもある。米国の大学，ハイテク企業，研究機関やNASAなどの政府機関で取り扱われる文献やデータはHDFで保管される。最新のHDFであるHDF5では仕様を完全に変更したため，HDF4以前のバージョンとの間で互換性がない。

HDLC 【エイチディーエルシー】　　*High-level Data Link Control*
　ハイレベルデータリンク制御手順のこと。ISOおよびJISで制定されている。特徴としては

- ビット単位の伝送
- 連続転送が可能
- サイクリックリダンダンシチェック(CRC)によるエラーチェック
- 分岐回線でも全二重通信が可能

といった点があり，信頼性が高く，大量のデータを高速に転送できる。
　パケット交換サービス用のX.25インターフェイスのデータリンク層プロトコルであるLAPB(link access procedur-balanced)はHDLC非同期平衡モードである。
　○─プロトコル

HDML 【エイチディーエムエル】　　*Handheld Device Markup Language*
　1995年，Libris社（1996年Unwired Planet 社，1999年Phone.com社と社名変更）が携帯電話用ブラウザUP.Browserのために開発したコンテンツ記述言語。Unwired Planet社は1997年WWWの標準化団体W3CにHDML のVersion2.0の仕様を提案した。その後同社は携帯情報端末の標準化団体WAPフォーラムに参加，HDMLはそこで1998年策定された標準プロトコルWAP1.0の1つWMLに発展した。

◯WML

HDSL 【エイチディーエスエル】　*High bit rate DSL*

高速デジタル加入者線。2対又は3対のツイストペア銅線ケーブル
を用いて，双方向にT1回線（1.544Mbps）又はE1回線（2.408Mbps）
並のスループットを実現するDSL。1対で同様の速度を実現する
HDSL-2も開発中である。

HDTV 【エイチディーティービー】　*High-Definition television*

高品位テレビのこと。日本ではMUSE（ハイビジョン）方式によ
る放送が開始されている。

◯高品位テレビ

HFS 【エイチエフエス】　*Hierachical File System*

Macintoshで採用されている階層型ディレクトリ管理システム。
フォルダの中にフォルダを置くことで，フォルダやファイルを階層
管理することができる。同一フォルダ内に同じ名前のフォルダや
ファイルは置くことができないが，別のフォルダには置くことがで
きる。
初期のMacintoshでは階層構造を持たないMFS(Macintosh file
system)が採用されていた。

HFS+ 【エイチエフエスプラス】　*Hierarchical File System +*

MacOS8.1からオプションで用意された「MacOS 拡張フォーマッ
ト」の通称。ハードディスクのクラスタサイズを従来のHFSより
細かくとることにより，大容量ハードディスクの実質記憶容量を
増やしアクセスのパフォーマンスを向上させる。Windowsシステ
ムでのFAT32に相当する。

HIMEM 【ハイメモリ, ハイメム】　*HIMEM.SYS*

MS-DOSやWindowsに含まれている，1Mバイト以上のメモリ
(XMS)にアクセスできるようにするための拡張メモリドライバ。

◯XMS

HIPO 【ハイポ】　*Hierarchical plus Input Process Output*

システムを設計する場合，それを階層構造化して考え，各モジュー
ルを入力，処理，出力のパートに分けて記述する方式である。
この方法を使えば，プログラムの流れが図式化して表記され，他の
プログラマなどに容易に理解させられる。

HMA 【エイチエムエー】　*High Memory Area*

80286以上のCPUで，拡張メモリの1024Kバイトから1088Kバ
イトまでの64Kバイトの領域。

MS-DOSでは8086との互換性をとるために，そのままではアクセスできないが，XMSマネージャを組み込むことでリアルモードで利用できるようになる。日本語入力FEPなど，システムの一部をロードできる。⊃XMS

Hot Java 【ホットジャバ】

米サンマイクロシステムズ社が開発したJava用ブラウザ。インターネット用のプログラム言語であるJavaで書かれたホームページを見るために開発された。当初は，Javaで書かれたホームページはHot Javaでしか見ることができなかったが，Netscape Navigator や InternetExplorer が Java対応となったことから，ブラウザとしてはそれほど注目されなくなった。

⊃Java

HPFS 【エイチピーエフエス】　　　*High Performance File System*

OS/2 Version 1.2からFATに加えてサポートされたファイルシステム。2テラバイトまでの大容量ディスク領域，254文字までのロングファイルネームが扱え，ファイルの先読みやディスク・キャッシュ機能が搭載された。

HPGL 【エイチピージーエル】　　　*Hewlett-Packard Graphics Language*

Hewlett-Packard社の図形イメージ記述言語。もともと同社のプロッタ用に開発され，プロッタの標準記述言語として多くの製品に採用されている。

⊃プロッタ

HSV 【エイチエスブイ】　　　*Hue Saturation Value*

色相，彩度，明度という色の3要素による色指定のこと。色の作り方が絵の具を混ぜ合わせるようにできるので，デザイナーによく使われる。

HSB(hue saturation brightness : 色相, 彩度, 輝度), HSL(hue saturation luminace : 色相, 彩度, 明度), HVC(hue value chroma : 色相, 明るさ, 彩度)ともいう。

⊃RGB, YMCK

HTML 【エイチティーエムエル】　　　*Hyper Text Markup Language*

インターネットのWWWで利用する情報を作成するための基本言語。言語といってもBASICやC++のように製品を別途購入する必要はなく，テキスト形式の文書にタグと呼ばれる命令コマンド（文字列）を埋め込んでいくだけでよい。最終的には，HTMLのタグが入ったテキスト形式のファイル（拡張子が.htmlもしく

は，htm）としてWWWサーバに保存することになる。Netscape Navigatorなどの Web ブラウザは，WWWサーバから送られてくる HTML ファイルに記述されているタグの文法を解析し，その指示にしたがって文字の装飾や文書の配置を行い画面上に表示する。さらにタグで指定されている画像ファイルや音声ファイルを読み込んで表示・再生させたり，他のWWWサーバのページを表示させることもできる。HTMLのタグの仕様は，段階的に拡張されており，最新情報は「http://www.w3.org/pub/WWW/MarkUp/」で入手できる。

●Web ブラウザ，WWW，タグ，ハイパーテキスト

HTML ファイル

HTML エディタ 【エイチティーエムエルエディタ】　*HTML Editor*

HTMLファイルを作成するための専用エディタ。HTMLは基本的にはテキストファイルなので，通常のエディタでも作成することができるが，HTMLエディタを使うとHTMLのタグをメニューから選択したり，実際にWebブラウザに表示した状態で編集でき

るなど，HTMLファイルを効率よく作成できるようになっている。
なお，最近ではHTMLエディタとして開発されたアプリケーションとは別に，テキストエディタやワープロソフトにもHTMLエディタとしての機能が付加されていることが多い。

HTTP 【エイチティーティーピー】　　*HyperText Transfer Protocol*

インターネットのホームページを見るためのプロトコル。具体的にはWebブラウザと接続先のサーバにあるデータとのやりとりを行う。Webブラウザで，URLを指定する際，「http://」と入力するのはこのプロトコルを指定するための記述である。
　　○プロトコル

HTTPS 【エイチティーティーピーエス】　　*HyperText Transfer Protocol Secure*

Enterprise Integration Technology社が開発したWebで使われるセキュリティプロトコル。SSLとともに使われ，構造的にはSSLセキュリティプロトコルの上位に位置する。
　　○SSL

HUB 【ハブ】
　　○ハブ

H

i18n 【アイジュウハチエヌ】

プログラムの国際化対応のこと。プログラムのソースコードに特定の言語のメニューやヘルプ表示，国別に異なる日付，通貨単位のデータが書きこまれていると，これを他の国語に移植する場合に，ソースコードから書きなおし，コンパイルしなおさなくてはならない。そうではなく，国別の情報を，実行ファイルとは別のデータファイルでもっていて，データファイルを差し替えるだけで，各国語に対応できるように配慮してあることをいう。internationalizationのつづりのiとnの間（nternationalizatio）が18字であることからきている。

i486 【アイヨンハチロク】

Intel社の486CPUの登録商標。

IAB 【アイエービー】　*Internet Architecture Board*

インターネットに関する技術的な研究や管理をするための協議団体。年4回開催され，技術的課題を研究するIETF(Internet Engineering Task Force)や，さまざまな問題を調査しているIRTF(Internet Research Task Force)などを監督している。

IANA 【アイエーエヌエー】　*Internet Assigned Number Authority*

インターネット上での名前にあたるIPアドレスやドメインネームなどを管理している組織。

IBM 【アイビーエム】　*International Business Machines Corporation*

世界最大のコンピュータメーカー。1890年，米国の国勢調査にパンチカードを用いることを考案したHerman Hollerithが、1896年に設立した、パンチカード作表機メーカーTabulating Machines社に淵源を発する。1901年、Tabulating Machines 社は時計メーカーなどと合併し、CTR（Computer Tabulating Recording）社となり、1924年International Business Machines 社と改名した。1964年に発表され、現在のコンピュータの基礎を作ったとされるSystem/360に発し、System/390に至る大型汎用コンピュータは、同社の地位を確立する源泉となった。1988年のミニコンピュータAS/400、1990年のワークステーションRS6000、1987年のパソコンPS/2などは、汎用コンピュータの端末としての性格

I

が濃い。

1981年には、出遅れていたパソコン開発で、IBM PCを世に出し、Intel社の8088CPUとMicorosft社のMS-DOS（PC-DOS）を採用、1984年のPC/ATアーキテクチャ以後、現在のパソコンの標準となった。その後、PS/2のマイクロチャンネルバスが市場に受け容れられず、互換機の隆盛で価格競争に破れたが、1994年にIBMのAT互換機と評されたISAバス搭載の普及価格パソコンAptivaを発売した。

ソフトウェア開発では言語のFORTRAN(1957年)とPL/1(1965年)、オペレーティング・システムのOS/2 (1987年) が知られる。同社の子会社である日本アイ・ビー・エム（株）は、1990年PC-DOS をベースにOSの機能でパソコンの日本語化を可能にするDOS/V を開発、日本における低価格パソコンブームの火付け役となった。

IBM PC 【アイビーエムピーシー】　*IBM the Personal Computer*

IBM社が1981年8月に発表した、同社初のパーソナルコンピュータ。CPUにはクロック周波数4.77MHzの8088を搭載、実装メモリは64Kバイト、拡張スロットは5個。DOS にはMicrosoftが開発したPC-DOSが用意された。

マザーボードにはCPUやメモリなど、最低限必要なシステムしか搭載せず、ビデオアダプタやシリアル/パラレルインターフェイスなど、ほとんどがスロットにボードを差すことで拡張できるようになっている。外部記憶装置用にカセットテープインターフェイスが装備されていた。

純正で用意されたビデオアダプタは、80文字×25行モノクロ表示のMDAと、640×200ドットモノクロ表示あるいは320×200ドット4色表示のCGAであった。

サードパーティに拡張ボードやソフトウェアの開発をうながすため、回路図およびBIOSは公開された。

IBM PCの設計、開発はフロリダ州ボカラトンで、Philip Don Estridgeを中心とするプロジェクトチームにより、社内ベンチャーとして行なわれた。
⊃PC/AT, PC/XT, OS/2

IBM カード 【アイビーエムカード】　*IBM card*
⊃パンチカード

iBook 【アイブック】

Apple Computer 社が1999年に発売したノートブックコンピュータのシリーズ。「持ち運べるiMac」というコンセプトで，半透明ボディなどデザインは同社のオールインワン型パーソナルコンピュータiMacを踏襲している。キーボードはテンキーがないほかはデスクトップに近いサイズ，総重量3Kgで，携帯性はあまり重視されていない。オプションでワイヤレスLANやワイヤレスインターネット接続が可能。
▷iMac

iBook

IC 【アイシー】　*Integrated Circuit*

基板上にトランジスタ，ダイオード，抵抗，コンデンサなどを埋め込んだ回路のこと。集積回路ともいう。構造上の違いから，モノリシックICとハイブリッドICに分けられる。

モノリシックICは，印刷技術によって基板上に回路を作るもので，シリコンチップの上に構成したものが多く使われている。一方のハイブリッドICは，セラミック基板の上に極小の部品を集積した回路である。一般的に，モノリシックIC のことをICと呼んでいる。技術の発達にともなって同一面積に組み込むことができるトランジスタの数も飛躍的に増え，ひとつの基板上のトランジスタ回路数（集積度）によって，おおよそ下のように分類されている。

小規模集積回路（SSI）	100 個以下
中規模集積回路（MSI）	100 ～ 1000 個
大規模集積回路（LSI）	1000 ～ 10 万個
超 LSI（VLSI）	10 万個～ 100 万個
（ULSI）	100 万個～

ICO 【アイコ】 *Intermediate Circular Orbit*

12基のMEO（Medium Earth Orbit中軌道周回衛星）を利用する衛星携帯電話サービス。2000年夏に開始予定。英ICO Global Communications社が運営する。日本ではKDD，NTTドコモ，日本テレコム，IDO等が共同出資する日本衛星電話(株)が営業する。

iCOMP 指数 【アイコンプシスウ】 *intel COmparative Microprocessor Performance index*

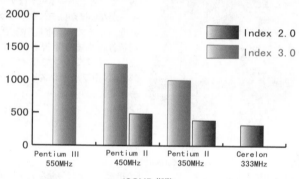

iCOMP 指数

Intel社が定めた同社製CPUの能力を示す指数。基準となるCPUを決め，テキスト処理，グラフィック表示などいくつかの特定の機能を数種の特定の代表的なベンチマークテスト用ソフトで計測し，機能と値それぞれに一定のウェイトをつけて得た結果を100または1000という基準値をとるようにする数式を定める。この数式に同じ条件で計測した他のCPUの計測結果をあてはめて性能比較の参考とする。最初のバージョンではi486SX 25MHzを基準とし100とした。次のバージョンIndex2.0では，Pentium 120MHｚを100とし，Index3.0ではPentium II 350MHzを基準に1000としている。計測する要素，数式がバージョンによって異なるためバージョン間の互換性はない。

ICQ 【アイシーキュー】

Mirabilis社（イスラエル）のインターネット電子会議ソフト。登

録した相手がインターネットに入ると，自動的に通知され，リアルタイムにチャットやデータ交換ができる。I seek you.（君を探している）の発音から名付けられた。1998年 Mirabilis社はAOL社に買収された。

ICSA 【アイシーエスエー】 *International Computer Security Association*
国際コンピュータセキュリティ協会。コンピュータのセキュリティ技術についての啓発やネットワーク製品の安全性の認定を行っている国際団体。

IC カード 【アイシーカード】 *Integrated Circuit card*
カード状のケース内にICメモリやCPUを埋め込んだもの。スマートカード，チップカード，インテリジェントカードともいう。従来の磁気カードにくらべ，記憶できる情報量が100倍以上にもなり，書き込みや読み込みをランダムで行うことができる。偽造が困難で磁気の影響を受けないので保安面でも優れている。

ID 【アイディー】 *identity*
データや人物などを識別するための符号。種類には次のものがある。

(1) フロッピーディスクやメモリなどで，ファイルによってデータを管理する場合，データ内容の識別や属性などの情報を入れる領域。データを読み書きするときのチェックを行う。
(2) 企業などで社内の情報の安全保持のため社員にIDカードをもたせ，カードのプライオリティ（優先順位）によって入室や情報の利用を制限するもの。IDカードには，おもに磁気カードが使われ，身分証明書を兼ねている場合が多い。
(3) 複数のユーザーがコンピュータ間でデータ通信を行う場合，利用している人を識別するために使う。IDによってホストコンピュータはどのユーザーにアクセスされているかを認識する。

IDE 【アイディーイー】 *Integrated Drive Electronics*
PC/AT互換機の記憶装置の接続インターフェイス。当初は1枚のインターフェイスボードで扱える装置数が2台まで，1台のIDE装置で扱える容量は528MBまで，転送速度はSCSIよりかなり遅いという制限があったが，ISAバスにバッファを介して直結するだけの極めてシンプルな回路で構成され，安価なことからハードディスクで主流の接続方式になった。ANSIで標準化され，ATA（AT Attachment）規格となってから，Macintoshなどの他のマシンに

I

も採用されるようになる。IDEと互換性を保持した拡張IDE も ATA-2, ATA-3, ATA-4として漸次制定され, 最大で装置4台 まで, 容量8.4GB, 転送速度33Mbpsまで可能になっている。
⦿拡張 IDE

IDEA 【イデア】 *International Data Encryption Algorithm*
ETH (スイス連邦工科大学) のJames L. MasseyとXuejia Laiが 考案し, Ascom Systec社が特許をもつ秘密鍵暗号方式。128ビッ トキーを使用する。データを64ビットずつに分解して暗号化する ブロック暗号化という手法を使うことに特徴がある。

IDEF 【アイデフ】 *Integration Definition for Function Modeling*
情報システム開発を目的とした, 業務プロセスの構造化分析と設計 のためのモデル化手法。業務プロセスをボックスとアローの組み 合わせのダイアグラムで表す。ボックスはモデル化しようとする 業務プロセスの中のアクティビティであり, 入力 (I), 出力 (O), 制御 (C), メカニズム (M) と呼ばれるアローで結ばれる。業務 プロセス機能モデルのIDEF0 (ゼロ) やRDB論理設計のための データベースモデルのIDEF1x等がある。1970年代にIDEF0が 米国空軍のICAM(Integrated Computer Aided Manufacturing) プロジェクトで開発された。現在は米国連邦情報処理規格FIPS として採用され, CALSの要素技術としても注目されている。

IEC 【アイイーシー】 *International Electrotechnical Commission*
国際電気技術委員会。今世紀初頭の1906年に設立されたスイスの ジュネーヴに本部がある標準化団体。1987年ISOと協調で委員会 JTC1 (Joint Technical Committee for information technology 1) を構成。ISO (1946年設立) の電気・電子分野を専門に担当 しているが, 別団体である。

IEEE 【アイトリプルイー】 *Institute of Electrical and Electronics Engineers*
アメリカ電気電子技術者協会のことで, 電気, 電子, コンピュータ, およびその他の関連分野での発展に寄与し, 標準化をすすめる団 体。
IEEE488 (コンピュータと周辺機器とのインターフェイス規格) やIEEE802 (LANの標準化) などを制定している。

IEEE1284 【アイトリプルイーイチニハチヨン】
IEEEの制定した拡張パラレルインターフェース規格。従来のパ ソコンのセントロニクス社仕様のポートと上位互換性がある。従

来型の機器との互換モードでも双方向伝送ができる他，複数の機種がつなげる拡張パラレルポート(EPP, Enhanced Pararell Port)モード，印刷用の拡張機能ポート（ECP, Extend Capabilities Port）モードがあり，双方向伝送と高速化が計られている。

IEEE1394 【アイトリプルイーイチサンキュウヨン】

IEEEの制定した高速シリアルインタフェース規格。Apple Computer社とTexas Instrument社の開発したFireWireが基本となっている。伝送速度は100,200,400Mbps。さらにIEEE1394bでは800,1600,3200Mbpsまで規定されている。ビデオ周辺機器とパソコンとの接続に使用される。

IESG 【アイイーエスジー】 *Internet Engineering Steering Group*

IABの下部機関。インターネット技術調整部会。IETF

IETF 【アイイーティーエフ】 *Internet Engineering Task Force*

IABの下部機関。インターネット技術専門部会。IRTF（インターネット研究専門部会）で研究されたインターネット上の理論的なテクノロジーについて，運用技術的な課題の解決を担当する。各専門分野ごとにグループがあり，各グループの長はIESGを構成し，意見をここで調整する。ここで作成された文書はRFCとしてまとめられ，IABにあげられる。

➲IAB

IIJ 【アイアイジェー】 *Internet Initiative Japan*

(株)インターネットイニシアチブが運営するインターネットサービスプロバイダの名前。1993年7月に運営をスタートし，NSPIXPに接続しているほか，海外にも強力なネットワークを有している。特別第2種プロバイダにも認定されている。➲NSPIXP，特別第2種，プロバイダ

IIOP 【アイアイオーピー】 *Internet Inter-Orb Protocol*

インターネット上でORB同士が通信しあうためのプロトコル。CORBA2で規定された。

iMac 【アイマック】

1998年に発売されたApple Computer社製オールインワン型パーソナル・コンピュータ。フロッピーディスクドライブをなくし，100 BASE-TXのEthernetポート，USBポート，56Kbpsモデムを標準で添付するなど，ネットワークでの使用を前提に設計されている。本体に半透明な材質を使用するなど，ファッション性も強く押し出している。(次ページ図参照)

iMac

IMAP 【アイマップ】　*Internet Message Access Protocol*

インターネットでサーバからクライアントがメールを受信する方
式の一つ。サーバに着信したメールをサーバに置いたままリモー
ト管理できる。クライアントではメールのタイトルや差出人の情
報だけを本文と分離してダウンロードできるため, 電話回線を通じ
た個人ユーザやモバイルユーザ向きとされる。不要なメールはク
ライアント側にダウンロードせずに削除したり, 自宅, 職場, 出先
など複数のクライアントで同じメールを何度も読み出すという使
い方ができる。普及しているバージョンはIMAP4。
⊃POP

IME 【アイエムイー】　*Input Method Editor*

Windowsで日本語入力を行うためのプログラム。MS-IME, ATOK
などが有名。(次ページ図参照)

IMHO 【インマイハンブルオピニオン】　*In My Humble Opinion*

ハッカー, 電子メール用語の1つ。「私のつまらない意見ですが」
という前置き。

IMT-2000 【アイエムティーニセン】　*International Mobile Telecommunications 2000*

ITU (国際電気通信連合) で標準化が進められている次世代移動通
信システムのプロジェクト。西暦2000年に全世界共通の周波数帯
を使って, 有線と同等の高速で使える移動通信システムをめざし

122

あどれすは、http:

Microsoft IME2000

ている。通信方式の候補としては，現在の米国標準cdmaOneをさ
らに広帯域としたcdma2000，日本からNTT移動通信が新たに開
発したW-CDMA，欧州のETSIで策定されているUTRAが検討
されている。

Indeo 【インデオ】

Intel社が開発したマルチメディア用の動画圧縮技術。ビデオなど
の入力をリアルタイムで圧縮することが可能で，Microsoft社の
Video for Windows，Apple Computer社のQuickTime，IBM社
のUltimotionなどさまざまなマルチメディアフォーマットに対応
している。

INIT 【イニット】

Macintoshのプログラムの一種で，スタートアップのときに自動的
にメモリに読み込まれる。通常はユーザーインターフェイスをも
たず，バックグラウンドで活動し，OSの機能を拡張したりといっ
た機能を提供することが多い。

System7では機能拡張(Extensions)と呼ばれるようになった。

INI ファイル 【イニファイル】　　*INI File*

各種設定ファイルを表す。Windowsでは，WIN.INIとSYSTEM.
INIの二つでWindowsに関する基本的な設定を行っている。

Inside Macintosh 【インサイドマッキントッシュ】

Apple Computer社の編集によるMacintoshの技術解説書。ユー
ザーインターフェイスデザインから，OS，ハードウェアなどの分

I

野をカバーする。中心となっているのは，ToolBoxと呼ばれるシステムが提供する機能の解説である。

INS 【アイエヌエス】　*Information Network System*

NTTがサービスを提供しているISDN(デジタル)回線のこと。INSネットには，最高128kbpsのスピードが得られるINSネット64と，1500kbpsのINSネット1500の2つがある。前者は，最大64kbpsの通信スピードを持つBチャネルを2本とコントロール用のDチャネルが1本の計3本の回線がとれる。INSネット64は，インターネット需要と各種機器の低価格化，工事の簡素化に伴い，急速に普及しつつある。一方のINSネット1500は，Bチャンネル23本とDチャンネル1本，もしくはBチャンネル24本が利用できる。INSネット1500は光ファイバーにより高速な転送スピードを得られるが，導入に際しては相応のコストがかかるため，企業ユーザーなどに利用されている。

INS ネット 64 【アイエヌエスネットロクジュウヨン】

NTTのISDNサービスのひとつ。契約者回線1回線は「情報チャネル」と呼ばれるBチャネル（64Kbps）2本と，「信号チャネル」と呼ばれるDチャネル（16Kbps）1本の合計3本のチャネルをもつ。従来の引き込み回線をそのまま転用できる。屋内にNTTとユーザーの分岐点となるDSUを設置し，DSUから先は4線式バス配線となる。

この屋内バスに，従来の電話機，ファクシミリ，モデムなどはアナログ対応TA（ターミナルアダプタ）を介して，V110対応ネットワークへはデジタルTAを介してRS-232Cで，G4ファクシミリなどINS対応機器は直接，接続する。

INSネット64の特徴は以下のとおり。

(1) 1本の契約者回線を有効利用
　　契約者回線1回線で，64Kbpsデジタル，あるいは電話モードならば2本と同時に通信できる。
(2) 従来の回線が利用可能
　　端末側は，従来の電話回線をそのまま転用して使うことができる。
(3) 通信相手を選ばない
　　INSネット64に加入していない通信相手でも，通常どおりの通信ができる。

(4) 3種類の通信モード

　通信モードには「電話モード」「ディジタル通信モード」「パケット通信」の3種類があり，端末側で任意の通信モードを選択できる。

INS ネット 1500 【アイエヌエスネットセンゴヒャク】
�1次群インターフェイス

Intel 【インテル】　　*Intel Corporation*

　パーソナルコンピュータ用CPUではトップシェアをもつ，アメリカの半導体メーカー。1959年，Fairchild Semiconductor社で世界最初のICを開発したRobert Noyceと同僚のGordon Moorが68年に独立して設立した。

　71年，日本の電卓メーカーからの依頼により，最初の4ビットCPUである4004を開発した。このとき，日本側スタッフとして協力したのが嶋 正利。翌年，8ビットCPU8008を市場に送り出し，これがマイクロコンピュータ誕生のもととなった。

　8008は改良されて8080となり，1975年にMITS社から販売された世界最初のマイクロコンピュータキット，Altair8800に採用された。1981年には内部バス16ビット，外部バス8ビットのアーキテクチャをもつ8088がIBM PC に採用された。

　現在，Intel社のCPUはIBM PC互換機をはじめ，NECのPC-9800シリーズ，富士通のFMVシリーズ/FMタウンズシリーズ，東芝のJ-3100シリーズなど，MS-DOS/Windowsが動作するパーソナルコンピュータのほとんどに採用されている。◯8086系

Internet 【インターネット】
◯インターネット

Internet Explorer 【インターネットエクスプローラ】

　Microsoft社のWebブラウザ。バージョン4.0からWindows95，NT，98などのOSと一体化するしくみになっている(OSのウィンドウがブラウザとして動作する)。インターネット上などで，無料で入手することができる。バージョン5.0ではさらにアプリケーションのOffice2000を統合され，イントラネットのデスクトップになくてはならない必須ソフトになった。(次ページ図参照)

InterNIC 【インターニック】　　*Internet Network Infomation Center*

　InterNICは，1993年に，拡大するインターネットに関する情報を集積するために開設された情報集積機関である。情報管理のほか

I

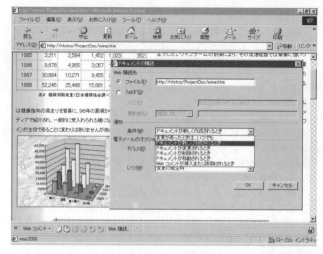

Internet Explorer 5.0

にも，インターネットに関する啓蒙，質問に対する回答なども行っ
ている。InterNICのホームページのURLは，「http://www.inter
nic.net/」。⊃JPNIC

I/O 【アイオー】　*Input/Output*

データの入出力のこと。一般にはCPUから見たデータの入出力を
さし，外部記憶装置からCPUに向かうデータの流れを入力といい，
その逆の流れを出力という。

I/O アドレス 【アイオーアドレス】　*I/O address*

データの入出力管理をする記憶装置のアドレス。

I/O バンクメモリ 【アイオーバンクメモリ】　*I/O bank memory*

アイ・オー・データ機器(株)が提唱したPC-9800シリーズのため
のメモリ拡張方式。メインメモリの640Kバイトのうち，最後の
128Kバイトを切り離してウィンドウとする。そして，増設メモリ
を128Kバイト単位のバンクに分け，メインメモリのウィンドウに
割り当て，高速に切り替えることで増設メモリにアクセスし，RAM
ディスクやキャッシュディスクとして使う。IOバンク方式の増設
メモリボードとバンクメモリドライバが必要。

その後，バンクメモリを切り替えるアプリケーション同士が競合し

ないようにBMS(Bank Memory Specification)という規格に拡張
された。

‣バンクメモリ

IP 【アイピー】　*Internet Protocol*

TCP/IPのネットワーク層プロトコル。

‣TCP/IP

IPL 【アイピーエル】　*Initial Program Loader*

イニシャルプログラムローダともいう。コンピュータに電源を入
れたとき，最初に自動的に起動する初期化プログラムのこと。通常
はROMに内蔵されており，電源投入と同時に動き出す。

メモリや周辺装置に異常がないかチェックし，DOSなどを読み込
んで，コンピュータを使える状態にする役目をもっている。

IPX 【アイピーエックス】　*Internetowork Packet eXchange*

NetWareで採用されているプロトコル。

‣NetWare

IP アドレス 【アイピーアドレス】　*IP Address*

IP(Internet Protocol)で使用される，送信先・送信元を特定する
ためのアドレスのこと。IPアドレスは32ビットのビット列で，通
常は8ビットごとに区切られている。また，複数のネットワーク間
の通信が可能になるよう，グローバルアドレスとホストアドレス
を設定している。約43億個のホストが割当てられる。しかし，イ
ンターネットの爆発的な普及でIPアドレスが足りなくなって
きており、対策として128ビットアドレスのIPv6（バージョン6）
が考案された。現在のIPはIPv4（バージョン4）である。

IRC 【アイアールシー】　*International Relay Chat*

インターネット上で，パソコン通信のチャットと同様のことが行え
るサービス。これにより，世界中の人とインターネット上でリアル
タイムに対話できる。

IRIS Indigo 【アイリス インディゴ】

Silicon Graphics社のグラフィックワークステーション。CPUに
は RISC プロセッサR4000/R3000シリーズを採用，OSは
4.3BSDを基本としたIRIXである。

画像や音声データを高速に処理するため，Motolora社のDSPチッ
プ，DSP56001を標準搭載しており，48.0KHz/44.1KHzという
DATレベルでのオーディオサンプリングなどが可能。オプショ
ンでNTSC, PAL, SVHSの動画・静止画の入出力，24ビットカ

ラーのアニメーション出力ができるビデオボードなども用意され
ている。

IRQ 【アイアールキュー】　*Interrupt ReQuest*

MS-DOSやWindowsにおいて, キーボードやプリンタ, ディスク
などの周辺機器がCPUに対し, データの送受信の準備ができたこ
とを知らせる割り込み信号。

IBM PC/AT互換機ではIRQ 0からIRQ 15まで, 16チャネルの
IRQが用意されている。

⊂▷割り込み

IRSG 【アイアールエスジー】　*Internet Research Steering Group*

IABの下部機関。インターネット研究調整部会。IRTFの議長と
様々な研究機関の長, 研究者個人によって構成される。IRTFの議
長と協議して, IRTFを監督する。

IRTF 【アイアールティーエフ】　*Internet Research Task Force*

IABの下部機関。インターネット研究専門部会。様々な専門分野
ごとに担当する小グループの集合からなり, IABから任命された
議長と, IRSGにより運営される。

⊂▷IAB

ISAM 【アイサム】　*Index Sequential Access Method file*

索引順編成ファイルともいう。データベースファイルの各レコー
ドにキーを付け, 高速にアクセスできるようにしたもの。COBOL
ではISAMファイルを操作するコマンドが用意されている。Cな
どでは別売となっているISAMライブラリを利用する。

ISAPI 【イサピ】　*Internet Server API*

Microsoft社の,Windows NT 用WebサーバIISに搭載された,
Webページから外部プログラムを起動し実行させるためのAPI。
CGIよりも負荷を軽減できる。

ISA バス 【アイサバス/イサバス】　*Industry Standard Architecture bus*

IBM PC/ATに採用されたバス。膨大な種類の対応ボードや互換
機が作られ, パーソナルコンピュータのバスとして事実上の標準と
なったため, 「業界標準バス」という意味で使われている。ATバ
スともいう。

CPUに外部バスが16ビット, クロック周波数6MHzの80286を
採用したPC/ATに合わせてあるため, データバス幅が16ビット
で, データ転送速度も遅く, 80486などの高速CPUを搭載したマ
シンであってもCPUの能力を十分に引き出せない。

そのため，MCAバスやEISAバス，ローカルバス(VL-Bus)，PCI
バスなど高速なバスが開発されている。

⊃EISA, PC/AT, MCA, ローカルバス

ISDN 【アイエスディーエヌ】　*Integrated Services Digital Network*

総合サービスディジタル網，総合ディジタルサービス網，総合サー
ビス通信網などと訳す。電話，ファクシミリ，データ通信などをす
べてデジタル化し，まとめて取り扱うことができる。動画像通信
(TV電話) やG4ファクシミリなども利用できる。

NTTは1988年春から従来の電話回線をそのまま利用できる「INS
ネット64」サービスを開始。ユーザー側にDSUと呼ばれる回線
端末が設置され，局側ではISDN専用デジタル交換機に接続される
ことで高速デジタル通信が利用できるようになっている。最近で
はISDN対応の公衆電話も設置されている。

⊃INS ネット 64, DSU

ish 【イシ】

バイナリファイルをテキストファイルに変換したり逆変換する，
MS-DOS用のプログラム。石塚匡哉(ish)氏作のフリーソフトウ
ェア。

バイナリファイル転送をサポートしていないBBSでバイナリファ
イルを転送するために開発された。変換されたテキストファイル
の拡張子は「.ish」となる。

ファイル転送中に多少の転送誤りが発生しても，自動的に修正する
機能をもつ。Macintoshに移植されたIshMacなどもある。

ISO 【イソ/アイソ】　*international organization for standardization*

国際標準化機構。工業規格の国際的統一を目的としている。1926
年に設立されたISA(万国規格統一協会)が母体となっており，第二
次世界大戦による中断の後，1947年発足した。日本も1952年に
日本工業標準調査会が加入した。

本部はジュネーブにあり，数多くの専門委員会(TC：Technical
Comittee)によって構成されている。情報処理関係はTC95, 事務
器機関係はTC97が担当している。TCの下部組織としてSC
(Sub Comittee), WG (Working Group)がある。

ISO9660 【イソキュウロクロクマル】

CD-ROMの国際標準規格フォーマット。国際規格になる以前はハ
イシエラフォーマットといった。ファイル名に関して半角8文字
と拡張子3文字の11文字までという最も厳しいMS-DOS仕様を

129

基準とし，UNIX，MS-DOS，Windows，MacintoshなどのOS
を問わず読むことができる。

ISOC 【アイエスオーシー】 *Internet Society*

インターネット協会の略称。インターネットに関する技術的サ
ポート，啓蒙，教育などを目的として開設された。ただしインター
ネットに関して特別な権限は持っておらず，情報を伝えることが主
な活動内容。

ISP 【アイエスピー】 *Internet Service Provider*

⟳インターネットサービスプロバイダ。

ITU 【アイティーユー】 *International Telecomunication Union*

国際電気通信連合。1932年に万国電信連合を再組織して発足し
た電気通信の専門機関。1947年から国際連合の下部組織となる。
1993年現在，172か国が加盟している。

1992年12月の全権委員会議(総会)で憲章・条約の大改正が行われ
た。それにより，活動を標準化，無線通信，開発の3つに区分し，組
織上，標準化セクター(旧CCITT)，無線通信セクター(旧CCIR)，
開発セクターとして整理統合した。各セクターはそれぞれひとつ
の会議，スタディグループ(SG)，アドバイザリーグループ，事務局
によって構成される。

また，参加者を金融機関，開発機関，その他電気通信を取り扱うも
の，地域及び他の国際的な電気通信・標準化・金融・開発機関に
拡大した。

ITU-TS 【アイティーユーティーエス】 *ITU Telecomunication Standard section*

ITU標準化セクター。従来のCCITTとCCIRの活動の一部を統
合した組織。電気通信の技術，運用および料金に関する標準化問題
を研究し，これらについての勧告を行う。セクター内には以下の組
織が置かれる。矢印右側は旧組織名。

1. 世界標準化会議 (4 年ごと) ← CCITT 総会
2. アドバイザリーグループ
   標準化政策・戦略の検討。民間参加
3. スタディグループ (SG) ← CCITT/CCIR の SG の再編成
4. 標準化局← CCITT 事務局

ITU-T V.32/V.32bis 【アイティーユーティーブイサンニイ/ブイサンニイビス】

ITU-TSにおいて制定された一般電話回線用の9600bpsモデムに

関する勧告。またITU-T V.32bisは，V.32の拡張版といえるもの
で，通信速度14400bpsのモデムに関する勧告を内容としている。

ITU-T V.42/V.42bis 【アイティーユーティーブイヨンニイ/ブイヨンニイビス】
通信用モデムのエラー制御方式に関するITU-TS勧告。V.42では
モデムメーカーのHayes社開発によるLAPMと呼ばれる方式が採
用されており，ANNEX（付録）としてMicrocom社のMNPも同
時に国際標準として認めている。またV.42bisは，データの圧縮に
ついても規定したもの。

i モード 【アイモード】 *i mode*
NTT移動通信網が1999年に開始した携帯電話向けインターネッ
ト接続情報サービス。サービス対応電話機のディスプレイには簡
易Webブラウザ機能があり，2階調GIF画像，シフトJIS文字の
表示が可能（HTML3.2のサブセット）。Webページ閲覧やメール
のほか，オンラインバンキング，チケットサービスなど専用線や
インターネットを利用した情報提供が受けられる。

I

J-3100 【ジェイサンゼンヒャク】

東芝のIBM PC互換日本語パーソナルコンピュータ。日本語MS-DOSでは独自の日本語用アプリケーションが動作し，英語MS-DOS，あるいは日本語MS-DOSでも英語モードにすることでIBM PC互換機として動作する。

アメリカで高い人気を集め，雑誌で「The King of the Laptop」と賞されたT-3100に日本語機能を付加したJ-3100Bが最初のモデル。1986年に発売された同モデルはCPUに80286を採用し，メモリは640Kバイト，プラズマディスプレイ，720KバイトのFDD 2基，もしくはFDD 1基に10MバイトHDD 1基という構成であった。1989年に，液晶バックライトディスプレイ，バッテリ駆動で小型軽量・低価格を実現した「ダイナブック」シリーズを発売し，人気を呼んだ。現在では，ラインアップはすべてDOS/Vマシンへ移行した。

○ダイナブック

JAN 【ジャン】 *Japanese Article Number*

JISが1978年に制定した，日本で生産される商品のバーコードの規格。

JAN コード 【ジャンコード】 *Japanese Article Number code*

商品識別に使うためのバーコードの一種。日本では，標準の商品コードでありPOSシステム等で用いられている。このコードは，2桁の国番号，5桁の製造元又は販売元番号，5桁の商品番号，1桁の読みとりミス防止のチェックデジットの計13桁で表現されている。

JAN コードを使ったバーコード

JASRAC【ジャスラック】　*Japanese Society for Rights of Authors, Composers and Publishers*

　社団法人日本音楽著作権協会。コンピュータネットワークで扱われる楽曲の著作権料に関しては料金の設定や権利関係についてプロバイダ側の団体であるNMRC（ネットワーク音楽著作権連絡協議会）との間で協定を結んでいる。

japan【ジャパン】

　日本語が使用できるニュースグループの1つ。1996年にできた比較的新しいトップカテゴリで，サブカテゴリはfjと重複するものも多い。fjと異なり商用利用が可能で新しいジャンルのカテゴリを作成したり，削除したりする際の制限も緩い。

Java【ジャバ】

　米サンマイクロシステムズ社が開発した，インターネット用プログラム言語。WWW(ホームページ)で扱うことができる情報は，基本的にはテキストファイル(文字情報)と画像ファイルだけだが，Javaを使えば，OS上でアプリケーションソフトを利用するのと同様に，ブラウザ上でプログラムを実行することができる。Java言語で開発されたプログラムは，Javaコンパイラを使ってコンパイルすると，CPUに依存しないバイトコードに置き換えることができる。したがって，インターネットのようなUNIXやWindows，MacなどのさまざまなOSが存在するマルチプラットフォームの世界でも，OSに依存せずに実行ファイルが利用できる。このコンパイル後のファイルをアプレットと呼んでいる。WWWからJavaに関する命令が発せられると，このアプレットが呼び出され，実行される。なお，Javaのプログラミングは，C++のようなオブジェクト指向言語である。

　●アプレット

Java2【ジャバツー】

　JDK（Java Developer's Kit）1.2.xが最終的に仕様が固まった段階での正式名称。従来の1.1.xと比較した新機能は，セキュリティの向上（Java Security Model），パフォーマンスの向上，GUI操作性の向上(Java Foundation Classes)，日本語，中国語，韓国語のテキスト入力に対応した国際化，Webブラウザ用のJavaプラグイン，分散環境への対応（Java IDL），データベース接続の強化（JDBC2.0），異なるAPI間での相互協調(Collections Framework)，2000年問題への対応など。

J

JavaBeans 【ジャバビーンズ】

Java環境で実行できるコンポーネントソフトウェアの規格。これに従い作成されたJavaモジュールは，全体の中で特定の機能を受け持つ独立した部品に相当し，それらがより集まって大きなJavaプログラムを形成する。一個一個の部品は別のプログラムへ再利用可能である。

JavaScript 【ジャバスクリプト】

ブラウザ上で動作するスクリプティング言語。Javaの権利を持つSun Microsystems社からライセンスを受けたNetscape Communications社が，Java言語のサブセット版として開発したもの。Netscape Navigator2.0でサポートされた。クライアントではテキストファイルのプログラムをブラウザが解釈し実行する。HTMLファイルの中に記述するため，改変や複製がしやすいが，HTMLタグと異なりオブジェクト指向のプログラミング言語である。一般的にはクライアントでの機能をさすことが多いが，サーバではJavaと同様バイトコードにコンパイルされ，CGI的な使い方ができる（Netscape Enterprise Serverでサポートされる）。

JavaServer Pages 【ジャバサーバページズ】 *JSP*

表示されるWebページの外観とデータ出力とを切り離し，ページのデザインはHTMLやXMLで定義し，データの呼び出しをJava言語で書かれたJSPタグで行う技術。ページはサーバ側で動作するServletにコンパイルされる。

Java VM 【ジャバブイエム】 *Java Virtual Machine,JVM*

Java仮想マシン。Javaの実行環境。Javaではソースコードをバイトコードにコンパイルし，そのバイトコードがインタプリタで実行されるが，このインタプリタは仮想のコンピュータとして動作する。この仮想のコンピュータをJava VMという。JavaのプログラムはOSの機能を直接使わずに，この仮想のコンピュータを動作させることで間接にそのハードウェアを操作する。JavaのバイトコードはどのedJava VMに対しても同一であるため，従来型の言語のようにOS依存，機種依存がない。

Java 仮想マシン 【ジャバカソウマシン】

⟲Java VM

Java チップ 【ジャバチップ】 *Java chip*

OSやブラウザなどソフトウェアでJavaVMの実行環境を用意するのではなく，MPUにJavaインタープリタの機能を持たせるという

J

アイディア。これを装備した携帯電話などの携帯情報端末はJava
端末として利用できるようになる。
⊃picoJava

J Builder 【ジェイビルダー】

Inprise社のJava言語によるソフトウェア開発ツールの製品名。
言語製品は旧社名であるBorlandブランドで発売している。

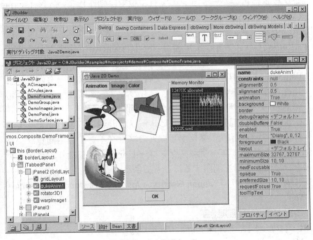

Borland J Builder 3

Jaz ディスク 【ジャズディスク】　　*Jaz disk*

Iomega社が開発したパソコン用リムーバブル磁気記憶装置。容量
1Gバイトのものと2Gバイトのものがある。

JCL 【ジェイシーエル】　　*Job Control Language*

ジョブ制御言語のこと。コンピュータに仕事(ジョブ)をさせるた
めに必要な記述言語。OS(オペレーティング・システム)はこの記
述された言語の内容をもとにジョブを実行する。記述内容はジョ
ブ名，ジョブが使用するファイル名，ジョブの実行順序，ジョブの
処理結果の出力先などである。記述方式はOSにより違いがある
ので，共通利用はできない。

JDBC 【ジェイディービーシー】　　*Java Database Connectivity*

Javaで書かれたプログラムからSQL文を介して，リレーショナル

135

データベースサーバにアクセスするためのAPI。

JDK　【ジェーディーケー】　*Java Development Kit*

Sun Microsystems社の子会社JavaSoft社から提供されるJavaアプリケーションとJavaアプレットの標準開発環境。JDK1.0.2, 1.1, 1.2の3種類のバージョンがあり，Java言語の仕様は最終的にJDKによって決定される。新しいバージョンで開発されたプログラムは古いバージョンの実行環境では動作しない。Netscape Communicator4.04はJDK1.1までをサポートする。

jDoc　【ジェイドック】

Allegis社のソフトウェア製品Net-It Centralで作成される電子出版文書の形式。WordやPageMakerなどのレイアウトされたWindowsアプリケーションの文書を，HTMLフレームの目次とJavaアプレットの本文に変換したもの。ユーザはこれをJava対応のWebブラウザでネットワーク上で閲覧する。

jDocでは本文部分はデータとビューワがJavaアプレットとして一体化しているため，ブラウザ以外のプラグインや専用閲覧ソフトを必要とせず，ユーザがダウンロードや印刷をしたり，テキストをコピーするのを制限することもできる。

JEIDA　【ジェイダ】　*Japan Electronic Industry Development Association*

⇨日本電子工業振興協会

Jet　【ジェット】　*Joint Engine Technology*

Microsoft Access やVisualBasic4.0以降のデータベースエンジン。「Jet」だけで使われることはほとんどなく，単にデータベースエンジンをJet Engineと呼んでいる。Accessのデータベースファイルを Jetデータベースといったりする。Microsoft社の用語。

JFS　【ジェイエフエス】　*Journaled File System*

サーバOSなどで，ディスクにデータが書き込まれる際にログをとっておき，障害があったとき自己復旧するファイルシステム。

Jini　【ジニ】

Sun Microsystems社の提唱するJava環境の分散ネットワーク技術。機器がネットワークに接続された時点で，即座に他の機器に対して通信し相互に情報をやりとりできる。機器にはJavaの仮想端末としての機能が組み込まれる。コンピュータやPDAばかりではなく建物や家電などあらゆる機器をネットワーク化し，携帯端末で操作するといったことが目指されている。

JIS 【ジス】　*Japanese Industrial Standard*

日本工業規格。工業標準化法により制定された国内の工業製品全般に対する規格のこと。日本工業標準調査会(JISC)によって審議され、通産大臣によって決定公示される。

JIS 漢字 【ジスカンジ】　*JIS kanji*

JISのX 0202「情報交換用符号」により制定されている漢字のこと。約6400文字あり、使用頻度の高い順にJIS第一水準（約3000文字）とJIS第二水準（約3400文字）がある。

1983年に一部改定。おもな改訂内容は、81年の内閣告示による常用漢字（1945文字）への対応、文字の字体変更（第一水準206文字＋第二水準88文字）、罫線記号、学術記号、一般記号の追加などである。

JIS キーボード 【ジスキーボード】　*JIS keyboard*

アルファベット配列のキーボードに日本語が使えるようにカタカナをのせたもの。4段のキーにカタカナを割り当てている。1985年に3段にまとめた新JISキーボードが発表された。

JIS コード 【ジスコード】　*japan industrial standard code*

JISで設定された文字コード体系。ASCIIコードを拡張し、かな、漢字を割り当てたもの。
　⟳ASCII

JIS 第 1 水準/第 2 水準 【ジスダイイチスイジュン/ダイニスイジュン】
　⟳JIS 漢字, 第 1 水準, 第 2 水準

Jobs, Steve 【ジョブス, スティーブ】　*Steve Jobs*

Steve Jobs

Apple Computer 社及び NeXT Computer 社の創立者。1955年2月、サンフランシスコ生まれ。

オレゴン州のリード大学中退後、シリコンバレーに戻り、Atari 社に入社。1976年、Steve Wozniak とともに Apple I を開発した。同年、Apple Computer 社を設立。

1985年、自ら社長にスカウトした John Sculley と対立し、Apple Computer 社を退職。NeXT Computer 社を設立した。

1997年再び Apple Computer 社の暫

J

定CEOに返り咲き，Microsoft社と業務提携するなど経営の立て
直しを主導している。

Joe 【ジョー】　*Java Objects Everywhere*

CORBAに準拠した分散オブジェクト環境で，Javaのクライア
ントからオブジェクト間通信をするためのJava言語で書かれた
ORB。

JOIS 【ジョイス】　*JICST On-line Information Service*

JICST（日本科学技術情報センター）によって開発された科学技
術，医学，化学などの情報検索システム。全国に10か所のサブセ
ンターがあり，利用者はサブセンターにアクセスしてデータのサー
ビスを受けられる。

JPEG 【ジェイペグ】　*Joint Photographic Experts Group*

ISOとITU-TS(旧CCITT)が共同で設立した国際機関。また，こ
の組織で制定された，静止画像データ圧縮アルゴリズムの国際規
格。写真，ビデオの1コマ，スキャンデータのような静止画を対象
に，ファイルサイズを最高100分の1まで圧縮できる。ただし，画
像が劣化するので，実際には10分の1から30分の1程度までの圧
縮率が使われている。

Joliet 【ジョリエット】

Microsoft社が定義したCD-ROMのフォーマット様式。国際標準
規格であるISO9660フォーマットをUnicode使用可能に拡張した
もの。Windows95，98，WindowsNT4.0でファイルやフォルダ
名に128バイト＝Unicode64文字までが使用でき，MS-DOSと
Macintoshでも読み込み可能である。Windows95以降の，拡張子
を含めて12文字（ファイル名8文字＋「.」＋拡張子3文字）を超
える長いファイル名のファイルは，MS-DOSでもMacintoshで
もxxxxxx~1.xxxの形式で連番をつけた8.3ファイル名となり不具
合は生じない。

JPNIC 【ジェーピーニック】　*JaPan Network Information Center*

アメリカのInterNICに当たる役割を果たしている日本の組織。主
にインターネット用のサーバをこれから導入する場合などに，IP
アドレスの発行や管理を行っている。JPNICのホームページは
「http://www.nic.ad.jp/」。
○InterNIC

JScript 【ジェイスクリプト】

Microsoft社のサポートするJavaScript互換スクリプティング

言語。Netscape Communications社のJavaScriptと細かい点で
異なった仕様になっていた。しかしInternet Explorer4.0では
JScriptバージョン3.0としてJavaScriptの標準を定めたECMA
(European Computer Manufacturers Association, 欧州電子計算
機製造者協会) 262規格 (ECMAScript) に準拠した。
　○ECMAScript

JSP 【ジェイエスピー】
　○Java Server Pages

JUNET 【ジュネット】　　*Japan Unix NETwork*
日本で最初にスタートした, コンピュータ研究者を中心とするボ
ランティアベースのインターネットワーク。ホスト局は存在せず,
UUCPによるバケツリレー方式でニュースとメールを転送。
1984年10月に東京大学, 東京工業大学, 慶応大学の間で実験がは
じまり, 1992年にはJUNET協会が設立された。
　○UUCP

JustNet 【ジャストネット】
ジャストシステム社が運営しているネットワークサービス。イン
ターネットを利用していることから, インターネットプロバイダ的
な存在である。

JVM
　○Java VM

J

K 【キロ】　*kilo*

キロの略。

K&R 【ケーアンドアール】　*Kernighan and Ritchie*

C言語の開発者，Brian KerninghanとDennis Ritchieの共著による「THE C PROGRAMMING LANGUAGE」(Prentice Hall)の通称。ANSIによってC言語の仕様が制定されるまでは，本書第1版に記載されたものがC言語の非公式な標準仕様となっていた。

K6 【ケーシックス】

AMD社の開発出荷するIntel社製x86系互換CPUのシリーズ。デスクトップ向けの製品は，高速PentiumやMMX Pentium用ソケット (Socket7) に装着する。1997年に出荷開始したK6 166, 200, 233MHzは，Pentium Proへの競合製品で，性能は，遅れて登場したPentium IIに匹敵した。1998年に300MHz版とノートPC用K6が発売，1999年にはWindows CE互換の組込用K6Eを出荷。

1998年にマルチメディア機能を向上する3DNow！テクノロジを採用した366MHzから500 MHzまでのK6-2シリーズを発売。

1999年に使用可能システムキャッシュ容量を拡大したPentium IIIの対抗製品K6-III 400, 450 MHzを発表，出荷開始した。

K6-2 【ケーシックスツー】

AMD社のIntel社製x86系互換CPU。K6シリーズ中の上位製品でマルチメディア機能を向上させた3DNow！テクノロジを採用したもの。

K6-III 【ケーシックススリー】

AMD社のIntel社製x86系互換CPU。K6シリーズ中の最上位製品で，キャッシュメモリ320KB (1次キャッシュ64KB+2次キャッシュ256KB) にSuper7対応の外部3次キャッシュ2048KBオプションを加えて最大2,368KBまで使用可能システムキャッシュを拡大できる。(次ページ図参照)

Kaleida Labs, Inc 【カライダ】

マルチメディアの技術開発とライセンス供与を目的に，IBM社とApple Computer社の合弁で1991年に設立された会社。本社カリ

AMD K6-III

フォルニア州マウンテンビュー。1996年その活動を終えた。
MacintoshとIBMマシンの双方で共通に動作するConsumerOS
(COS) やMacOS, Windows, OS/2などあらゆるパーソナルコン
ピュータ上で動作するクロスプラットフォームのマルチメディア
記述言語「ScriptX」を開発したが普及せずに終わった。

Katmai 【カトマイ】

Pentium IIIのコードネーム。

Kay, Alan 【ケイ, アラン】 *Alan C. Kay*

アメリカのコンピュータ研究者。コロラド大学で数学と生物学を
専攻, 1966年ユタ大学コンピュータサイエンス博士課程入学。学
位取得後, Xerox社パロアルト研究所(PARC)システム科学研究室
に約10年在籍し, Smalltalkを開発し, ダイナブック構想を提唱。
Apple Computer社アップルフェロー。⊃アップルフェロー

Kermit 【カーミット】

コンピュータ間でファイルを転送するためのプロトコルの一種。
1983年, コロンビア大学のFrank De Cultzによって考案された。
データを送受信する際にひとまとまりごとに扱い, データが正しく
送られているかどうかをそのたびごとにチェック。さらに, すべて
のデータをクォーティングと呼ばれる方法で, テキストファイルに
変換して転送する。

Khan, Philippe 【カーン, フィリップ】 *Philippe Khan*

Borland International社(現Inprise社)の創立者。フランス生ま

K

141

れで数学教師の経歴をもつ。チューリッヒでPascalを開発した
Niklaus Wirthの講義を受講。その後，シリコンバレーに渡り，
TurboPascalを開発し，1983年にBorland International社を設
立した。

kill 【キル】

ネットニュースのニュースリーダの機能で，特定のメッセージを
表示させないようにすること。kill file。

K

L1 【エルワン】

Level1の略。1次。

L2 【エルツー】

Level2の略。2次。

LAN 【ラン】 *Local Area Network*

ひとつの建物や敷地内など，狭い範囲でコンピュータや周辺機器を接続するネットワーク。パーソナルコンピュータ中心のLANをPC LANという。プロトコルおよびネットワークOSとしてはTCP/IP, NetWare, LANマネージャ, AppleTalk, Token Ring, WindowsNTなどがあり，接続媒体には光ファイバ，同軸ケーブル，ツイストペアケーブル，無線などが使われる。

接続の形態には，1本のバスに各端末が接続されるバス型，HUBを中心にして枝別れするスター型，伝送路が閉じているリング型がある。フロア間や建物どうしを結ぶ回線をバックボーンLAN，基幹LANといい，高速回線が使われる。(次ページ図参照)

LANC 【ランシー】

SONY独自のビデオ機器制御信号。Vboxインターフェイスからビデオデッキなどを制御できる。双方向通信が可能なので，単なるリモートコントロールだけでなく，被制御機器から動作確認やカウンタ値などを読み取ることも可能。

LAN アダプタ 【ランアダプタ】 *LAN adapter*

パソコンやワークステーションなどの情報端末と，LANのケーブル(伝送媒体)とを接続するための周辺機器。LAN接続ボードともいう。

LAN パック 【ランパック】 *LAN pack*

パーソナルコンピュータ用のアプリケーションで，特別にLANに対応している製品。1本のパッケージをサーバにインストールすると，ライセンスを取得した人数分，そのアプリケーションを同時にクライアントから共同利用できるものと，データベースなどを複数ユーザーが同時にアクセスできるものがある。

LAN マネージャ 【ランマネージャ】 *LAN Manager*

Microsoft社が開発したネットワークオペレーティングシステム

L

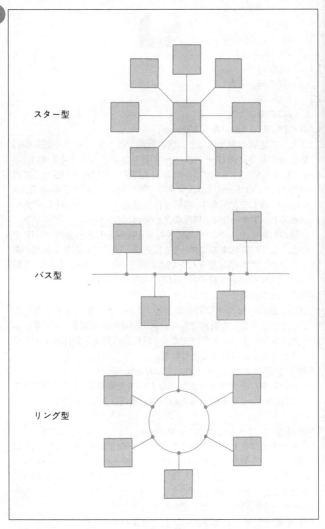

スター型

バス型

リング型

LAN の形態

で, LANを制御するためのプログラムのひとつ。LANマネージャを使用することによって, 送信元の情報機器に接続されたディスク装置やプリンタ装置を, ソフト的に受信側のオペレーション端末の資源として利用できる。LANマネージャは, アドレス管理, 障害復旧, 共有/排他制御などを行っている。

LaTeX 【ラテフ, ラテック】

標準TeXを改良し, 記述しやすくするため, Leslie Lamportが開発したTeXのマクロパッケージ。

⊃TeX

LA音源 【エルエーオンゲン】　*Linear Arithmetic synthesis*

LAとはリニアアリスメティック（線形演算方式）のことで, ローランドのシンセサイザDシリーズおよびCM64などに採用されている。LA音源は, リアルな楽器音のシミュレーション, 多彩で透明感のある音色などで人気がある。

LBP 【エルビーピー】　*Laser Beam Printer*

⊃レーザプリンタ

LCD 【エルシーディー】　*Liquid Crystal Display*

液晶に電圧を加えると光の通り方が変わる性質を利用した表示装置の一種。2枚の透明電極で液晶をはさんだものを多数ならべ, 電極に加える電圧を制御してドットを表現する。

液晶は, 自ら発光しないので暗いところでは見づらいなどの欠点があるが, 現在では液晶の裏面から蛍光管で照らすバックライト方式や左右から照らすサイドライト方式が登場している。

CRTディスプレイとくらべて小電力であり, 薄いパネル状にできるので, 携帯を前提としたノート型コンピュータなどに採用されている。以下のような方式がある。

(1) 単純マトリクス方式
　格子状に並んだ電極に, 縦横から電圧をかけて交点にある液晶を制御する方式。複数の液晶画素をひとつの半導体で制御するので安価だが, 視認性に劣る。
(2) アクティブマトリクス方式
　ひとつの液晶画素をひとつの半導体で制御する方式。鮮明で視認性に優れているが高価。TFT(Thin Film Transistor)方式ともいう。

また, (1)の単純マトリクス方式は, 次のものがある。

L

(1) TN

Twisted Nematicの略。液晶分子のねじれ角が90度。

(2) STN

Super Twisted Nematicの略。液晶分子のねじれ角が120〜180度。コントラストが強いので,TN液晶より視認性に優れる。

(3) DSTN

Dual-scan Super Twisted Nematicの略。STN液晶の画面を上下2分割して別個に制御する。

(4) NTN

Neutralized Twisted Nematicの略。白液晶,白黒液晶などとも呼ばれ,液晶パネルを重ねることで画面に色がつかないようにしたもの。

⊃DSTN, STN, TFT

LD 【エルディー】

⊃レーザディスク

LD-ROM 【エルディーロム】　*LaserDisc-Read Only Memory*

CD-ROMの機能をLD(レーザーディスク)に取り入れたもので,1989年にパイオニアによって発表された。LDを読み出し専用の記憶媒体として利用する。その記憶情報量は動画で最大60分,静止画なら5万4000枚,デジタルデータ540Mバイト分である。

LED 【エルイーディー】　*Light Emitting Diode*

p型半導体とn型半導体の接合に電圧をかけると,界面から光が出る現象を利用した発光素子。電気信号を光信号に変換するもので,電子機器のパイロットランプ,フォトアイソレータ,マウス,ページプリンタ,光通信などに使用されている。

LED アレイプリンタ　*LED array printer*

電子写真式ページプリンタで,露光源にLED(発光ダイオード)を並べたものを使う方式。

LEO 【レオ】　*Low Earth Orbit*

低軌道周回衛星。高度約2,000km以下の上空を軌道として回る通信衛星の総称。高度が低いためレスポンスは良いが,全世界をカバーする(常に電波がとどく)ためには,多くの衛星を使用しなければならない。衛星携帯電話サービスのイリジウムではLEOを66基使用する。

⊃MEO

LF 【エルエフ】　*line feed*
改行のこと。ディスプレイ上のカーソルおよびプリンタの印字ヘッドを次の行に送ること。MS-DOSでは改行コードはCRとLFの組み合わせだが, MacintoshではCRだけで行われる。◖CR

LFN 【エルエフエヌ】　*Long File Name*
◖ロングファイルネーム

LHA 【エルエッチエー】
吉崎栄泰氏が開発したMS-DOS用アーカイバ。圧縮したファイルの拡張子は, 通常「.lzh」となる。無料で利用できるフリーソフトウェアで, 圧縮効率がきわめて高い。
◖アーカイバ

LHarc 【エルエッチアーク】
LHAの前のバージョン。◖LHA

LIM EMS 【リムイーエムエス】
◖EMS

Linux 【リナックス】
1991年フィンランドのヘルシンキ大学学生Linus B. Torvaldsによって, x86系PC用にカーネル部が開発され, そのソースコードが公開されたフリーウェアのUNIX互換OS。ソースコードレベルで独自に書き起こされたため, 一部の386BSD系PC-UNIXのようにユーザがUNIXのライセンス料を支払う必要がない。1990年代後半, Intel社系PCとインターネットの爆発的な成長とともに, サーバとして高い支持を獲得しブームとなった。Alpha版やSPARC版をはじめ, UNIX系のワークステーションにも「逆」移植されている。

LIPS 【リップス】　*Lbp Image Processing System*
キヤノンのプリンタ用ページ記述言語。

Lisa 【リサ】
1983年, Apple Computer社が発売したコンピュータ。Xerox社パロアルト研究所(PARC)を見学したSteve JobsがAltoの影響を受けて開発に着手した。ビットマップディスプレイとマウスを装備し, パーソナルコンピュータとしてはじめてGUIを実用化した。
きわめて先進的な設計思想につらぬかれており, マスコミは絶賛した。しかし, 1万ドルを超える高価格にもかかわらず速度が遅く, 拡張性やネットワーク機能がなく, ほとんど売れなかった。

Apple Computer社はLisaの失敗を教訓に、低価格なMacintosh を開発し、成功した。

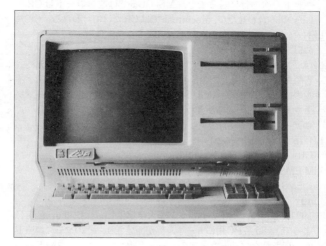

Lisa

LISP 【リスプ】 *LISt Processor*

1960年にマサチューセッツ工科大学のJohn McCarthyらによって考案されたリスト処理用のプログラミング言語。関数型言語ともいわれ、プログラマは必要な機能をユーザー関数として定義して利用できる。また、再帰的呼び出しが可能。人工知能の研究やEmacsのマクロ記述に使われている。

⇨人工知能, Emacs

LocalTalk 【ローカルトーク】

Apple Computer社の提供するAppleTalkの接続プロトコル、およびその製品。すべてのMacintoshのプリンタポートがLocalTalkに対応しているため、ネットワークを組むために新たなボードを必要としない。データ伝送速度が230Kbpsと遅く、ネットワークの形態がデイジーチェーン型（数珠つなぎ式）のみといった制限はあるが、幅広くLANの構築に利用されている。

⇨フォーンネット

LOGO 【ロゴ】

マサチューセッツ工科大学のSymour Papertによって開発された
子どものためのプログラミング言語。1967年に最初のシステムが
稼働している。タートル（亀の子）と呼ばれる三角形のカーソル
を動かして作画できるほか，リスト処理機能もある。アメリカでは
CAI用の言語として利用されている。

○CAI

LOOK AND FEEL 【ルックアンドフィール】

具体的なプログラムのコードやアルゴリズムではなく，ユーザーイ
ンターフェイス，アイコンなどのデザインや，表示方法，さらには
その使い方などをさす。

例としては，プログラムを起動するとアイコンが画面に広がっ
て行くようなデザインなどがある。Apple Computer社がMi-
crosoft社のWindowsやDigital Research社のMS-DOS用GUI
環境であるGEMに対する訴訟での争点として取り上げた。

Lotus 【ロータス】　　*Lotus Development Corporation*

1981年設立の大手ソフトウェアベンダー。1983年，初のIBM PC
向けスプレッドシート1-2-3を発売，アプリケーションソフトウェ
アのベストセラーとなって急成長した。1-2-3はWindows版の対
応が遅れMicrosoft社のExcelにシェアを奪われたが，グループ
ウェア製品のNotesが成功し，大口顧客向けネットワーク製品の
分野に開発の比重を移している。1995年IBM社に買収され子会
社化された。

LPD 【エルピーディー】　　*Line Printer Daemon*

LANで印刷をするとき，プリントサーバ側にあって，クライアン
トからの印刷ジョブを受け取り起動するプログラム。

LPR 【エルピーアール】　　*Line Printer Remote*

LANで印刷をするとき，プリントサーバへ印刷ジョブを送るクラ
イアント側のプログラム。

LSI 【エルエスアイ】　　*Large Scale Integrated circuit*

大規模集積回路。ICの集積度を高めたもので，1000～10万個の
素子を搭載している。LSIを中心に使用しているコンピュータを
第4世代コンピュータと呼んでいる。

○IC, 第4世代コンピュータ

M 【メガ】　*Mega*
メガの略。

MacBinary 【マックバイナリ】
Macintoshのファイルをバイナリ転送するときに使用する形式。
Macintoshファイルに付随するアプリケーション情報やアイコン
などの情報は, Macintosh以外のシステムを経由できないので, こ
れをファイルと一緒にして送受信するもので, そのファイルがどの
アプリケーションによって作成されたか, ファイルの種類は何か,
アイコンのデザインはどのようなものか, などを送り側と受け側で
一致させることができる。
BBSなどでバイナリ転送するときに多く利用されている。

Mach 【マック/マッハ/マーク】　*Multiple asynchronously communicating hosts*
カーネギーメロン大学で開発されたUNIX 4.3BSD互換の分散型
OS。4.3BSDと互換性をもちながら,

- 特定ハードウェアに依存しない高い移植性

- 最小限のカーネル構成

- タスクによる各種機能の実現

- 拡張性, 統合性

- 並列処理, 分散処理への対応

- マルチプロセッサによる密結合・粗結合

- 巨大メモリ空間の効率的利用

- 強力かつ柔軟なメモリ管理機構

などを実現している。OSF, NeXTSTEPなどで採用されている。
⊃NeXTSTEP, OSF

M

Macintosh 【マッキントッシュ】

Apple Computer社が1984年に発売を開始したパーソナルコンピュータ。Motorola社の68000系MPUを採用し、マルチウィンドウ、アイコンなどによるGUIをはじめてパーソナルコンピュータで実用化した。OSの一部が本体のROMに収められているため、Apple Computer社の著作権を侵害せずに互換機を作ることが難しく、IBM PCのような互換機メーカーが出現しなかった。

そのため価格は同クラスのIBM PC互換機と比較して割高であったが、90年代に入って、IBM PCとの価格競争に対抗するために、Macintoshも低価格化を進めた。1994年、68000系と互換性のないMPU、PowerPCを搭載したPowerMacintoshを発表。現在はこれをはじめエントリー向けのオールインワンパソコンのiMac、コンパクトなPowerBook シリーズの3つのシリーズ全てでPowerPCを用いている。

PowerMacintosh G3 MT300

MacOS 【マックオーエス】

Macintoshのシステムソフトウエア。ファイルやメモリの管理といったMS-DOSなどのパーソナルコンピュータ用OS と同じような機能から、ウィンドウやアイコンの管理などのより高度なレベル

M

の機能ももっている。

具体的には，ROMに保存されているさまざまなサービス(ルーチン)と，"System"と呼ばれるMS-DOSのCOMMAND.COMに該当するファイル，"Finder"と呼ばれるデスクトップ管理ファイルから構成されている。1997年MacOS8が発売され，1998年8.5，1999年8.6にバージョンアップされた。⟳ファインダ

Mac OS X 【マックオーエステン】

1999年秋に出荷が予定されているMac OSのバージョン。プリエンプティブマルチタスク，メモリプロテクション，仮想メモリなど，メモリ管理機能の強化を特徴とし，PowerPC G3をCPUとするMacintosh向けに最適化される。

MacPaint 【マックペイント】

1984年に最初のMacintoshが発売されたとき，バンドリングされたモノクログラフィックソフトウェア。ペイント系と呼ばれるビットマップでの描画をサポートしている。その後のMacintosh用のみならず，MS-DOS用を含む多くのグラフィックソフトウェアに大きな影響を与えた。

解像度が初期のMacintoshの画面解像度と同じ72dpiしかないことや，576×720ドットが最大のサイズであるなどの制限がある。MacPaintで作成された画像フォーマットをMacPaintフォーマットと呼ぶ。

MacTCP 【マックティーシーピー】

MacintoshでTCP/IP接続を実現するApple社のソフトウェア。TCP/IPはLAN，WANのプロトコルでもありインターネット接続のプロトコルでもある。Macintosh標準のLANプロトコルはAppleTalkなので，System7まではTCP/IPを実装しておらず，そのままではインターネットに接続できなかった。このため，別にフリーウェアとして配布されるMacTCPをインストールする必要があった。System7.5以降のバージョンからMacTCPの機能は標準で装備されるようになった。

MACWORLD EXPO 【マックワールドエクスポ】

IDG(International Data Group)社が主催する，Macintoshに関する製品/サービスの見本市。Apple Computer社をはじめ，多数のソフトウェアや，ハードウェアのベンダーが展示を行う。ボストン，サンフランシスコなどが有名だが，日本でも1990年からMACWORLD EXPO/Tokyoが開催されている。(次ページ図参照)

M

MACWORLD EXPO/Tokyo

MacWrite 【マックライト】

1984年に最初のMacintoshが発売されたとき，バンドリングされた英文ワードプロセッサ。Macintosh用のワードプロセッサとしては標準的な製品となっており，そのファイルはMacWrite形式としてさまざまなワードプロセッサでサポートされている。

その後は一般の製品として販売されるようになり，Apple Computer社の子会社であるClaris社に開発および販売が移譲された。現在ではMacWriteIIというバージョンが販売されている。

MAC層 【マックソウ】　*Media Access Control Layer*

LANで，ケーブルやノードなど物理媒体の伝送をコントロールするネットワークプロトコル層。OSI参照モデルの物理層の上，データリンク層の最下層に位置する副層にあり，CSMA/CD (Ethernet)，トークンバス，トークンリング，MAN，FDDIの各方式が規定されている。一般的なLANアダプタカードにはMAC層のアドレスが工場出荷時に組み込まれており，これはIEEE(電気電子技術者協会)がメーカごとにわりあてた重複しない番号とメーカーが製品にわりあてた重複しない番号からなる。このため，MAC層アドレスは一意（1つしか存在しないもの）である。

Magic Cap 【マジックキャップ】

携帯情報端末用のOSで, 米General Magic社によって開発された
ものである。MacintoshやWindows上で稼働する。特徴は, ユー
ザーインターフェイスに部屋・廊下・街の3つの形態をモデル化
したものを採用している点にある。機能をアイコン化し, それを選
択しながら処理を進めていく形式で, 直感的でよりわかり易いもの
になっている。

make 【メイク】

メイクファイルと呼ばれるファイルに書かれたルールに従って, 複
数のファイルのタイムスタンプを比較し, 必要に応じてコンパイル
やリンクなどを自動的に行うUNIXのツール。モジュール化プロ
グラミングに便利で, MS-DOSにも多数の移植版がある。

MAPI 【マピ】　*Messaging Application Programming Interface*

インターネットメールが普及する以前にMicrosoft社が策定し
たAPIで, 他のWindowsアプリケーションからダイレクトに
Exchangeやcc:Mailなどの メールを送受信できるようにする。
WordやExcelの回覧機能がその例。

MCA 【エムシーエー】　*Micro Channel Architecture*

マイクロチャンネルを拡張バスにするパーソナルコンピュータの
規格。○マイクロチャンネル

MCI 【エムシーアイ】　*Media Control Interface*

マルチメディア制御インターフェイスで, 米IBM社と米Microsoft
社によって共同開発されたもの。それぞれの処理に対してドライ
バと呼ばれるものが用意され, データ圧縮等の機能を提供する。

MD 【エムディー】　*Mini Disk*

ソニーが開発した, 直径64ミリの小型光磁気ディスク。デジタル
信号でデータを記録し, 音楽ならば最長74分間録音できる。

Mega Wave 【メガウェイブ】

NTTサテライトコミュニケーションズ(株)の運営する衛星イン
ターネットサービス。衛星CS放送SKY PerfecTV!と同じ通信
衛星JCSAT-3, JCSAT-4を利用しており, 下り最大通信速度は
500kbps～1Mbps。上りの機能の提供はないため, 別途プロバイ
ダとの契約が必要になる。

Merced 【マーセド】

Intel社が1998年現在開発中の64ビットCPUのコードネーム。
Hewlett-Packard社との共同開発。PentiumPro, PentiumII,

Celeron, PentiumIIIなど,P6と総称されるCPUの次世代となる
P7に相当。

Melissa 【メリッサ】

1999年3月26日にAOLのアカウントからニュースグループに投
稿され,爆発的にまん延したコンピュータウィルス。Microsoft
社のワープロソフト,Word97のマクロで作成されたマクロウィ
ルスである。この文書を開くと,同社の電子メールソフトである
Outlookを起動し,そのアドレス帳に載っているユーザ宛に自分自
身をメールの添付ファイルとして送りつけるといった形で増殖し
ていく。ネットワークで増殖するため,新種のワームともいわれ
る。オリジナルはポルノ情報のニュースグループにポルノサイト
に入るためのパスワードを書いたWord文書に仕込まれて投稿さ
れたが,ユーザが作成したWord文書にも感染する。実際に感染
したユーザのアカウントからその知人宛に送られ,送り主の名前
で自動的にSubject(件名)が作成されるので,送られた側は無警
戒にファイルを開いて感染しやすい。なお,Melissaはギリシャ神
話の妖精の名。

➲マクロウィルス,ワーム

Mercury 【マーキュリー】

➲Triton

MDI 【エムディーアイ】 *Multiple Document Interface*

アプリケーションなどのメインウィンドウの中に,複数のウィンド
ウを開くプログラムをこう呼ぶ。

MEO 【メオ】 *Medium Earth Orbit*

中軌道周回衛星。高度約1万km付近の上空を軌道として回る通
信衛星の総称。衛星携帯電話サービスICOはMEOを12基使用
する。

Mercury 【マーキュリー】

➲Triton

MFLOPS 【メガフロップス】 *Mega-Floting Point Instructions*

浮動小数点演算の性能指標。1秒間に実行した浮動小数点命令の実
行回数を,100万回を1単位として表した数。

➲FLOPS

MH 符号 【エムエッチフゴウ】 *Modified Huffman*

ファクシミリで使われているデータ圧縮符号化方式(一元符号化方
式)のこと。ITU-Tによって標準化された。

M

◯MR 符号

Micro2000 【マイクロニセン】

1990年に米Intel社が計画した,西暦2000年のマイクロプロセッサ像のことである。約2.54 × 2.54cmの大きさのチップ上に,2000 MIPS, 1400MFLOPSの性能を持つマイクロプロセッサを開発する計画で,トランジスタに換算すると5000万～1億個相当。

Microsoft 【マイクロソフト】 *Microsoft Corporation*

世界最大のソフトウェアベンダー。本社はワシントン州シアトルにある。1975年,Traf-O-Data社のPaul AllenとBill GatesがMITS Altair8800用4KバイトBASICインタプリタを開発したのを機にMicrosoft社と社名を変更した。

その後,各社のパーソナルコンピュータにBASICインタプリタを供給し,1978年にはアスキーを日本での販売代理店とし,アスキーマイクロソフトを設立。NEC PC-8001の設計に協力した。

1981年,IBMの最初のパーソナルコンピュータ,The PC用のOSであるPC-DOS (MS-DOS) 1.0を発表。その後,Windows,WindowsNTなどのOS,アプリケーションソフトではExcelやWordなどを開発し,世界のコンピュータ市場に大きな影響力をもっている。

Microsoft MPEG4 【マイクロソフトエムペグフォー】

Microsoft社がISOで審議中のMPEG4規格を自社のASFファイルの動画形式として採用したもの。

◯MPEG

MIDI 【ミディ】 *Musical Instruments Digital Interface*

電子楽器間,または電子楽器とコンピュータとの間で音程や音の強さ,音の長さ,音色などの信号データを伝送する際の国際規格。

異なるシンセサイザー同士で演奏情報の伝達方式を統一するため,ローランド,ヤマハ,カワイ,コルグが中心となり,アメリカからはOberheim社とSequential Circuit社が参加し,1982年秋,制定された。MIDIメッセージは31.25Kbpsの非同期シリアル回線で転送され,各装置の入出力部分はフォトアイソレータ（発光ダイオードとフォトトランジスタを組み合わせた部品）で絶縁されている。MIDI機器は信号を出力するMIDI OUT,信号を受け取るMIDI IN, MIDI INからの信号をそのままパスしてとおすMIDI THRUの3種類のポートを持っている。(次ページ図参照)

M

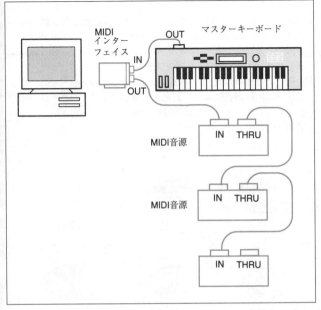

MIDI

MIDI インターフェイス 【ミディインターフェイス】　　*MIDI interface*

パーソナルコンピュータとMIDI機器を接続するためのインターフェイスボード。

ローランドの製品が業界標準となっており，PC-9800シリーズ用はMPU-PC98, ISAバス用にはMPU-401がある。MPU-401の互換製品ではSMPTE（VTR同期信号）を出力できるものもある。ノートブック型では拡張バスに接続するタイプのものがある。

Macintoshでは，シリアルポートにつないで，MIDI信号に変換するアダプタを使う。

最近ではMIDIインターフェイスを必要とせず，シリアルポートに直接接続できるMIDI機器も増えてきた。

▷SMPTE

MIDPLUG 【ミッドプラグ】

ヤマハ(株)が開発した，インターネット上でMIDIファイルを再

生することができるNetscape Navigator用のプラグイン。通常，MIDIファイルを再生するには，MIDI音源が必要になるが，MID-PLUGをインストールするとソフトウェアだけでMIDIサウンドを再生できる。ヤマハ(株)のホームページ(「http://www.yamaha.co.jp/xg/」)で入手できる。⟶プラグイン

MIL 規格 【ミルキカク】 *military specifications and standards*

アメリカ国防総省によって制定された軍用規格のこと。論理記号としてよく使われるMIL記号はこの規格に基づいている。⟶論理記号

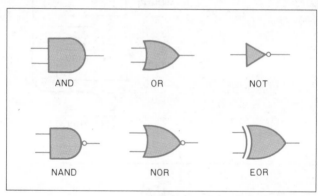

MIL 記号

MIME 【マイム/エムアイエムイー】 *Multipurpose Internet Mail Extension*

インターネットでのメールのやりとりは，基本的にはテキストファイル(ANKのみで)の形式でしかできない。したがって，画像ファイルやプログラムなどのバイナリ形式のファイルを送る場合は，ファイルエンコーダを使って，ある一定の法則でテキスト形式に変換して送信するという方法をとる。

MIMEは，そのエンコードの仕様のひとつで，多くのメールソフトがMIMEに対応している。

MIMEでエンコードしたファイルは，受信側メールソフトで自動的に元のバイナリファイルに復元されるので，バイナリファイルを直接やりとりしているように扱うことができる。(次ページ図参照) ⟶エンコード

MIME でメールに文書を添付した例

Mind 【マインド】

　FORTH系の日本語プログラミング言語。文法自体が日本語の対応で、すべて日本語で記述できる。メモリサイズは、データサイズ、コードサイズがともに64Kバイトまでのスモールモデルだけ。

```
文書ファイルは　ファイル。
通算行数は　変数。
頁内行数は　変数。


一行の処理とは　（・―＞・）
　文書ファイルから　一行読み出しし　捨てる
　データ終わり？
　　ならば　終る
　　つぎに
頁内行数を　一つ増加する
通算行数を　一つ増加する
```

MIND のプログラム（部分）

M

MINIX 【ミニックス】

オランダのAndrew Tanenbaumが設計した，V7 UNIXと機能的に互換性のある学習用OS。カーネルのソースコードのリストと解説をまとめた本が出版され，豊富なコマンドを含んだディスクとマニュアルも購入できる。IBM PC互換機用，Macintosh用，PC-9800用などがある。

国際的な支持を受けて，現在も改版が続けられている。

教育目的，個人目的での小部数コピーの配布は認められているが，Perentice-Hall社が著作権を所有しており，完全なフリーソフトウェアではない。

MIPS 【ミップス】 *Million Instruction Per Second*

コンピュータの処理速度を表す単位。1秒に行われる命令の回数を100万単位で表す。DEC社のミニコンピュータVAX-11/780の処理速度が1MIPSと言われ，クロック周波数33MHzの486CPUを使ったパーソナルコンピュータは10MIPS程度，Pentium マシンは100MIPS程度の処理速度である。

MME 【エムエムイー】 *Multi Media Extensions*

MS-Windows3.0にマルチメディア機能を付加する拡張ソフトウェア集。Windows3.0 がすでにインストールされている上に組み込ことでCDプレイヤーや音源ミキサーなどの機能が付け加えられる。

MML 【エムエムエル】 *Music Macro Language*

ゲームなどで使う，音楽記述言語。音階をアルファベットで，音の長さを数値で記述する。

MMX Pentium 【エムエムエックスペンティアム】

Pentium CPUのマルチメディア拡張版。MMXはMultiMedia eXtension（マルチメディア拡張）の略。動画像や音声データを処理する演算は，単純な繰り返し処理であるが高い負荷と長い処理時間がかかる。通常のPentium CPU に組み込まれている命令にマルチメディアデータを扱う際の負荷を軽減する57個の新命令を追加し，データ幅の短いバラバラなマルチメディアデータの繰り返し処理を，並列処理でデータを64ビットずつまとめて扱うことによって効率化している。また，1次キャッシュのメモリ量が通常のPentiumの16KBに対し32KBに増やされている。

MMR 符号 【エムエムアールフゴウ】 *Modufied Modified READ*

ファクシミリの二次元符号化方式のひとつ。MR方式を一部修正

し，より高速に転送を可能としたもの。

⊃MR 符号

MMU 【エムエムユー】　*Memory Management Unit*

コンピュータの主メモリを管理するためのハードウェア機構のこと。主な機能は，メモリ上のデータの一部を保護したり，プログラム中の論理アドレスを主メモリ装置の物理アドレスに変換する機能を持っている。また，CPUとは別の集積回路として搭載されたりCPUに内蔵されている場合がある。

MMX Pentium 【エムエムエックスペンティアム】

マルチメディアの処理能力を強化するMMX技術を付加したPentium。

⊃Pentium

MNP 【エムヌピー】　*Microcom Networking Protocol*

米Microcom社が開発したモデム間のデータ通信を行うためのエラー訂正機能を持ったプロトコルのこと。特長は，MNP非対応のモデムとの互換性や，パソコンへの負担を軽減することなどがある。データ送信中にエラーが発生した場合にはもう一度データを再送する。MNPは，10の機能クラスを備えており（クラス1～クラス10）これには，エラー訂正プロトコル，データ圧縮等の機能がある。

MO 【エムオー】　*Magneto Optical*

光磁気ディスクのこと。読み書きが可能で大容量の持ち運び可能な記憶メディア。現在では，3.5インチタイプが主流で，容量は128MBと230MB，540/640MBの各タイプがあり，規格化されている。また，メーカー独自に容量を拡大し，1.3GBまで保存可能なものもある。100万回以上のデータ書き換え，10年以上の保管に耐える。

5.25インチフォーマットは650MBから5.25GBに達するものまであるが，ドライブメーカー間の互換性がないので，もっぱら大容量という特質を生かしてバックアップ用として使われている。3.5インチのフォーマットは互換性が高く，汎用のデータ交換媒体としても利用される。

データの読み出し速度は，高速なハードディスクより遅いが，フロッピーディスクよりははるかに速い。しかし，データを書き込む処理は消去・書き込み・ベリファイと3ステップを要するので数倍の時間がかかる。そのため，頻繁な書き換えを行う用途には向か

ない。

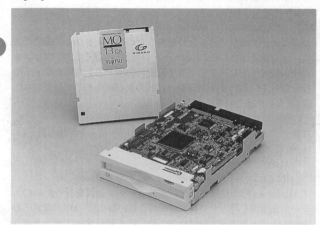

3.5 インチで 1.3GB の容量を実現した MO 富士通 (株)MCD3130AP

Modula-2 【モジュラツー】　*Modular Language-2*

Pascal言語を提唱したNiklaus Wirthが1978年に考案したプログラミング言語。Pascalにモジュール化, 分割コンパイル, 強力なデータチェック, 並列処理, 低レベル処理などの機能を加え, 実用性のある言語としたもの。

MOS 【モス】　*Metal Oxide Semiconductor*

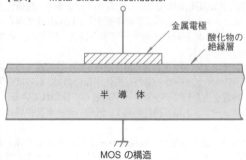

MOS の構造

金属酸化物薄膜半導体構造素子。

半導体の上にアルミナ(Al_2O_3)などの絶縁物の薄膜を作り, さらに

金属電極を蒸着したもの。電極が半導体と直流的には絶縁されているので，入力インピーダンスが高く，消費電力を少なくできる。ただし，絶縁膜はきわめて薄いので，電極を指で触ったりすると，静電気で破壊されることがある。

○CMOS

Mosaic 【モザイク】

Mosaicは，ハイパーテキスト構造を持ち，WWW(World Wide Web)などのインターネット上にある情報を検索するソフトウェアの1つである。マウスを用いて画面上に表示されている項目を選択するだけで，世界中にある音声や画像などの情報にたどり着ける。これは，米イリノイ大のNCSAが1991年1月に開発したもので，NCSA Mosaicが正式名称である。Mosaicが開発されたことで，インターネットの利用者も爆発的に増加した。

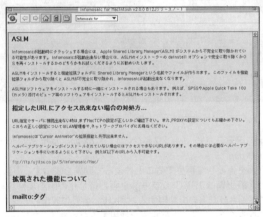

info mosaic

Motif 【モティーフ】

OSF(Open Software Foundation)が1989年に制定したUNIXのGUI。X-Window 技術を基本とし，DEC社のDECwindowsのツールキットをベースにOS/2のLOOK AND FEEL，そしてHewlett-Packard社の3次元表示機能を統合したもの。Data General社，DEC社，Hewlett-Packard社，IBM社，NEC，NCR社，Silicon Graphics 社，Santa Cruz Operation(SCO)社，SONYな

どがサポートしており，Sun Sparc Station用のMotifもサード
パーティから供給されている。

MS-WindowsやOS/2に操作性が似通っているため，対抗する
OPEN LOOKよりも広く使われている。

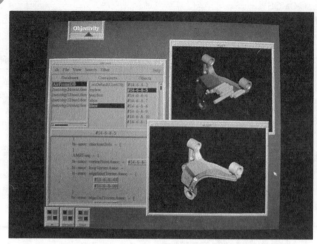

Motif

Motion JPEG 【モーションジェイペグ】　*Motion Joint Photographic Experts Group*

静止画を連続して再生することによって動画を表示する方法。こ
のとき静止画はJPEG(カラー静止画の符号化の国際規格)に基づ
いて圧縮されたものを使用する。利点は，容易に映像のデジタル化
ができること，連続した静止画を使用するため画像1フレームごと
の処理が行いやすいなど。

Motorola 【モトローラ】　*Motorola, Incorporated*

アメリカの大手電気機器メーカー。1928年に設立された自動車用
ラジオの生産会社が母体であり，1947年に現在の社名に変更。

30年代より家庭用ラジオの生産に進出し，第2次世界大戦中は軍
の委託によって戦略用電子機器の生産を行う。

戦後は家庭用，医療用，教育用電子機器の開発・製造を手がけ，
パソコン関係では，8ビットのMC6800やMC6809，16ビットの

MC68000, 32ビットのMC68020やMC68030, MC68040などの
MPUを開発してきた。また, IBM社, Apple Computer社と共同
でPowerPCを開発した90年代以降は携帯電話に代表される無線
通信事業の分野で業界の牽引役となった。

movie 【ムービー】

QuickTimeやVIDEO for Windowsなどで作成された動画や音を
含む, 映画のようなデータをさす。

Mozilla 【モジラ】

Netscape Navigatorの別名。Mosaicを食べる怪獣の意味。

MPC 【エムピーシー】 *Multimedia PC*

Microsoft社が提唱し, Multimedia PC Marketing Council (MPC
協議会) が管理するMS-DOSマシンでのマルチメディア規格。
1990年に発表されたLevel1と1993年に発表されたLevel2, 1996
年のLevel3があった。

MPEG 【エムペグ】 *Moving Picture Experts Group*

ISO (国際標準化機構) で動画像の圧縮方式の規格を制定している
委員会の名称およびここで制定された規格を指す。転送速度が最
大1.5Mbpsでアナログ VTR (VHS) 画質のMPEG-1, および最
大60Mbpsで高精細デジタルハイビジョン画質のMPEG-2が規格
化された。MPEG-2は現在, DVDやCS衛星放送で採用されてい
る。審議中のMPEG-4はネットワークでのストリーミングを目的
としており, エラー回復機能などの信頼性の向上, Java対応などの
新技術のとりこみが図られる。2000年に世界標準となる計画であ
る。MPEG-3, -5, -6は早い段階で想定されたが, 審議を経て整
理され, 規格としては消滅した。MPEG-7はMultimedia Content
Description Interfaceと呼ばれる。マルチメディアデータの検索
を容易にするため, その分類, 定義を統一するもの。MPEG-7が
世界標準となるのは2001年になる見込みである。

MPEG++ 【エムペグプラスプラス】 *Moving Picture Experts Group ++*

HDTV(高精細テレビ)の音声画像データを圧縮するための方式(高
能率符号化アルゴリズム)のこと。アメリカで次世代テレビの方式
として提案されたAD-HDTV(Advance Digital-HDTV)方式のひ
とつ。

MPEG2 【エムペグツー】 *Moving Picture Experts Group 2*

1990年9月に国際標準化を開始した, マルチメディアデータの高
能率符号化技術のこと。これは, 現行の放送, 次世代テレビ放送で

M

あるDTV(米)やHDTV, 広域ISDN, その他のメディアを対象とした(通信など)多利用型の映像符号化方式のこと。

MP3 【エムピースリー】　　*MPEG Audio Layer-3*

1992年にISO (国際標準化機構) のMPEG1, MPEG2規格で定められた音声の圧縮, 再生方法。他にLayer-1や2があるが, 圧縮率でLayer3が最も高い。音楽CDの音質をほとんど劣化させずに12分の1の容量まで圧縮し, データファイル化することができる。またネットワーク上でリアルタイムに再生できるストリーミングにも対応している (MPEG2)。公開されている標準規格のため, 対応ソフトウェアの作成やデータの作成に技術使用料が課せられることがなく, インターネットでの音楽配信に最適なため爆発的に広まった。1998年より, 海賊版データによるMP3音楽サイトの氾濫が指摘されはじめ, ダウンロードしたデータをウォークマンのように聴ける携帯MP3プレイヤーが製品化されて問題となった。音楽業界は訴訟的手段とSCMSなどの防止技術の義務化の両面から対抗措置をとっている。一方で, MP3データによる適法な音楽サイト運営のビジネスモデルも出現しており, 一部の先鋭なアーティストや新人をはじめ, 流通革命という面で肯定的に捉える著作権者側の見方もある。

MPU 【エムピーユー】　　*Micro Processing Unit*
　　⊃マイクロプロセッサ

MPW 【エムピーダブリュ】　　*Macintosh Programmer's Workbench*

Apple Computer社が提供するMacintosh用の開発環境。Pascal言語, C言語などのコンパイラからMacAppなどの開発用ツール, ユーティリティまで数多くの製品が用意されている。APDAを通じての販売となっている。⊃APDA

MRP 【エムアールピー】　　*Material Requirement Planning*

資材所要量計画。コンピュータ支援による生産管理システムである。製品を構成する部品の部品表データベースと, 部品在庫データベースを製品の生産計画に連動させ, 必要量の部品の自動発注を行うことで, 資材不足や過剰在庫を防止する。

MR 符号 【エムアールフゴウ】　　*Modified READ*

ファクシミリの二次元符号化方式のことで, ITU-Tで標準化されたもの。Modified READ(Relative Element Address)は, 境界差分逐次符号化方式ともいい, 垂直方向への相関度によりデータを帯域圧縮する方式のこと。

MS Audio 【エムエスオーディオ】
　➲Windows Media Audio

MS-DOS 【エムエスドス】　　*MicroSoft Disk Operating System*

Microsoft社の8088/80x86系CPU用OS。基本的に，シングル
タスク/シングルユーザ環境であり，直接アクセスできるユーザー
メモリは640Kバイトまでである。ファイル名は半角8文字プラス
拡張子3文字の制限がある。

IBM社からIBM PC用OSの開発を依頼されたMicrosoft社が
Seatle Computer Products社のSCP-DOSを買い取り，IBM PC
用に改良したもの。

その後，他社のパーソナルコンピュータでも採用され，現在では
もっとも広く使われている。IBM社から発売されるものはPC-
DOSもしくはIBM DOSという商品名で，開発元のMicrosoft社，
あるいはOEM供給を受けたパーソナルコンピュータメーカーか
ら供給される場合はMS-DOSという名称が付けられてきた。た
だし，1993年にIBM社とMicrosoft社の契約が終了したため，PC
DOS 6.1とMS-DOS 6.2からは独自の製品となっている。Win-
dows95は，MS-DOSを内部に持っているため，MS-DOSモード
で起動できる。このほかDigital Research社が，MS-DOS互換
OSとしてDR-DOS を開発，現在はフリーのOSとして流通して
いる。
　➲80x86, IBM PC

MS-DOS マシン 【エムエスドス】　　*MS-DOS machine*

OSにMS-DOSを使用するパーソナルコンピュータのこと。CPU
に8088/80x86系を採用しており，相互にテキストレベルでの互換
性はある。IBM PCおよびその互換機，PC-9800シリーズ，FMR
シリーズなど。ワードプロセッサ専用機として売られているもの
の中にもMS-DOSを使用している製品がある。
　➲OS

MSI 【エムエスアイ】　　*Medium Scale Integration*
　中規模集積回路。➲IC

MS-Kanji API 【エムエスカンジエーピーアイ】
　マイクロソフトが制定した，日本語MS-Windowsにおける日本語
　入力FEP制御用API規格。
　➲API

MS-Networks 【エムエスネットワークス】

1984年米Microsoft社によって開発・販売されたLAN環境対応のOS。サーバプログラムとクライアントプログラムの2つから構成されている。これはLAN上でのファイルとプリンタの共有機能を提供する。

M

MS-Windows 【エムエスウィンドウズ】

Microsoft社が開発したパーソナルコンピュータ用マルチウィンドウソフトウェア。MS-DOSにGUIを付け加えたものともいえる。16ビットアーキテクチャ用に誕生したMS-Windowsの限界を解消するため，Microsoft社は32ビットアーキテクチャ用のOSとしてWindows NTを開発した。一方95年には，16ビットのMS-DOSアプリケーションとの互換性を保持したまま，32ビットのNT用アプリケーションも動作するWindows95を出荷した。98年にはインターネット機能とファイルシステムを強化したWindows98を発売した。Windowsの変遷は次のとおり。

↻WindowsNT

- **MS-Windows Ver.1**
  1985年に登場。性能が低く，対応するアプリケーションソフトウェアも不足していた。

- **MS-Windows Ver.2**
  87年，オーバーラップウィンドウなどを採用して再登場。ExcelやPageMakerなど，有力なアプリケーションが発売され，日本でも日本語MS-Windows Ver.2としてPC-9800シリーズやAXなどに移植された。

- **MS-Windows Ver.3.0**
  90年に発表されたMS-Windows Ver.3.0は，OS/2やMacintoshに匹敵するGUIを実現。画面表示にはプロポーショナルフォントが採用され，3Dボタンとカラーアイコンによって美しく洗練された操作性を備えるようになった。日本語対応版もすぐに発売され，同時にかなりの本数の対応アプリケーションが発売された。
  動作モードはリアルモード，スタンダードモード，386エンハンスドモードの3種類がある。リアルモードは従来のWindows/286 Ver.2と互換性をもつ。
  スタンダードモード，386エンハンスドモードでは80286,

80386のプロテクトモードを利用することで，1Mバイトを越えるメモリをアプリケーションが利用することが可能。なかでも386エンハンスドモードでは，80386のページング機能を使った仮想メモリにより，ハードディスクなどを最大4G(ギガ)バイトという大量のメインメモリとして扱えるようになった。また，のちに改定版のWindows3.0Aも発売された。

● *MS-Windows Ver.3.1*
  92年，出荷されると同時にアメリカでベストセラーになった。日本語版は93年の春に出荷。
  Ver.3.0にくらべてスピードが速くなり，信頼性も増した。音楽や動画を扱うための機能を拡張するマルチメディアエクステンション(MME)機能の一部が装備されたり，明朝とゴシック体のアウトラインフォントを表示・印刷できるTrue Typeフォントが付属されている。リアルモードは廃止された。

● *Windows95*
  ○Windows95

● *Windows98*
  ○Windows98

MSCDEX 【エムエスシーディーイーエックス】
  ○CD-ROM Extensions

MSN 【エムエスエヌ】　　*MicrosoftNetwork*
マイクロソフトが運営するネットワーク。Windows95に付属している専用アプリケーションを使ってアクセスすることができる。電子メールを利用できるほか、マイクロソフトのニュースやWordやExcelのヘルプ情報などが入手できる。

MSX 【エムエスエックス】
1983年に、米Microsoft社とアスキー社によって提案された8ビットパソコンの統一規格のこと。特長は、ハードウェア、ソフトウェアの互換性があり低価格で生産できることがあげられる。パソコン初心者向きのコンピュータとして導入当初は非常に注目され、日本でも多くの家電メーカーがMSXパソコンを発売した。し

かし，当初注目された割には普及せず，現在では参加企業も開発から撤退している。

MTBF 【エムティービーエフ】 *Mean Time Between Failure*

平均故障間隔。システムの故障の起こりやすさを示すもので，一度故障が発生してから次の故障が発生するまでの平均時間で表す。

MTBF＝累積使用時間÷故障件数

で求められる。システムの保守性を表す目安となり，この値が高いほど保守性が良いといえる。

MTTR 【エムティーティーアール】 *Mean Time To Repair*

平均修理時間。システムの障害発生時における修復時間の平均のことで，保守性の目安となっている。

MTTR＝累積障害修理時間÷障害件数

で表わされる。

Multiplan 【マルチプラン】

Microsoft社が1982年に出荷したCP/M向けスプレッドシート。のちにMS-DOSに移植された。

MUMPS 【マンプス】 *Massachusettes general hospital Utility Multi-Programming System*

マセチューセッツ総合病院で1967年に開発されたデータ ファイル処理向けのプログラミング言語。

MUSE 【ミューズ】 *Multiple Sub-Nyquist Sampling Encoding*

日本のハイビジョン（HDTV高品位テレビ）で用いられているアナログ衛星放送の方式。現行アナログ放送（縦横比3:4，走査線525本）に対しハイビジョンは，縦横比9:16，走査線1125本と画質を緻密化する。このままでは情報量が増え搬送できなくなるため，RGBの信号を衛星放送可能な帯域に圧縮する。この圧縮方式がMUSEである。

⇔HDTV

MVS 【エムブイエス】 *Multiple Virtual Storage system*

IBM社の汎用コンピュータ用オペレーティングシステム。現在，システム/370拡張アーキテクチャ(370-XA)用のオペレーティングシステム，370-XAが使われている。

MVSの名前は多重仮想記憶方式からきている。仮想記憶方式とい

うのは，メモリに入りきらないほど大容量を必要とするプログラムを設計稼働させる場合，オペレーティングシステムがプログラムを分割してメインメモリにロードして使用し，プログラムはあたかもそれだけのメモリが準備されているようにプログラミングできるという機能である。これを複数のプログラムに対して同時に実現可能としたものが，多重仮想記憶方式である。

MVSは汎用コンピュータのオペレーティングシステムとして，特にエラーの回復機能に優れ，システム資源の管理，マルチプロセッサの管理なども行っている。

M 言語 【エム】　*M language*
　⊃MUMPS

NAK 【ナック】　*Negative AcKnowledge*

データ通信で使う言葉で, 送信されてきたデータをうまく受信できなかったときに, 受信側が送信側に送り返す信号のこと。これに対して正常に受信できたときに送り返す信号のことを ACK という。

NAND 【ナンド】　*NOT AND*

否定的論理積。入力aとbのいずれかが偽(0)の場合, 出力が真(1)となる論理演算。AND演算の結果にNOT演算を行ったもの。

a	b	a NAND b
0	0	1
0	1	1
1	0	1
1	1	0

NAND

NAPLPS 【ナブルプス】　*North American Presentation Level Protocol Syntax*

文字データと画像データとを一体化して伝送するビデオテックスの国際的な標準規格のひとつ。元々はカナダのTelidon規格が母体となっているため, 北米標準方式とも呼ばれている。

画像データを仮想的な画面の座標値とその属性とで表現するのが最大の特徴。したがって, 概してデータサイズが小さく, なおかつ画像を表示するシステムのハードウェア的な制約を受けないなどメリットは多いが, 逆に, 画像データの作成, および画像表示用のソフトウェア開発に手間がかかるのが欠点。

現在, 運営されている商用サービスとしては, アメリカのProdigy, 日本のK-NET, NIFTY-Serveの一部などが有名。

NC 【エヌシー】　*Network Computer*

Oracle社が提唱し, 仕様を決めた新世代のコンピュータ。PC (Personal Computer) に対置される概念。ユーザ側には最小限のハードウェアを用意し, これをネットワーク端末とすることにより, ソフトウェアの機能やデータベースなどのリソースはイン

ターネットやWANを経由した他のサーバコンピュータから適宜入手して処理をする。メリットは，ユーザ側でハードウェアにかかるコストが削減できること。操作が単純になること。最新機能へのアップデートやデータの保守管理は一元的にサーバ側ですればよいことなどがあげられる。クライアントPCのハードウェアやOSが頻繁にアップデートされ巨大化し，操作がより複雑になっていることへの批判が込められている。旧来の閉じられた汎用コンピュータとダム端末からなる企業システムが，インターネットの普及によってより開かれた形態になったものとの見方もある。

NC(富士電機)

NCSA 【エヌシーエスエー】 *National Center for Supercomputing Applications*

イリノイ大学にある全米スーパーコンピューティングアプリケーションセンターの略称。NCSA MosaicやNCSA Telnetなどのソフトはここで開発された。

NCTV 【エヌシーティーブイ】

企業向けのシステムであるNCに対して，NCTVは家庭消費者向けのシステムをさす。NCのセットトップボックスを家庭のテレビ受像機へつなぎ端末とする。デジタル放送とインターネットコンテンツの融合したサービスや，オンラインショッピング，ホームバ

173

ンキングなどの実験がなされている。
◯NC

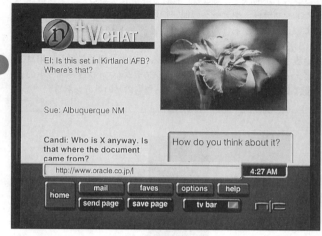

EI: Is this set in Kirtland AFB?
Where's that?

Sue: Albuquerque NM

Candi: Who is X anyway. Is
that where the document
came from?

How do you think about it?

http://www.oracle.co.jp/l   4:27 AM

home   mail   faves   options   help
        send page   save page   tv bar

NCTV の画面

NCU 【エヌシーユー】 *Network Control Unit*
　公衆通信回線を使ってデータ伝送を行う際, モデムと電話回線の間
　にあって相手方との接続の制御を行う装置。通常はモデムに内蔵
　されている。

NDIS 【エヌディス】 *Network Driver Interface Specification*
　Windowsで一度に複数のネットワーク・ドライバを起動したとき,
　複数の通信プロトコルを1枚のネットワークカードで切り替えて
　使えるようにする規格。

NEEDS 【ニーズ】 *nikkei economic electronic databank system*
　日本経済新聞社の総合経済データバンクのこと。マクロ経済, 産業
　関連, 地域情報や海外の情報, それに日本経済新聞をはじめとした
　日経グループが発行している新聞, 専門誌などの記事情報をオンラ
　インで提供している。◯オンラインデータベース

Neptune 【ネプチューン】
　◯Triton

NetBEUI 【ネットビューイ】　　*NetBIOS Extended User Interface*
　○NetBIOS/NetBEUI

NetBIOS 【ネットバイオス】　　*Network Basic Input Output System*
　○NetBIOS/NetBEUI

NetBIOS/NetBEUI 【ネットビューイ/ネットバイオス】

Windows, Microsoft LAN Manager, OS/2, IBM LAN Server の標準ネットワークプロトコル。15文字までの名前で他のコンピュータを認識する。Windows95以降のパソコンはピアツーピア接続できるが、この場合に内部的に使われるプロトコル。

ルーティング機能がないので、複数のLANをルータでつないだ広域LANには向かない。このため現在のWindowsネットワークの場合にはインターネットプロトコルであるTCP/IPを標準に準じてサポートしており、WINSサーバを介してルータの内と外を使い分けている。

もともとはMS-DOSなどと同様、IBM社が外部サードパーティ（Sytek社）に開発を委託し、後に自社のPC LAN製品に組み込んだことによって、一般的となった。NetBIOS/NetBEUIと並称し、どちらも同様の意味で使われるが、OSI参照モデルの第5層セッション層のプロトコルがNetBIOS、第3, 4層のネットワーク層、トランスポート層のプロトコルがNetBEUIに相当する。

NetBSD 【ネットビーエスディー】

Intel社x86アーキテクチャ向け386BSDから派生したフリーウェアのOS。FreeBSDと同様の系統。FreeBSDが古いハードウェアで動く上位互換性を重視しているのに対し、NetBSDは互換性にこだわらず実験的な先進機能を付加していく趣旨で開発が進められている。SPARC版や68000系Macintosh版がある。

Net-It Central 【ネットイットセントラル】
　○jDoc

NetNews 【ネットニュース】

インターネット上で利用できる電子掲示板のこと。政治, 経済, 娯楽, 音楽など幅広いジャンルに分かれており、そのテーマに関する情報の収集や、意見交換の場として利用されている。

NetNewsを見るためには、ニュースリーダと呼ばれる専用ソフトが必要になるが、Webブラウザのなかには、ニュースリーダの機能を持ち、ニュースリーダソフトを用意しなくてもネットニュースにアクセスできるものもある。

○Newsgroup

NetPC 【ネットピーシー】

Microsoft社とIntel社のWintel陣営がNCに対抗して提唱している Windows プラットフォームを前提とした，ネットワーク・コンピューティングの構想。NCと異なり，プログラムはローカルの記憶装置に保持され実行される。Windows はクライアントに組み込まれている。プログラムはネットワークを通じてのみインストールやアップグレードができる。

○Windows Terminal

Netscape Communicator 【ネットスケープコミュニケーター】

Netscape社のインターネットクライアント用パッケージソフト。ブラウザのNetscape Navigator, メーラーのMessenger, ニュースリーダーのCollabra, ホームページ作成ツールのComposer, インターネット電話のConference, プッシュウェアのNetcaster, スケジューラーのCalender, 3270エミュレーターのIBM Host On-Demand（プロフェッショナル版のみ），リモート管理ソフトAutoAdmin（プロフェッショナル版のみ）などのコンポーネント（部品）ソフトが含まれる。同社は98年よりNetscape Communicatorのスタンダード版を無償とし，さらに次期バージョン5.0のソースコード公開に踏み切った。個人市場でのシェア維持をはかり，企業ユーザやサーバビジネスで収益をあげることに集中する戦略と見られる。(次ページ図参照)

Netscape Navigator 【ネットスケープナビゲーター】

NetscapeCommunications社が開発したWebブラウザ(WWWサーバーにあるデータを見るためのソフト)。

画像ファイルなどを高速に受信・画面表示できることと，わざわざ専用のソフトを利用しなくてもNetscape上でFTPや電子メールを利用できることなどから、ブラウザ市場のトップシェアを獲得した。

○FTP, Web ブラウザ, WWW

NetWare 【ネットウェア】

Novell社が開発したパーソナルコンピュータ用ネットワーク OS(NOS)。

プロトコルにはSPX/IPX を採用。MS-DOS上で動作し，ファイルサーバを1台占有するクライアントサーバ型。

○Novell

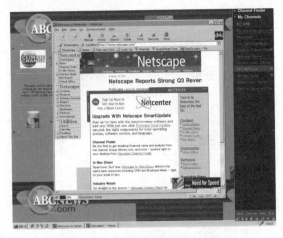

NetscapeCommunicator(Navigator) の画面

Newsgroup 【ニュースグループ】

NetNewsは、カテゴリーごとに分かれている電子掲示板の集合体といえるが, その一つ一つのグループをさす。世界中には, 数多くのニュースグループが存在しており, ユーザーは, 目的のグループにアクセスし, 情報の収集や意見交換のための書き込みなどを行うことができる。プロバイダを介してインターネットを利用する場合, アクセスしているプロバイダのニュースサーバに登録されているニュースグループしか利用することはできない。

ニュースグループのほとんどが英語であるが、日本語が使えるグループにfj (from japanの意) がある。グループのカテゴリの下にサブカテゴリがあり、例えば、fj.rec.musicはfjのレクリエーションの音楽に関するグループであり、さらにその下にfj.rec.music.j-pop (ポピュラー) やfj.rec.music.classical (クラシック) があるなど。(次ページ図参照)

Newton MessagePad 【ニュートンメッセージパッド】

Apple Computer社がシャープと共同で開発し, 1993年にアメリカで発売されたPDAの第1号機。

重さ400グラム, 縦18.5センチ, 横11.4センチの電子手帳サイズにAdvanced RISC Machines社が開発したRISC CPU, ARM610

Newsgroup

（クロック周波数20MHz）を搭載，メモリは4Mバイト実装している。画面は336 × 240ドットの液晶ディスプレイ，1個のPCM-CIAスロットを持ち，単4電池4本，ACアダプタ，バッテリでの駆動が可能。

⊃PDA

NeXT 【ネクスト】 *NeXT Computer, Incorporated*

Apple Computer社の創業者であるSteve Jobsが同社を退職後，1985年に設立したコンピュータ会社。1988年10月に最初の製品であるワークステーション，NeXT Cubeを発表した。これは1フィート立方のマグネシウム合金製キューブにMPUはクロック25MHzの68030，標準で8MバイトのRAM，256MバイトのMOを内蔵。17インチのモノクロモニタにはDisplay PostScriptで表示し，完全なWYSIWYGを実現した。OSは4.3BSD UNIXと互換性のあるMachを採用。マンマシンインターフェイスにはNeXTSTEPを搭載し，定価は6500ドルであった。

その後，カラー化したNeXT Colorを発売したり，キヤノンとの資本提携などを進めたが，販売実績が伸びず，累積赤字が拡大。1993

年，ついにNeXT社はハードウェアの生産部門をキヤノンに売却。NeXTSTEP/OPENSTEPなどのOSの開発を中心とするNeXT Software社になったが1996年AppleComputer社に吸収合併された。

⊃NeXTSTEP

NeXTSTEP 【ネクストステップ】

NeXT Computer社が開発したソフトウェアプラットフォーム。Motorola版（NeXT用）とIntel版（PC/AT互換機用）とがある。分散オペレーティングシステムであるMachを基本とし，ユーザーインターフェイス環境を含んだオブジェクト指向のオペレーティングシステムとなっている。

Macintoshの FINDER に似た雰囲気をもつ WorkspaceManager を介して，ユーザーは NeXTSTEP とインターフェイスする。画面表示は Display PostScript を採用している。

ユーザーがプログラムを開発する時は，開発環境の支援アプリケーションとして用意されているProjectBuilderを利用し，統一した環境の中で開発を行う。グラフィカルインターフェイスを構築するにはInterfaceBuilderという開発キットを使う。

NFS 【エヌエスエス】　*Network File System*

Sun Microsystems社が開発したファイルシステム用ソフトウェア。異機種間ネットワークでファイルを共有し，他のコンピュータ上にあるファイルを自分のマシンのファイルのように自由にアクセスできる。

NIC 【ニック】

(1) ネットワークインターフェイスカード Network Interface Card

LANカード。ネットワークに接続するため，コンピュータやプリンタ等にとりつける拡張カード。

(2) ネットワークインフォメーションセンター Network Information Center

インターネットのIPアドレス，ドメイン名を管理している団体の総称。InterNIC（米国），JPNIC（日本），UKNIC（英国），FRNIC（フランス），KRNIC（韓国）など。

NICOLA キーボード 【ニコラキーボード】

日本語入力コンソーシアム（NICOLA）で制定した，キーボードの配列。富士通の親指シフトキーボードを基本にしている。

NIFTY-SERVE 【ニフティサーブ】

日商岩井と富士通の合弁会社，ニフティ株式会社が運営するBBS。富士通のVANであるFENICSを利用し，アメリカのBBS，CompuServeと提携している。100万人を越える会員数，全国に広がるアクセスポイントなど，日本最大の規模。

さまざまな分野ごとにフォーラムという会議室があり，活発な議論が展開されている。ここをベースに開発され，普及したフリーソフトウェアやシェアウェアはLHA, Wterm, 秀丸, FD など数多い。

会議室のほか，新聞情報検索，雑誌情報検索，人物情報検索など，データーベース機能があり，さらにゲートウェイにより，CompuServeをはじめとする他のBBS，日外アソシエーツなどの商用データベースサービスなどへもアクセスできる。

1993年からWIDE Internetとのメール交換を開始。また現在ではインターネットプロバイダでもある。

NII 【エヌアイアイ】　　　*National Information Infrastructure*

米クリントン大統領とゴア副大統領がまとめた，米国の情報通信に関する計画。1993年9月に具体的な方針が決定された。情報スーパーハイウェイもこの計画を支える重要なポイントである。

Ni 水素電池 【ニッケルスイソデンチ】　　*Ni(Nickel)-H(Hydoride)Battery*

正極にはNi-Cd(ニッケル-カドミウム)電池に使われているNi-OOH(ニッケル水素)を，負極には水素極を使った蓄電池。Ni-Cd電池と比較すると重量，体積とも小さいが，同体積ではNi-Cd電池より充電容量が大きいことが特徴。価格は高価ではあるが，駆動時間が長いため，カラーノート型パソコンのバッテリーなどによく使われている。

NLM 【エヌエルエム】　　*NetWare Loadable Modules*

NetWareで提供される，さまざまなサービスやアプリケーションをモジュール化し，自由に組み合わせられるようにしたもの。インストールとシステム管理を容易にし，OSとは独立に新しい機能を追加できる。NetWare 386から取り入れられた。

NMI 【エヌエムアイ】　　*Non Maskable Interrupt*

マスク不可能な割り込み。他の割り込み処理に優先するソフトウェアで回復不可能なエラー。メモリや拡張バスなどのハードウェアに障害があるときにエラーメッセージとして報告される。

NMRC 【エヌエムアールシー】　　*Network Music Rights Conference*

ネットワーク音楽著作権連絡協議会

ネットワーク上で音楽配信を行う業者の業界団体。著作権料について，著作権者側の団体であるJASRACと協定を結び，利用者からの料金徴収方法について取り決めている。使用料には曲のリクエストごとにかかるものと，利用の有無にかかわらず，利用できることを公示した場合に支払う月額の基本料金があり，NMRC側では実際の収入に伴わない基本料金の撤廃を求めている。

現在は2000年度いっぱいの暫定合意として，利用者のハードディスクに曲のデータが残らない「ストリーム配信」と，曲をダウンロードして何度でも聞ける「データ配信」の2つのカテゴリーにわけ，それぞれに総リクエスト数や広告収入に比例する基本料金を設定している。

NNTP 【エヌエヌティーピー】　*Network News Transfer Protocol*

インターネットのNetNewsのプロトコル。ニュースサーバ間の配信，ニュースサーバとニュースリーダー間の送受信を規定している。コマンド体系はメールサーバ間のプロトコルであるSMTPに近い。

NOR 【ノア】　*NOT OR*

否定的論理和。入力aとbの両方が偽(0)の場合だけ，出力が真(1)となる論理演算。
OR演算の結果にNOT演算を行ったもの。

a	b	a NOR b
0	0	1
0	1	0
1	0	0
1	1	0

NOR

NOS 【ノス/エヌオーエス】　*Network Operating System*

パソコンLANなどのネットワークで使われるシステムを管理するためのOSのこと。NOSの中心となるソフトウェアには，ファイルやプリンタを管理するサーバーマシンに対応するものと，クライアント側のワークステーションに対応するものとがある。主なソフトウェアとしては，米Novell社のNetWareや米Microsoft社のWindowsNTなどがある。
特徴は高速のCPUと大規模の外部記憶装置を所有し，複数のコンピュータ処理を分散できること。

NOT 【ノット】

論理否定。ブール演算の結果の否定を行う演算。

a	NOT a
0	1
1	0

NOT

Notes 【ノーツ】 *Notes*

Lotus Development社が開発したグループウェアソフト。Net-
WareやWindowsNTといったPC用のNOS(ネットワークOS)の
ほかにもUNIXマシンとの接続性がよくグループウェアのベスト
セラーとなった。
⟳Notes/Domino

Notes/Domino 【ノーツ/ドミノ】

Lotus Development 社のイントラネット・クライアント/サー
バシステム。「Lotus Notes」は登場当初からトップシェアを維持
してきたグループウェア。同社はこのNotesをインターネットと
の融合を強化したバージョンR4Jにするにあたり,開発中のコー
ドネーム「Domino」を製品名として残した。現在のR4.6ではク
ライアントをNotes, サーバシステムをDominoと呼んで区別して
いる。

Novell 【ノベル】 *Novell, Incorporated*

パーソナルコンピュータ用ネットワークOS NetWareのベンダ。
1980年よりCP/M用のネットワークシステムの開発を手がけ,
1982年に現会長兼CEO(最高経営責任者)のRaymond J. Noorda
をスカウトした。本社はユタ州プローボにある。
1983年にIBM PC用のファイルサーバOSであるNetWare Sを
出荷,1985年にはMS-DOS3.1に対応したAdvanced NetWare
86, PC/ATをファイルサーバに使えるAdvanced NetWare 286,
1989年にはNetWare 386を出荷した。
1990年にはLotus社との合併が計画されたが,Novell社側の株
主の反対で実現しなかった。1992年にはCP/Mの開発元であり,
MS-DOS互換のDR-DOSをもっているDigital Research社を買
収した。1993年にはWordPerfect社を買収した。
⟳CP/M, Digital Reserach

NREN 【エヌアールイーエヌ】　*National Research and Education Network*

アメリカ国内のすべての学術研究機関と政府機関を接続する高速なインターネットワーク計画のこと。
1991年に施行されたHigh-Perfomance Computing法に基づいて設置される，毎秒3G(ギガ)ビットのデータ転送速度をもつ情報ハイウェイを利用する。

NSFNET 【エヌエスエフネット】　*Naional Science Foundation Network*

全米科学財団(NSF)によって運営されている，インターネットの基幹ネットワーク。1986年にアメリカ各地の5つのスーパーコンピュータセンターを接続してスタートし，ARPANET, CSNETなどを統合した。
現在は45Mbpsの基幹回線で地域のアカデミックネットワークをつないでおり，その中にはカナダ，メキシコ，ヨーロッパ，太平洋諸国も含まれている。
将来的にはNRENへ移行することになっている。
⊃NREN, インターネット

NSP 【エヌエスピー】　*Native Signal Processing*

米Intel社が1994年11月に発表したソフトウェアDSP(Digital Signal Processeing)技術。従来サウンドボードなどDSPを使って行っていた各種の処理を，75MHz以上のPentiumプロセッサ，およびドライバソフトウェア，A-D/D-A変換用チップの組み合わせに置き換えるもの。DSP, DSP用リアルタイムモニタ(SPOX)，DSP用アプリケーションはWindowsドライバに置き換わり，特殊なハードウェアを必要とせずに音声を再生することができる。これを導入することで専用チップが不要になり，システムの価格を下げることができる。
⊃DSP

NSPIXP 【エヌエスピーアイエックスピー】　*Network Service Provider Information eXchange Point*

日本のインターネット網の中核となっている中継点。第1種プロバイダや特別第2種プロバイダの多くがこのNSPIXPに接続している。インターネットは，ネットワーク同士が接続したものといえるが，日本ではもともと学術系のネットワークとして発展してきたため，数年前から登場した商用プロバイダと学術系サイトとの接続性や，商用プロバイダ間同士の接続が悪かった。そこで，

NS チャート

WIDEプロジェクトが主体となり，異なるネットワーク間の接続性を高めることを研究目的とした共同実験プロジェクトによってNSPIXPが設けられた。なおこのプロジェクト自体をさしてNSPIXP(roject)と呼ぶこともある。

○第1種プロバイダ，特別第2種プロバイダ

NS チャート 【エヌエスチャート】　*Nassi Schneidermann chart*

構造化プログラミング言語用に開発されたフローチャートの一種。従来のフローチャートと異なり，「流れ」を表す線がなく「処理」は長方形を重ねることで表現する。「制御」は必ず上から下に流れるように書かれている。

構造化されたプログラムを，フローチャートにしても線が複雑に絡まることがなく，見やすい形に表現できる。(次ページ図参照)

NTFS 【エヌティエフエス】　*NT File System*

Windows NTのファイルシステム。Unicode対応，255バイトのロングファイル名に対応。NTFSでフォーマットされたドライブには，ドライブ，ファイル，フォルダごとに，圧縮や詳細なセキュリティ（アクセス権，所有権，監査）の設定が行える。

NTSC 方式 【エヌティーエスシー】　*National Television System Com-*

mittee

アメリカや日本のテレビ放送で採用されている，カラーテレビ放送の規格。コンポジット方式ともいう。映像信号は色信号と輝度信号に分離して送信され，受信時に合成して再生する。

本来は，アメリカのテレビ放送における標準方式を決定する委員会の名称である。

NTT データ通信　*NTT Data Communications Systems Corporation*

NTTの情報サービス部門であるデータ通信事業本部が1988年7月にNTTから独立した子会社。データ通信サービスやシステム開発サービスなどを行っている。情報サービス会社の中では日本最大で，システム構築や経営戦略立案などを手がける一方でマルチメディアなどの分野に対しても積極的に取り組んでおり「マルチメディア技術センター」などを設立して，本格的にマルチメディア開発を行っている。

NULL 命令　【ヌルメイレイ】　*null command*

○ダミー命令

Nu バス　【ヌーバス】　*Nubus*

Macintosh IIシリーズに採用されたバス規格，および，Nuバス規格を使った拡張スロット。各スロットに特定の優先順位がないため，拡張ボードをインストールするには，空いているスロットのどこを選んでもかまわないようになっている。

O

O

OA 【オーエー】 *Office Automation*

コンピュータの導入による事務処理の自動化を意味する和製英語。コンピュータを利用した生産性の向上を事務処理の分野に応用することがオフィスオートメーション(OA)の発想となった。

実際には事務処理の完全な自動化は不可能だが，オフィス内の無駄を極力省くことを目標に，情報資源の管理・活用にコンピュータを利用しようというもの。

オフィス内のコンピュータネットワーク(LAN)導入によるデータ共有や電子メールが現在のOA化の中心となっている。

OADG 【オーエーディージー】 *PC Open Architecture Developers' Group*

PCオープンアーキクチャ推進協議会のこと。DOS/Vの標準化を進める団体で，日本アイ・ビー・エム(株)が中心になり，1991年3月に結成された。技術資料の公開，互換性のテスト，広報活動などを行っている。

⊃DOS/V

OA フロア 【オーエーフロア】 *OA floor*

フリーアクセス・フロア，二重床ともいう。パソコン等のOA機器がオフィスに大量に導入されるようになり，更にネットワーク化によりLANに接続されるため，オフィスは情報線（LAN用），電話線，電源線により配線があふれる状態となっている。この問題を解決するために，実際の床の20cmから30cm上に二重に床を設け，その間の空間に自由に配線を通す方式をいう。金属製や樹脂性の四角いパネルを支柱の上に敷き詰めて施工する方法が一般的。

⊃フリーアクセスフロア

OCN 【オーシーエヌ】 *Open Computer Network*

NTTが提供しているインターネット接続サービス。これにより，NTTがインターネットサービスプロバイダの業務に参入した。利用料金も低価格にしてあるのが特徴だが，これに対抗してDDIや日本テレコムなど各社からも類似サービスが提供されている。

OCR 【オーシーアール】 *Optical Character Recognition*

光学的文字認識ともいう。文字を光によって読み取り，文字コードに変換するシステム。印刷された文字，または手書きの文字を画

像として読み取り，パターン認識によって文字コードに変換する。専用システムは銀行など，金融関係で広く導入された。

最近ではイメージスキャナやFAXアダプタと組み合わせ，パーソナルコンピュータやワークステーション上で文字を認識するOCRソフトウェアも増えている。

ODBC 【オーディービーシー】　*Open DataBase Connectivity*

Microsoft社がWindowsクライアント用に用意しているデータベース・サーバへ接続するための一連のファンクション・コール（API）。ODBCドライバを通じて，またはアプリケーションから直接，これを参照してデータベースにアクセスすることができる。SQL Server やOracleなどSQLデータベースの他，ほとんどのRDBMSのベンダがODBCドライバを開発して対応している。

ODBMS 【オーディービーエムエス】　*Object Database Management System*

オブジェクト指向に開発されたデータベース管理システムのこと。構造自体が柔軟に作られているため，複雑なデータも簡単にモデル化でき，データと手続きのカプセル化も可能である。マルチメディア分野などを中心にその活用が期待されている。

⟳オブジェクト指向

ODI 【オーディーアイ】　*Open Data-link Interface*

Novell社のOS製品NetwareのプロトコルIPXとともに，TCP/IPやAppleTalkなどの他のプロトコルを1枚のネットワークカードで共存して使うためのインターフェース規格。Microsoft社のNDISに相当する。

ODP 【オーディーピー】　*Over Drive Processor*

CPUの動作速度を上げるため，専用ソケットで増設するか，あるいは現在のCPUと差し替えるIntel社の商品。ODPはCPUと同じもので，Intel社がエンドユーザー向けに単品売りする場合にこう呼ばれる。ODPには，CPUそのものをアップグレードするもの、クロック周波数を上げるものなどがある。

OEM 【オーイーエム】　*Original Equipment Manufacturing*

委託を請けた相手先のブランドとして製造・供給すること。製造元の会社は流通経路を拡張でき，販売する会社にとっては開発リスクを削減できる。システム販売を前提にしたパーソナルコンピュータなどではよく行われている。自社ブランドでも販売している製品を名前だけ変えて相手先ブランドに供給することもある。

Office 【オフィス】　*Microsoft Office*

　Microsoft社の事務用アプリケーションソフトウェアパッケージ。Windows版とMacintosh版がある。ワードプロセッサのWord、スプレッドシートのExcel、リレーショナルデータベースのAccess（Windows版のみ）などから成る。Windows3.1向けの初期のバージョンは、各々独立したアプリケーションのセット商品だったが、Windows 95 向けのOffice 95からアプリケーション間の連携を強化し、バージョンアップのたびにOffice全体で1つの統合ソフトとしての性格を強めている。Office2000ではInternetExplorer5.0と統合され、イントラネット環境で使うグループウェア的な使用を意識した製品になっている。

Microsoft Office 2000

OHPアダプタ 【オーエッチピーアダプタ】　*Over Head Projector adapter*

　透明な液晶パネル型の装置でOHPの原稿台の上に置き，コンピュータのディスプレイ端子などに接続してグラフや図形を投影する周辺機器。あらかじめOHPシートを作る必要がなく，リアルタイムで変化するデータを表示できるので，プレゼンテーションツールとして普及した。

OLAP 【オーラップ】　*OnLine Analytical Processing*

　企業のシステム部門を介さないで，実務を担当するエンドユーザ自身が，ネットワーク端末からデータベースを参照し，集計・分析して，意思決定に役立てることを可能にするソフトウェア。

OLE 【オーエルイー】　*Object Linking and Embedding*

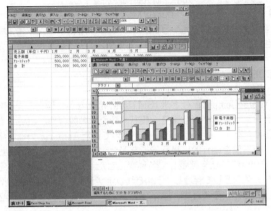

OLE2.0 の例

　ウィンドウ環境において，あるデータと，それを作成したアプリケーションとを連結する機能。

　たとえば表計算ソフトで作成したグラフをワープロソフトの文書にOLEを使って貼り込んだとする。あとでグラフを修正したくなった場合，ワープロソフトの画面でグラフ部分をダブルクリックすれば，グラフを作成した表計算ソフトが自動的に起動する。そして表計算ソフト側でグラフを修正すると，ワープロソフトに貼り込まれたグラフも同時に更新されるというもの。

　Windows3.1から実現された。現在では，アプリケーション間の連携の仕方をより強化した2.0が主流。OLE2.0で他のアプリケーションに貼り付けたデータをダブルクリックして編集するときに，サーバアプリケーションがクライアントアプリケーションの一機能であるかのように，同じウィンドウで立ち上がるin-place activation機能が加わった。

　この技術をインターネット/ネットワーク上に応用したものが

ActiveXとされる。ActiveX及びOLEの規格を定めているのが
COM/DCOMである。(次ページ図参照)

　⟫ActiveX, COM, DCOM

OMG 【オーエムジー】　　*Object Management Group*

オブジェクト指向技術の標準化を推進する国際団体。1998年現在
800を超える企業、大学、研究機関が加盟する。

OMR 【オーエムアール】　　*Optical Mark Recognition*

光学式マーク認識ともいう。マークシート用紙にペンや鉛筆で記
入されたマークを光で読み取り,対応するデータに変換するシステ
ム。

　⟫OCR

Open Doc 【オープンドック】

米Apple Computer社と米IBM社が中心となって開発した,アプ
リケーションソフトを開発・実行するための統合作成環境。もと
もとは,米Apple Computer社が進めていたAmberという文字や
音声や画像を統合的に扱う技術を開発するプロジェクトであった
が,1993年に仕様拡張して名称変更した。1つのプログラムをオ
ブジェクトとして管理し,それぞれのオブジェクトを組み合わせた
りして操作することで,様々なアプリケーションソフトを開発で
きる。

OpenGL 【オープンジーエル】

米SGI社が開発した,3次元グラフィックスライブラリの基本仕
様。3次元グラフィックスライブラリを,たくさんのプラット
フォームで利用するために作成された。

OPEN LOOK 【オープンルック】

AT&T社とSun Microsystems社が共同で開発し,UI(UNIX International)が提唱している,GUIのLOOK AND FEELに関す
る仕様。

Sun Microsystems社が開発したSunViewを発展させたもので,
SunViewのAPIを継承し,ウィンドウシステムとしてはOPEN
Windowsが用意されている。Sun Soft社のSPARC/Intel用UNIX
Solarisで採用され,日本語化をはじめとする多国語対応も進めら
れている。(次ページ図参照)

Open Transport 【オープントランスポート】

MacintoshのSystem7.5.1以降のシステムで,AppleTalkとMacTCP
など複数の通信プロトコルを自動で切り替えて使える機能。

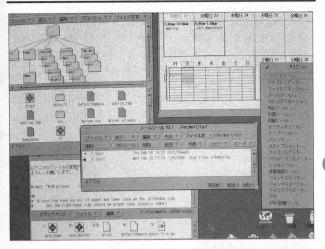

OPEN LOOK を採用した Solaris

OR 【オア】

論理和。入力aとbが与えられたときに，aとbのうち少なくとも
どちらかが真(1) であった場合に出力が真(1)となる論理演算。

a	b	a OR b
0	0	0
0	1	1
1	0	1
1	1	1

OR

OR 【オーアール】　*Operations Research*
⟳オペレーションズ・リサーチ

Oracle 【オラクル】

(1) Oracle Corporationの通称。データベースソフトウェアベン
ダの最大手。Microsoft社に次ぐ世界第2位のソフトウェア会社
である。1977年 Larry Ellisonによって設立された。95年以降，
MicrosoftとIntelの通称Wintel勢力に対抗しNCを提唱している
ことでも有名。

(2) Oracle社のRDBMS（リレーショナルデータベースマネージメントシステム）製品。当初からマルチプラットフォーム対応，SQL言語対応でトップシェアを獲得した。

ORB 【オーアールビー】 *Object Request Broker*

分散オブジェクト環境で、クライアントプログラムからの要求を目的のオブジェクトに伝え、そのオブジェクトからの返り値をクライアントプログラムに戻す役割を果たすソフトウェアのこと。
◇CORBA

OS 【オーエス】 *Operating System*

◇オペレーティングシステム

OS/2 【オーエスツー】 *Operating System /2*

IBMが開発した、パーソナルコンピュータ用のGUIマルチタスクOS。

当初はMicrosoft社とIBM社の共同開発で、1988年にバージョン1が出荷されたが、その後、Microsoft社とIBM社は対立し、IBM社単独で開発を進めた。

OS/2 J2.1では80386以上のCPUで動作し、最大512Mバイトまでのメモリを扱うことができた。

OS/2用のアプリケーションに加え、MS-DOS用アプリケーション、MS-Windows3.x用アプリケーションが同一画面上で実行できる"シームレスWindows"を実現した。続いて4MBのメモリというコンパクトなシステムでも動作可能なOS/2Warpを開発した。

OS/2 Warp 【オーエスツーワープ】

従来のOS/2 Ver.3以降の製品名。OS/2は、もともと米Microsoft社と米IBM社が次世代OSとして、共同開発をすすめていたマルチタスクOSである。OS/2 Warpは、従来のOS/2よりもインストールを簡単にし、アイコンのデザインもより3D的なものに変更された。また、最低4Mバイトのメモリで動作するようになり、システムのスリム化も図られていた。WarpというのはOSの開発コード名をさし、商品名にそのままつけられた。OS/2 Warp4ではデスクトップからJavaアプリケーションの実行が可能になった。

OSF 【オーエスエフ】 *Open Software Foundation*

UNIXの標準化を進める団体のひとつ。1988年5月、IBM社、DEC社、Hewlett-Packard社、Apollo Computer社（現在はHewlett-Packard社に吸収）、Bull社、Siemence社、Nixdorf社の7社が出

資して設立された。

これに対抗してAT&T社とSun Microsystems社はUI(UNIX International Inc)を設立している。

OSFはPOSIXやX/OpenなどのUNIX国際標準仕様をもとに共通となるUNIXソースコードを開発し，1990年11月にはOSF/1.0をリリースした。

OSF/1のGUIがMotifである。

○Motif, POSIX, UI, UNIX, X/Open

OSI 参照モデル 【オーエスアイサンショウモデル】 *Open System Interconnection reference model*

ISOで制定した，開放型システムの相互接続に関するネットワークプロトコルの標準モデル。

コンピュータ相互の通信を最下位の物理層から最上位のアプリケーション層まで7つのレイヤー（階層）に分け，下位の層がより上位の層に対して提供するサービスと機能を定めている。

OSI参照モデルに従うことで，異なるシステム間でのデータ通信を容易にできる。

7	アプリケーション層
6	プレゼンテーション層
5	セッション層
4	トランスポート層
3	ネットワーク層
2	データリンク層
1	物理層

OSI 参照モデル

OSR 2 【オーエスアールツー】 *OEM Service Release 2*

Windows95のOEM版として1996年からPCベンダ向けに供給され，実質的にはWindows95のマイナーバージョンアップといえる（Windows95B）が単体販売されなかった。ファイルシステムが32ビット化されているのが最大の特徴。

○FAT32

Outlook 【アウトルック】　*Microsoft Outlook*

　Microsoft社のメッセージングアプリケーション。PIM（個人情報管理）に、集団情報管理も含めたグループスケジューラ機能とメーラの機能を統合している。Officeに含まれており、Exchange Serverと組み合わせ、LANのすべてのクライアントでOfficeアプリケーションを使用して、グループウェアを構成できる。サブセット版のOutlook Expressはメーラ兼ニュースリーダであり、Internet Explorerとともに無料配布される。

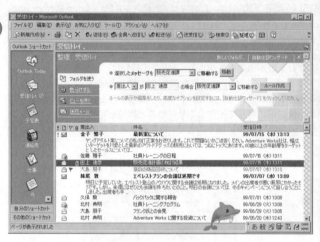

Microsoft Outlook 2000

P5 【ピーゴ】

Intel社のマイクロプロセッサ, Pentiumの名称が決定する前の仮称。さらに, PentiumのつぎのCPUはP6, P7などと呼ばれる。
○Pentium

P24T 【ピーニーヨンティー】

PentiumODPのコード名。Pentiumの機能を採用し, ピン配列は80486のピンの外側に1列, 32ビット分のデータ信号線を配置している。

そのため, P24Tソケットには80486が挿入可能。最初は80486を実装しておき, 後からP24Tに差し替えてアップグレードできる。

PAD 【パッド】 *Packet Assembler/Disassembler*

パケット交換においてパケットデータの復元・分解を行う装置。パケット交換機ともいう。

公衆回線からパケット交換網を使う場合, 電話回線で送られてきたデータをパケット交換網の入口でPADがパケットにしてから交換網に送る。また, パケット交換網の出口で, パケットを元のデータに復元する。

パケットの復元・分解の仕様はISO X.25で規定されている。
○パケット, パケット交換

PARC 【パーク】 *Palo Alt Research Center*

Xerox社が1970年, 同社を「情報のアーキテクト (建築家)」とすることを目的としてカリフォルニア州パロアルトに設立した研究所。光学研究室, システム科学研究室, コンピュータ科学研究室から構成され, 総勢300人程度。Alan KayやJohn Warnock (現Adobe Systems社社長) が在籍し, GUI, Alto, SmallTalk, Ethernet, レーザプリンタなどを生み出した。

Pascal 言語 【パスカルゲンゴ】

スイス連邦工科大学のNiklus Wirth教授によって, 1971年に開発された高水準言語。

プログラミング教育に利用することを目的としている。言語の特徴としては, 構造化プログラミングに適しており, ユーザーがデー

タの型を自由に定義できること，文法チェック，エラーチェックが厳しいこと，分割コンパイラができない，などということがあげられる。95年にはWindows版の開発ツールとして，GUI環境で簡単にプログラミング可能なDelphiが発売された。

path 【パス】

MS-DOSやUNIXで，シェルがコマンド入力を受けたとき，起動すべきプログラムファイルを検索するドライブやディレクトリおよびその順番。環境変数「PATH」で設定される。

PBGA 【ピービージーエー】　*Plastic Ball Grid Array*

ICのパッケージ形態の1つ。BGA方式で筐体がプラスチックのもの。

　　⟳BGA

PBX 【ピービーエックス】　*Private Branch eXchange*

構内交換設備のこと。利用者の建物構内に設置される交換設備で，電気通信回線と内線の相互接続を行う。ダイアルイン，構内ページング，専用回線の接続，モデム接続などの機能をもっている。

PC 【ピーシー】　*Personal Computer*

広い意味ではパーソナルコンピュータ全般をさす。
狭い意味ではIBM PC，PC/XT，PC/ATおよびその互換機やPC-9801などで，Macintoshを含まない。

　　⟳パーソナルコンピュータ, IBM PC, PC/XT, PC/AT

PC97 【ピーシーキュウジュウナナ】

Microsoft社が決めたパソコンの仕様に関するガイドライン。1996年に発表された。パソコンをBasic PC, Entertainment PC, Workstation PCの3つに分類して，それぞれ基本機能，家庭向けPCの機能，企業向けPCの機能を定め，パソコンの用途の多様化に対応させた。具体的には，CPUやメモリ容量，周辺機器との接続環境などの取り決めであるが，発売されるWindowsパソコンがこれらの基準をクリアしているとは限らない。

PC98 【ピーシーキュウジュウハチ】

Microsoft社が決めたパソコンの仕様に関するガイドライン。1997年に発表された。ネットワーク向けのNetwork PC，家庭向けのConsumer PC，モバイル向けのMobile PC，企業向けのOffice PCなどに分類している。Windows98が快適に動作する基準。

PC 98-NX 【ピーシーキュウハチエヌエックス】

日本電気が1997年に発表した国内向けPC/AT互換機。

アーキテクチャ（構造）は従来のPC-9800シリーズと全く異なる。名称の元となったPC 98は米マイクロソフト社と米インテル社の提唱するパーソナルコンピュータの規格で他にPC 95, PC 97 の2つが規格としてはすでにある。PC 98 は従来のPC/AT互換機により高度な規格を要求したもので，必須要件としてはMMX Pentium200MHz以上，2次キャッシュ256KB以上，主記憶32MB以上，USB搭載，ISAなどの16ビット拡張カードを使わない，1024×768ドット/6万5000色以上の表示等がある。このうちの，PC 97, PC 98の仕様の一部を先取りして実現したという。実質的に日本電気が国内で販売するパソコンはPC-9800オンリーだった状況の方針転換として大きく報道された。

P

PC 98-NX

PC99 【ピーシーキュウジュウキュウ】
Microsoft社が定めた1999年以降のPCの推奨スペック。一般的な要件として300MHz以上のCPUスピードと128KBの2次キャッシュ，家庭用は32MB以上，事務用は64MB以上のメインメモリ，ISAバスなしのPCIバスシステム，USBポート2個，ACPI対応などが定められている。

PC100 【ピーシーヒャク】
Intel社の定めた100MHzのCPUバスクロックに対応したSDRAM，DIMMメモリモジュールを設計するための規格。Pentium II用。

PC133 【ピーシーイチサンサン】

Intel社の133MHzCPUバスクロック対応SDRAMとDIMMの規格。Pentium III用。

PC-9800 シリーズ 【ピーシーキュウセンハッピャクシリーズ】

日本電気が1982年から発売している,パーソナルコンピュータ。独自のアーキテクチャだが, MS-DOS, Windows, OS/2 (Warp)などのIBM PC互換機のOSをPC-9800シリーズ専用に開発し直して動作させている。バスにはオリジナルの16ビットバスであるCバス, 32ビットのローカルバス, そして現在の主流であるPCIも搭載している。

PC/AT 【ピーシーエーティー】 *IBM PC/Advanced Technology*

IBM PC/AT

IBM社が1984年8月に発表したパーソナルコンピュータ。CPUにクロック周波数6MHz の80286を採用, メモリは標準で512Kバイト搭載されており, 最大16Mバイトまで増設できる。バッテリバックアップされたCMOSに各種の機器設定情報が保存され

る。ディスケットドライブは5.25インチ1.2Mバイトフォーマットに対応。拡張スロットは16ビットのISAバス。ビデオアダプタには640×350ドット，16色のEGAが用意された。シリアルインターフェイスはこれまでのオスのDB-25コネクタからDB-9コネクタに変更された。

PC/ATには多くの互換機が登場し，現在でもパーソナルコンピュータの事実上の標準となっている。

PC-DOS 【ピーシードス】

IBM社が供給するMS-DOSの商品名。DOS/VやJ-3100などに関連して「PC-DOS互換」という言葉が使われる場合は，IBM純正の英語MS-DOSであるPC-DOSとPC-DOS用の英語対応アプリケーションが動作することを意味する。◯MS-DOS

PCI 【ピーシーアイ】　　*Peripheral Component Interconnect*

Intel社の提唱する高速バスインターフェイス規格。業界団体Peripheral Component Interconnect Special Interest Group(PCI SIG)が規格を制定しており，1993年3月にはPCI Local Bus Specification Ver.2.0が発表された。

おもな規格は以下のとおり。

- カードサイズは13インチと7インチ

- ISA/EISA/MCAの各拡張カードと共存できる

- 既存の拡張バスコネクタを使用しない

- 自動設定機能をもち，DMAチャネル，I/Oアドレスなどは自動的に設定される

- 3.3V動作にも対応

高速な次世代バスシステムとして，IBM PC互換機のみならず，DEC AlphaAXP シリーズや PC-9800シリーズなどにも搭載される。

PCM 【ピーシーエム】　　*Puls Code Modulation*

アナログ信号をデジタル化して記録する方法。おもに音声信号をデジタル化する場合に使われている。

1秒間におけるアナログ信号のデジタル化回数をサンプリング周波数（サンプリングレート）といい，デジタル化するときのビット数

199

を量子化ビット数という。

サンプリング周波数が高く，量子化ビット数が大きいほど音質は良くなる。

⊃A/D コンバータ

PCMCIA 【ピーシーエムシーアイエー】 *Personal Computer Memory Card International Association*

アメリカのICカード推進団体。JEIDA（日本電子工業振興協会）と共同でICカードの規格を制定した。

1990年にはメモリカードの規格としてPCMCIAリリース1.0 / JEIDA Ver.4.0が発表された。1991年には各種インターフェイスカードにまで規格を拡張したPCMCIAリリース2.0/JEIDA Ver.4.1が発表され，モデムやハードディスク，LANアダプタなどのカード化が進んだ。

また，PCMCIAリリース2.0/JEIDA Ver.4.1ではカードの厚さについて3種類を規定しており，それぞれ3.3ミリのTYPE I, 5.0ミリのTYPE II, 10.5ミリのTYPE III がある。

メモリカードはTYPE I, インターフェイスカードはTYPE II, ハードディスクカードはTYPE IIIのものが多い。

PCM 音源 【ピーシーエムオンゲン】 *PCM tone generator*

PCM録音した音声データを，アナログ変換して再生する音源装置。

P-Code 【ピーコード】

Pascalコンパイラの出力ファイルの可搬性を高めるために設計された仮想のマシン語。

実際には各マシン語へ翻訳するか，シミュレータ（インタプリタ）により実行するか，あるいはUCSD PascalのようなP-Code実行環境（P-System）を装備しなければならない。

PC/XT 【ピーシーエックスティー】 *IBM PC/eXtended Technology*

1983年3月に発表された，IBM PCの改良版。CPUは8088を搭載し，動作クロック周波数は4.77MHzであった点はそれ以前のIBM PCと変わらない。

電源部を強化し，拡張スロットを8個に増やして360Kバイトの5.25インチディスケットドライブを標準搭載するなど，ビジネスマシンとしての実用性を高めた。5Mバイトのハードディスク搭載モデルも用意された。

PC/XTでIBM社はパーソナルコンピュータ市場のトップシェアを獲得した。

IBM PC/XT

PC カード 【ピーシーカード】　*PCMCIA Card*

日本電子工業振興協会(JEIDA)と米国のPCMCIA(Personal Co
mputer Memory Card International Association)が共同で制定
した, パソコンなどの情報端末用カード型周辺装置のこと。かつ
ては, ICメモリカードと呼ばれていたが, JEIDAとPCMCIAが
標準化に着手し, 日本で1993年10月にPCカードガイドライン
Ver4.2を発表したことに伴い, PCカードに名称が変更された。

PD 【ピーディー】　*Phase change optical disk*

松下電器産業(株)が開発した, 650MBの読み書きができる大容
量記憶メディア。PDドライブはCD-ROMドライブとしても使え
る。メディアの形態はCD-ROMと同様のディスクがカートリッ
ジに封入されている。名称の基となっている phase change(相変
化)技術は, DVD-RAMの標準方式として同社が提唱するもの。

PDA 【ピーディーエー】 *Personal Digital Assistance*

個人のための携帯情報機器。家電製品とコンピュータを融合したもの。スケジュール管理や住所録などの秘書機能, ペン入力によるアイデアプロセッサ, 辞書やマニュアルなどのリファレンス, データ通信などの機能を備えている。

実際の製品としては, Apple Computer社がシャープと共同開発した電子手帳型のNewton MessagePad, 同じくシャープのZAURUSなどがある。

PDC 【ピーディーシー】

(1) Personal Digital Cellular

日本の郵政省が中心となり, (社)電波産業会で策定されたデジタル携帯電話の通信方式。800MHz帯と1.5GHz帯の周波数を用いる3チャンネルTDMA (フルレートで1搬送波3ユーザが同時に交信できる時分割多元接続方式)。1993年からNTTドコモ系列でサービスが始まり, 1998年DDI系列でcdmaOneが導入されるまで日本では唯一標準のデジタル携帯電話方式だった。データ通信速度は9600bps。NTTドコモ系列ではパケット通信サービスにより28800bpsまでが可能。

(2)Primary Domain Controller

Windows NT のLANにおいて, 1ドメインあたりにただ1つ起動し, アカウント, パスワード, アクセス権限などの認証セキュリティ情報を一括管理しているサービス。

PDF 【ピーディーエフ】 *Portable Document Format*

Adobe Systems社のソフトウェア製品Acrobatで用いられる電子出版のための文書フォーマットの形式。電子文書で用いられるレイアウトはそれを作成したレイアウトソフト, ワープロソフトでなければ再現することは難しい。また, 書体は画面表示のためのスクリーンフォントと印刷のためのプリンタフォントがあるが, どちらもOSの一部であるため, ファイル作成者のOSと閲覧者のOSが違ったり, 同じOSでも特定のフォントがインストールされていないと, その書体を画面表示することも印刷することもできない。これらを避けるために文書をグラフィックイメージの絵として保存すると, テキストの情報が欠落するので検索や校正ができなくなり, ファイル容量も膨大なものになる。AcrobatではPostScript技術を用いてテキストの情報を保持したまま, 異なる環境でもレイアウト, フォントをデザイン通りに表示, 印刷できるPDFファ

イルを作成する。PDFを表示・印刷するためのソフトAcrobat Readerは無償で配布される。

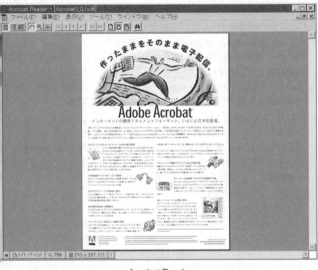

Acrobat Reader

PDL 【ピーディーエル】　*Page Descriptive Language*
○ページ記述言語

PDS 【ピーディーエス】
(1) *Public Domain Software* パブリックドメインソフトウェア
自由に使用, 改変, 配布できる著作権の放棄されたソフトウェア。著作権を放棄しないフリーソフトウェアや金銭的な見返りを求めるシェアウェアとは区別される。日本の法律では著作者人格権は放棄できないため, PDSは海外で作られたソフトウェア以外は存在しないといえる。現在用語として使われることはほとんどない。
(2) *Processor Direct Slot* プロセッサダイレクトスロット
Apple Computer社のMacintosh用拡張スロットのひとつ。PDSはインターフェイス/トランシーバを介してプロセッサバスとつながっている。CPUに68040を搭載した機種用の040PDS, LCシリーズ用のLCPDSというように, 機種によって種類が異なるこ

とも特徴。

PEM 【ピーイーエム】　　*Privacy Enhanced Mail*

RFC標準として規定されている電子メールの認証，暗号化，署名
の方式。DES方式とRSA方式を組み合わせて使う。認証方式は
CAに公開鍵登録することによって行う。

Pen Computing 【ペンコンピューティング】

電子ペンを使ってコンピュータの操作を行うこと。手書き文字の
認識技術が発達したことで手書き文字を直接入力することができ
るほか，今までマウスやキーボードで行っていた操作をすべて電子
ペンによる操作(アクション)に置き換えることができる。

Pen OS 【ペンオーエス】

これまで入力や操作に使われていたキーボードやマウスに代わり，
電子ペンを使う手書き対応のOS。自然な入力ができるのが特徴。
キーボードに比べ入力速度は落ちるが，外販セールスマンなどが使
う移動端末や，学習教材などでの利用が期待されている。

Pentium 【ペンティアム】

Intel社の32ビットCPU。アドレスバスの幅は32ビット，データ
バスの幅は64ビットとなっている。また，2命令を同時に実行す
るためのふたつのパイプラインを揃え，RISC技術を採用すること
によって各命令の実行に必要な手順も短縮され，浮動小数点の処理
スピードも大きくアップした。

発売当時は5V駆動の60/66MHZであったが，現在は3.3V軌道。
クロック周波数75MHz，90MHz，100MHz，120MHz，133MHz，
150MHz，166MHz，200MHzの8種類がラインアップされている。
1999年，MMXテクノロジPentiumプロセッサが発売された。
MMXはMulit Media eXtension (マルチメディア拡張) の意。
これはCPUに負荷がかかる画像，動画，音声データなどの繰り返
し演算処理を軽減する技術を指し，同じ命令で処理できるデータを
まとめて実行することにより処理速度を高めている。

Pentium II 【ペンティアムツー】

Intel社のパーソナルコンピュータ用CPU。Pentium Proの機能
にマルチメディアの処理能力を強化したMMX技術を付加したも
の。クロック周波数は233MHz，266MHz，300MHz，333MHz，
350MHz，400MHz。

Pentium III 【ペンティアムスリー】

1999年に出荷が開始されたIntel社のパーソナルコンピュータ向

けCPU。Pentium Pro, Pentium II, Celeron と同一グループの
P6世代に属し，これらの最上位に相当する。440BXチップセッ
トを採用したPentium III と，ハイエンド用のPentium III Xeon
がある。Pentium III ではその性能のほか，ネットワークから同定
が可能な固有のシリアル・ナンバが埋め込まれたことで波紋を呼
んだ。インターネットの普及に伴い，成りすましの防止，セキュ
リティ管理やEC（電子商取引）での利用が考えられる反面，ユー
ザのプライバシーを侵害するとの声もあり，ユーザの設定により，
シリアル・ナンバを無効にすることも可能になっている。

Intel 社 Pentium III

Pentium Pro 【ペンティアムプロ】

Pentiumプロセッサの上位バージョン。内部に256kバイトのセカ
ンドキャッシュを搭載していることが大きな特徴。さらに5つの
命令を同時に実行できる分散処理，つぎにどの命令を処理するか
を判断するための12段階の分岐予測などの機能が搭載されてお
り，Pentium以上の高速処理を実現することができる。クロック
は，150MHz, 180MHz, 200MHz。

Pentium オーバードライブ プロセッサ 【ペンティアム オーバードラ
イブ プロセッサ】 *Pentium Over Drive Processor*

Pentiumもしくは, P24Tとも呼ばれる。このチップを使うこと
で, 486CPUを搭載したマシンでPentium のパワーが得られる。
P24T対応のマシンならどれでも利用可能。現在発売されてい
るものは, 内部2.5倍速タイプで, 基板のクロックが25MHzな
ら63MHz, 33MHzなら83MHzのPentiumにアップグレードでき
る。さらに内部キャッシュを32Kバイト装備しており, 外部32
ビットアクセスの欠点を補っている。また他に低いクロック周
波数のPentiumから高いPentiumへアップグレードする製品や
MMX対応にする製品などがある。
　○P24T

People 【ピープル】

日本アイビーエム, 三菱商事, 日立製作所, 東芝の4社が出資して
設立した（株）ピープル・ワールドが運営するパソコン通信サー
ビス。

perl 【パール】 *practical extraction and report language*

Larry Wallが開発したテキスト整形言語。フリーソフトウェア。
C言語にawk, sed, grepなどの機能を盛り込んだ体系をもつイン
タプリタ。UNIX用のツールだが, MS-DOSにも移植され, さら
にserow氏によって日本語化されたjperlが開発された。perlは
UNIXのWWWサーバーでCGIに多く使われる。
　○CGI

PGA 【ピージーエー】 *Pin Grid Array*

ICのパッケージ形態の1つで, 底面に生花の剣山のようなピンを
配置し, 接続用の端子とするもの。ソケットを使って接続するた
め, アップグレードができるMPUなどに使われる。

PGP 【ピージーピー】 *Pretty Good Privacy*

電子メールの暗号化, 電子署名ソフトの名称。また, このソフト
による電子メール暗号化の方式。IDEA方式のセッション鍵で本
文を暗号化し, セッションキーを公開鍵で暗号化する。RSA方式
をもとにしている。
　○RSA

Phoenix 【フェニックス】 *Phoenix Technologies Ltd.*

代表的なPC/AT互換機のBIOSメーカー。
　○互換 BIOS

Photo CD 【フォトシーディー】

Photo CD

35mmフィルム（ネガ/ポジ）で撮影した写真を，デジタル化して CDに記録したもの。パーソナルコンピュータや家庭用テレビで再 生し，サーマルプリンタで印刷することができる。

オランダのPhillips社とアメリカのEastman Kodak社が共同で 開発し，1990年9月に発表した。現像されたフィルムを，Kodak PCDフィルムスキャナにかけ，1コマを2048×3072ドットの解 像度で取り込む。これを8ビット256階調のデータに変換し，Ko-dak PCDライターでディスクに記録する。1枚のPhotoCDに収 録できる容量は最大100コマ。CDへの記録は，Kodack社と提携 している全国のDPEショップで対応。空き容量があれば追加記録 もできる。

再生は専用プレイヤーで行うが，Photo CD対応のCD-ROMドラ イブとドライバソフトウェアを用意すれば，パーソナルコンピュー タでも再生できる。ただし，追加記録（マルチセッション）した データはマルチセッション対応のCD-ROMドライブでなければ読 み出すことができない。

業務用として4×5インチフィルムまで対応し, 4096×6144ドットの解像度で取り込むProPhotoCD, 解像度を512×768ドットに抑え, 1枚のCDに音声も含めて800枚の画像を記録するPhotoCD Portfolioなどの規格もある。

PHS 【ピーエッチエス】 *Personal Handy Phone System*

携帯電話とポケベルの中間に位置する新携帯通信メディア。以前はPHPと呼ばれていたが, 1994年4月に改称。デジタル式コードレス電話のことで, 屋外・屋内の使用が可能。屋外に親機の役割をする無線基地局を多数設置し, 屋外での利用を可能にした。弱い電波(10mw以下)を使用しているため, 携帯電話より料金が安い。しかし, 歩行速度以上で移動しているときは利用できないという欠点もある。

PIAFS 【ピアフ】 *PHS Intenet Access Forum Standard*

PHSを利用したデータ通信プロトコル標準。1997年4月からNTTパーソナル, ASTEL, DDIポケットの3社でサービスが開始された。データ通信速度が32kbpsであり, 従来の携帯電話の9600bpsに比較して高速かつ低料金のため, インターネットへの接続もより実用的になった。ただしPHSのサービスエリアは今のところ都市部が中心で, 携帯電話より狭い。

picoJava 【ピコジャバ】

Sun Microsystems社がライセンス提供するJavaチップの製品名。日本電気, 三菱電機, Samsung社, LG Semiconductors社などが半導体メーカとしてライセンス供与を受けている。

PICT 【ピクト】

Macintoshで標準的な画像ファイルのフォーマット。オブジェクト方式の画像と, ビットマップ方式の画像の両方を保存でき, 現在では, PICT2と呼ばれる24ビットカラーに対応したフォーマットが主流となっているが, 一般にはPICT2もPICTと呼ばれている。

PIF 【ピフ】 *Program Information File*

Windowsで, MS-DOSファイルの操作環境を登録するファイル。WindowsでMS-DOSアプリケーションを動かす場合には, WindowsがメモリのほとんどをXMSとして利用することから, MS-DOSプログラムを使うとメモリ不足になりがちだ。そこで, このPIFを設定しておけば, EMSやXMSの割り当て, FEPの常駐など細い設定が行え, メモリ不定等の問題は解消する。

PIM 【ピム】 *Personal Information Manager*

スケジュール管理, 住所録, プロジェクト管理, to-doリストなどの機能を集めた, 個人の情報管理ソフトウェア。日本では, ロータスのオーガナイザーが有名。サブノートパソコンには, このPIMソフトをプリインストールする機種も多い。

PiPPin ATMARK 【ピピン アットマーク】

バンダイ・デジタル・エンターテインメント社が96年3月に発売した家庭向けのインターネット&ゲームマシン。心臓部であるCPUにはPowerPC603eを搭載し, 当時のMacintoshの機種と変わらない性能を持っており, さらにNetscape NavigatorをWebブラウザとして搭載していることから, インターネットへの接続マシンとしても利用できた。

97年に生産・販売を中止。

PL/I 【ピーエルワン】 *Programming Language/one*

FORTRANとCOBOLの長所を取り入れて作られた汎用プログラミング言語。IBM社によって1965年に仕様が公開された。

Plug & Play 【プラグアンドプレイ】

⇨プラグ&プレイ

PointCast 【ポイントキャスト】

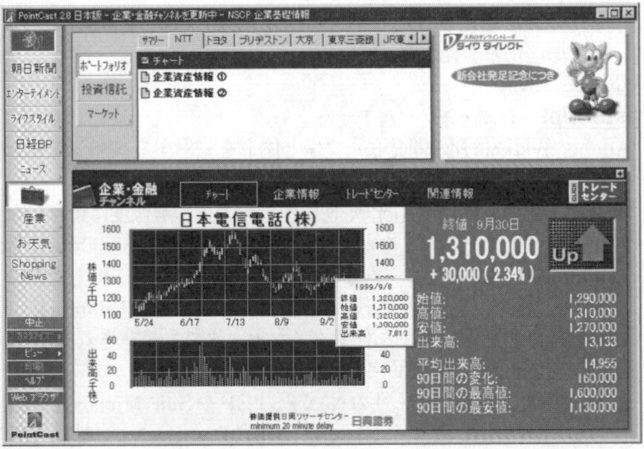

PointCast

プッシュ型コンテンツの配信サービス。同名の専用ソフトウェア
を使い，企業広告を受信する見返りにユーザは無償で情報を得る
ことができる。1997年の10月から日本語のサービスを開始した。
ニュース，天気，芸能やスポーツ，株価や市況などのチャンネルが
あり，ユーザの設定でチャンネルの取捨選択ができる。
‣プッシュ型コンテンツ

POP 【ポップ】 *Post Office Protocol*

インターネットでサーバからクライアントがメールを受信する従
来型の方式。サーバに着信したメールをクライアントで呼び出す。
普及しているバージョンはPOP3。これに対し，サーバ間のメー
ルのやりとりはSMTPという方式で行う。‣SMTP, IMAP

POS 【ポス】 *Point Of Sales*

販売時点情報管理と訳される，小売店の在庫管理にコンピュータの
データ通信を用いる手法。各小売店のレジスタと中央のホストコ
ンピュータとは専用回線で接続されており，バーコードなどの商品
情報により，つねに各店舗の売り上げと在庫状況とが把握できる。
また，こうして蓄積された情報は，マーケティングや新たな商品開
発のためのデータとしてさまざまな分野に応用できる。

POSIX 【ポジックス】 *Portable Operating System Interface for Computer Environment*

IEEEにより制定されたUNIXの国際規格。1985年に制定され，
UNIX標準化の基礎となっている。
‣IEEE, UNIX

PostScript 【ポストスクリプト】

Adobe Systems社が開発した文字と図形を表示するページ記述言
語。
インタープリタ形式の言語で，使用する出力機の解像度に依存しな
い記述が可能である。すなわち，出力機が300dpiでも600dpiでも
1500dpiでも，コンピュータからは同じデータを送り，出力機側の
インタープリタが解像度に応じて解釈し，印刷する。1500dpi以上
の解像度で印刷物の版下を作るタイプセッタにも搭載されており，
DTP では標準となっている。
また，NeXT Computer社のNeXTSTEPやSun Microsystems
社のOPEN LOOK(NeWS) では画面にPostScriptで描画を行
い，完全にWYSIWYGを実現するDisplay PostScriptが搭載さ
れた。

○DTP, NeXTSTEP, OPEN LOOK, WYSIWYG

PostScript プリンタ　*PostScript printer*

PostScriptインタープリタを搭載しているプリンタ。内部にCPUを搭載しており，フォントデータをハードディスクやROMに保持している。印刷を速くするため，RISCチップなど，パーソナルコンピュータ本体より高速なCPUを使うこともある。多くが高解像度の電子写真式ページプリンタだが，熱転写や昇華型のカラープリンタもある。

Power Macintosh　【パワーマッキントッシュ】

Power Macintosh G4

MPUにPowerPCを採用したMacintoshのシリーズ。略してPowerMacと呼ばれる。第1弾として1994年4月，PowerPC(MPC)601を搭載したPower Macintosh 6100/60, 7100/66, 8100/80が発売された。その後，Macintoshの主流は，Power Macintoshに移行し，6200, 7200, 7500, 8500, 9500シリーズに分れる。1999年現在は第3世代のMPC750を採用したG3シリーズ，第4世代のMPC7400を採用したG4シリーズがある。Power Macintoshの性能を生かすにはPowerPC専用のアプリケーションを使う必要

があり，過去の68000系Macintoshから見て下位互換性のない別
のアーキテクチャである。

PowerOpen 【パワーオープン】

Apple Computer社，IBM社，Motrola社が共同で開発している新
しいOS。

IBM社のOSF/1系UNIXであるAIXとMacintoshのGUIを統合
したもの。動作環境はPowerPCを採用したIBM社のワークス
テーションRS/6000，およびPowerPC版Macintosh，あるいは
それらの互換機。現在のAIX用アプリケーションおよびMacin-
tosh用アプリケーションはPowerOpen上で動作することになっ
ている。

PowerPC 【パワーピーシー】

Apple Computer社，IBM社，Motrola社が共同で開発した，RISC
のマイクロプロセッサ。1998年以降はMotorola社が単独で開発
を担当している。1993年に出荷が始まったMPC601 は，Macin-
toshの新しいアーキテクチャとして採用され，翌年 Power Macin-
toshとして発売され普及した。引続き MPC603, MPC604, MPC
620, MPC750, MPC7400を発表，何れも Power Macintoshに搭
載された。

Apple Computer社のPower MacintoshとIBM社のワークステー
ションRS/6000 に採用されたのに続き，IBM社が中心になって
PCにPowerPCを載せるPReP仕様や，これにMacintosh互換機
を含めたCHRP仕様も公開された。しかし，PRePパソコンや
CHRPパソコンは不振で，OS/2, Solaris, WindowsNTのサポー
トは中止され，Macintosh互換機も消滅したため，仕様の公開は空
文化した。マーケットでは事実上MacintoshのMPUである。

⊃RISC, SPECmark

PowerPoint 【パワーポイント】

Microsoft社のOfficeに含まれるDTPr (デスクトップ・プレゼン
テーション) 用アプリケーションソフトウェア。(次ページ図参照)

PPGA 【ピーピージーエー】　　*Plastic Pin Grid Array*

ICのパッケージ形態の1つ。PGA方式で筐体がプラスチックの
もの。

⊃PGA

PPM 【ピーピーエム】　　*Page Per Minutes*

ページプリンタの印刷速度を示す数値で，1分間あたりの印刷枚数。

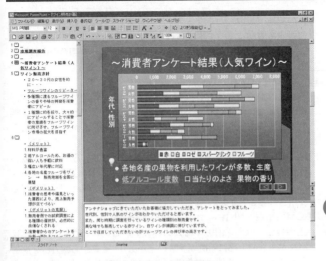

Microsoft Power Point2000

PPP 【ピーピーピー/ピースリー】　*Point-To-Point Protocol*

2点間接続のデータ通信に利用されるWAN(広域網)用プロトコルのこと。データ・パケットのヘッダ部分だけを圧縮したり, 専用線上でIP(インターネットプロトコル)を利用するための上位プロトコルの識別機能をもつ。また, リモートLANにアクセスする場合のアクセスサーバーがクライアントパソコンに自動的にIPアドレスを割り当てる(IPCP)機能などもある。インターネットプロバイダとの接続によく利用される。

PReP 【プレップ】　*PowerPC Reference Platform*

米IBM Power Personal System Division社が制定したPowerPCを搭載するパソコンのハードウェア規格の仕様書のこと。

Prodigy 【プロディジー】

米IBM社と大手小売店のシアーズローバックが運営しているパソコン通信サービス。

PROLOG 【プロログ】　*programming in logic*

フランス, マルセイユ大学のAlan Colmerauer教授のグループによって開発された, "述語論理"を基礎とするプログラミング言語。そのプログラムはデータの論理的な記述（事実）とデータ間の関

P

213

係の記述（規則）からなるデータベース，それにこのデータベースに対する質問によって構成される。この言語は，ICOT（新世代コンピュータ技術開発機構）が第5世代コンピュータ開発の中核言語として採用したことによって注目されるようになった。

PROM 【ピーロム】　*programmable ROM*

書き込みができるROM。書き込んだデータを消去できるタイプがEPROMで，紫外線消去タイプと電圧消去タイプとがある。話題のフラッシュROMも，広い意味では電圧消去タイプEPROMといえる。

EPROMはコストが高く，またデータが消去できるのでやや安定性が悪い。このため1回だけ書き込みできるPROM（ヒューズROM）や，一種のASIC(特定用途向けIC)であるマスクROMが使用されることが多い。

PROM イレーサ 【ピーロム】　*PROM eraser*

EPROMの内容を消去するための装置。このタイプのROMにはパッケージの上部に石英ガラスの窓があり，そこから紫外線を照射することで内容を消去できる。これは，メモリセルのゲートに蓄えられている電荷が紫外線によって励起され，放出されるからである。

PROM ライタ 【ピーロム】　*PROM writer*

PROMにデータを書き込むためのシステム。メモリ，キーボード，液晶ディスプレイ，RS-232Cインターフェイス，そしてPROMをセットするソケットなどが備わっている。

PROMに書き込むデータは，開発用のパーソナルコンピュータやワークステーション上からRS-232Cで転送する。

PS/2 【ピーエスツー】　*IBM Personal System/2*

IBMが1987年に発表した，パーソナルコンピュータシリーズ。ソフトウェア的にはそれまでのIBM PC/ATと互換性をもっているが，マイクロチャネルアーキテクチャ(MCA)を採用し，ビデオ回路はVGA，内蔵ディスケットドライブは3.5インチ720Kバイト/1.44Mバイト対応となった。（次ページ図参照）

PSG 【ピーエスジー】　*Programmable Sound Generator*

コンピュータから数値を与えることによって発声する音源。SSGともいうPSG のLSI はその内部にレジスタをもっていて，そのレジスタにデータを書き込むとそのデータにより音の高さ，長さ，音量，エンベロープを決定し発声する。

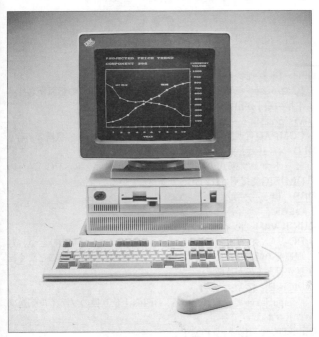

IBM PS/2

QFP 【キューエフピー】 *Quad Flat Package*

ICのパッケージ形態の1つで，四角い箱型の四つの側面からリード型の端子が出ているもの。

Q-Vision 【キュービジョン】 *Q-Vision*

COMPAQ社が開発したグラフィックアクセラレータ機構の名称。

QLD 【キューエルディー】

ビットマップ形式の画像データのフォーマット。PC-VANのQLDSIGで提唱され，BBSで普及している。

QRS 【キューアールエス】 *Quick Response System*

⊃ECR

QUICK-VAN 【クイックバン】

PC-VANで採用されているファイル転送プロトコルのひとつ。処理速度の低速なホストとのファイル交換でも，中断することなく転送が行えるのが特徴。

QUICK B 【クイックビー】

CompuServeで使われている，BPlus上位互換のファイル転送プロトコル。

QuickDraw 【クイックドロウ】

Macintosh全機種のROMに収められている描画ルーチン。Bill Atkinsonによって開発された。Macintoshの画面は文字もグラフィックもすべてQuickDrawを使用して描画する。PostScriptでないプリンタの印字もQuickDrawを使っている。

QucikDraw GX 【クイックドロウ ジーエックス】

Apple Computer社が開発した，QuickDrawに代る次世代グラフィック環境。

ディスプレイ，スキャナ，プリンタなどにおいて色を統一するシステムをもち，解像度に依存しない仮想空間上でオブジェクトを操作できる。

文字の取り扱いについてもTrue Typeを拡張したTrue Type GXによって回転，変形，無段階のサイズ指定，曲線上への配置などが可能になり，ATMがなくてもPostScript Type1フォントの画面表示と出力ができる。

◯ATM, Postscript, True Type

QuickTime 【クイックタイム】

Apple Computer社が開発した画像，音声を時間軸に基づいて一緒に保存できるデータフォーマットの規格。特別なハードウェアを必要とせずに，Macintoshで動画を扱うことができることが特徴。Windowsにも移植されており，Macintoshとデータの互換性がある。

QuickTime 4

QuickTime VR 【クイックタイムブイアール】

QuickTimeのインタラクティブ3D版。複数台のカメラを用いて撮影した写真画像を元に，立体データを作成する。再生する際はユーザが3次元空間内を自由に視点移動させて見ることができる。ゲームなどエンタテイメント分野への応用の他，平面的な映像では見えない情報も画像化できるため，Webでの電子商品カタログなどにも利用される。

QWERTY 配列 【クワーティ】　　　*QWERTY*

英文タイプライタに一般に使われているキー配列のこと。左上のキーがQ, W, E, R, T, Yという順にならんでいるところから，名付けられた。

QWERTY配列は，タイプライタの製造技術が未熟だった頃，高速でキーを叩き続けると活字がからまってしまうため，使用頻度の高いキーをばらばらに配置した結果産まれた。

入力効率はまったく無視されているが，最初に普及した製品に採用されたため，現在でも標準的なキーボード配列として定着している。

⟳Dvorak Keyboard

Q

R

RAID　【レイド】　*Redundant Array of Independent Disks*
複数のハードディスクを用意して並列処理することにより，読み書きの高速化を図り，障害時のリスクを分散させる方式のもの。ディスクアレイともいう。RAIDにはレベル0から7までと10があるが，規格化されているのはレベル5までで，レベル6以上はメーカごとに機能追加したものである。レベル1は，同一データを2台のディスクに書き込むミラーリング方式，レベル3は，1台のディスクをパリティ用のディスクとする方式，レベル5はレベル3をさらに改良してパリティを分散させる方式である。

RAM　【ラム】　*Random Access Memory*
データを読み書きできる半導体メモリのこと。リフレッシュ動作が必要で記憶容量が大きく，安価なDRAMと，データの読み書きが高速で，記憶容量の小さいSRAMがある。一般的にDRAMはメインメモリに，SRAMはキャシュメモリとして利用されている。
⊃DRAM, SRAM

RAMDAC　【ラムダック】　*Random Access Memory Digital to Analog Converter*
グラフィックボードの描画処理を高速にするために採用されているデジタルデータをディスプレイ用のアナログ信号に高速変換する回路。

RAM ディスク　【ラム】　*RAM disk*
RAMを利用した補助記憶装置。RAMディスクドライバを組み込み，RAMをあたかもディスク装置のような記憶装置としてOSやアプリケーションから使用できるようにしたもの。
機械的な動作がないので，きわめて高速なファイル読み書きが可能。
通常，RAMディスクはパーソナルコンピュータの電源を切ると，その内容が消えてしまうが，以前のNECの98NOTEに搭載されていたRAMドライブのようにバッテリでバックアップしているRAMディスクもある。

RAM ドライブ　【ラム】　*RAM drive*
NECのノートブック型コンピュータに搭載されている不揮発

RAMディスク。

RARP 【ラープ】　*Reverse Address Resolution Protocol*

TCP/IPのLANで，物理的なMAC層のアドレスからソフトウェアで設定されるIPアドレスを取得するプロトコル。ハードディスクなどの恒久的な記憶装置のない端末がTCP/IPのLANにログインするためのもの。クライアントは起動時にRARPサーバからIPアドレスを取得する

RAS 【ラス】　*Reliability Availability Serviceability*

順に信頼性，可用性，保守性という意味で，コンピュータシステムの性能を評価する際の重要な目安のこと。

信頼性は故障の起こりにくさ，可用性は故障時間の短いこと，保守性は故障したときの修理のしやすさを表している。

⊃可用性, 信頼性, 保守性

RC2/RC4/RC5　*Rivest's Code 2/4/5*

MIT（マサチューセッツ工科大学）教授のRivestが考案し，RSA Data Security社が特許をもつ公開鍵暗号方式。1ビットから1024ビットまでの鍵が使用できる。インターネットでは最も普及している。RSAともいう。⊃RSA

RDB 【アールディービー】　*Relational Database*

⊃リレーショナル・データベース

RDBMS 【アールディービーエムエス】　*Relational Database Management System*

リレーショナルデータベース管理システムのこと。米IBM社のDB2, NECのRIQS2, 富士通のRDB2, 米Oracle社のOracle7などが主なリレーショナルデータベース管理システムである。SQLを使って検索や更新を行う。

RE 【リ】

電子メールやニュースのメッセージのサブジェクトに使う接頭語。オリジナルのメッセージがあるとき，「〜に関して」という意味の英語の前置詞。そのサブジェクトが既出であることを示す。reはラテン語res（目的物）の奪格形でfrom thingという意味。

RealAudio 【リアルオーディオ】

⊃Real Player

RealPlayer 【リアルプレイヤー】

Real Networks 社のインターネットで音声・動画のプッシュ型コンテンツを受信再生するためのソフトウェア製品。Real Networks社の前身であるProgressive Networks社のRealAudioが元になっている。RealAudioは、ブラウザに組み込んで音声データを再生するプラグインソフトとして最も普及した。音声データをいったんダウンロードしてから再生するのではなく、受信と再生をリアルタイムに行うストリーム再生が可能なプログラムで、これに動画圧縮再生技術のRealVideoを加え、バージョンアップごとに、プラグインソフトというよりも独立したプッシュ型コンテンツ受信ソフトとしての性格を強めてきている。送信側サーバーのソフトはRealServer。

RealPlayer G2

R

Real PC 【リアルピーシー】

PowerMacでPC/AT互換機をエミュレートするソフトウェア製品。Insignia Solutions社製。

RealVideo 【リアルビデオ】

⊃RealAudio

Red Hat Linux 【レッドハットリナックス】

Red Hat Software社が販売する，Linuxのパッケージ製品。無料のLinuxコアに，GUIシェル，ユーティリティー，周辺ソフトなどのツールやユーザサポートをパッケージにして商品として販売するもの。商用のLinuxとしては最も普及しており，日本で普及しているTurbo Linuxもこれを日本語化したもの。Red Hat Software社は独立系のベンチャー企業だが，IBM社，Compaq社，Novell社，Oracle社，Intel社，Netscape Communications社が資本参加している。

⊃Linux

Reel Magic・REAL Magic 【リールマジック/リアルマジック】

Sigma Designs社が開発したMPEG1再生カード。Reel Magicは，PC/AT(DOS/V)においてMPEG再生カードの標準となった。REAL Magicはその後継機で，VideoCDやCD-Iなどのフォーマットにも対応している。

RFC 【アールエフシー】　*Request For Commnets*

インターネットの実験でまとめられたプロトコル体系などに関するドキュメント。RFCxxxxといった番号が付けられている。インターネットの標準はRFCを元にIABで決定される。

RGB 【アールジービー】　*Red Green Blue*

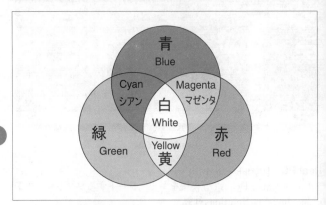

光の3原色であるRed(赤)，Green(緑)，Blue(青)を重ね合わせることで色を再現する方法。

それぞれの色要素を重ねると明度（輝度）が上昇し，3色を重ねると最高輝度の白になる。加法混色ともいう。

カラーディスプレイはRGB，3種類の発光体が使われているので，ディスプレイ上でのカラー再現はRGB方式である

Rhapsody 【ラプソディー】

MacOSの最新バージョンとして1997年から1998年にかけて開発中の製品のコードネーム。NeXTSTEPのOS技術をとりこんでいること，PowerPCに最適化されたプリエンプティブマルチタスク，JavaVM（Java仮想マシン）をサポートし，ブラウザがなくてもJavaプログラムを動作させることができるなどが特徴として

あげられている。

RIAA 【アールアイエーエー】 *Recording Industry Association of America*
米国レコード協会。インターネット，Web上での音楽配信に対しては，レコード製作会社の権利を代表して啓蒙，基準制定の活動をしている。

RIAJ 【アールアイエージェイ】 *Recording Industry Association of Japan*
社団法人日本レコード協会。日本におけるレコード製作会社の業界団体。デジタル複製技術やインターネット普及に伴い，「送信権」等の新しい著作権利の制定に向け活動している。

RIP 【リップ】 *Raster Image Processor*
コンピュータから送られてきたページ記述言語を解釈し，線からなるラスターデータに変換するプロセッサ。
通常はプリンタに内蔵されている。

RISC 【リスク】 *Reduced Instruction Set Computer*
縮小命令セットCPUの総称。CPU内部の命令であるマイクロコード（単純な命令しかない）をプログラムコードとして高速実行させることができるCPU。
命令の長さを同一長としているのでパイプライン整合性は高くなり，多くのレジスタをもち，高速処理が可能。ワークステーションやページプリンタなどで使われている。⊃CISC, SPARC

R

RMI 【アールエムアイ】 *Remote Method Invocation*
ネットワーク上で別々のマシンに分散しているJavaのオブジェクトを遠隔操作するAPI。

ROM 【ロム】

(1) *Read Only Memory*
読み込み専用メモリの総称。EPROM，マスクROM，フラッシュROMなどがある。フラッシュROMは，消去のための機器を使用しなくても電気消去ができる。厳密には書き込みもできるが，チップ単位で消去する必要があり，自在に書き込みができるRAMメモリとは違う。

(2) *Read Only Member*
BBSにおいて，他人の書き込みを読むだけで，自分では書き込みをしない会員のことをさす和製俗語。同じように登録されているフリーソフトウェアやシェアウェアをダウンロードするだけの会員をDOM(ドム)(download only member)ともいう。
本来，情報交換の場であるはずのBBSにおいて，情報のTakeばか

りでGiveをしない，一方的に情報を得るだけで自ら情報を発信(提供)しないので，積極的に書き込みを行っているメンバーからは軽蔑的に見られることが多い。

ROM BASIC 【ロムベーシック】

NECのPC-9800シリーズなどで，本体のROMに搭載されているBASICインタプリタ。

PC-9800シリーズではN88(86)BASICが組み込まれており，MS-DOSのシステムディスクを入れずに起動すると，ROM BASICが動き出す。

Romeo 【ロメオ】

Adaptec社が定義したCD-ROMのフォーマット様式。ファイル名やフォルダ名として，128バイト＝半角128文字までの長い名前が使える。Windows95，98，WindowsNT4.0は，拡張子を含めて255バイト（半角文字255文字）までのファイル名を認識するが，CD-ROMではこの128文字が限界となる。MS-DOSでは拡張子を含めて12文字（ファイル名8文字＋「.」＋拡張子3文字），Macintoshでは31文字までのファイル名であれば認識できる。ただし，それを超える文字があった場合は不具合が発生する。

ROM カード 【ロムカード】　　*ROM card*

カード型のROMカートリッジ。ノートブック型やパームトップ型ではクレジットカードサイズのPCMCIA/JEIDA規格カードが使われている。⊃PCカード

ROM カートリッジ 【ロムカートリッジ】　　*ROM cartridge*

プログラムをROM化し，さらにカートリッジに入れて抜きさし可能にしたもの。

家庭用ゲーム機，電子手帳，パーソナルワードプロセッサなどでプログラムを入れ替えるために使われている。

ROM ライタ 【ロム】　　*ROM writer*

⊃PROM ライタ

RPG 【アールピージー】　　*Report Program Generator*

レポートプログラムジェネレータの略。IBM社が開発した報告書作成用の簡易言語。レポートの元となるファイルの形式，データの処理内容，出力するレポートの形式を与えることで，表形式のレポートを簡単に得ることができる。

RPG 【アールピージー】　　*Role Playing Game*

ロールプレイングゲームの略。⊃ロールプレイングゲーム

RSA 【アールエスエー】

データ暗号化方式のひとつで, データを暗号化して送ることによってセキュリティを保つもの。転送するデータを特別なキーを使って暗号化して転送し, 受け取った側はそのキーをベースに元に戻すといった, キーを使った方式。最近の傾向として, 公開キーと秘密キーの2つのキーを使って暗号化するケースが多い。公開キーは, すでに公開されているキーでいくつかの種類がある。まず, これで圧縮しておけば, 公開キーを持っていないユーザーには暗号は元に戻せない。秘密キーはその転送に使う秘密のキーで, これで暗号化すると, このキーを持っている相手方しか元に戻すことができない。

最近はインターネットを使ったエレクトリックコマースが盛んに行われていることから, このような暗号化を行い, 大切なクレジットカード番号などの保護を行っている。

RS-232C 【アールエスニイサンニイシー】

EIAによって規定された, コンピュータとデータ通信装置とのシリアル転送規格。ケーブルの最大長は約15メートル, 通信速度は最高20Kbpsまでとなっている。コンピュータとモデム, プリンタ, スキャナ, 端末などとの接続に使われる。

RS-232D 【アールエスニイサンニイディー】

パソコンと周辺機器の間でデータをやりとりするための標準規格であるRS(Recommended Standard)-232Cにループバック試験機能をつけたもの。データ端末装置(DTE)から回線終端装置(DCE)にかけて保守試験するための機能も付加されている。

RS-422 【アールエスヨンニイニイ】

EIAが定めたコンピュータとデータ通信装置とのシリアルインターフェイス規格。RS-232Cよりも高速かつケーブルを延長することができる。通信速度は最高29Kbps, ケーブルは1.54kmまでとなっている。

Macintoshなどに採用されている。

RTF 【アールティーエフ】　*Rich Text Format*

ワードプロセッサなど, 異なるアプリケーション間でデータの交換ができるよう, Microsoft社, Aldus社などが提唱している文書ファイルの標準フォーマット。テキストだけでなく, フォント, 表組み, 図形, 色などの情報をも交換できる。

RTFJ 【アールティーエフジェー】　*Rich Text Format Japanese*

R

RTFを日本語対応に拡張し，縦書きなどの書式情報の交換もサポートしたもの。

RTSP 【アールティーエスピー】　　　*RealTime Streaming Protocol*

Netscape Communications社とProgressive Networks社(現Real Networks社) が開発し，RFC 2326として規格化されたマルチメディア (音声・動画) のストリーミング送信・再生プロトコル。RealPlayerG2に採用された。

run 【ラン】

BASICでプログラムを起動する命令語。BASIC以外にもプログラムを起動させるという意味で用いられる。

R

S

S3 【エススリー】 *S3, Incorporated*

IBM PC/AT互換機を中心にしたWindows用の高速SVGAグラフィックチップメーカー。多くのメーカーがS3のグラフィックチップを採用している。現在は64ビットチップが主流で，エントリーモデルのTRIO64を初め，動画のアクセラレーション機能の付いたVision968/868がラインアップされている。

sad Mac 【サッドマック】

Macintoshの電源を入れた際に，システムファイルが壊れている，ハードディスクが読めないなどの重大なエラーが発生すると，画面に表示される泣き顔のMacintoshの絵。

sad Macが表示されるとともに，警告音が鳴り，エラーコードが表示される。

SASI 【サシ/サジィ】 *Shugart Associates System Interface*

Shugart Associtesu System社（現Seagate社）が定めたパーソナルコンピュータ用ハードディスクのインターフェイス仕様。

1枚のインターフェイスボードに2台までドライブを接続できる。

NECのPC-9800シリーズで「27ボード」として採用された。

SCAM 【スキャム】 *Scsi Configured AutoMatically*

コンピュータが起動する時，SCSI周辺機器に自動的にSCSIのIDを割り当てる機能。周辺機器とホストアダプタカードがこの機能を持っていれば，あらかじめ周辺機器ごとにIDを割り当てておく必要がない。

Scheme 【スキーマ】

⇨スキーマ

SCMS 【エスシーエムエス】 *Serial Copy Management System*

音楽CD，DAT，MDなどで，デジタル著作物の複製を1度だけ許可できるコピー防止システム。

通常デジタル化された著作物は無限に複製が可能で，複製からさらに複製を重ねても品質が全く劣化しない。これを悪用して海賊版が無際限にひろがるのを防止するため，通常のデジタル信号のほかに，媒体に書き込みを許可する信号を組み込み，この信号がOFFになると，以後の複製はできなくするようにする。複製が許

可されたオリジナルデータから複製機器がデータを複製する際, この信号をOFFにして複製先のディスクに書きこむ。

Scriptlet 【スクリプトレット】

DynamicHTML, J Script, VB Script などのWebページ記述言語による再利用可能なコンポーネント。いったんWebページとしてブラウザで読みこまれ, ユーザのローカルなキャッシュに保存されると, 言語の要素が同じものである場合は, たとえ他のページのものであれ, 再度読みこまずにユーザのキャッシュを再利用できる。Microsoft社のブラウザInternet Explorer 4.0 で採用された。

ScriptX 【スクリプトエックス】

⊃Kaleida Labs Incorporated

SCSI 【スカジー】　*Small Computer System Interface*

ANSIで標準として制定されている, 小型コンピュータ (パソコン, ワークステーションの類) 用周辺装置接続のためのインターフェイス規格。SASIを改良したもの。ハードディスクを筆頭に, CD-ROMドライブ, MOドライブ, イメージスキャナ, プリンタ, テープストリーマなど, 多くの周辺機器が接続可能。

ホストアダプタカード1枚につき, 8bitのデータバス幅で最大で7台まで, 16bitのデータバス幅で最大で15台までの周辺機器を同時に接続できる。SCSI機器はホストIDという番号が割り振られて認識される。番号は8ビットのSCSIでは, 0から7まで8デバイス分あり, そのうち7はSCSIホストアダプタ自身が予約している。接続は両端にターミネータが必要なデイジーチェーン方式。SCSI規格には以下のものがある (SCSII-3は審議中)。

規格	バス幅	デバイス数	伝送速度
SCSI-1	8bit	8 (7 台)	5MB/秒
SCSI-2	8bit	8 (7 台)	5MB/秒
SCSI-2 Fast SCSI	8bit	8 (7 台)	10MB/秒
SCSI-2 Fast Wide SCSI	16bit	16 (15 台)	20MB/秒
SCSI-3 Ultra SCSI	8bit	8 (7 台)	20MB/秒
SCSI-3 Wide Ultra SCSI	16bit	16 (15 台)	40MB/秒
SCSI-3 Ultra2 SCSI	8bit	8 (7 台)	40MB/秒
SCSI-3 Wide Ultra2 SCSI	16bit	16 (15 台)	80MB/秒

SCSI-3 IEEE1394(Fire Wire)	シリアル (1bit)	無制限	50MB/秒
SCSI-3 Wide Ultra2 SCSI	16bit	16（15 台）	80MB/秒
SCSI-3 IEEE1394(Fire Wire)	シリアル (1bit)	無制限	50MB/秒
SCSI-3 SSA(Serial Storage Architecture)	シリアル 1(bit)	96(95 台)	80MB/秒
SCSI-3 FC-AL(Fibre Channel Arbitrated Loop)	シリアル (1bit)	127(126 台)	100MB/秒

Sculley, John 【スカリー, ジョン】　*John Sculey*

Apple Computer社元CEO(最高経営責任者)。1939年生まれ。ブラウン大学を卒業後, ペンシルバニア大学ウォートン校でMBAを取得。1966年, PepsiCo社入社。1970年, 30歳で同社最年少副社長。1977年, 同社社長。1983年, Apple Computer社の創業者であるSteve Jobsに招請され, Apple Computer社社長。1985年, Jobs会長を解任し, Apple Computer社の経営建て直しを図るが成功せず, 1993年, Apple Computer社を解任された。

SDK 【エスディーケイ】　*Software Developer's Kit*

開発用のプログラムやツール類, 情報をまとめたパッケージ。たとえば, 日本語版Microsoft C/C++ Development System for MS-DOS & Windows Ver.7.0A でWindows用アプリケーションを開発するには, さらにSDKを購入する必要がある。

SDRAM 【エスディーラム】　*Synchronous DRAM*

同期DRAM。CPUのシステムクロック周波数とメモリのバスクロック周波数が同期する。CPUの高速性を生かすことができ, バーストモードのデータ転送がEDO-RAMより向上する。

SE 【エスイー】　*System Engineer*

⟳システムエンジニア

SEC 【エスイーシー】　*Single Edge Cartridge*

Pentium II で採用されたCPUのパッケージ形態。CPUコア (本体) のチップと2次キャッシュメモリのチップを同梱したカートリッジ型で, マザーボードのスロットと呼ばれるピンコネクタに接続する。

sed 【セド】　*stream editor*

UNIXのストリームエディタで, 対話型のedエディタから発展したもの。あらかじめコマンドを並べたスクリプトファイルを記述

しておき，これに従ってテキストファイルを行ごとに編集処理する。一種のフィルタ処理に使われる。

ed同様に正規表現が使え，条件分岐やループなど，機能は豊富である。MS-DOSへも移植され，serow氏によって日本語化されている。下はsedのスクリプトファイルの例で，文章の末尾が「だ」「する」になっている部分だけ「です」「ます」に変換するというもの。

```
s/だ¥([.。が)］¥)/です¥1/
s/する¥([.。が)］¥)/します¥1/
s/る¥([.。が)］¥)/ます¥1/
```

sendmail 【センドメール】

メールサーバ間の転送を担当するUNIX標準のSMTPサーバプログラム。カリフォルニア大学バークレー校で開発された。

SET 【セット】 *Secure Electronic Transaction*

インターネットにおけるクレジットカード決済の方式。クレジットカード最大手のMasterCard International 社とVisa International社によって提唱され，Netscape Communications社とMicrosoft社が技術面の開発に参加，事実上の標準になると思われる。顧客の認証と取り引きの承認はカード会社が行い，店舗は直接顧客の信用情報を解読できない。このためユーザ側の不正使用ばかりではなく，従来では防止が難しかった店舗側で起こる不正も防ぐことができる。ユーザ側には信用情報を暗号化しておくSET機能を組み込んだブラウザが，店舗側にはユーザから受けた暗号をそのまま銀行へ送るSETサーバがそれぞれ必要になる。欧米と異なり，日本ではボーナス払い，2回均等払いなど，クレジットカードでの支払い方法が多様なため，これに対応した日本追加仕様（Support for Japanese Requirements）も公開された。

SGML 【エスジーエムエル】 *Standard Generalized Markup Language*

電子文書標準化のための汎用マークアップ言語。テキストデータに書体や文字の大きさ，段落などをコマンド文字列として書き加えることにより，文書の論理構造，見出し，本文，索引，目次，引用文献などを指定できる。

Sherlock 【シャーロック】

MacOS8.5の検索プログラム。ハードディスクや記憶装置上の
ファイルを検索する。また，検索エンジンに接続して，インター
ネット上のWebコンテンツの内容も見かけ上同じインターフェイ
スで検索できる。探したいカテゴリを文章で指定して検索するな
ど，インテリジェントな言語解析機能を搭載している。

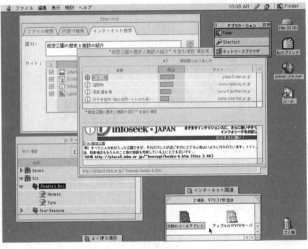

Sherlock

Shockwave 【ショックウェーブ】

米マクロメディア社が開発したインターネット上で動画などが扱
えるプラグイン。たとえばShockwave for Directorを使えば，
Directorでオーサリングしたデータをそのままホームページに貼
ることができ，動画を再生させたり，マウスを使ったゲームなど
も作ることができる。
現在，ムービーやゲームなどを貼り込むことができるShockwave
for Director，同じくオーサリングしたビデオなどをそのまま表示
できるShockwave for Authorware，拡大縮小が自由自在のベク
ターデータを貼り込むことができるSockwave for Freehandがあ
る。⊃Director

S

SHTML 【エスエイチティーエムエル】　*Server parsed HTML*

SSI（サーバサイドインクルード）機能のあるWebサーバに置く，SSIのコマンドが記述されているHTMLファイルのこと。拡張子は.shtmlとする。Webサーバソフトは，SHTMLファイルのアクセスがあったときは，そのままのテキストを送信せず，SHTMLコマンドを解釈（parse）して実行した結果のテキストを送信する。
◎SSI

SIA 【エスアイエー】　*Semiconductor Industry Association*

アメリカ半導体工業会。Intel社などアメリカの半導体メーカー5社が中心となって設立された団体。

SIG 【シグ】　*Special Interest Group*

BBSの中で，興味を同じくする人々が集まりやすいようにホスト側が用意した場のひとつ。

テーマの内容や掲示板の形態は，BBSによってさまざまで，バラエティに富んでいる。一般的に，SIGを統括する人をSIGOP（シグオペ）と呼ぶ。

SimCity 【シムシティ】

MAXIS社の都市経営シミュレーションゲーム。プレイヤーが市長となり，何もない土地に住宅，工場，商業地，発電所，港，空港などを造成し，道路や鉄道を敷き，都市を発展させる。

MAXIS社のデビュー作であり，その後，類似ゲームが何本も作られた。

SIMM 【シム】　*Single Inline Memory Module*

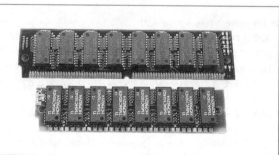

SIMM

メモリボードの形態。片側がカードエッジ端子になっている長方形のプリント基板に, RAMチップを並べたもの。メインボード上のソケットに取り付ける。

ボード自体のサイズが小さく場所を取らない点や, 抜き差しが容易というメリットがある。

機種によって形態やコネクタピン数に違いがあるが, 30ピンと72ピンのものが一般的。

SIS 【エスアイエス】 *Strategic Information System*
　❍戦略情報システム

SKY PerfecPC! 【スカイパーフェクピーシー】
　衛星CS放送SKY PerfecTV!と同じ通信衛星JCSAT-3, JCSAT-4を利用したデータ放送サービス。下り方向最大で6Mbpsの通信速度があり, 特定の番組提供会社から音楽, ゲームソフト, 電子新聞など, 大容量マルチメディアコンテンツの配信が受けられる。衛星インターネットサービスを受けるには別にNTTサテライトコミュニケーションズ(株)の運営するMega Waveに加入する。

SKY PerfecTV! 【スカイパーフェクティーブイ】
　伊藤忠商事(株)が出資したPerfecTV!とソニー(株), ソフトバンク(株), (株)フジテレビジョン, The News社（豪）が出資したJskyBが98年5月1日に対等合併して発足した日本デジタル放送サービス(株)の運営する放送サービス事業。通信衛星（CS）のJCSAT-3, JCSAT-4を使用し, 次世代デジタルTVの標準規格であるDVB方式の多チャンネルデジタル放送を行っている。

SLIP 【スリップ】 *Serial Line IP*
　RS-232Cや電話回線など, シリアル回線上で接続されたコンピュータでIP (internet protocol)を動かすために使われるプロトコル。❍TCP/IP

Slot 1
　❍スロット

Slot 2
　❍スロット

Slot A
　❍スロット

Smalltalk 【スモールトーク】 *Smalltalk*
　Xerox社パロアルト研究所(PARC)で開発されたオブジェクト指向言語。

1972年，Alto用にBASICで記述されたSmalltalk-72が最初の
バージョン。1981年に公開されたSmalltalk-80が現在の標準と
なっている。

マウスによるオペレーションを基本としたマルチウィンドウのOS
的な環境，システムブラウザというエディタ，コンパイラなどが一
体となっている。

SMART 【スマート】 *Self Monitoring Analysis and Reporting Technology*

Enhanced IDEハードディスクで，ハードディスク自身がその障
害の可能性を監視，分析し，ユーザに報告する技術。ATA-3で規
定された。

S/MIME 【エスマイム】 *Secure MIME*

RSA方式の暗号化と電子署名によってメールをエンコードし，安
全に送信する規格。

SmartMedia 【スマートメディア】

⟲SSFDC

SMTP 【エスエムティービー】 *Simple Mail Transfer Protocol*

TCP/IP上で，あるコンピュータから他のコンピュータへ電子
メールを送るためのプロトコル。

⟲TCP/IP

SNA 【エスエヌエー】 *System Network Architecture*

1974年，IBM社が自社用に開発した通信システムのネットワーク
アーキテクチャ。独自の通信プロトコルによっているので，IBM
社製の端末でないと使用できない。

SNOBOL 言語 【スノボル】 *string oriented symbolic language*

文字列処理のためのプログラミング言語。1964年，AT&Tのベル
研究所のRalph Grisworldによって開発され，その後改良が加え
られている。

文字列の照合，置き換えなどの機能をもち，文字列中の文字列に対
する処理を行える。

Socket 7 【ソケットセブン】

Intel社のMMX対応Pentium CPUや高速Pentiumで用いられた
CPUソケット。Intel社のCPUソケットはSocket 5以降，レバー
のついたZIFソケットで着脱がしやすく，容易にODP（Over
Driveプロセッサ）を装着してアップグレードできるように設計
されている。Socket 7はODPだけでなく，AMD社，Cyrix社，

IDT社などの互換CPUが対応したため，多くのマザーボードに搭載された。

Socket 370 【ソケットサンナナマル】

Intel社が設計した370ピンのCPUソケット。対応した低価格Celeronプロセッサを開発する予定である。AMD社が主唱するSuper 7仕様に対抗するもの。Super 7はSocket 7互換でPentium II相当のCPUが搭載できる。CPUソケット方式のマザーボードは，Pentium IIで採用されたSlot 1方式のマザーボードより低コストである。

SoftWindows 【ソフトウィンドウズ】

PowerMacでWindowsをエミュレートするソフトウェア製品。Insignia Solutions社製。

SOHO 【ソーホー】 *Small Office/Home Office*

インターネットなどのネットワークを使って，自宅に居ながらにして会社と同等の環境を実現するというもの。最近のパソコンの性能の向上と，インターネットを含むネットワーク環境の低価格化に伴い，自宅でも会社と同じソフトウェア環境を十分実現することができ，ネットワークを使って会社のホストコンピュータとも自由にデータがやりとりできるようになった。これにより，わざわざ会社へ出社しなくても，自宅で作業できることになる。

Solaris 【ソラリス】

SunSoft社(Sun Microsystems社の子会社)が開発したSVR 4.0をベースとしたUNIX。SPARC Station用およびIBM PC互換機用がある。

IBM PC互換機用のSolaris 2.0は80386以上のCPUで動作し，MS-DOSエミュレーションなどの機能をもつ。

Sound Blaster 【サウンドブラスター】

Creative Labs社のIBM PC用FM音源ボード。Adlib Music Synthesizerの上位互換品であり，現在ではIBM PC用音源ボードの事実上の標準となっている。

Adlibの機能に8ビットのデジタイズ音声を1音加えたものがSound Blaster V1.0。

ゲームなどでSound Blaster対応のものでは効果音や音楽だけでなく，デジタイズ機能によってセリフを喋らすことができるようになった。ジョイスティックポート（ゲームポート）も搭載した。Sound Blaster Proでは音源がステレオになり，4ワットのステレ

オアンプをボード上に搭載，専用のCD-ROMドライブ，MIDIインターフェイスも接続できる。

Sound Blaster 16 ASPはサンプリング周波数を44.1KHz/16ビットステレオとし，音質を向上させたもの。MIDIポートは業界標準のローランドMPU-401互換となった。Sound Blaster AWE32は，E-mu Systemsのシンセサイザーチップを搭載したモデル。

SPAM 【スパム】

受信側の承諾を得ずに大量の電子メールアドレス宛に送りつけられる同一のメッセージ。または，ネットニュースのニュースグループ宛にばらまかれる同一のメッセージのこと。広告宣伝を意図する場合が多いが内容は問わず，行為自体がネチケットに反するとされる。受信側の希望に沿って配信される電子広告メールはSPAMとは呼ばない。

SPARC 【スパーク】　*Scalable Processor ARchitecture*

Super SPARC チップ

U.C.Berkley （University of California, Berkley）で設計されたRISC IIの仕様をもとにSun Microsystems 社が開発した32

ビットRISCチップのアーキテクチャ。これに基づいて生産される CPUをSPARCチップと総称する。ライセンスを受けて生産している企業に富士通，LSI Logic社，Cypress Semiconductor社，Texas Instruments社，松下電器産業などがある。バージョンアップを重ね，Ver.9から64ビットアーキテクチャになった。Sun Microsystems社は64ビットのUltraSPARCを生産している。

SPECmark 【スペックマーク】

SPEC(System Perfomance Evaluation Cooerative)が作成したベンチマークテスト。RISC マイクロプロセッサなどの性能表示によく使われる。89年版，92年版，95年版があり，テストに使ったバージョンが異なると正しい性能比較はできない。

SPECint92は整数演算の能力を示す92年版SPECmark値であり，SPECfp92は浮動小数点演算の能力を示す92年版SPEC-mark値である。

SQL 【エスキューエル】 *Structured Query Language*

リレーショナルデータベースシステムの問い合わせ言語の一種。IBMのサンホセ研究所で開発された。

実際には，SQLには問い合わせだけではなく，データの定義も行う機能がある。特徴としては，物理的なデータの位置をユーザーが気にすることなくデータを扱うことができることなどがあげられる。現在では，基本的なSQLに拡張が加えられたSQLがさまざまなベンダーから発表されているが，1985年に制定されたANSI標準に基いての標準化作業が行われている。

S

SRAM 【エスラム】 *Static RAM*

フリップフロップ回路で構成したRAM。電源が供給されている限り，書き込まれた記憶内容が保存される。

データの読み書きが高速，リフレッシュ動作は不要だが，DRAMに比べて回路が複雑なため，同じ集積度ではDRAMの4分の1程度の記憶容量しかもてず，ビット単価は割高になる。キャッシュ用などに使われる。

⊃DRAM

SSFDC 【エスエスエフディーシー】 *Solid State Floppy Disk Card*

NAND型フラッシュメモリを使用したリムーバブル記憶装置。横37mm縦45mm厚さ0.76mmの小型で，デジタルカメラの記憶装置として普及がすすんだが，専用のPCカードアダプタに挿入し，PCカードとして利用が可能である。開発した(株)東芝がライセンス

を保有しており，SmartMediaという商標で普及をはかっている。

3.3V SSFDC アイ・オー・データ機器 (株)PCFDCII

SSL 【エスエスエル】 *Secure Sockets Layer*

Netscape Communications 社が開発し，自社の製品でサポートしている公開鍵暗号方式によるセキュリティプロトコル。クレジットカード決済などに利用されている。NetscapeNavigatorなどのクライアントから同社製のSSL対応サーバに接続すると，サーバは信用できるサイトであることをあらかじめ登録して取得している証明権限者（CA, Certificate Authority）から発行されたデジタル証明書を送る。クライアントはCAから入手した公開鍵でサーバから送られた証明書が真正であることを確認する。次にクライアントはアクセスしたときにランダムに生成されるセッション鍵で機密情報となるメッセージを暗号化し，さらにサーバの公開鍵でこのセッション鍵を暗号化してサーバに送る。サーバ側では秘密鍵でセッション鍵を復号し，セッション鍵でメッセージを解読する。SSLプロトコルはTCP/IPとHTTPS, FTP, Telnetなどとの中間の層に位置するため，SSLが有効なのはWebサービスだけに限らない。(次ページ図参照)

S/T 点 【エスティーテン】

ISDNを引いたとき，TAとDSUの接点のインターフェイス。正確には，パソコンとTAをつなぐ接点がR点で，以下TAと構内交換機の接点をS点，構内交換機とDSUの接点をT点，DSUと外部ISDN回線の接点をU点というが，一般家庭などで構内交換機

● SSLの位置

| アプリケーション層 | telnet | FTP | HTTP | HTTPS |

| セッション層 | SSL |

| トランスポート層 | TCP |

| ネットワーク層 | IP |

● SSLのしくみ

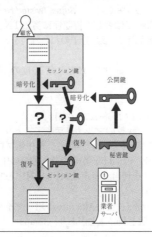

SSL のしくみ

がない場合，S点とT点は重なるのでS/T点という。

ST-506/412 インターフェイス 【エスティゴウマルロク/ヨンイチニインターフェイス】　*ST-506/412 interface*

Seagate Technologies社がIBM PC用に開発した，ハードディスクインターフェイス。1枚のインターフェイスカードで2台までのハードディスクドライブを制御できる。データ転送速度は毎秒200Kバイトほど。

現在でも，IBM PC互換機では唯一の標準インターフェイスとしてBIOSでサポートされている。

STAR 【スター】

Xerox社がAltoをベースに開発した，多機能ワークステーション。

日本語化されたJ-STARはDTPなどで広く使われた。⊃Alto

STEP 【ステップ】　*Standard for the Exchange of Product model data*

製品モデルのデータ交換のための標準規格。正式にはISO10303 Product Data Representation and Exchange として規定されている。製品の企画から設計，製造，検査，保守にわたる全ライフサイクルにわたって，仕様，図面，部品表等を標準化し，製品データを企業内および企業間で共有，交換するための，CALSの必須技術として位置づけられる。

STN液晶 【エスティーエヌ】　*Super Twisted Nematic*

見る角度によっては著しく視認性に劣るTN方式液晶ディスプレイの欠点を補うため，液晶分子のねじれ角を120～180度に拡大したもの。

視認性に優れているので，ねじれ角90度のTN液晶よりも普及している。

⊃D-STN

Stream Works 【ストリームワークス】

Xing Technology社のマルチメディアストリーミング配信・再生ソフトウェアパッケージの商品名。再生側プログラムのPlayerと配信のServer，Encoder からなり，独自の圧縮機能は使わず，標準のMPEG-1を使用。音声はMP3に対応している。

Stuff It 【スタッフイット】

Aladdin Systems社製のMacintosh用ファイル圧縮ソフトウェア。シェアウェア版と製品版とがあり，Compact Proとともに市場を2分している。

「.sit」という拡張子を付けることが多い。

Sun 【サン】　*Sun Microsystems, Incorporated*

ワークステーション分野でトップシェアをもつコンピュータメーカー。1982年，スタンフォード大学学生のScott McNealyとVinod Koslaによって設立された。

SUNという社名は"Stanford UNIX Network"に由来していると言われている。

スタンフォード大学大学院生，Andreas Bechtolsheimが設計した回路に基づき，安価なワークステーションを製造することを目指した。ソフトウェアはUCバークレー校の大学院生で，バークレー版UNIXの開発を手がけたWilliam Joyが担当。

1982年夏にはMotolora MC68000を使ったSUN-1の出荷を開始

した。1983年にはJoyとBechtolsheimがRISCチップ，SPARC
を設計。富士通ほか数社と提携し，チップの製造を委託した。
1987年にはAT&Tと提携し，UNIXの標準化を提唱。GUIとして
OPEN LOOKを発表。子会社のSun Soft社からIBM PC互換機
で動作するSolaris 2.1 for x86を出荷した。

Sun SPARC classic

Super 7 【スーパーセブン】

Intel社製CPUの互換製品メーカーAMD社が開発し公開してい
るチップセットの仕様。Intel社製CPUの互換製品のほとんどは，
Pentium，MMX 対応Pentium用のソケットであるSocket 7に接
続するが，純正のPentium II以降は，Slot 1やSlot 2という非ソ
ケット形式のコネクタを採用している。Super 7は，Socket 7対
応の互換CPU向けに，Pentium IIのチップセットと同等かそれ
以上の機能を実現するための技術仕様である。これにより，最高
100MHzのバススピードやAGP，USB，Ultra ATA対応，外部
（3次）キャッシュメモリのサポートなどが可能になっている。

SVG 【エスブイジー】 *Scalable Vector Graphics*

WWW技術の標準仕様を策定する団体であるW3Cで審議されて
いる，コンピュータグラフィックスの規格。Webのページ上で
伸縮自在のベクタ型グラフィックスを実現する。Adobe Systems
社，Apple Computer社，Autodesk社，Corel社，Hewlett-Packard

社, IBM社, Inso社, Macromedia社, Microsoft社, Netscape Communications社, Quark社, RAL社, Sun Microsystems社, Visio社が開発にかかわっている。当初, W3CにはPGMLとVMLという2つの異なるベクタ型グラフィックスの形式が提案され, HTMLの次世代拡張版であるXMLに対応したSVGに収束していく方向となった。

SVGA 【エスブイジーエー】 *Super Video Graphics Array*

IBM PC/AT互換機のVGAの上位互換ビデオアダプタの総称。VGAは解像度は640 ×480ドットで16色表示可能だが, これをさらに機能強化したもの。標準で256KバイトのVRAMを512Kバイトにアップして, 640×480ドットで256色を表示できるようにしたり, VRAMを1Mバイトにして1024×768ドットで256色や640×480ドットで1600万色対応としたものが多い。

SVR4 【エスブイアールフォー】

System V Release 4 の略称。Vはファイブ。 ○UNIX

SYLK 【シルク】 *SYmbolic LinK format*

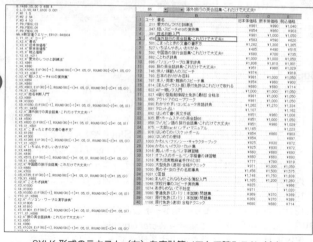

SYLK 形式のテキスト（左）を表計算ソフトで読みこむ（右）

スプレッドシートなど, 各種アプリケーション間でデータの互換を実現するためのファイル保存形式。Microsoft社が提唱したもの。

特殊なテキストファイルとなっており，数値データばかりでなく表形式から計算式のデータまで，一定の共通した形式で保存する。表計算ソフトウェアのMultiplanで採用された。

SYSOP 【シスオペ】　*SYStem OPerator*

BBSホスト局を運用・管理する人。システムオペレーターの略。システムトラブルへの対応，会員の登録，書き込みの管理を行う。

System7 【システムセブン】

Apple Computer社が1991年に発表したMacintosh用のOS。従来のMacOSから大幅に機能強化を計り，TrueType，仮想メモリ，エイリアス，32ビットアドレッシングなどの機能をもっている。
日本語への対応は1992年発表のSystem7.1で行われ，「漢字Talk」という名称がつけられた。7.1では設計当初から英語以外の環境への対応が考えられていることが特徴となった。
⊃漢字 Talk

System V 【システムファイブ】
⊃UNIX

S

T

T【テラ】 *tera*

テラの略。

T1【ティーワン】

北米大陸の地域電話会社が敷設する帯域幅1.544 Mbpsの専用線サービス。料金設定は1マイルごとに距離に比例して高くなる定額制。

T3【ティースリー】

北米大陸の地域電話会社が敷設する帯域幅44.736 Mbpsの専用線サービス。インターネットでは最も一般的に使われている。

TA【ティーエー】 *Terminal Adaptor*

⊃INS ネット 64

TAB【タブ】

(1)TABulator

⊃タブキー

(2)Tape Automated Bonding

TCP（Tape Carrier Package）の実装法。写真フィルム型のポリイミド製のテープ（TABテープ）にIC素子を収める技術。

Tandy Radio Shack【タンディラジオシャック】

アメリカ各地に展開している，電気製品のチェーン店。家電からステレオ，VTR，無線機，部品やラジオなどの組み立てキットまでを扱っている。1977年，Z80をCPUに使った399ドルの8ビットパーソナルコンピュータ，TRS-80を発売し，ベストセラー商品となった。1983年には最初の実用的な携帯型コンピュータ，Tandy Model 100を発売した。

1983年，カシオと共同で開発したペン入力を採用したPDA(個人用情報端末)のZoomerを発表した。

tar【ター，タール】 *tape archiver*

UNIXのアーカイバ。複数のファイルをひとつにまとめたり，アーカイブしたファイルを元のファイルに戻すことができる。tarのフォーマットは移植性が高く，ファイルをまとめて転送するのにも用いられるが，ファイル内容を圧縮する機能はない。

⊃アーカイバ

T

tar.Z 【ターゼット】

UNIXのtarによってひとつにまとめられたファイルには「.tar」という拡張子が付く。さらにcompressで圧縮すると拡張子が「.tar.Z」となる。このtar.Z形式や、さらにUNIX用のバイナリファイルテキスト変換プログラムのuuencodeでASCII文字に変換した形式のファイルがUNIXのファイル配布によく使われる。

TBGA 【ティービージーエー】 *Tape Ball Grid Array*

ICのパッケージ形態の1つ。BGA方式で基盤にTABテープを使ったもの。

○BGA，TAB

TCO 【ティーシーオー】 *Total Cost of Ownership*

情報システムの価格だけではなく，そのシステムを維持していることによる周辺の経費を総合した際にかかるコスト。効率化のために導入されたはずの情報システムが，バージョンアップやメンテナンス，社員が操作するための訓練などで，かえってコストの増大を招いているということに対する反省から出てきた言葉。情報システム製品の購入がこれら全てのコストの総量を削減することになるとき，「TCOを削減するシステム」という。

TCP 【ティーシーピー】 *Tape Carrier Package*

ICのパッケージ形態の1つで，ポリイミド製のテープに素子を収めたもの。ノートパソコン用のPentiumで採用された。

TCP/IP 【ティーシーピーアイピー】 *Transmission Control Protocol/Internet Protocol*

ARPANETで開発されたネットワークプロトコル。TCPはOSI参照モデルの4層，IPは3層を受けもつ。物理層とリンク層は特定せず，たとえば有線と無線のように，異なったネットワークをまとめてひとつのネットワークとすることが可能。

UNIXのBSD 4.3で採用されたため，ワークステーションを結ぶネットワークでは事実上の標準プロトコルとなっている。

TCP/IP上のアプリケーションとしてはFTPによるファイル転送のFTP，電子メール転送のSMTP，遠隔ログインのtelnetなどがある。

パーソナルコンピュータ用のTCP/IPとして，アメリカのアマチュア無線家のKA9Q (Phil Karn) によってKA9Qパッケージと呼ばれるプログラム群が開発された。

○ARPANET，FTP，SMTP，telnet，インターネット

T

TDMA 【ティーディーエムエー】　*Time Division Multiple Access*

時分割多元接続。PHSやデジタル携帯電話の接続方式の1つ。基地局と通話者とを結ぶ電波のデジタル信号を時間間隔で交互に入れ替えることにより，複数ユーザの同時通話を可能にする方式。日本のPDC，欧州のGSMなどがこの方式を採用している。

telnet 【テルネット】

TCP/IPで使われる遠隔ログインプロトコル。ネットワーク上の他のコンピュータにログインし，操作することができる。

TeX 【テフ，テック】

スタンフォード大学のDonald E. Knuth教授が，自分の記述した数学論文を出版するために開発した組版言語。無料で公開されており，パーソナルコンピュータやワークステーションの機種ごとに対応版がでている。

テキスト中にフォントやサイズ，文書構成などを指示する整形コマンドを埋め込み，TeXコンパイラにかけ，DVIファイルを作成する。DVIファイルは出力機の解像度には依存せず，ドットプリンタからレーザプリンタ，イメージセッタまで，同じファイル，同じレイアウトで出力できる。

フォントや文字サイズ，紙面上での位置，グラフィックなどを簡単に指定できるよう，マクロを記述したフォーマットファイルを利用する。

Knuth教授自身が作成したフォーマットファイルを使う基本システムが"plain TeX"であるが，これには必要最小限のマクロしか用意されていないので初心者には使いにくい。そのため，Lerlie Lamportが作成したフォーマットファイルを使う"LaTeX"がよく使われている。

また，フォントを作成するためのプログラム言語としてMETA-FONTシステムも開発され，配布された。

日本ではアスキーが日本語化したアスキー版日本語TeX，NTTが日本語化したNTT JTeX，同じくアスキーが作ったTeX for Windowsなどが配布されている。

⊃LaTeX

TFT 【ティーエフティー】　*Thin Film Transistor*

薄膜トランジスタを絶縁体の上に取り付けたもの。カラー液晶ディスプレイの液晶部分の制御に使用される。DSTN方式などに比べ，製造コストはかかるが，画面の表示が鮮明なためにノート

パソコンなどのカラー液晶ディスプレイでは主流の方式となっている。

○アクティブマトリックス型液晶

Thick Ethernet 【シックイーサネット】

○10BASE-5

Thin ケーブル 【シンケーブル】 *Thin Cable*

IEEE802.3規格のLANの伝送路仕様である10base2(テンベースツー)で使用される直径5ミリの同軸ケーブルのこと。

TIA *Telecommunications Industry Association*

通信工業会。米国, カナダの情報通信産業会社で構成される業界団体。

TIFF 【ティフ】 *Tagged Image File Format*

米Aldus社と米Microsoft社が提案した, 画像ファイルの記録に使用されるフォーマット。特徴は, 各データにファイルの形式を示すTAG(タグ)が記述されている点にある。このタグによってモノクロ/カラーなど多種多様な画像データに対応できる。

TIPS 【ティップス】

パーソナルコンピュータやアプリケーションを使うとき, マニュアルなどに正式に記述されてない便利なテクニックや裏ワザのこと。

TK-80 【ティーケイハチマル】 *Training Kit-80*

NECが1976年に発売した, 日本初の商品としてのマイクロコンピュータトレーニングキット。CPUにはμ8080Aが搭載されていた。(次ページ図参照)

TLS 【ティーエスエル】 *Transport Layer Security*

ネットワークのトランスポート層で行われる暗号化方式。Netscape社のブラウザで開発され, 広まったインターネットのセキュリティプロトコルSSLをIETFが規格として定めたもの。

○SSL, IETF

TN 型液晶 【ティーエヌガタエキショウ】 *Twisted Nematic mode liquid crystal*

TN方式(液晶分子を90度ねじって配置する方式)を用いた液晶。消費電力が少なく, 表示が鮮明で見やすいことからアクティブマトリクス方式(液晶に電圧をかける方式の一つ)に多く用いられている。

ToolBox 【ツールボックス】

MacintoshのOSが提供している, プログラムを作成するためのさ

TK-80

まざまな機能のこと。あるプログラムを作るとき，基本的な機能に関しては，ToolBoxに含まれるサービスを関数として呼び出せばよく，プログラミングの負担を大幅に軽減できる。ほとんどは，MacintoshのROMに保管されているが，システムソフトウェアに含まれているものもある。

TQFP 【ティーキューエフピー】 *Thin Quad Flat Package*
ICのパッケージ形態の1つで，QFPの薄型のもの。

Translt 【トランジット】
大手BBSのアスキーネットで採用されたファイル転送プロトコルのひとつ。スライディングウィンドウ方式を採用し，パケット交換サービスのDDX-TPでも利用することができた。また，バッチモードによる複数ファイルの一括転送や転送ブロックのテキスト化などの機能をもつ。
○DDX-TP

Tri-P 【トライピー】
インテックが提供する国内VANサービスのひとつ。全国の主要都市にアクセスポイントを備えているため，大手の商用BBSのみならず，個人運営のいわゆる草の根ネットでも，多くのホスト局がこのVANサービスに加入している。また，Tri-P経由でのアメリカ，

T

イギリスへのアクセスも可能である。

Triple-DES 【トリプルデス】

DESの64ビット暗号化を2倍の128ビットまたは3倍の192ビット長にして，より解読を困難にしたDESの強化版暗号化システム。暗号化を3回施すためこう呼ばれる。2つの異なった鍵を使い，1回目の暗号化と3回目の暗号化に同じ鍵を使う方式と，3つの異なった鍵を使う方式がある。

Triton 【トライトン】

PCIバス搭載のPentiumマシンで性能の向上を図るために設計されたIntel社のチップセット製品PCIsetsの呼び名の一つ。EDO DRAMとPlug & Playをサポートする430FXをTritonという。その後，BGAパッケージングに対応した430HXをTriton II，USBやSDRAMに対応した430VXを Triton VX という。このほか，初期のPentium 60/66MHzに対応した初代PCIsetsである 430LXをMercury，90/100MHzに対応した430NXをNeptuneといった。

TRON 【トロン】　　*The Real-time Operating system Nucleus*

東京大学の坂村健氏が提唱，推進するコンピュータアーキテクチャ。

家電製品に組み込まれるマイクロコンピュータからパーソナルコンピュータ，大型コンピュータに至るまで，統一した操作性をもたせ，誰にでも使いやすいコンピュータ社会を実現しようとするもの。

専用のマイクロプロセッサの開発からはじまり，ハードウェアの形状，OSまでを設計，開発するものである。

パーソナルコンピュータ用のTRONとしてBTRON，大型コンピュータ用としてCTRON，産業用としてITRONの開発が進められている。

社団法人トロン協会が広報を行っている。

TrueType 【トゥルータイプ】

Apple Computer社がPostScriptに対抗して開発し，Microsoft社に技術を提供したアウトラインフォント。漢字Talk7.1，Windows3.1で採用された。

文字を拡大してもギザギザにならず，どのようなプリンタでもきれいに印字できる。

Tseng 【ツェン】　　*Tseng Labs, Inc.*

T

台湾のチップメーカーで, MS-DOS用の高速グラフィックチップ
ET4000などを開発している。

◯ET4000

TSM 【ティーエスエム】　　*Text Services Manager*

テキスト処理のカナ漢字変換やスペルチェックなどをサポート
する機能で, 米Apple Computer社のMacintosh用OS「System
7.5」に採用されている。テキスト処理モジュールを開発する場合,
それがアプリケーションプログラムと直接結合しなくても, テキ
スト処理モジュールとアプリケーションプログラムが別々にTSM
に対応していれば問題なく使用できるようになっている。

TSR 【ティーエスアール】　　*Terminate and Stay Resident*

常駐プログラムのこと。メモリに (割り込みによって起動される
ルーチンなどの一部を) 常駐したまま実行を終了するプログラム。
他のアプリケーションを実行中に, ホットキーという, 特定のキー
操作で呼び出せるものが多い。

TWAIN 【トゥエイン】　　*Technology Without Any Intersted Name*

アメリカの企業である, Aldus社, Caere社, Hewlett Packard
社, Eastman Kodak社, Logitech社の米国5社が1991年に定めた
イメージスキャナなどの入力装置用のソフトウェアインターフェ
イス規格。TWAIN規格に対応した入力装置とアプリケーション
ならば, メーカーやモデルに関係なく使用できる。

最近のスキャナ製品の多くがTWAIN規格に対応しているほか,
各種スキャナドライバやAdobe社のPhotoshopをはじめとするレ
タッチソフトなどの多くがこの規格に対応している。

Tympass 【タイムパス】

ネットワーク情報サービスが提供するパケット交換網。国内のさ
まざまなBBSにアクセスすることができる。国外ではTYMNET
と接続されており, CompuServeなどにアクセスできる。接続時
間, パケット量のいずれかによる課金方法を選択できる。

UDTV 【ユーディーティブイ】　*Ultra Definition TeleVision*

郵政省の主導で今世紀末をめどに開発が予定されている，HDTV を上回る超高品位テレビ。デジタル方式による。1999年に圧縮方式が決定され，2000年にハードウェア（CODEC）の開発が予定されている。

UDF 【ユーディーエフ】　*Universal Disk Format*

光ディスクドライブ関連メーカーの業界団体OSTA(Optical Storage Technology Association)　がコンピュータの記憶媒体として DOS, OS/2, Macintosh, Windows95, Windows NT, Unixで共通に使えるよう定めたDVD-ROMの標準フォーマット。CD-R, CD-RWなどコンパクトディスク媒体にも適用が推奨されている。

UDP 【ユーディーピー】　*User Datagram Protocol*

TCPの代わりに用いられるIPプロトコルの1つ。ネットワークでリアルタイム処理が必要とされる動画，音楽などのストリーミング配信をするアプリケーションで使用される。通信中に失われたデータパケットがあると，TCPではパケットを再送しようとするが，この処理の間，ストリーミング再生は滞る。UDPでは失われたパケットはそのまま無視するので，音質画質は多少劣化するにしても切れ目の無い再生が可能である。信頼性が重要なデータ通信には向いていない。

UI 【ユーアイ】　*UNIX International Inc.*

UNIXを開発したAT&Tが中心となり，1988年12月にSVR4の普及を目的として設立された団体。参加企業数は約130社で，日本からは，NEC, 富士通, 沖電気工業, 富士ゼロックスなどが参加している。

▷UNIX, OSF , X/Open, BSD 版, USL

ULSI 【ユーエルエスアイ】　*Ultra Large Scale Integration*

VLSI（超大規模集積回路）よりさらに集積度を高めたもの。100万を超えるトランジスタを1チップに集積したもの。

Ultima 【ウルティマ】

Origin社のRichard A. Garriott(Lord British)が開発したゲーム。John Tolkenの長編ファンタジー小説『指輪物語』が題材と

なっている。高い知性をもつ"人間"、動きが素早く器用な"エルフ"、勇敢な"ドワーフ"、学問を得意とする"ホビット"の4種族が戦士、僧侶、魔法使い、盗賊のいずれかの職業に就き、パーティを組んでソーサリアの地を旅し、突然遭遇する敵と戦いながら邪悪な魔法使いモンデインを倒すことを目標とする。現在のパーソナルコンピュータ用ロールプレイングゲームの原型となった。

Ultimedia 【ウルティメディア】

IBM社が提唱するマルチメディアマシン。PS/2に音源とCD-ROMを搭載したもの。ソフトウェアは添付のMS-Windows 3.1とMME（フルセット版）を使用する。

○MME

Ultra 2 SCSI 【ウルトラツースカジー】

○SCSI

Ultra ATA 【ウルトラアタ】

○ATA、拡張IDE

Ultra DMA 【ウルトラディーエムエー】

○Ultra ATA

Ultra SCSI 【ウルトラスカジー】

○SCSI

UltraSPARC 【ウルトラスパーク】

○SPARC

UMB 【ユーエムビー】 *Upper Memory Block*

Intel社の80386SX以上のCPUを使用したマシンで、メインメモリ（多くのマシンが640Kバイト）の上限から1Mバイトまでのメモリ空間をさす。たとえばメインメモリが640Kバイトのマシンでは384KバイトのUMBがあることになる。

ただしBIOS、VRAM、拡張ROM、EMSフレームエリアを除くメモリ領域しかユーザーは使用できないので、実際にはかなり少なくなる。

UMTS 【ユーエムティーエス】 *Universal Mobile Telecommunications System*

ETSI(欧州電気通信標準化協会)で標準化が進められている次世代移動通信システムのプロジェクト。広帯域CDMAとしてUTRA方式を採用し、2002年から2005年に実用化が見込まれている。

Unicode 【ユニコード】

世界統一の普遍文字コード。非欧米語圏へのソフトウェアの輸出・

移植にかかる障壁を除く目的で1991年に北米企業が合同で設立したUnicode Consortium で協議され，ISOに提案された。

Unicode Consortiumには，IBM社，Sun Microsystems社，Apple社，AT＆T社，Microsoft社，Lotus社，Novell社，など大手ハードウェア，ソフトウェアメーカーのほとんどが参加。ISOに登録された全言語を一意の1バイト16ビットコードにあてはめる方向で検討された。文字数は256バイト×256バイト＝65536字。1993年にISO規格として実現したこの文字コード体系（ISO10646-1）をUnicode1.1という。日本はこれを1995年JIS規格として採り入れた（JIS X 0221）。Unicode1.1はWindows NTの内部コードとして採用され，Windows98もこれをサポートした。1996年，Unicode2.0が発表され，サロゲートペアという32ビット拡張コードを導入。1046520字に拡張した。

Unicodeの最大の特徴は漢字をCJK（China, Japan, Korea）統合漢字として中国語，日本語，韓国語の間で似ている漢字を共通コードの異体字（書体が異なる同じ字）として扱い，異体字の表示はフォントの切り替えで対応させていること。但し，中国語の簡体字と繁体字は別字とみなされ別のコードがわりあてられている。CJK統合については，人名地名などの異体字を法的にも文化的にも別字に扱う日本から，強い異論が出されたが，大方の賛同を得られなかった。

MS Hei

一丁丂七丄丅丆万丈三上下丌不与丐
丑丒专且丕世丗丘丙业丛东丝丞丢
北両丢亓两严並丧丨丩个丫丬中丮丯

MS ゴシック

一丁■七■■■万丈三上下■不与■
丐丑■■且丕世丗丘丙■■■■丞■
■両■■■■並■丨■个■■中■■

CJK 統合漢字 「与」「丑」などが異なる

U

UNIX 【ユニックス】

1969年，AT&Tベル研究所で開発されたマルチユーザーマルチタスクOS。現在ではパーソナルコンピュータから大型コンピュータにまで移植されている。とくにワークステーション用のOSとして広く利用されている。

元々は同社の社内用OSとして開発されたが，ソースコードや技術情報が公開されたために，大学や研究所に急速に広まった。

階層型ディレクトリ構造をもち，データだけでなく，キーボードや画面，ディスクなども読み書き可能なファイルとして扱う。

プログラム開発やテキスト処理のための豊富なコマンド群(ソフトウェアツール群) が用意されている。コマンドの多くはフィルタとして，パイプ機能によって連結してデータを連続処理することが可能。

しかしいっぽうで方言の多いOSであり，AT&TによるSystem Vバージョンのほか，カリフォルニア大学バークレー校によるBSD版が有名。

近年，仕様の統一化を念頭にAT&T社系のUIとIBM社を中心とするOSFのふたつの団体が設立され，System V Release4の仕様にOSF/MotifのGUIを標準とすることになった。

○OSF, UI, USL, IEEE, X/Open, POSIX, XENIX, BSD 版

UPS 【ユーピーエス】　*Uninterruptible Power Supply*

無停電電源装置。バッテリと充電回路，インバータ回路，停電感知回路からなり，通常はACラインからの電源を供給しているが，停電時にはバッテリからの電流を交流に変換して送り出す。

サーバや業務用のパーソナルコンピュータなど，停電によってシステムがダウンしたり，データが失われた場合に多大な損失を被る機器に使われる。

ただし，通常のUPSは5分から10分程度しかバッテリがもたないので，停電時にすみやかにデータを保存し，正常にシステムをシャットダウンするための延命装置と考えなければならない。

NetWareなどは，UPS動作信号をチェックして，自動シャットダウンする機能をもっている。

URL 【ユーアールエル】　*Uniform Resource Locator*

その情報がインターネット上のどこに存在するのかを記述した文字列。インターネットにおける情報の住所のようなもの。Webブラウザで，ホームページを表示する際などに利用する。記述の形式

には，基本的に決まりがあり，

> アクセス方法://サーバのドメインネーム/ディレクトリ名/
> ファイル名

という書式で表される。(ニュースサーバのURLは，「news:ニュースグループ.カテゴリ」という変則的な書式となる。)
アクセス方法の部分は接続するサーバによってつぎのように指定する

http://	HTTPサーバ(WWWサーバ)
ftp://	FTPサーバ
gopher://	Gopherサーバ
mailto:	電子メール
news:	USENETニュース
telnet://	Telnetサーバ
wais://	WAISサーバ(広域情報サーバ)

例えば，NTTの日本語ホームページは，「http://www.ntt.co.jp/」と表される。なお，以前アクセスしたURLでつながらないとき(「Not Found」などと表示される)は，ホスト側の都合でURLが変更されている場合が多い。

USB 【ユーエスビー】 *Universal Serial Bus*

USBケーブル　アイ・オー・データ機器 (株)

周辺機器を接続するためのシリアルバス仕様。キーボード，マウス，モデム，プリンタなど従来はそれぞれ周辺機器ごとにコ

ネクタが異なっていたのを，同一形状のUSBポートに統一する。
電源が入ったまま，どの機器をどこに抜き差ししても構わない。
Windows98で標準でサポートされるようになった。

USENET 【ユーズネット】　*user's network*

全世界に広がる巨大な電子会議システム。コンピュータ関係から
社会問題，趣味，生活などさまざまなテーマごとに分かれたニュー
ズグループからできており，毎日数百Mバイトのニュースがやり
とりされている。

インターネットとは関係が深く，データの多くがインターネットを
流れているが，インターネットのすべてのホストがUSENET に
参加しているわけではなく，USENETのすべてのホストがイン
ターネット上にあるわけではない。

UTRA 【ユーティーアールエー】　*Universal Terrestrial Radio Access*

ETSI（欧州電気通信標準化協会）で策定されたヨーロッパでの広
帯域CDMAの規格。日本のW-CDMAとほぼ同じ仕様。

UUCP 【ユーユーシーピー】　*Unix to Unix CoPy*

通常の電話回線とモデムによって，UNIX システム同士でファイル
を転送するためのプログラム。

日本では，JUNETがUUCPによって全国を結ぶネットワークの
実験を行った。

uuencode/uudecode 【ユーユーエンコード／ユーユーデコード】　*UNIX UNIX encode/UNIX UNIX decode*

テキストファイルしか送ることのできないUNIX ネットワークで，
バイナリファイルをやりとりするために，バイナリファイルをテキ
ストファイルに変換するプログラム。

uuencodeがバイナリファイルをテキストファイルに，uudecodeが
テキストファイルをバイナリファイルに変換する。

UUPC 【ユーユーピーシー】

MS-DOS上で実行できるUUCP。UUCPが動いているUNIXマ
シンにモデム経由でアクセスし，メールの送受信，転送，ファイ
ルのコピーなどができる。力武健次氏によって日本語化された。
ニュースを読み書きする機能は含まれていないので，ニュースの読
み書きにはアマチュア無線用のTCP/IP パッケージである寺子屋
システムを力武氏がUUPC用に改造したterakoya-uを利用する。
いずれもフリーソフトウェア。

V30 【ブイサンジュウ】 *V30*

NECが開発した8086改良型の16ビットCPU。8086に比べて約30%ほど高速。PC-9800シリーズを日本のパーソナルコンピュータの代名詞に決定付けた名機PC-9800VMで使用された。

8086より多少の命令強化は行われていたが，その機能が利用されることは少なく，8086互換CPUといえる。

8086と同じくデータバスは16ビットで，アドレスバスは20ビットのCPUである。

V.34

ITU-T（国際電気通信連合の電気通信標準化部会）で標準化されたモデムの規格。28800bpsから33600bpsの全2重通信が可能。

V.90 【ブイキュウジュウ】 *V.90*

56Kbpsアナログモデムの標準仕様。これまで56Kモデムの方式としてx2方式とK56flex方式の2つがあり，それらに互換性がないために，56Kbpsの速度で通信を行う場合は両者が同じ方式のモデムでないと通信できなかった。これを国際電気通信連合（ITU）がV.90に統合し，1998年2月に採択，9月に国際規格となった。

V.110

ITU-T（国際電気通信連合の電気通信標準化部会）で標準化されたTA（ターミナルアダプタ）の規格。パソコンのシリアルインターフェイスとISDN間の接続仕様を定めている。

V.120

ITU-T（国際電気通信連合の電気通信標準化部会）で標準化されたTA（ターミナルアダプタ）の規格。パソコンのシリアルインターフェースとISDN間の，統計的多重化による接続仕様を定めている。

V-Text 【ブイテキスト】

可変解像度表示のこと。DOS/VでV-Textドライバを組み込むことで，標準の640×480ドット以外の解像度による表示をする画面モード。SVGAやXGAで800×600，1024×768ドットといった高解像度にしたり，24ドットフォントを使ってきれいな文字を表示できる。

V

ただし，アプリケーションを高解像度で使用するには，そのアプリケーションがV-Textに対応しているものでなければならない。

最初は，BBS上でアイデアが検討され，フリーソフトウェアとしてドライバが配布された。日本アイ・ビー・エムが正式に採用したこと，ドライバが商品として販売されるようになったことから対応アプリケーションも増えている。以前は「HiText」と呼ばれていたが，商標登録の関係でV-Textに統一された。

V.Fast 【ブイファースト】 *V.Fastclass*

米国のモデムチップメーカーであるRockwell International社が，ITU-T(国際電気通信連合電気通信標準化部門)によって標準化が予定されていた高速モデムの仕様を基に作成した規格。28800bpsの高速通信が行えることが特長。現在，ITU-Tでは，V.34規格を推進しており，最近ではV.Fastに準拠したモデムは減りつつある。

VFAT 【ブイファット】 *Virtual File Allocation Table*

MS-DOSの16ビットFATと互換性を保ちながら32ビットファイルアクセスを行う仮想ファイルシステム。Windows for Workgroups で採用され，Windows95以降に引き継がれた。Windows95では新たにロングファイルネームをサポートした。

VAN 【バン】 *Value Added Network*

付加価値通信網の略称。NTTなどの通信回線提供業者から回線を借り受けて，そこに新たな処理システムなどの付加価値をもたせてサービスを行うネットワーク。

ユーザーはパーソナルコンピュータなどの情報端末を使い，センターのデータベースを利用したり，文字だけでなく音声や画像を受信できるようになる。

VAR 【バー】 *Value Added Reseller*

既存のコンピュータ機器やソフトウェアを仕入れ，それに付加価値をつけて販売する業者。この利点は，既存の機器やソフトを利用するためユーザーに応じたソフトやシステムを短期間で安価に開発できることにある。

Vbox 【ブイボックス】

SONYのビデオ機器制御インターフェイス。パーソナルコンピュータとRS-232Cで接続し，LANCやCONTROL-SというSONY独自のビデオ機器制御信号でビデオ機器と接続する。パーソナルコンピュータから多数のビデオ機器を制御できる。

◑LANC

VCCI 【ブイシーシーアイ】　*Voluntary Control Council for Interference by Data Processing Equipment and Electronic Office Machines*

情報処理装置等電波障害自主規制協議会。1985年12月, OA機器などが原因による雑音を防止することを目的とし, 関連業界が自主的に設立した団体。装置を規制する基準には, 技術基準と運用基準の2つが定められている。

VCPI 【ブイシーピーアイ】　*Virtual Control Program Interface*

DOSエクステンダやEMSエミュレータなど, プロテクトモードを利用するプログラムの間でメモリの競合が起きないようにする規格。現在では, 同じ目的でMicrosoft社が制定したDPMIが主流となっている。

⊃DOS エクステンダ, DPMI

VDO Live 【ブイディーオーライブ】

イスラエルのVDOnet社の開発したマルチメディアストリーミング配信・再生ソフトウェアパッケージの商品名。独自の動画は同社独自の圧縮技術で, 音声の圧縮方式には日本のNTTのTwinVQが採用された。

VDSL 【ブイディーエスエル】　*Very high bit rate DSL*

超高速デジタル加入者線。DSLの最高速の方式。非対称で往路52Mbps復路6.4Mbpsと双方向26Mbpsのものがある。

VDT フィルタ 【ブイディーティーフィルタ】　*Video Display Terminal Filter*

ディスプレイ装置に取り付け, ユーザーのVDT(映像表示端末)操作による健康障害を防止するためのフィルタ。もともと, 目に対する影響の懸念から開発されたが, 現在では, マイクロメッシュフィルタや円偏光板で反射光をカットするものや電磁波を防御するものなどが販売されている。

VENUS-P 【ビーナスピー】　*Valuable and Efficient Network Utility Service-Packet*

1982年4月からKDD社によって提案・運営されている, パケット交換方式を用いた国際公衆データ伝送サービス。現在は, 英・米など約70ヶ国のパケット交換網と接続されている。海外のネットワークを使う場合には, 国際電話を使うよりも安くなる。

VESA 【ベサ】　*Video Electronics Standards Association*

アメリカのディスプレイメーカーとビデオアダプタメーカーの組合。IBM PC互換機用のSVGA(Supver VGA)は標準となる規格

V

がなく，各メーカーが独自に仕様を制定したため，これを統一するために組織された。

最近では高速データ転送のためのローカルバスについてVL-Bus規格を制定した。

VGA 【ブイジーエー】　*Video Graphics Array*

IBM PS/2の上位機種で採用したグラフィック機構。

640 × 480ドット	16色	
320 × 200ドット	26万色中256色	

の表示ができる。

VGAそのものは，現在DOS/Vを含めたAT互換機の世界では過去のものだが，現在のSVGAやXGA-2といった高性能グラフィック機構のベースになっている。

vi 【ブイアイ】

UNIXの対話型エディタ。ラインエディタのedをベースに，カリフォルニア大学バークレー校の大学院生であったWilliam Joy（現Sun Microsystems社取締役）が開発した。名前はvisualに由来している。

ラインエディタ版のexと一体化しており，コマンドモードと文字入力モードが分離しているのも特徴。きわめて多くの機能があり，ほとんどのUNIX系OSに標準で付属している。MS-DOS版もある。

○ラインエディタ

VideoCD 【ビデオシーディー】

最大74分のデジタル動画映像や高精細静止画と，デジタル音声が記録されているCDと同サイズのディスク。動画，音楽，写真集などの広範囲な内容を扱えるメディアとして期待される。1993年3月にカラオケCDとしてバージョン1.0が規格され，93年10月にビデオCDとしてバージョン1.1，94年7月にはさらにバージョン2.0がPHILIPS社，ビクター，松下，ソニーの各社によって規格された。バージョン1.1がMPEG1に準拠したデジタル動画・音声しか収録できなかったのに対し，バージョン2.0では704 × 480画素の高精細静止画が約2000枚収録できるほか，プレイバックコントロール機能と呼ばれるインタラクティブ操作もできる。

Video for Windows 【ビデオフォアウィンドウズ】

Microsoft社が開発した，Windows上で音声（データ）と動画（像

データ)を扱うシステム。

AVIという拡張子をもつムービーファイルをソフトウェアだけで再生できる。機種の動作速度によらず，同じ時間で再生できる。Windows3.1専用。

Virtual PC 【バーチャルピーシー】

PowerMacでPC/AT互換機をエミュレートするソフトウェア製品。Connectix社製。

Visual Basic 【ビジュアルベーシック】

Microsoft社が開発したプログラミング言語。従来のBasicが命令コードを1ステップずつ記述していく方式だったのと異なり，GUI部分をビジュアルにプログラミングすることができる。フォームと呼ばれるウインドウの上に，コントロールと呼ばれるボタンやスクロールバー等の部品を配置し，プロパティという属性を設定することでGUI画面が作成できる。ボタンをマウスでクリックされた時などに実行する処理内容は従来と同様に命令コードで記述する必要があるが，GUI部分については比較にならないほど簡単になった。

VisualBasicScript 【ビジュアルベーシックスクリプト】

Microsoft社がインターネットブラウザのMicrosoft Explorer 3.0からサポートしたWebページ上で動作するスクリプティング言語。Netscape Communications社のJavaScriptに相当する機能をVisualBasic言語で実現する。正式名称はMicrosoft VisualBasic Scripting Edition 。

Visual C ++ 【ビジュアルシープラスプラス】

Microsoft社が開発したC＋＋のコンパイラ。⊃C＋＋

VisualJavaScript 【ビジュアルジャバスクリプト】

Netscape社のJavaScriptアプリケーション作成支援ツール。

Visual Studio 【ビジュアルスタジオ】

Microsoft社のVisual Basic, Visual C++, Visual J++, Visual InteDevの各開発ツール，言語製品を1パッケージにまとめたもの。

VL-Bus 【ブイエルバス】 *VESA local bus*

VESAの決めた32ビットおよび64ビットのローカルバス規格，およびそのスロットの名称。ISAバスやMCAの拡張スロットを改良してローカルバススロットとする規格。

ビデオアダプタ，SCSIホストアダプタ，ネットワークアダプタをサポートし，これらの周辺機器と高速にデータをやりとりできる。

○VESA, ローカルバス, MCA, ISA バス

VLSI 【ブイエルエスアイ】　*Very Large Scale Integration*

①10万素子以上をひとつのパッケージに収めたIC。登場当時は超LSIと訳されたが, 100万素子以上をULSI(Ultra Large Scale Integration) と呼ぶようになったためあまり訳されなくなった。②VLSIテクノロジー社の略

VOD 【ブイオーディー】　*Video On Demand*

マルチメディア時代に発展が期待される, 双方向テレビサービスのひとつ。視聴者がいつでも好きな番組をリクエストでき, アメリカでは, 映画の視聴で成功している。大容量のスーパーハイウェイやコンピュータとの直結が, このようなサービスを可能にさせる。この情報設備基盤を利用することで, 大規模なテレビバンキング, テレビショッピング, さらにテレビ図書館, テレビ教育などが簡単に実現できる。

VR 【ブイアール】　*Virtual Reality*

○バーチャルリアリティ

VRAM 【ブイラム】　*video RAM*

グラフィック画面やテキスト画面など, CRTに表示されるデータを格納したメモリをさす。グラフィック表示では大量のメモリが必要で, 640×400ドットの16色表示では128Kバイト, 1024×768ドットの256色表示では1MバイトのVRAMが必要となる。

VRML 【ブイアールエムエル】　*Virtual Reality Modeling Language*

米シリコングラフィックス社などが開発した, インターネット上で3D画像を見ることができる言語。この言語を使うと, インターネットのホームページ上で, 奥行きのあるグラフィックスや, 迷路ゲームのような立体感のあるグラフィックスを表示することができる。Netscape NavigatorやInternet Explorerなどには専用のプラグインがあり, それを組み込むことで見ることができる。(次ページ図参照) ○プラグイン

VT-100 エミュレータ 【ブイティーヒャクエミュレータ】　*VT-100 emulator*

DEC社の端末VT-100の画面をエミュレーションするソフトウェア。多くの通信用ソフトウェアでVT-100エミュレーション機能が備わっている。他にVT-52, VT-200なども使われている。

VXML 【ブイエックスエムエル】　*Voice eXtensible Markup Language*

Web上で音声による対話的な操作をするためのマークアップ言語。

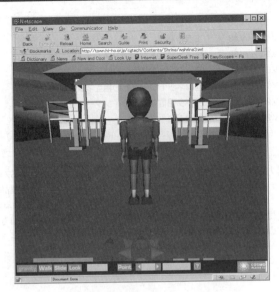

VRML を利用したホームページ

WebサーバのCGIアプリケーションを会話で操作できるよう，命令と回答の入出力インターフェイスをWebページに記述するマークアップ言語として標準化しようというもの。電話などを通じて声でWebサーバにアクセスし，音声で情報を得ることができる。AT&T社，IBM社，Lucent Technologies社，Motorola社が設立したVXMLフォーラムで策定され，W3Cに提案された。

Vz エディタ 【ブイゼットエディタ】　*Vz editor*

兵藤嘉彦氏が開発し，ビレッジセンターが販売するMS-DOS用スクリーンエディタ。

V シリーズ勧告 【ブイシリーズカンコク】　*V-series recommendation*

ITU-T（国際電気通信連合の電気通信標準化部会）で定めている電話回線ネットワークによるコンピュータ通信の規格。主に通信モデム，TAの通信手順やエラー制御など。

| V.1 ～ V.8 bis | 一般 |
| V.10 ～ V.34 | インターフェイスと音声帯域モデム |

V.36 ～ V.38	広帯域モデム
V.41 ～ V.43	エラー制御
V.50 ～ V.58	伝送品質とメンテナンス
V.61 ～ V.90	データと他の信号の同時伝送
V.100 ～ V.140	他のネットワークとの相互ネットワーク接続
V.230	データ通信のためのインターフェイス層仕様
V.250 ～ V.253	制御手順

(1999 年 5 月 List of ITU-T V-Series Recommendations in force)

Ｖチップ　【ブイチップ】　*V-chip*

　暴力・性描写などを含む特定の放送番組を視聴できなくするハードウェア。ＶはViolenceを意味する。1996年米国では新製品のTVにVチップ装着を義務づけた。わが国でも論議されているが、逆に成人向け一般放送の表現が過激化するとの懸念から反論も出ている。既存のテレビにあとから取り付けられるVチップセットトップボックスなどの製品も開発されている。

W3C 【ダブリュースリーシー】　*World Wide Web Consortium*

1994年に設立されたWWWに関する規格の標準化を担当する団体。米におけるMIT LCS (Massachusetts Institute of Technology Laboratory for Computer Science, マサチューセッツ工科大学電算科学実験室), 欧州におけるINRIA (Institut National de Recherche en Informatique et en Automatique, フランス国立電算制御研究所), アジアにおける慶應義塾大学SFCの三者が運営を担当している。2大ブラウザのメーカMicrosoft社, Netscape Communications社を含む多くの企業が会員となっており, この場で合意されたHTML, HTTPの仕様が世界標準として各社のブラウザやサーバ製品間の互換性を保証することになる。

Wabi 【ワビ】　*Windows Application Binary Interface*

Unixを搭載したワークステーションでWindowsパソコン用のアプリケーションを動作させることができるソフトウェア。Sun Microsystems社の子会社 Sun Soft社が開発した。Microsoft Windowsアプリケーションのシステムコールを X-Windowのシステムコールに変換する。

WAIS 【ウエイズ】　*Wide Area Information Service*

インターネットで, データベース検索を行うためのシステム。現在, 多くのサイトがこのWAISによってデータベースを構築しており, より簡単にデータが検索できるようになった。ユーザーはWAISサーバに接続し, 検索のためのキーワードを指定すると対応するデータが表示される。

WAN 【ワン】　*Wide Area Network*

広域ネットワークのこと。広範な地域に作るネットワークをさす。銀行のオンラインシステムなどから発展してきたコンピュータネットワークで, 公衆回線網を利用して通信を行う。

学術目的のネットワークでDarpaネットワーク, 国内では七大学の計算センターを接続しているN-1ネットワークなどがある。

WAP 【ワップ】　*Wireless Application Protocol*

携帯情報通信端末のインターネット対応に向けた統一規格。携帯電話, PHS, ポケットベルなど, すべての小型無線通信端末での

W

インターネット環境を標準化しようとするもの。Unwired Planet社（現Phone.com社）とMotorola社などによって設立され，現在ほとんどの携帯電話会社が加盟するWAPフォーラムによって制定される。コンテンツ記述言語WML，通信プロトコルWSP，WTPなどが規定されている。

WAVファイル 【ワブファイル】

Windowsで標準的に使われているWAVE形式の音声ファイルのこと。ファイルの拡張子をwavと記述することからWAVファイルと呼ばれる。WAVEデータは基本的にはサンプリングファイルなので，再生するにはスピーカーのほかにSoundBlaserなどのサウンドボードが必要となる。

◯サンプリング

W-CDMA 【ダブリューシーディーエムエー】 *Wideband CDMA*

NTT移動通信網（NTTドコモ）が次世代国際標準IMT-2000の規格として提唱する広域CDMAの方式。チップレート4.096Mcpsで5MHzの拡散帯域幅，最大20MHzが可能で，北米で有力なcdma2000方式より広く，またcdma2000と異なり基地間で同期をとらず，基地間隔を広くとることができる（基地を少なくすることができる）。欧州でもほぼNTTドコモのW-CDMAと同様の方式がETSI(欧州電気通信標準化協会)で採用された。日欧ではCDMA方式の携帯電話が出遅れていたところから，最初から大容量マルチメディア送信が可能なこの方式を提唱し，北米ではCDMA方式のcdmaOneがすでに一般化しているところから，互換性を重視したcdma2000を支持し，急激な変化を嫌っているという面がある。

WebTV 【ウェブティービイ】

従来の家庭用のテレビでインターネットが利用できる新しいネットワークサービス。ウェブ・ティービー・ネットワークス（株）が1997年12月よりサービスを開始した。テレビにWebTV専用のインターネット端末と電話回線をつなげば，サービスを受けられる。ホームページの閲覧だけでなく電子メールのやり取りも可能。

Webブラウザ 【ウエップブラウザ】 *Web browser*

WWWサーバへ接続したときに，その情報を見るためのアプリケーション。ホームページをみるためのソフト。「browse」とは，見て歩く，拾い読みするなどの意味。MOSAIC（モザイク）というアプリケーションがその先駆けで，一時期はMOSAIC＝Webブラウザと同義語として扱われるまでになったが，現在ではその後

に登場し，世界的に爆発的な普及を遂げたNetscape社のNetscape Navigatorと，Windowsに統合され，Macintoshにも標準添付されるMicrosoft社のInternet Explorer 2本がシェアを独占している状態にある。

○WWW，ホームページ

Netscape 社（左）と Microsoft 社の Web ブラウザ

Web ページ 【ウェブページ】　*Web page*
WWWで公開するHTMLファイルのこと。

WFW 【ダブリューエフダブリュー】　*Windows For Workgroups*
○Windows for Workgroups

Whois 【フーイズ】
指定したドメインについて，様々な情報を表示してくれるサービス。このコマンドを使うと，NICに登録されているネットワーク名，ドメイン名，組織名，住所，運用管理者等の情報が表示される。デフォルトサーバは「whois.internic.net」で，日本の場合は「whois.nic.ad.jp」で情報が得られる。
○InterNIC，JPNIC

Wide SCSI 【ワイドスカジー】
○SCSI

W

WIDE 【ワイド】 *Widely Integrated Distributed Environments*

慶応義塾大学環境情報学部の村井純教授を中心に進められている
インターネットワークの研究プロジェクト。

1987年より「広域にわたる大規模な分散環境を構築するための
技術を実証的に確立する」ことを目的として開始された。IP
(Internet Protocol) を用い，WNOC (WIDE Network Operation Center) とよばれる基幹組織からハブ形式で各参加組織を
結んでいる。

国内のJUNET, JOIN, TISN, JAIN, SINET, アメリカのNFS-
NET，ヨーロッパのEUNETなどと相互接続されている。

WIFE 【ワイフ】 *Windows Intelligent Font Environment*

日本語MS-Windows3.0で日本語フォントをサポートするために
組み込まれたフォント管理システム。日本語MS-Windowsでは，
WIFEに対応した各種アウトラインフォントを使うことができる。

WIN.INI 【ウインイニ】

Windowsの画面設定や各種アプリケーションの設定などを保存し
ておくファイル。

Win16 【ウィンジュウロク】

MS-Windows3.1で採用されているAPI(application programming
interface)のこと。16ビットCPUである80286のアーキテクチ
ャを対象としているので，64Kバイトセグメントの制限があるな
ど，80386以上の32ビットCPUの能力を活用できない。

Win32 【ウィンサンジュウニ】

Windows NT Windows95で採用されている32ビットCPU用の
API。Win16の機能のほとんどを含み，さらにマルチタスク，マル
チスレッド，メモリ管理，セキュリティ，TCP/IP，ベジェ曲線，コ
ンソール入出力，仮想記憶管理などをサポートしている。

Win32のサブセットであるWin32sはWindows3.1で利用できる。

Windows95 【ウィンドウズキュウジュウゴ】

Microsoft社の開発したウィンドウシステムの最新バージョン。
32ビット命令に対応しており，Pentiumなどの32ビット以上の
CPUでは，それまでの16ビットOS(Windows3.1)に比べ，高速に
処理が行えるようになった。また，電話回線やファクシミリの制御
機能を持ち，マルチメディア機能を標準で備えた。このほか，各種
周辺機器を接続するだけで認識することができるプラグ&プレイ
などが装備された。

Windows98 【ウィンドウズキュウジュウハチ】

Microsoft社のウィンドウズシステムの最新版で、1998年6月25日に発売（英語版）。Windows95に新機能を付加し、1）インストールの簡略化やアップデートの自動化などの操作性の改善、2）起動や終了が高速化するなどの電源管理機能、3）DVDの再生やUSBでの接続に対応する機能、などを含め随所で性能の向上が図られている。

Windows 98 Second Edition 【ウィンドウズキュウジュウハチセカンドエディション】

1999年9月に発売されたMicrosoft社のパソコン用OS。2000年問題を解決するWindows98 Service Pack1の機能に加え、ソフトウェアによるダイアルアップルータ機能「インターネット接続共有」などが付加されている。

Windows 98 Second Edition

Windows 2000 【ウィンドウズニセン】

Microsoft社が西暦1999年に出荷を予定しているコンピュータ用OSの製品名。WindowsNT5.0を名称変更したもの。

W

Windows NT Workstation に相当する Windows 2000 Profes sionalと, Windows 2000 Server, Windows 2000 Advanced Server, Windows 2000 Datacenter Server のサーバー3製品が発表されている。

⊃Windows NT

WindowsCE 【ウィンドウズシーイー】

携帯情報端末などで利用できるように開発されたOSでWindowsの小型版ともいえるものである。1996年秋にMicrosoft社が発表した。WordやExcelの簡易版やブラウザも標準で含まれている。すでにWindowsCEを組み込んだ携帯情報端末がハンドヘルドPCとして数社から製品化されている。また1997年11月からはカラー表示可能のWindowsCE 2.0がアメリカで発売され、これはPDAや携帯電話、テレビゲームなどのほか、広く家電製品まで搭載されることが見込まれている。2.0の日本版1998年3月に発売され、これに対応するハンドヘルドPCも製品化されている。

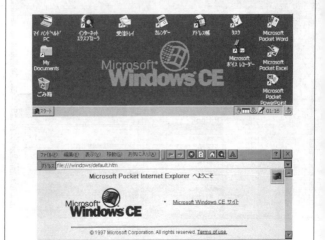

日本語版 WindowsCE2.0

Windows for Workgroups 【ウィンドウズフォアワークグループス】

Windows3.1をベースに開発されたMicrosoft社のネットワーク OS。ピアツーピアネットワーク機能のほか，32ビットファイルア クセスなど，インターフェイス以外はWindows95の前身ともいえ るOSだったが日本語化されなかった。

Windows Media Audio 【ウィンドウズメディアオーディオ】

Microsoft社の音声圧縮・伸張技術。コードネームでMS Audioと いわれていたもの。同社によれば，MP3ファイルの半分の容量で ほぼ同等の音質を実現する。Windows Media Player 6.2のASF ファイルに採用された。

Windows NT 【ウィンドウズエヌティー】　*Windows NT*

Windows NT

ハイエンドマシン用に特別に強化されたWindows。それ自体が OSの機能を備え，80386以上の80x86系CPUだけでなく，Al pha, MIPS R4000などのRISC系CPUにも対応している。 複数CPUを同時動作させるマルチプロセッシング機能，複数タ スクの実行時にあるタスクが暴走しても他は影響を受けない完璧 なマルチタスク機能，単一のプログラム内で複数の処理を平行し て行うマルチスレッド機能，複数の入出力を同時に処理する非同 期入出力機能，マルチユーザーに対応したセキュリティ機能など，

W

UNIX並みの高度な機能を搭載している。内部の文字コードとしてはUnicodeを採用している。バージョン4.0からWindows95と同じ操作体系が採用された。

Windows Terminal 【ウィンドウズターミナル】

Microsoft社がNCに対抗して提唱している構想。NetPCよりさらにWindowsクライアントの端末化を推進したもの。プログラムの実行はすべてサーバ側で行いWindowsクライアントでは入出力の結果表示しか行わない。

⊃NC

Windows キー 【ウィンドウズキー】　*Windows key*

Windows用パソコンのキーボード（103キーボード，109キーボード）に装備された特殊キー。単独ではスタートメニューを表示する機能があるほか，他のキーと組み合わせるショートカット・キーとして，システムの様々な設定ウィンドウを開く機能がわりあてられている。

⊃103キーボード，109キーボード

Windows スクリプティングホスト 【ウインドウズスプリクティングホスト】　*Windows Scripting Host, WSH*

Windows スクリプティングホスト

Windows98, 95やNTで, InternetExplorer4.0からサポートされたWindowsのマクロ実行プログラム。GUIではWSCRIPT.EXE, コマンドラインから はCSCRIPT.EXE。Visual Basic ScriptやJScriptを使用してWindowsの自動実行マクロが作成できる。

Winer, Nobert 【ウィナー, ノバート】 *Nobert Winer*

アメリカの数学者（1894～1964)。サイバネティックス理論の創始者として知られる。1930年代, 神経性理学者A. Rosenbuluethとともに計算器と生物の神経系の類似に注目, 1948年,『サイバネティックス』を発表し, さまざまな分野に大きな影響を与えた。

⇨サイバネティックス

WinG 【ウィンジー】

Windowsで, 高速に画面描画を行うことができるグラフィックライブラリ。Windowsは, DOSに比べ描画が遅いことから高速な画像書き換えが要求されるゲームなどでは不利であった。この欠点を解消するためにMicrosoft社が開発した。このルーチンを使うことで, WindowsでDOS並みの高速な画面描画が行える。通常GDI(ディスプレイに表示するグラフィックイメージを生成するところ)を介して画面描画を行う従来の方式に対して, グラフィックエンジンがダイレクトに描画を行うことで, 高速に画面の書き換えが可能となった。現在はDirectXのDirectDrawがこれに相当する。

WINS 【ウィンズ】 *Windows Internet Naming Service*

Windows NTのLANで稼動しているコンピュータの端末名（NetBIOS名）とIPアドレスの対応情報を保持しているサーバプログラム。Windows NT Serverでインターネット又はTCP/IPネットワークを稼動させるのに必要となる。Windows NTのNetBIOSでは, 半角15文字までの名前でコンピュータを識別するが, TCP/IPネットワークではIPアドレスで識別している。Windows 端末がルータを超えてTCP/IPのネットワーク上の他のWindows端末をNetBIOS名で認識するためには, NetBIOS名に対応するIPアドレスをWINSサーバに問い合わせる必要がある。

Wizardry 【ウィザードリー】

パーソナルコンピュータ用ロールプレイングゲーム(RPG)。第1作は1981年, アメリカのCirtech社からAppleII用に発売された。作者はAndrew GreenbergとRobert Woodhead。「D&D」をベースにしたもので, プレイヤーがチームを組み, 地下迷宮で敵と戦

う。その後のRPGに大きな影響を与えた。
○RPG

WML 【ダブリューエムエル】　*Wireless Markup Language*

携帯電話などの携帯情報端末でHTMLページよりも効率的なインターネット情報検索・発信ができるようなコンテンツを作成するための記述言語。画像表示，フレームなど，携帯情報端末に不向きな機能を除き，テキスト表示性能の向上や表示メモリの節減に対応した工夫がなされている。Unwired Planet 社（現Phone.com 社）が自社のUP.Browser用に開発したHDMLをもとに，1998年，XML1.0に基づいて制定され，WAP1.0の仕様に含まれる。

Word 【ワード】　*Microsoft Word*

Microsoft社のワードプロセッサ。MS-DOS版が開発され、後にWindows、Macintoshへ移植された。日本語ワードプロセッサとしてはMS-Windows3.x対応のMS-Word1.2 for Windowsが最初で、MS-DOS版はない。以後、Word5.0、Word6.0、Word95、Word97、Word98（日本語版のみ）、Word2000がある。MS-DOSの英文ワードプロセッサはWordPerfectとWordStarが世界的に普及していたが、Windowsの登場でWordがこれを凌ぎ、日本語ワードプロセッサとしても一太郎と並ぶ代表的な製品となった。

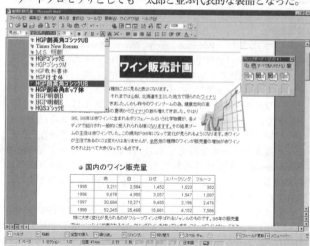

Microsoft Word2000

W

WordPerfect 【ワードパーフェクト】

Corel社のワードプロセッサ。MS-DOS時代の英文ワードプロセッサとしては世界でもっとも多く使われた。日本ではWindows版から日英両用ワードプロセッサとなった。MS-DOS用, Macintosh用, Windows用がある。

WordStar 【ワードスター】

WordStar社の英文ワードプロセッサ。CP/Mの時代からMS-DOSの初期にかけてもっとも多く使われた。

WORM 【ウォーム】　*Write Once Read Many*

一度書き込むと, その内容の変更ができなくなり, 読み出しのみとなる光ディスク。レーザ光線を照射し, ディスク内部の物質を化学的に変性させることでデータを記憶する。1GB程度の大容量をもち, 保存性は大変良い。

Wozniak, Steve 【ウォズニアク, スティーブ】　*Steve Wozniak*

Apple I, Apple IIの開発者であり, Steve JobsとともにApple Computer社の共同創設者。1950年カリフォルニア生まれ。

少年時代よりエレクトロニクス工作に熱中。1971年, 高校時代の友人, Bill FernadezからSteve Jobsを紹介される。1973年, カリフォルニア大学バークレー校を休学してHewlett-Packard社に入社, 電卓のハードウェア設計を担当しながら副業としてAtari社でゲームソフトウェアの開発などを行う。

その後, コンピュータ自作マニアの集り, ホームブルーコンピュータクラブに出入りし, Altairなどに触れ, パーソナルコンピュータの制作にとりかかり, 1976年, Apple Iを発表。続いてApple IIを開発した。

WSH 【ダブリューエスエイチ】

◊Windows スクリプティングホスト

Wterm 【ダブルターム】

H.INOUE氏, TOMTOM氏によって開発された通信ソフトウェア。フリーソフトウェアとして配布されている。バックスクロール, オートダイアル, オートログイン, 各種プロトコルなど豊富な機能と強力なマクロ言語をもっている。PC-9800, J-3100, DOS/V用, Windows用などがある。

WWW 【ダブリュダブリュダブリュ/トリプルダブリュ】　*World Wide Web*

ネットワーク上に散在するさまざまな情報を, 誰もがアクセスできる情報として公開するためのメカニズム。スイスにある

CERN(Conseil Européen pour la Recherche Nucleaire, 欧州共同原子核研究機関)でTim Berners Leeにより発明され, 世界中へ広まった。インターネット上にクモの巣(Web)を張るように情報のリンクが張り巡らされるため, この名前が付けられた。情報は, HTML(Hypertext Markup Language)と呼ばれるハイパーテキスト形式で記述され, 文字だけでなく, 音声, 画像, 動画などを組み合わせて情報を表現することができる。また, WWWによる情報にアクセスするためのソフトとしては, イリノイ大学のNCSA(National Centerfor Supercomputing Applications)が開発したMosaicや, Netscape Communications社のNetscape Navigatorや Communicator, Sun Microsystems社のHot Java, Sun Microsoft社のInternet Explorerなどが有名である。(次ページ図参照)

⊙CERN, HTML, NetscapeNavigator, Web ブラウザ

WYSIWYG 【ウィズウィグ, ウィジウィーグ】　*What You See Is What You Get*

画面上で表示されたイメージがそのまま印刷できる, ということ。MS-DOS用のワードプロセッサでは, フォントサイズや書体, 文字間隔など表示されるものと実際の印字とがかけ離れている。これに対し, MacintoshやWindowsでアウトラインフォントを使った場合や TeX のプレビューで表示したものは印刷仕上りとほぼ同じイメージで表示される。

W

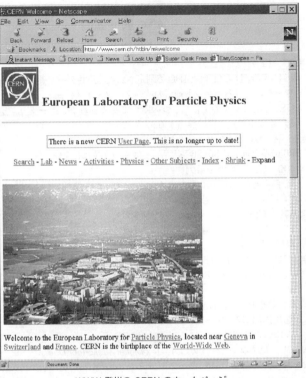

WWW 発祥の CERN のホームページ

X

X.25 【エックスニイゴウ】

ITU-TS(旧CCITT)とISOで制定された,公共データ通信ネットワークにおけるパケット通信のインターフェイス仕様。

OSI参照モデルの下位の3つの階層である物理層,データリンク層,ネットワーク層に該当する。

x86系 【ハチロクケイ】

8086系と同じ。80x86系とも。xはふつう発音しない。

X.400 【エックスヨンヒャク】

電子メールの交換に関するインターフェイス仕様。ITU-TS(旧CCITT)とISOで制定された。

X.509 【エックスゴマルキュウ】

ITU-T標準の公開鍵暗号方式によるデジタル署名の方法を定めた規格。

XCMD 【クロスコマンド,エックスコマンド】　　　*external command*

MacintoshのHyperCardに新しい機能を追加するための外部コマンド。

C言語やPascal,BASICなどで開発し,リソースの形で供給する。使用するにはリソースエディタでHyperCardに組み込み,Hyper-Talkから呼び出す。

xDSL 【エックスディーエスエル】　　*x Digital Subscriber Line*

　○DSL

Xeon 【ゼオン】

Intel社が,サーバ又はハイエンドのワークステーション用としている,CPUのチップセット。これを採用したCPUにPentium II Xeon,Pentium III Xeon がある。(次ページ図参照)

　○チップセット

XFree86 【エックスフリーハチロク】

非営利団体The XFree86 Project社が開発,権利を保有しているフリーウェアのXサーバプログラム。はじめIntel社のx86系CPUアーキテクチャで動作するため,Linuxなど圧倒的なシェアをもつパソコン用UNIXの世界で広がったが,現在はワークステーションなど他のプラットフォーム上への移植も進んでいる。

Intel 社 Pentium III Xeon

XGA 【エックスジーエー】 *extended graphics array*

IBM社が提唱するビデオアダプタ，あるいはディスプレイ表示の
規格のひとつ。解像度1024×768ドット，同時に表示可能な色数
は26万色中256色で，インターレス表示。PS/55Z 30Uなどに搭
載され，VGAと上位互換性がある。

当初はMCA採用の機種に対応する規格であったが，やがてISAバ
スをサポートして高速化が図られ，ノンインターレス表示のXGA2
と進化した。

◯VGA, SVGA

XML 【エックスエムエル】 *eXtensible Markup Language*

拡張可能なマーク付け言語。電子文書の標準化を目的とする言語
SGMLの縮小版（サブセット）である。インターネットのWWW
で広く利用されるようになったHTMLをもとに，より柔軟に多
様なスタイルの表示を可能にしようということから始まった。言
語を規定するメタ言語という位置付けであり，XMLでHTMLタ
グをユーザ側で拡張できる。VML, WMLという新世代の言語は
XMLで記述される。

XMODEM 【エックスモデム】

多くのBBSで採用されているファイル転送プロトコル。1977年, Ward Christensen氏によって開発され, 公開された。

データを128バイトごとのブロックに分け, それぞれのブロックが正確に転送されたかどうかをチェックする機能をもつ。転送効率はあまり良くないが, エラーが発生した場合はブロックごとに再送信される。

エラーチェックはチェックサム方式なので, XMODEM-Sumと明記することもある。●サムチェック, プロトコル, 無手順

XMODEM-1k 【エックスモデムイチケイ】

XMODEMプロトコルを改良したもので, ファイル転送を1Kバイト単位で行うことで転送効率を上げている。

XMODEM-CRC 【エックスモデムシーアールシー】

XMODEMプロトコルを改良したもので, エラーチェックにCRC (サイクリックリダンダンシチェック) 方式を採用している。
●CRC

XMS 【エックスエムエス】　*Extended Memory Specification*

MS-DOSで80286以上のCPUを使っている場合, 640Kバイト以上のメモリを利用する方法。

640Kバイトから1024Kバイトまでのメモリ空間にあるUMB, 1024Kバイトから1088KバイトまでのHMA, 1088Kバイト以上のEMBをMS-DOSからアクセスするための規格。

Microsoft社, Lotus社, Intel社, AST Research社の4社によってまとめられ, 1988年に公開された。

MS-DOS Ver.5.0やMS-Windows3.1 にあるHIMEM.SYSというファイルはXMSを利用するためのデバイスドライバである。
●EMB, HMA, UMB

X/Open 【エックスオープン】

UNIXの標準化を目指す団体。1984年11月にヨーロッパのコンピュータメーカーによって設立。対立するUIとOSFから, それぞれAT&T社とIBM社の主力メンバーが参加し, UNIXの標準化に大きな役割を果たすものと期待されていたが, 1991年にはOSFが脱退。

いままでに, API (Application Program Interface) の標準化を行い, CAE (Common Applicat-ion Environment) と呼ばれる共通アプリケーション環境を規定している。

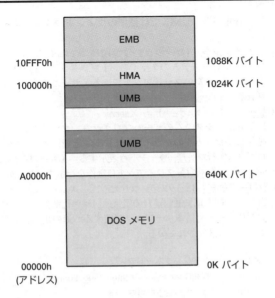

MS-DOS メモリーマップ

<u>XOR</u> 【エックスオア】　*exclusive OR*

排他的論理和。入力aとbのどちらか片方が偽(0)のときだけ出力
が真(1)になる論理演算。

a	b	a XOR b
0	0	0
0	1	1
1	0	1
1	1	0

XOR

<u>XSL</u> 【エックスエスエル】　*eXtensible Style sheet Language*

XML文書のためのスタイルシート（書式）を定義する言語。

<u>X-Window</u> 【エックスウィンドウ】

マサチューセッツ工科大学で開発されたUNIXのウィンドウシス
テム。OSFのGUIであるMotif, UIのGUIであるOPEN LOOK

にも採用され，UNIXでは標準のウィンドウシステムとなって
いる。

Xクライアント 【エックスクライアント】　*X client*
　X-Window システムのクライアントプログラム。遠隔サーバ上に
あってローカルのクライアントにあるXサーバからコントロール
される。

Xサーバ 【エックスサーバ】　*X server*
　X-Window システムのサーバプログラム。クライアントマシンで
動作し，ローカルのクライアントマシンと遠隔サーバの両方のプ
ログラム実行を管理，ウィンドウ表示する。Xサーバを介して遠隔
サーバマシン上のXクライアントに動作を指示することができる。

Xシリーズ勧告 【エックスシリーズカンコク】　*X-series recommendation*
　ITU-T（国際電気通信連合の電気通信標準化部会）で定めている
コンピュータ通信ネットワークに関する一連の規格。大まかに以
下のように区分されている。

X.1 ～	公衆データネットワーク
X.200 ～	OSI(Open Systems Interconnection)
X.300 ～	ネットワーク間接続
X.400 ～	メッセージ処理システム
X.500 ～	ディレクトリ
X.605 ～	OSI ネットワーク接続とシステム諸相
X.700 ～	OSI マネジメント
X.851 ～	OSI アプリケーション
X.901 ～	開放型分散処理

（1999 年 5 月 List of ITU-T X-Series Recommendations in force）

Y2K problem 【ワイツーケープロブレム】

Year2(000)=Kiloの略。2000年問題。

▷2000年問題

Yahoo! 【ヤフー】

スタンフォード大学電気工学科の2人の学生によって作られた
データベースをもとに構築された，米国Yahoo!社が運営する検索
サービス。インターネット上のWebサイトのアドレスを登録制で
保管しており，目的のデータがどのWebサイトに存在するかを知
ることができる，インターネットにおける検索サービスのであり最
初の成功したビジネスモデルとなった。日本では，(株)ソフトバン
クとの合弁によるヤフー株式会社が日本語によるサービスを提供
している。

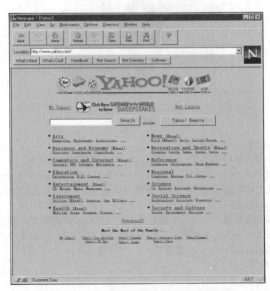

Yahoo!

YMCK 【ワイエムシーケイ】　　*Yellow Magenta Cyan blacK*

黄(Yellow), マゼンタ(Magenta), シアン(Cyan), 黒(blacK)という
カラー印刷におけるインクの基本色のこと。シアン, マゼンタ, 黄
の3色を比率を変えて重ねて印刷することで, すべての色を再現で
きる。

3色を同じ比率で重ね合わせれば黒になるが, 実際に3色重ね合わ
せで黒を印刷しても純黒に仕上がらないので, 3原色＋黒(スミ)の
4色で印刷する。

CMYKなどともいう。
⊃RGB, HSV

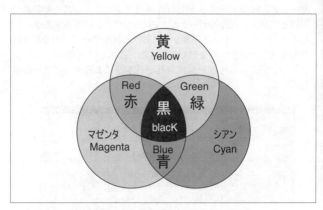

YMCK

YMODEM 【ワイモデム】

XMODEMの発展型ともいえるファイル転送プロトコル。ファイ
ル名やファイルサイズ, 日付けなどのファイルの属性までも, すべ
てまとめて送受信できるのがXMODEMと比べて改良された点。

このバリエーションとして, バッチモードによる複数ファイルの連
続転送を可能としたYMODEM-BATCHや, MNPモデムなどに
よるエラー訂正を前提とした高速型のYMODEM-g, およびこれ
らの組み合わせという改造プロトコルが多く出回っている。
⊃XMODEM

Z80 【ゼッドハチマル】

Zilog社の8ビットマイクロプロセッサ。

Intel社の8080 を改良したもので，データのブロック転送や16ビット加減算が可能になった。

8ビットのマイクロプロセッサとして最も代表的なもので，NECのPC-8001，PC-8801シリーズ，シャープのMZ-80シリーズ，沖電気のif800シリーズ，ソードのM23シリーズ，SONYのSMC-777シリーズなどに使われた。

ZIF ソケット 【ジフソケット】　*Zero Insertion Force socket*

ゼロプレッシャーソケットともいう。専用工具を使わずに，レバー操作だけでCPUの抜きさしができるソケット。足(ピン)の本数が多い486やPentiumを簡単に交換することができる。

ZIP 【ジップ】

ファイル圧縮形式のひとつで，一般的には，ファイル名の拡張子は.ZIPとつけられている。米国ではもっとも一般的な圧縮ファイルの形式で，FTPサイトに収録されているデータもZIP形式である場合が多い。圧縮・解凍するにはこの形式に対応した ツールが必要で，Nico Mak Computing社の「WinZip」などが代表的。

Zip ディスク 【ジップディスク】　*Zip disk*

Iomega社が開発したパソコン用リムーバブル磁気記憶装置。3.5インチで容量が100Mバイトのものと，250Mバイトのものがある。

ZMODEM 【ゼッドモデム】

ファイル転送プロトコルの一種。XMODEMやYMODEMの発展型で，通常，1024バイトまでのロングパケットによりデータを送受信する。

データ転送中のエラー訂正機能を備えており，バッチモードによる複数ファイルの一括転送も行うことができる。

あ

アイコン　*icon*

操作や処理の内容を分かりやすく絵で表示したもの。絵文字。
ユーザーはマウスでポインタ（画面上の位置マーク）を移動し，目的のアイコンを選択。マウスのボタンを押す（クリックする）ことで操作や処理できる。
アイコンを見れば直感的に処理が理解できるので，コンピュータ操作が容易になる。MacintoshやWindowsでは，操作のほとんどをアイコンやメニューで行うことができる。

アイデアプロセッサ　*idea processor*

アウトラインプロセッサが文章を構造的に作成することを支援するのに対して，アイデアを構造的に整理，表現するためのソフトウェア。
多くの場合，メインのアイデアと付随する情報や論拠となる事実などをフローチャートのようにグラフィカルに関連付けて表現するようになっている。なかには，KJ法，デシジョンツリーなどの手法を取り入れている製品もある。

アイビームポインタ　*i-beam pointer*

アルファベットのIの形をしているマウスポインタ。編集可能な文字の上に移動させるとマウスポインタがこの形になり，その状態でマウスをクリックすると，カーソルにあたる挿入ポイントを置くことができる。

あいまい検索　【アイマイケンサク】

大文字と小文字，漢字の異体字，旧かな，新かな，送り仮名など，同じ内容であるが表記にゆれが生じる語を検索すること。通常，コンピュータでは完全な一致を検索する機能が中心だが，ワープロなど特に人間の文章を扱うソフトウェアでは必要不可欠な機能。

アウトプット　*output*

出力のこと。データはコンピュータで処理されたあと，何らかの結果としてディスプレイやプリンタに出力される。外部記憶装置にデータを書き込む動作も出力の一種である。
CPUから周辺の装置へのデータの移動のことをさしていることも

ある。

アウトラインフォント　*outline font*

文字を点の集合として扱わず，文字の輪郭が基準となる点からどのような線分（ベクトル）で構成されているかをデータとして保持しているフォント。

表示や印字の場合は，データから文字を再構成して輪郭線の内側を塗りつぶす。拡大してもドットフォントのように文字がギザギザにならず，なめらかな文字になる。ただし印字するときに時間がかかるのが難点。

アウトラインフォントの種類には，Adobe社が開発しDTPの標準となっているPostScript，Apple Computer社が開発しMacintoshOSとWindowsに標準搭載されてたTrueType などがある。ワードプロセッサ専用機に装備されているものも多い。

➩ビットマップフォント

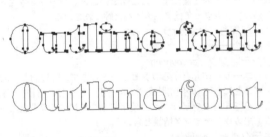

アウトラインフォント

アウトラインプロセッサ　*outline processor*

文章を構造的に作成するためのソフトウェア。文章を，章，節など
の階層的な単位で扱うため，章や節単位での移動や，章，節の見出
しだけを表示するなどの操作が可能となっている。そのため，文章
の作成を概略からはじめ，詳細に進むというトップダウン的な手法
に適している。最近では，ワードプロセッサにこれらの機能をもた
せた製品も登場している。

アーカイバ　*archiver*

複数のファイルをひとつのファイルにまとめるためのソフトウェ
ア。単にまとめるだけではなく，ファイルを圧縮する機能をもって
いるものが多い。おもにハードディスクのバックアップやファイ
ルのやりとりに用いられている。

BBSに登録されているフリーソフトウェアは，プログラムやド
キュメントなどのさまざまなファイルがアーカイバによってひと
つのファイルにまとめられている。

MS-DOSではLHA, PKZIPが, MacintoshではCompactPro, Stuf
が, UNIXではtarがよく使われている。

アーカイブ　*archive*

複数のファイルを1個にまとめる作業のこと。ファイルをまとめ
るためのソフトウェアはアーカイバと呼ばれている。

アーカイブ属性　【アーカイブゾクセイ】

　○アトリビュート

アカウンティング　*accounting*

複数のユーザーが共有するコンピュータなどで，管理的な目的で，
ジョブごとにCPUの使用時間や，ユーザー名などの情報を記録す
ることをさす。コンピュータの使用料金を算出する基礎となって
いる。アカウンティング情報ともいう。

アーキテクチャ　*architecture*

ハードウェア，ソフトウェア双方を含めたコンピュータシステムを
設計する上での基本的な考え方のこと。

ハードウェアに関するアーキテクチャとは，まずメインメモリの構
造がどのようになっているか，それがどのように作動するか（たと
えば命令語の実行を1語1語順番に行うというようなこと），入出
力装置とどのようにつながって作動するか，などがあげられる。

またソフトウェアに関しては，扱うデータをどのように構成するか
（ファイルにするかデータベースにするか，またデータベースなら

ばどのような構造か），プログラム間のインターフェイスをどうするか，オペレーティングシステムの機能動作をどうするか，などが考えられる。

秋葉原 【アキハバラ】

東京都千代田区にある世界最大の電気街。JR秋葉原駅から徒歩数分程度の狭い範囲に電気製品や電子パーツなどの店舗が密集している。コンピュータのハードウェア，ソフトウェアのショップも，大型店舗から雑居ビルまで規模や専門範囲もさまざま。

アキュムレータ　*accumulator*

レジスタの一種で，とくに演算の結果が格納されるものをいう。累算器ともいう。

演算を行うときには，このレジスタにあるデータとメインメモリにあるデータが元となって演算回路で処理されたあと，その結果がアキュムレータにセットされる。このほかにシフト演算などもこのレジスタで行われる。

他の汎用レジスタを使ってアキュムレータと同様の処理をさせるものも多いが，実行速度の点からいうとアキュムレータのほうが演算用としては適している。

アクセサリ　*accessory*

(1) パソコンに標準で付属する装置以外のオプション機器。

(2) パソコン用クリーナー，VDTフィルタなどパソコンに付随する小物類。

(3) Windowsに標準で付属している簡単なアプリケーション類。簡易ワープロのワードパッド，グラフィックスソフトのペイントなど。

アクセス　*access*

(1) フロッピーディスクやハードディスクなどにコンピュータが情報を読み書きしている動作。アクセスランプなどによって動作が確認できる。

(2) BBSやネットワークなどにパーソナルコンピュータなどの端末を接続し，情報の受け渡しを行うこと。

アクセス権 【アクセスケン】　*access right*

ディレクトリやファイルに対して，あるユーザーがどれだけの操作ができるかの権限。故意または誤操作によって他人のファイルを変更したり，システムが破壊されるのを防ぐためのもの。

たとえばネットワーク化されたシステムでは，ゲストユーザーなら

ば特定のファイルを読むだけ，一般ユーザーは自分のディレクトリにあるファイルを読み書き実行するだけ，管理者はすべてのディレクトリにあるファイルの読み書き実行ができる，といったようにランクを付けて管理する。

NetWareでは，アクセス権の管理をトラスティと呼んでいる。

◇トラスティ

アクセススピード　access speed

アクセスタイムの長短のこと。アクセスタイムとは記憶装置にデータの読み書きを命令してからデータ転送が完了するまでの時間。通信などのリアルタイム処理や，大量のデータを処理するときは，アクセススピードが速いデバイスが必須となる。

アクセスタイム　access time

CPUがデータ読み出しの要求を行ってから，記憶装置がデータを読み出し，それをCPUに返すまでの時間。読み出し要求の開始からデータを受け取るまでの時間だけ（つまりCPUにデータを返す時間を含まない）をいうこともある。この時間はコンピュータの性能を表す上でのひとつの目安となり，当然速ければ速いほど高性能といえる。ハードディスクや光磁気ディスクなどの外部記憶装置の処理能力を表すために，よく利用される。

アクセスチャージ　access charge

有料のBBSやネットワークを使ったときの料金。接続時間や利用したデータの量に応じて金額が計算される従量制と，利用の有無に関らず一定金額が請求される固定制とがある。

アクセスポイント　access point

コンピュータネットワークなどで遠方のユーザーのために設けられた，ホストコンピュータとの中継施設。

ホストコンピュータから離れた地方に住む利用者は，電話料金の負担がかなり大きい。そこで，近くのアクセスポイントを利用することによって，電話料金の対象になる距離はモデムからアクセスポイント間だけとなり，負担が大幅に軽減される。

国内の大手のBBSでは，全国の主要都市にアクセスポイントを設置している。

アクセラレータ　accelerator

コンピュータの処理スピードを上げるための周辺装置およびソフトウェア。CPUを高速化するもの，画面表示を高速化するもの，特定アプリケーションの処理を高速化するものなどがある。

アクチュエータ *actuator*

機械装置稼働部の動きを正確に駆動する装置の総称で, サーボモーター, 油圧モーター, 油圧シリンダーなどがある。最近では, 形状記憶合金を加熱・冷却して駆動する形状記憶合金アクチュエータ, 圧電素子を用いた圧電アクチュエータ, 静電アクチュエータ, 光の照射で大きな起電力を発生する光起電力効果と圧電効果を組み合わせた光ひずみアクチュエータなどのように, 駆動源の種類ごとに分けて分類している。また, 特に超小型の駆動装置をマイクロアクチュエータという。

アクティブマトリクス *Active Matrix*

薄膜トランジスタ(TFT)を使った, 液晶ディスプレイ方式。1個1個の画素を別々のICで制御している。高品質で視認性が良い。パソコンのほかにも車載用テレビ, 携帯情報端末などにも利用されている。

　⊃TFT

アサイン *assign*

(1) MS-DOSの外部コマンド。キーボード, ディスプレイ, プリンタ, ディスクドライブなどの装置がシステムの入出力装置に割り当てられている状況の表示, および変更を行う。

(2) あるジョブがその実行に必要な周辺機器やファイルを確保すること。実際に線でつながれていても, アサインされていないと使用できないということになる。この指定はジョブ制御言語(JCL)で行う。

アスキー *American Standard Code for Information Interchange*

情報交換用アメリカ標準コードの略。⊃ASCII

アスキーセーブ *ASCII save*

アスキーコードと呼ばれる文字コードでプログラムなどのデータを書き出すこと。BASICやCなどのプログラムデータを保存する際, バイナリ (中間言語) で保存することと区別するためにこう呼ばれる。プログラム言語のソースファイルは, 一般的にアスキーコードを使用している。

アスキーファイル *ASCII file*

アスキーコードのみで書かれたファイルの意。テキストファイル。

アセンブラ *assembler*

ニーモニックコードとオペランドで記述したアセンブリ言語ソースファイルをコンピュータが実行可能な機械語に変換するプログ

あ

ラム。MS-DOSではMASM(Microsoft社)やTASM(Boarland International社)などが使われている。

<u>アセンブリ言語</u> 【アセンブリゲンゴ】 *assembly language*

```
M8279P          EQU             $50000

                XREF            INITKEY
                XREF            READKEY
                XREF            OUTLED

                MOVE            #1,(A0)
                MOVE            (A0)+,D0
                LSL             #2,D0
                MOVEA.L         KEYSUB(PC,D0),A1
                JMP             (A1)
KEYSUB
                DC.L            0
                DC.L            INITKEY
                DC.L            READKEY
                DC.L            OUTLED
```

アセンブリ言語の例（部分）

低水準言語の一種。コンピュータが実行できる機械語命令は0と1の2進数の並びであり，非常に読みにくい。

そこでMOV, ADDなど，人間が理解しやすいニーモニックコードで記述し，さらにオペランドを付けたソースプログラムをアセンブラで機械語命令に翻訳する。

ニーモニックコードは1個の命令が機械語の命令1個に相当する。

アセンブリ言語で作成されたプログラムはコンパイラなどで作成されたプログラムよりも高速であり，メモリサイズが小さく，ハードウェアを直接操作できる。

⊃アセンブラ, ニーモニック, 機械語

<u>圧縮</u> 【アッシュク】 *archive*

⊃アーカイブ

<u>圧縮ツール</u> 【アッシュクツール】 *data compression tool*

ファイルを圧縮することでファイルサイズが小さくなり，ハードディスクの容量を効果的に使用できるようにしてくれるツール。

あ

MS-DOS/Windowsでは, DiskXII, SuperStorePro, Macintosh
ではStacker, DiskDoubler などが有名。**○アーカイバ**

圧縮率 【アッシュクリツ】　*data compression ratio*

圧縮ツールを使って圧縮したときの前のファイルサイズに対する
圧縮割合のこと。BMP(非圧縮のもの)ファイルなどのグラフィッ
クファイルやテキストファイルなどは高圧縮が可能だが, 逆に
COMファイルやFONTファイルなどは圧縮率が低い。

圧電セラミックス 【アツデンセラミックス】　*electrostrictive ceramics*

特定の軸方向に電圧を加えると, ごく小さなひずみ(電圧効果・電
歪効果)が生じるセラミックス。現在使用されている圧電セラミッ
クスは, PZT2成分系・PZT3成分系・その他の3つに分別できる。

アッパーコンパティブル　*upper compatible*

○上位互換

アップグレード　*up grade*

現在使用中のものより高機能なものに機能交換すること。ハード
ウェアの場合ならば, CPUをより高速処理が可能なものへ交換し
たり, 液晶ディスプレイをモノクロからカラーに替えたりと, 性
能の高いものへ交換すること。ソフトウェアの場合は, 高機能な
新バージョンにリリースアップすること。

アップグレードソケット　*up grade socket*

CPUをアップグレードするために用意された専用のソケット。
Intel社が提唱した, オーバードライブソケットやZIFソケットが
有名。

アップデート　*update*

プログラムやファイル, データベースを最新の状態に保つため, 最
新情報により修正, 追加, 削除を行うこと。更新ともいう。

アップルフェロー　*Apple Fellow*

Apple Computer社が過去にパーソナルコンピュータの発展に貢
献した人に与える称号。直接Apple Computer社の製品に関する
業績でなくてもアップルフェローの対象となる。Alan Kayなどが
有名。

アップルメニュー　*Apple Menu*

Macintoshの画面でメニューバーの左端にあるAppleマークのメ
ニュー。
以前のシステムでは, デスクアクセサリとよばれる特別なアプ
リケーションを起動するためのメニューであったが, System7に

あ

よって通常のアプリケーションとデスクアクセサリの区別がなくなったため，頻繁に使用するアプリケーションを簡単に起動するためなどに使われるようになった。

また，メモリの使用状況や，起動されているプログラムの情報などを表示させることもできる。

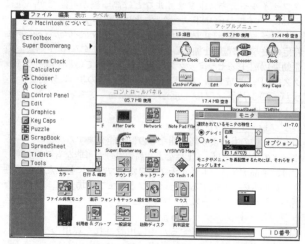

アップルメニュー

アップロード　*upload*

端末から，あらかじめ作成しておいたファイルをホストコンピュータに転送すること。

長いメッセージをパソコン通信で送る場合，通信中に書くより，あらかじめエディタやワードプロセッサで作成しておいた文章をまとめて送信するほうが，通信時間も短く，要旨を得た内容に仕上がる。ほとんどの通信ソフトウェアには，通信中に指定したファイルを送り出すアップロード機能が用意されている。

バイナリファイルを送信する場合には，ファイル転送プロトコルを使用する。

後入れ先出し　【アトイレサキダシ】　*last in fast out, LIFO*

データを記憶領域に順番に格納していく場合に，最後に格納したデータが最初に取り出される方式のことをいう。

このとき，データを格納することをプッシュダウン，取り出すことをポップアップという。サブルーチンの戻る番地を格納するスタックエリアはこの方式が採り入れられている。先入れ後出し（FILO:first in last out）ともいう。

これに対して，最初に格納したデータが最初に取り出される方式を先入れ先出し（FIFO:first in first out）という。これはおもに，ジョブのスケジューリングで用いられる。

アドインソフトウェア　*add-in software*

ある特定のアプリケーションソフトウェアに組み込むことによって，機能を付加するソフトウェア。アドオンソフトウェアともいう。

多くの場合，ワードプロセッサやスプレッドシートなど，市場で人気のある商品を対象に，さまざまなソフトウェア開発業者から売り出されている。

例としては，表計算に組み込むことによって，複雑な金融計算を簡単なメニューから行えるようにするものや，メニュー操作を簡単にできるようにするものなどがある。

アドオンボード　*add-on board*

付け加える基板という意味。増設メモリや，ビデオカードなど機能を拡張したり，変更する用途に使われる基板をさす。

アドベンチャーゲーム　*adventure game*

おもにコンピュータゲームなどで使われている。ゲームの1ジャンル。プレイヤーはゲームの中で主人公となり，用意されたヒントを集めながら冒険をして，最終的に謎を解くことを目的とする。しかし，主人公が成長していくわけではなく，キャラクタの成長を目的としたロールプレイングゲームとは区別される。

他に家庭用TVゲーム機やゲームブックという形でも楽しまれている。

アトリビュート　*attribute*

データの性質を表す情報のこと。属性ともいい，ファイルにいくつかの特性を付属させられる。MS-DOSでは，アトリビュートに次の4種類がある。

- システム属性（system）
  MS-DOSのシステムファイルに付けられている。

- リードオンリー属性（read only）

読み出し専用のファイルになる。ファイルの変更や消去はできない。

- ヒドゥン属性（hidden）
  一覧表示されないファイル（不可視ファイル）になる。消去や複写の対象にはならない。

- アーカイブ属性（archive）
  一種の目印が付いたファイルになる。普通のファイルにはあらかじめ付いている。

<u>アドレス</u> 【アドレス】 *address*

(1) プログラムやデータを格納する記憶装置は，一定の単位で区画されており，0からはじまる番号が付けられている。その番号をアドレスという。

番号は16進数で表現することが多い。CPUがプログラムやデータを処理するときは，アドレスを指定して行う。このアドレスは，記憶装置内での絶対的な位置を表す。

↪絶対アドレス，相対アドレス

(2) ネットワーク用語で多くのコンピュータ（端末）のうち，特定の一つを示す数字の割り当てのこと。一つのネットワークにつながっている，どんなマシンも別々のアドレス（番地）をもたなければ，ネットワークはなりたたない。このため，ネットワーク用の製品（アダプタやボード）には出荷時に番号が定められている他，ネットワークの方式により，数値をわりあてる作業をしなければならない。閉じられたネットワーク内部では自由に定めることができるが。インターネットのプロトコルであるTCP/IPでは，インターネットにつなげる場合，NIC, JPNICなどの団体が発行するアドレスに従わなければならない。

(3) 電子メールの宛先を示す符号のこと。インターネットでの書式は一般に「ユーザー名@組織のドメイン名」になる。組織の下部に組織があったり，同一の組織に複数のサーバーがある場合は，「.」で区切られた階層になる。例えば慶応大学（keio.ac.jp）の文学部（flet）の太郎（taro）というアドレスはtaro@flet.keio.ac.jpである。

<u>アドレス修飾</u> 【アドレスシュウショク】 *address modification*

CPUがある命令を実行するとき，その命令語がもっているアドレ

ス情報に何らかの計算をし，実行の対象となるデータのアドレスを得ること。

計算の方法によって間接アドレス方式，インデックス修飾方式，相対アドレス方式などがある。

<u>アドレス部</u> 【アドレスブ】　*address part*

命令語の中で，アドレスが書かれている部分。命令語の対象となるデータのアドレスが記憶されている。

<u>アドレスマップ</u>　*address map*

プログラムにおいてセクションごとの主記憶領域の割り当てを示すリストのこと。

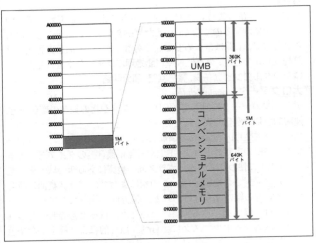

アドレスマップ

<u>アドレスレジスタ</u>　*address register*

CPU内にあるレジスタのひとつ。レジスタとは命令やデータなどを一時的にしまっておくところ。CPUは，アドレスレジスタのアドレスを参照して処理を行う。

<u>アナログ RGB</u>　【アナログアールジービー】　*analogue RGB*

RGB(red green blue)信号を使ってカラーを表現するディスプレイで，各信号がアナログ値で階調表現できるもの。

デジタルRGBでは各色のON/OFFしかないため，2^3の8色しか

あ

表現できないが，アナログRGBでは16色から数千万色の表現が可能である。⊃RGB

アナログコンピュータ **analog computer**

数値の変化を電圧など，アナログ量の変化に対応させることで計算を行うコンピュータ。

デジタルコンピュータが0と1，というデジタル値を使い，ソフトウェアによる論理演算で結果を求めるのに対し，精密な増幅回路や微分回路，積分回路を組み合わせ，加えた電圧がどのように変化するのかによって結果を求める。

結果は電圧メータの読み取りやプロッタへのグラフ出力などで得られる。

デジタル回路のようにクロックタイムによって1ステップずつデータを処理するのでなく，与えたデータがすぐに結果として出力されるので，演算はきわめて高速である。ただし，微分方程式の計算程度しかできず，事務処理や言語処理にはまったく無力である。
⊃デジタルコンピュータ，微分回路，積分回路

アナログデータ **analog data**

デジタルのデータに対して，電圧の大きさや物の長さの変化など，連続的な量の変化で表されたデータのこと。

アパーチャグリル **Aperture Grille, AG**

ソニー(株)のトリニトロンCRTや三菱電機(株)のダイアモンドトロンCRTに使われている，ガラス面の裏側にある薄い鉄の柵。電子銃から発射された電子は，この柵によって，ガラス裏面に塗られた3原色の線にふり分けられる。縦方向に張られたアパーチャグリルは，横方向に遮る障害がないため，縦横とも等しく遮られる網目状のシャドウマスクにくらべ，原理的により鮮やかな発色が可能になる。
⊃トリニトロン

アプリケーション層 【アプリケーションソウ】 **application layer**

OSI参照モデルの最上位階層。ファイルマネジャ，データベースマネジャ，電子メールなどユーザープログラムを支援する最高レベルである。
⊃OSI

アプリケーションプログラム **application program**

適用業務プログラム，応用プログラムともいう。ワードプロセッサやスプレッドシートなど，コンピュータを実務的な目的のために

使うプログラムをさす。

アプリケーションプログラムを実行するための環境を用意するオペレーティングシステムなどを基本プログラム，ファイルの管理や簡単な処理のためのプログラムをツールやユーティリティという。
⮞DOS

あふれ域 【アフレイキ】

演算結果を表す語で，意図した記憶装置の記憶容量を越える部分を表す。

算術結果を表す数値のうち，レジスタの領域を越えた場合そう呼ぶ。

アプリケーションキー　*application key*

Windows用パソコンのキーボード（103キーボード，109キーボード）に装備された特殊キー。マウスの右ボタンと同じ機能が割り当てられ，Windowsデスクトップではショートカットメニューを表示させる。

アプレット　*applet*

Javaで作成され，クライアント側にダウンロードされて実行される小型のプログラム。Javaアプレットは，サーバ上でコンパイルされており，バイトコードとして端末側に送られブラウザなどのJava VMで実行される。

アベイラビリティ　*availability*

システムの性能を評価する目安のひとつ。可用性はシステムが正常に稼働している時間の割合を表す。具体的には，故障時間が短いこと，保守に手間をとらないことなどが考えられる。

アペンド　*append*

すでに作成済みのファイルに，新たにデータを追加すること。たとえばMS-DOSでは

```
type bbb.txt >> aaa.txt
```

とすると，aaa.txtの末尾にbbb.txtの内容が追加される。

アボート　*abort*

異常終了のこと。たとえば，あるプログラムが数値項目の計算を行っているとき，何かの間違いで0で除算をすると計算不能となってしまい，それ以上処理を進めることができなくなる。このような場合，システムは処理を強制終了させる。これをアボートという。

また，処理中に異常が起こることを想定し，あらかじめ異常終了するようにプログラムを作る場合もある。

アマゾン・コム　*amazon.com*

インターネット上の書店として急成長をとげた同名の会社が運営する通信販売のサイト。1995年設立。米国の出版物のほか，音楽CD，DVD，CD-ROMなどマルチメディアタイトルを扱う。別サイトとして，それぞれ英国とドイツの出版物を扱う amazon.co.uk と amazon.de がある。

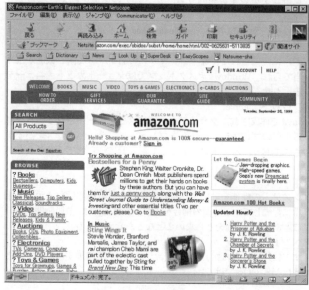

amazon.com のホームページ

誤り訂正符号　【アヤマリテイセイフゴウ】

デジタル情報の誤りを自動的に訂正できるように設計された特殊な符号をこう呼ぶ。誤りを訂正するために，情報やデータに付加する冗長符号もこれに属する。XMODEMやMNPなど，パソコン通信プロトコルの「チェックサム」「CRC」などがこれにあたる。

誤り率　【アヤマリリツ】　*error rate*

データの処理や伝送中に発生するデータの誤りの割合。ビット誤

り率やメッセージ誤り率などがある。

アラーム　*alarm*

誤入力や誤動作を防ぐための警告機能。たとえば画面から数字を入力させるプログラムの場合，間違って英字を入力しようとするとブザーを鳴らして入力を受けないようにするのも，アラーム機能の一種である。

アルゴリズム　*algorithm*

ある問題を解決するために明確に定義された有限個の規則，手順の集まりのこと。プログラムを作るには，このアルゴリズムに沿ってコマンドに置き換えていく。つまりアルゴリズムはプログラミング言語に移し換える前のプログラムそのものといえる。

アルゴリズムの善し悪しによって同じ結果を求める処理でも時間や操作性に大きな差が出ることがある。このように，プログラム設計においてアルゴリズムは重要なポイントとなっている。

アルファテスト　*Alpha Test*

ソフトウェア開発やシステム開発時に行うテスト段階の一つ。開発者自身がテストをした後に，社内の直接関係の無い部門が実施するもの。開発者自身のテストで一応のチェックは行えるが，複雑な操作から生じるバグには対処できない。そこで，開発者以外で開発ソフトに予備知識のない人に触ってもらい，通り一片の使い方では発生しないバグを探すために行われる。この「アルファテスト」の後に，社外の人も含めたより多くの人にバグ探しをしてもらうための「ベータテスト」を行い，そこで発見されたバグを修正した後，製品化する。

アレイプロセッサ　*array processor*

アレイ（配列）を用いて計算を高速に行うように設計されたプロセッサ。超高速で処理を行うスーパーコンピュータはこのアレイプロセッサを採用している。

アロケーション　*allocation*

プログラムが実行されるとき，その処理に必要なファイルや記憶領域をプログラムが使用できるように割り当てること。

アンインストール　*Uninstall*

ハードディスクにインストールしたプログラムを削除すること。Windowsのプログラムは，プログラムファイルを削除するだけでなく，WIN.INI，SYSTEM.INIなどにもデータが記載されていることから，これらをすべて消さなければ完全にプログラムを消去

あ

したとは言えない。そこで，最近ではプログラムリムーバを付属して完全にアンインストールを実行できるものも登場した。またプログラムの中にはこれを標準で付属しているものもある。

暗号 【アンゴウ】　*cipher, cryptograph*

重要なデータや，他人に見られたくないデータなどをある方法を使って解読不可能な状態にすること。

データを暗号にする処理を暗号化，暗号からデータを取り出す処理を復号化という。暗号化と復号化で同じキーを使用するものと，別のキーを使用するものがある。

アメリカ商務省標準局によって制定された標準暗号方式（DES）や，NTTにより開発されたFEALなどがある。

○DES

暗号化技術 【アンゴウカギジュツ】　*encryption*

信用情報，企業機密，私信などが第三者に漏洩しないようそのデータを当事者以外の者に解読不可能にする技術。暗号化と復号に同じ秘密鍵を用いる秘密鍵暗号方式と暗号化を公開鍵で行い復号を秘密鍵で行う公開鍵暗号方式がある。米商務省標準局のDES，NTTのFEALは秘密鍵暗号方式であり，インターネット商取引で利用されるRSAは公開鍵暗号方式。

米政府は安全保障上の見地から，国際的な麻薬取り引き，テロの謀議や，敵対的な国家の通信などに利用されるのを防止するため，高度の暗号化技術を使った通信ソフトの輸出を規制している。

アンダーフロー　*underflow*

演算の結果，そのコンピュータが表し得る0に最も近い値より小さくなってしまい，表現不能となってしまうこと。このような場合，何らかのエラー情報を出力するのが普通である。

実際にはコンピュータの内部では，小数$a \times 10^n$形式で表現されている。このnの値には限界があり，ある数を越えると表現できなくなる。これがアンダーフローである。

アンチエイリアシング　*anti aliasing*

文字やグラフィックの斜め線がギザギザになるのを目立たなくするため，ドットの間を中間色で埋める技術。

アンデリート　*UnDelete*

ハードディスクやフロッピーディスクなどに納められたファイルの中で，誤って消してしまったファイルを復元すること。ハードディスクやフロッピーディスクでは，DELコマンドを使ってファ

イルを消去した場合，ファイルが消えてしまうように見えるが，実はファイル名の先頭1文字を消してファイルを見えなくしているだけである。この特性を生かして，ファイルを誤って消してしまった直後に，ファイルの復元するものが，アンデリートソフトである。ただし，これはファイルを消した直後のみに対応できるもので，消した後にファイルの書き込みを行った場合には，復活できない可能性もある。

アンドゥ *UNDO*

直前に実行した操作を取り消して，実行前の状態にすること。あるいはその機能のこと。

処理する直前の状態をメモリに保存しておき，アンドゥが指示されると，メモリ内の内容を再び呼び出すという方法で実現。グラフィックエディタやワードプロセッサに用意されていることが多い。

しかしソフトウェアによって，どの程度以前の状態まで記憶しているか異なる。グラフィックスを扱うものはメモリを大量に消費するので，アンドゥ用に用意しておくことができるバッファのサイズは小さくなり，アンドゥできる回数は少なくなる。

アンパック *unpack*

コンピュータ内部で数字を表すとき，普通は各桁ごとに1バイト（8ビット）をあてて表現している。

これに対してパック形式というのは，1バイトで2桁の数字を表すものである。このとき，1バイトの上位4ビットに1桁，残りの下位4ビットに1桁を格納するが，数字はEBCDICでなく2進数にして表現する（EBCDICコードはひとつの数字を表すのに8ビットを要するが，2進数で表せば4ビットで済む）。

このようなパック形式の数字を1バイトで1桁を表す形式（ゾーン10進数）に変換することをアンパックという。

⟳EBCDIC

アンフォーマット *unformat*

(1) 未フォーマットのこと。複数のOSで使われることを想定しているディスクはアンフォーマット状態で出荷される。フォーマット時に，OSが利用する管理データなどが書き込まれるので，フォーマット後の記録可能容量はアンフォーマット時に記録可能とされる全記憶容量よりも少なくなる。

(2) 誤ってフォーマットしてしまったディスクを復元すること。

あ

データが書き込まれたディスクに再びフォーマットを行うと，記録が失われるが，フォーマット直後で新しく書き込みを行うまでは，以前のファイル情報が保持されているシステムの場合，復元が可能である。

アンフェノールコネクタ　*Amphenol type connector*

接合部に金属板状のピンを使っているコネクタの総称。プリンタ用のセントロニクスやSCSIインターフェイスなど，パラレルポートに多くこの型のコネクタがある。

イエローケーブル　*yellow cable*

10BASE-5のケーブル。通常, 黄色いケーブルを使うのでこのように呼ばれる。

　○10BASE-5

イエローページ　*Yellow Pages*

インターネットで提供されているホームページアドレスの検索サイト。Yahoo!（www.yahoo.com, 日本ではwww.yahoo.co.jp）が有名。または同じ趣旨の出版物もこう呼ぶ。Yahoo!は, 掲載を希望する人が情報を書き込んで登録を申請する。excite!（www.excite.co.jp）やinfoseek（www.infoseek.co.jp）などは申請して登録もできるが, ロボットと呼ばれるプログラムがインターネット上を定期的に巡回して自動で登録する機能がある。

イーサネット

　○Ethernet

意思決定支援システム　【イシケッテイシエンシステム】　*decision support system*

DSSともいう。ビジネスにおける非定型的な意思決定を支援するシステム。

具体的には, 意思決定に必要な情報を蓄積, 集計, 分析し, 意思決定に必要な形式で情報を, 経営管理者レベルのユーザーへ提供するシステムをさす。また, 意思決定に不可欠なシミュレーションの機能なども提供する。

経営情報システムが比較的過去の業績の分析などに比重を置き, 定型的な業務を支援するのに比べ, さまざまな手法での予測をサポートしていることが特徴。エキスパートシステムもDSSに含むことがある。

移植　【イショク】　*porting*

特定のコンピュータシステムで動くように設計されたソフトウェアを, 別のコンピュータシステム上でも動くようにプログラムを修正すること。ハードウェアの違い, 言語の違い, OSの違いなどによって必要な修正の程度が異なり, プログラムの設計段階で, どれ

い

だけ移植を考慮しているかも作業工数を左右する。

ソフトウェアの移植のコストを削減するためには，OSやハードウェアを標準化，または，統一するという方向と，特定の環境に依存しない開発ツールを作るという2つの方向が考えられる。PC/ATの普及や，Windows，Intelアーキテクチャの隆盛といった現象は前者の例であり，Java言語などのネットワーク対応言語の提唱は後者をめざしている。

◎TCO，Java

一時ファイル 【イチジファイル】　*temporary file*

◎テンポラリファイル

一太郎 【イチタロウ】

ジャストシステムの日本語ワードプロセッサ。1985年2月に「JX-WORD太郎」という名称で登場し，同年「一太郎」にバージョンアップ。日本でもっとも売れているアプリケーションソフトウェアになる。日本語入力FEPはATOK。

◎ATOK

倚天 【イーテン】　*yǐtiān*

広東語を漢字ROMに収めたフォントボードと，中国語FEP，そしてディスプレイドライバを組み合わせたシステムで，IBM PC/ATおよびXT互換機で中国語が使用できる。24ドットフォントを使用している。

現在では，日本のDOS/Vと同じもの（中国語版DOS/V）が台湾や香港では主流。一世代前の漢字環境といえる。

イニシエータ 　*initiator*

ジョブスケジューラ機能のひとつ。処理優先度の高い順にジョブおよびジョブステップを取り出し，ローディングし，ジョブが必要とする資源の割り当てなど，ジョブの動作環境を整備すること。

イニシャライズ 　*initialize*

初期化。コンピュータ用語としては以下のような使い方がある。

(1) ハードウェアやソフトウェアを製品出荷時の状態に設定すること。
(2) フロッピーディスク，ハードディスクなどの記憶媒体をフォーマットし，何も記録されていない状態にすること。
(3) プログラムやサブルーチンで使う変数や作業領域をゼロ，あるいは空白状態に設定すること。

イベントドリブン　*event driven*

　イベント駆動型ともいう。ソフトウェアの処理形態の一つで，イベントの発生時点でそれに対応する処理を実行するもの。イベント単位でプログラミングができるため，開発の生産性や保守性を向上させることができる。これに対し，あらかじめ決められたフローに沿って順番に処理をしていくものを手続型という。

　イベント駆動型ソフトウェアには，ユーザーと実行プログラムを緊密にしたWindowsやGUIソフトウェアなどがある。また，イベントドリブンを利用する開発環境の中で最も有名なものにVisual Basicがある。

違法コピー　【イホウコピー】　*illegal copy*

　コンピュータのソフトウェア(プログラム)をソフト会社などの権利者に無断で複写(コピー)すること。著作権の侵害となり著作権法違反となる行為である。ディスクが壊れた時に備え，別のフロッピーディスクにコピーしてバックアップを作成することが，1セットに限り許されている。しかし，現状では必ずしもこのことが守られておらず，正規ソフトの約6〜7倍もの違法コピーが存在すると言われている。これは特に企業ユーザー内での違法コピー対策が思うように進んでいないことが大きな要因となっている。

イメージ　*image*

　画像，グラフィックのこと。

イメージ処理　【イメージショリ】　*image processing*

　図形や写真，映像などの，画像となった情報を扱う処理のこと。

イメージスキャナ　*image scanner*

　単にスキャナともいう。絵や写真，文書など，画像情報をコンピュータに取り込むための入力装置。対象物に光を当て，その反射光あるいは透過光をセンサーで読み取り，ビットマップデータとしてコンピュータに伝える。

　スキャン（走査）方式の違いで，回転ドラム型，フラットベッド型（据え置き型），ハンディ型などがある。取り込める色数によって，モノクロのみのもの，モノクロ階調（グレースケール）対応のもの，カラー対応のものがある。（次ページ図参照）

イメージセッタ　*imagesetter*

　コンピュータで作成したデータをもとに，1000dpi以上の高解像度で出力できる電算写植機（タイプセッタ）。解像度が高いので，紙ではなく，フィルムや印画紙に出力する。PostScriptデータを扱

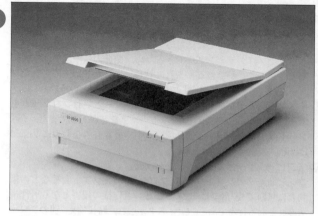

フラットベッド型カラースキャナ

えるRIPを備えているものが多い。

1台が数百万円から数千万円もし、現像用薬品や給排水設備なども必要なので、出版社でも内部に保有せず、専門の出力業者に依頼するのがほとんどである。

○PostScript, RIP, ライノトロニック

イリジウム *Iridium*

1990年にMotorola社が主唱した衛星携帯電話構想、および1998年11月に開始した関連会社Iridium LLC社による同サービスをさす。66個のLEO（低軌道周回衛星）を使用し、地球上のどの位置にいても、そのいずれかに電波がとどくため、地球規模で通信できる。世界初の衛星携帯電話として注目を集めたが、契約者の伸び悩みから営業的に失敗し、Iridium LLC社は1999年8月破産、事業は継続されるが、サービスの内容に見直しを迫られている。

入れ子 【イレコ】 *nest*

サブルーチンからさらにサブルーチンを呼んだり、処理のループの中にさらに小さな処理のループが存在すること。内側で呼ばれたサブルーチンは外側のサブルーチンに必ず戻ってこなくてはならない。（次ページ図参照）

イレーズ *erase*

記憶されているデータを消去すること。

```
            九九の結果を表示するプログラム


10 FOR I=1 TO 9
20   FOR J=1 TO 9
30     PRINT I*J
40   NEXT J
50 NEXT I


       この場合は2重の入れ子になっている
```

入れ子

<u>インクカートリッジ</u>　*ink cartridge*

　インクジェットプリンタ用のインクが納められたカートリッジの
こと。インクが無くなったら、カートリッジを交換するだけでイン
クの補充ができる。ヘッドと一体化したものもある。

<u>インクジェットプリンタ</u>　*ink-jet printer*

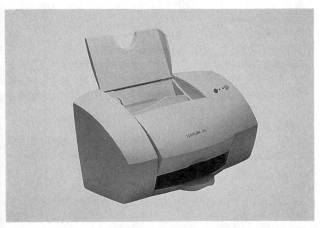

レックスマーク社 カラーインジェクトプリンタ Z51

い

液体のインクを用紙に吹き付け, 印刷するタイプのプリンタ。

ドットインパクト方式のピンと同様, プリンタヘッドに細いノズル（穴）が並んだオンデマンド方式と, 細かく霧状にされたインク液が静電気によってコントロールされ, 細いノズルから吹き付けられる荷電制御方式がある。

印字ヘッドが用紙と接触しないノンインパクト方式なので低騒音を実現。カラープリンタの多くがこの方法をとっている。

○バブルジェットプリンタ

インクリボン　*ink ribbon*

プリンタの印字部分に使用する印刷用のインクを染み込ませた布（インパクト方式のプリンタ用）, あるいは塗布したフィルム（熱転写方式のプリンタ用）のこと。

インパクト方式では細かいピンや活字でインクリボンを用紙に叩き付けて印字を行い, 熱転写方式では発熱体である印字ヘッドによって溶けたインクが用紙に転写する。

インパクト方式用のインクリボンは, 通常はエンドレスになっていて, インクが薄くなるまで繰り返し利用可能。印字が薄くなったインクリボンは, リボンだけ, あるいはカートリッジごと交換できる。

熱転写方式用のインクリボンや高品位印字を行うインパクト方式用の一部では, 印字した部分のインクが抜けてしまうため再利用できないものが多い。

○ドットインパクトプリンタ

インクリメンタルサーチ　*incremental search*

Emacsなどのエディタやデータベースなど対話型のテキスト検索で, キーワードの一文字入力ごとに合致する候補を探すもの。順番に見つかった候補までカーソルを移動する方法, すべての候補をマークし, リストを示す方法などがある。

インクリメント　*increment*

プログラムの中で, 変数の値を増やすこと。増やした値のこともいう。たとえばCのプログラムでは

```
for ( i = 0 ; i > 10 ; ++i ) ;
```

の"++i"がiを1ずつインクリメントしている。減らすことはデクリメントという。

○変数

印刷用紙 【インサツヨウシ】

プリンタに印字出力するときの用紙。プリンタの種類や印字方式
により，普通紙，コート紙，葉書，封筒，感熱紙などがある。書類
などを印刷する用紙にはA判とB判の系列があり，用紙の大きさ
はA○判やB○判などのようにして表す。なお，○には0から10
までの数字が入り，それぞれ0を最大の大きさとする。

⊃A判，B判

インサート　*insert*

挿入のこと。ワードプロセッサやエディタで，すでにある文書中
に新たな単語や空白を挿入する動作のこと。

インストラクション　*instruction*

機械語でコンピュータに動作を指示する最小の単位。演算，入出
力，制御命令などがある。プログラミング言語の命令語のことをい
うこともある。

この場合は，通常，ひとつの命令語が複数の機械語の命令に対応し
ている。

インストール　*install*

コンピュータや周辺機器，ソフトウェアなどを使用できるように準
備する作業。

機材の設置，周辺機器の接続，メモリやインターフェイスボードの
実装，OSやアプリケーションのハードディスクへのコピーと設定
ファイルの更新などといった作業をさす。

最近のソフトウェアや周辺機器には，画面の質問に答えながら各種
の設定を自動的に行うことができるインストールプログラムを用
意してあるものが多い。

インストールプログラム　*install program*

アプリケーションソフトを組み込むためのプログラム。

陰線処理 【インセンショリ】　*hidden line elimination*

コンピュータグラフィックスにおいて，ワイヤーフレームで立体像
を描くとき，物体の後ろ側にある隠れ線を表示しないようにし，よ
り立体らしく，現実的に見せるための処理。

インタオペラビリティ　*interoperability*

異なるメーカーのコンピュータ装置やソフトウェアに互換性があ
ること。

インターネット　*Internet*

世界のネットワーク同士が接続されたIP(Internet Protocol)を

い

共通プロトコルとする巨大なグローバルネットワークのこと。WWW, 電子メール, ネットニュース, FTP, telnetなどを利用することができる。1960年代末からの軍事用ARPANETの実験にはじまった。当初はコンピュータの研究者が中心で学生・研究者が利用するUNIXコンピュータを中心とするネットワークだった。現在は商業利用が可能になりパソコンとの接続を仲介するプロバイダが出現しWWWの普及から爆発的にユーザーを増やし続けている。

○ARPANET, CSNET, FTP, NFSNET, Telenet, TCP/IP, USENET, WIDE, WWW

<u>インターネットTV</u> 【インターネットティーブイ】　*Internet TV*

テレビにモデムとブラウザを組み込んでインターネットのホームページの閲覧ができるようにしたもの。パソコンを利用できない人をターゲットにして, 1996年から家電メーカ各社がテレビに付加価値をつけて発売をはじめた。

<u>インターネットカフェ</u>　*Internet cafe*

インターネットにアクセスできる環境が用意された喫茶店。大手のコンピュータショップなどに併設されていることが多く, 端末の使用料金は時間制が決められていることが一般的。

<u>インターネット電話</u> 【インターネットデデンワ】　*Internet phone*

インターネットの回線を利用した電話。サウンドボードのD/Aコンバータを使って, 自分の話した声をデジタル化し, インターネットを介して転送し, 相手に伝えるというもの。専用ソフトを使い, 専用のIRC(インターネットのチャット)サーバを呼び出して行う。通常の国際電話とくらべて, 格安で海外と通話できるというメリットを持っている。(次ページ図参照)

<u>インターネットワーキング</u>　*Internetworking*

ネットワーク同士の相互接続により, ネットワークを広域化すること。ネットワークの相互接続とは, ブリッジやルーターといわれるLAN専用の装置を使っている独立したLAN同士の接続や, LANと他の広域網を接続すること。

<u>インターネットワーク</u>　*internetwork*

ネットワークとネットワークを結ぶネットワークのこと。ルータやゲートウェイなどで, 複数のネットワークが接続された状態をさす。

○ゲートウェイ, ルータ

インターネット電話用ソフト「Internet Phone」(米 VocalTec 社)

インターバルタイマ　*interval timer*

CPU内の処理時間を計るために,一定時間ごとに割り込みを発生
させる機能を設け,割り込み発生から次の割り込み発生までの時間
を計るもの。

インターフェイス　*interface*

コンピュータ本体と周辺装置,OSとアプリケーション,アプリ
ケーションと人間など,異なる構成要素の境界で情報をやりとりす
る部分。

- コンピュータと周辺装置を結ぶインターフェイス
  シリアルインターフェイスやパラレルインターフェイス,
  SCSIなど。コンピュータ内部の信号を周辺機器用に変換
  する。

- OSとアプリケーションを結ぶインターフェイス
  MS-WindowsやOS/2,OSF/Motif,OPEN LOOKなどで
  は,アプリケーションが利用するコマンドをAPI(Application
  Program Interface)として標準化している。

- コンピュータと人間とを結ぶインターフェイス
  マンマシンインターフェイス,あるいはユーザーインターフェ

い

イスという。

従来のMS-DOSやUNIXで，キーボードからコマンドを入力する方式をCUI(character user interface)，Macintosh やMS-Windowsなどマウスとアイコン，メニューを使ったビジュアルな方式をGUI(graphic user interface)という。

インターフェイスの出来いかんがそのコンピュータシステムの使いやすいさやトータルな性能に大きな影響を与える。

○GUI, MS-Windows, OS/2, Motif, OPEN LOOK, API

インタプリタ *interpreter*

高水準言語で書かれたソースプログラムを1ステップずつ読み取り，機械語に翻訳しながら実行するプログラム。

あらかじめ一括して機械語に翻訳し，実行するのがコンパイラである。インタプリタは実行するときに翻訳するため，実行速度が低下するが，プログラムミスがあった場合，すぐに修正できるので，デバッグがしやすいというメリットもある。

○高水準言語, コンパイラ

インタラクティブ *interactive*

ソフトウェアの操作性がユーザー側にとって会話型であること。
○会話型

インタラプト *interrupt*

○割り込み

インターリーブ *interleave*

記憶装置へのアクセス時間を減らすために，複数の記憶装置へ同時にアクセスできるようにしたもの。

メインメモリをいくつかのブロックに分割し，それぞれにパスをつなげ同時にアクセスできるようにしたものをとくにアドレスインターリーブ（address interleave）という。

インターレース *interlace*

飛び越し走査ともいう。CRTディスプレイで，電子ビームが1ラインおきに画面上を走査し，2回の走査で1画面を表示する方式。

データ伝送量が半減するメリットはあるが，画面がちらつくなど，画質上の問題がある。

最近では，飛び越しなしに，1回の操作で1画面を表示するノンインターレース方式が主流となっている。

○走査, ノンインターレース

インターレース GIF　*interlaced GIF*

インターレース GIF

最初にモザイクのようにぼやけた画像の全体像が表示され，データが送られてくるうちにそれが徐々にシャープに表示されるようになる形式のGIFファイル。Webページで利用されている。

インテジャ　*integer*

プログラミング言語で変数や定数を整数型として指定すること。たとえばパーソナルコンピュータ用のCコンパイラであるTurboCではインテジャには符号なしと符号あり，16ビット長と32ビット長の4種類の整数型があり，つぎの範囲の数値を表す。

タイプ	範囲
unsigned int	$0 \sim 65535$
int	$-32768 \sim 32767$
unsigned long	$0 \sim 4294967295$
long	$-2147483648 \sim 2147483647$

この他には文字型，実数型などの形式がある。

インデックス FAT　【インデックスファット】　*indexed FAT*

ディスクアクセスを高速化するため，ディスク上でのファイルの

い

位置を示すFATにインデックスをかける手法。ターボFATともいう。

インデックスシーケンシャルファイル　*indexed sequential file*
◑ISAM

インデックスレジスタ　*index register*
指標レジスタともいう。アドレス修飾に用いられるレジスタで，命令語のオペランドを修正するための増分値を保存している。表引きのポインタとしても用いられる。
◑アドレス修飾

インテリジェント端末　【インテリジェントタンマツ】　*intelligent terminal*
多目的端末ともいう。端末というのは，ホストコンピュータにつながれ，データの入出力装置としてのみ使われるものだが，そこにさらに処理機能を加え，ホストコンピュータと切り離しても独自の処理が行えるようにしたものをインテリジェント端末と呼んでいる。

パーソナルコンピュータを端末として使う場合はインテリジェント端末となる。これに対し，自分でデータ処理機能をもっていない端末をダム端末という。

インテリマウス　*IntelliMouse*
Microsoft社の製品で右ボタンと左ボタンの境目にホイール（車輪）型のボタンがついているマウス。インテリマウス対応のソフトウェアでは，このホイールにより，スクロールの調節や自動スクロールなどの特殊な操作ができる。

インテルサット　*INTELSAT*
人工衛星は軍事利用が中心であったのに対し，通信衛星の民生利用を目的として1964年に設立された国際機関。INternational TELecommunications SATelite（国際通信衛星）の頭文字をとって名づけられた。

インデント　*indent*
段付けともいう。文章やプログラムの作成時，文頭の桁位置をほかの行より下げること。ワードプロセッサの場合には，ソフトの機能として用意されていることが多い。小見出しを付けたり箇条書きをするときなどには，インデントをうまく使えば読みやすくなる。

段落の先頭で一文字下げるときのように，毎回同じだけ空白を入れなければならない場合，その作業をワードプロセッサやエディタが

自動的に行うのは「オートインデント」という。インデントを一段階奥まで下げることを「インデントを深くする」という。

プログラミングでのインデントは，プログラム全体の構造をわかりやすくする目的で使われている。インデントの深さで処理を区別して，見た目の理解を助けているのである。プログラミングでのインデントでは，一般にタブが利用される。

```
for (i=0;i<10;++i)
  (
      printf ("now in the 1st loop\n") ;
       for (k=0;k<10;++k
       (
         printf ("now in the 2nd loop\n") ;
         printf ("i=%d\nk=%d\n\n",i,k) ;
       )
  )
  printf ("end\a\n") ;
```

インデントの例 (C 言語ソースプログラム)

イントラネット　*Intranet*

インターネットとローカルエリアネットワークを組み合わせて生まれた造語。インターネットと社内 LAN などのネットワークを組み合わせることで，より強力なネットワーク環境が生み出せるというもの。イントラネットの特徴として，社内・社外を意識せずに情報をやりとりできるほか，今までのテキストベースのネットワークから，HTML を基本としたグラフィカルなデータがやりとりできるようになる。(次ページ図参照)

インパクトプリンタ　*impact printer*

インクリボンや転写シールを用紙と印字ヘッドの間にはさみ，衝撃を与える（機械的な圧力を急激に加える）ことによって印刷する方式のプリンタ。

用紙に活字の型を打ちつけて印字するタイプライタ方式と，細かい

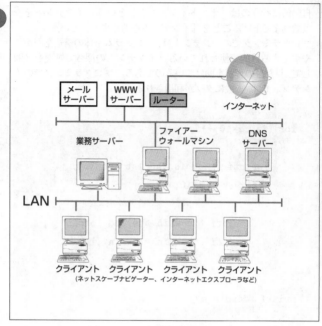

イントラネット

ドットの集まりとして文字を打つドットマトリックス方式がある。カーボン紙を使用すれば同時に複数枚の印刷ができる点など, ノンインパクトプリンタにはない特徴があり, 印字文字が美しく比較的安価。しかし, 印字時の動作音が大きいという欠点もある。

⟳ノンインパクトプリンタ

インプット　*input*

入力のこと。外部からコンピュータ本体やコンピュータシステム内部にデータを送り込むこと。

キーボード, カード, 紙テープ, ディジタイザやマウス, フロッピーディスクなどの入出力装置からデータを入力する。

ここでいうデータとは, 単なるレコードにとどまらず, プログラムや, 図形や画像などのイメージ, 画面に入力されるメッセージに対

する応答であったり，すべて入力という行為に関わるものをさす。

インプリメント　*implement*

コンピュータにOSやデバイスドライバ，インタープリタなどを導入すること。

インヘリタンス　*inheritance*

継承ともいう。オブジェクト指向のプログラムで，あるクラスの機能や性質が，そのクラスから派生したクラスに受け継がれること。⇨オブジェクト指向，クラス

インマルサット　*INMARSAT*

移動体通信に利用する人工衛星の管理・運営を担当する国際機関。1979年設立当初は，公海上を長距離・長時間に渡って移動する船舶への通信手段を通信衛星によって提供することを目的としていたが，現在は広く移動体通信を管轄する。INternational MARitime SATelite（国際海事衛星）の頭文字をとって名づけられた。

インライン変換　【インラインヘンカン】

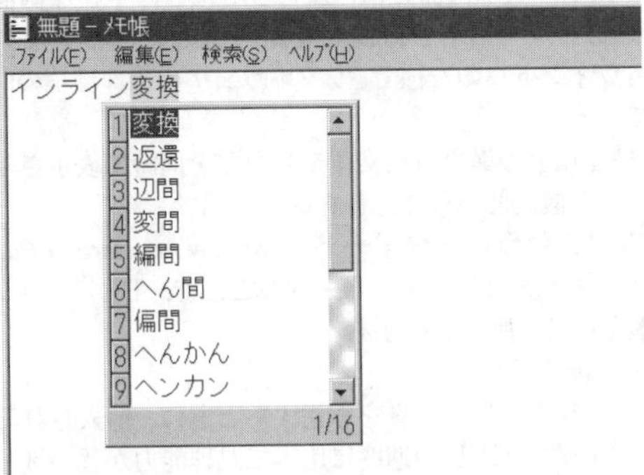

インライン変換

日本語を入力する時，変換ラインや変換ウィンドウを経由せず，挿入カーソルがある位置に直接文字が表示され，入力される変換方法。視線の移動が少なくて済むので疲れにくい。

日本語入力FEP，アプリケーションともインライン変換をサポートしたものでなければならない。

⇨日本語入力 FEP

ウィルス *virus*

⟳コンピュータウィルス

ウェアラブルコンピュータ *wearable computer*

洋服のように身につけられるコンピュータ。本体とバッテリーは分離して腰のベルトにつけ，眼鏡型のディスプレイに手袋型のキーボード，音はヘッドホンからというように携帯性を追求したもので米国を中心に研究が進んでいる。携帯端末としてモバイル・コンピューティングに使えるほか，設備の保守点検等に作業現場での利用が検討されている。

ウィンドウ *window*

ディスプレイの表示画面上に，独立した複数の小さな画面を表示させる機能。コマンドを確認しながら入力できるプルダウンメニューもウィンドウの一種で，ソフトウェアの操作環境の向上を目的としている。

また，2種類以上の異なった文章や表などを同時に表示させることをウィンドウ機能ということもある。

ウインドウアクセラレータボード *Window Accelarator Board*

グラフィックアクセラレータボードのことで，PC-9800シリーズ対応の製品をこう呼ぶものがある。

ウエイト *wait*

CPUがメモリなどにデータを転送するときに，挿入される調整のための待ち時間。CPUの速度に比べて処理能力が遅いメモリなどに対してデータ転送を行うと，データの取りこぼしが起きてしまう。このため，転送を断続的に行うが，このときCPUがメモリに合わせて処理を行わずに，待っている時間をウエイトという。

ウエットストーン *whetstone*

ベンチマークテストの方法のひとつ。さまざまな浮動小数点の演算を行い，数値処理能力を調べる。

ウォールペーパー *wall paper*

壁紙ともいう。WindowsやMacintoshなど，グラフィカルな環境をもつコンピュータで，背景として使われる画像などのイメージ。

Windows のウォールペーパー（花見）

打ち込み 【ウチコミ】 *step recording*

ステップ入力，ステップレコーディングともいう。MIDIシーケン
サにミュージックデータを入力するのに，ひとつひとつの楽譜の高
さ，長さ，強さ，タイミングなどのパラメータを数値指定して入力
する方法。

楽器が弾けない人でも音楽を演奏することができる。ただし，海外
のシーケンサソフトウェアではこの方式に対応しているものは少
なく，ほとんどがリアルタイムレコーディング用である。

埋め込み 【ウメコミ】 *embedding*

Windows環境下で文字や図形などを他のアプリケーションで使え
るように貼り付ける機能。

上書き 【ウワガキ】 *overwrite*

(1) すでに書かれている文字の上から新たに別の文字を書くこと。
オーバーライトともいう。挿入（インサート）とは異なり，一度文
字を入力してしまうといままでの文字は消えてしまう。

(2) また，既に存在するファイルを別の同一名のファイルで置き換
えること。

エアブラシ　*airbrush*

グラフィックソフトウェアにおいて，マウスボタンを押す時間によって塗る濃度や範囲が変わる，スプレーのような機能をもった描画ツール。

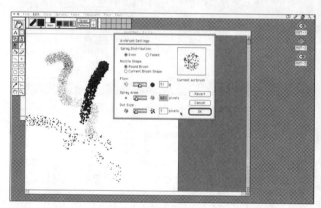

エアブラシ

英語環境　【エイゴカンキョウ】　*English environment*

DOS/Vを日本語モードで起動し，CHEV USコマンドで画面を英語表示の状態に変更した環境。多くの英語用DOSアプリケーションが動作する。

ただし，$DISP.SYSや$FONT.SYSがメモリに組み込まれたままなので，一部のアプリケーションではメモリ不足などで動かないこともある。

英語モード　【エイゴモード】　*English mode*

DOS/Vで，$FONT.SYS, $DISP.SYSを組み込まないでMS-DOSを起動した状態。完全にPC-DOS互換モードとなり，ほぼすべての英語用アプリケーションが実行できる。

日本語モードとはSWTICHコマンドで切り替えることができる。

衛星インターネット 【エイセイインターネット】

通信衛星を利用して安価に高速度のインターネット接続を実現するサービス。衛星放送と同様、無差別広範囲に届く衛星からの電波をユーザまでの下り回線として利用、上り回線は電話やISDNを利用する。衛星テレビと同じアンテナを用いる場合は、パソコンでもTV番組が試聴できるよう、チューナー機能と衛星モデム機能を兼ね備えた専用拡張ボードをパソコンに装着するものが主流。

衛星携帯電話 【エイセイケイタイデンワ】

基地局を通信衛星に置く携帯電話。航空機の高速移動中、公海を船舶で移動中、山間部や僻地で地上波がとどかない場所、災害時など、地上の基地局を使う携帯電話が使用不可能な場所をカバーする。1998年11月にIridium LLC社より66基のLEO（Low Earth Orbit低軌道周回衛星）を使用したサービスIridium（イリジウム）が開始された。2000年夏には12基のMEO（Medium Earth Orbit中軌道周回衛星）を利用するICO（アイコ）がサービス開始を予定している。

衛星モデム 【エイセイモデム】

通信衛星を利用したインターネットサービスで、衛星アンテナをコンピュータに接続しデータ通信するためのモデム。米で衛星インターネットサービスDirecPCに接続するものが販売されている。

エイリアス *alias*

(1) 別名定義ともいう。コマンドを別のわかりやすい読み方で定義すること。たとえばMS-DOS5.0のdoskeyコマンドを使えば、

```
doskey delbak=del *.bak
```

で「del *.bak」のエイリアスが「delbak」として定義され、delbakと入力するだけで「bak」を拡張子にもつファイルが削除される。
(2) Macintoshの漢字Talk7.1で取り入れられたファイルやアプリケーション、フォルダ、ボリュームなどの分身を作成する機能。エイリアスファイルはオリジナルファイルがどのドライブのどのフォルダにあるかを記録しており、ダブルクリックすればオリジナルファイルを開くことができる。
Macintoshではアイコンを移動することはそのファイルの実体をコピーしたり移動することになるが、エイリアスならばファイルそのものを動かさずに使いやすい場所に置くことができる。

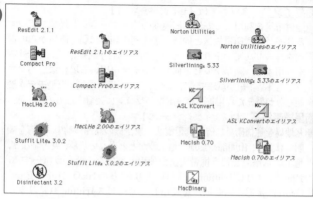

ResEdit 2.1.1

ResEdit 2.1.1のエイリアス

Compact Pro

Compact Proのエイリアス

MacLHa 2.00

MacLHa 2.00のエイリアス

Stuffit Lite₂ 3.0.2

Stuffit Lite₂ 3.0.2のエイリアス

Disinfectant 3.2

Norton Utilities

Norton Utilitiesのエイリアス

Silverlining₊ 5.33

Silverlining₊ 5.33のエイリアス

ASL KConvert

ASL KConvertのエイリアス

MacIsh 0.70

MacIsh 0.70のエイリアス

MacBinary

Macintosh のエイリアス

<u>液晶</u>　【エキショウ】　　*liquid crystal*

　LCともいう。ある一定の分子配列を示す液状の物質のこと。液体でありながら結晶のように配列に規則性があるので，液晶と呼ばれている。

<u>液晶ディスプレイ</u>　【エキショウディスプレイ】　　*liquid crystarl display*

　液晶を使った表示装置。�‹›LCD

<u>エキスパートシステム</u>　　*expert system*

　専門家の知識をコンピュータのデータとして蓄積し，そのデータをもとに推論して専門的な問題の解決を図るシステム。人工知能の応用としては，もっとも早く実用化された。

　知識の部分を知識ベース，データをもとに推論を行う部分を推論エンジンという。

　現在エキスパートシステムのソフトウェアとしては，医療診断を行うもの，機械の故障を診断するもの，設計支援システム，教育システム，鉱床探査システムなどがある。エキスパートシステムを構築するためのツールは，エキスパートシェルと呼ばれる。

<u>エキスパンドブック</u>　　*Expanded Book*

　(株)ボイジャーの日本語電子出版ソフトウェア製品。Macintosh版とWindows版がある。エキスパンドブック・ツールキットで製作された.ebk形式のファイルを専用の閲覧ソフトBookBrowser-Jで読むことができる。マウスでページをめくるなど，実際の本

を取り扱うインターフェイスが採用されている。もとは米国The Voyager Company のMacintosh版PowerBook用英語ソフトだが，早くから縦書き，ルビ対応などが進んだ日本語版が普及した。

エクストラネット　*Extranet*

インターネットの技術を利用して企業や関連会社，取引先が情報を共有し，情報の交換や取引に役立てるネットワークシステム。独自のシステムを構築しなくてよいため，低コストかつ短期間で実現できる。不特定多数のユーザを対象としないので，セキュリティ機能やアクセスコントロール機能が必須である。

エクスプローラ　*explorer*

Windowsで使われるソフトウェアで，通常，ファイルやフォルダを管理するためのプログラムをさす。なお，インターネットの情報を閲覧するためのプログラムに，Microsoft社のインターネットエクスプローラがある。○ファイルエクスプローラ

エコーチェック　*echo check*

データ伝送時のエラーチェック方式の一種。受信側は受信したデータをいったん送信側へ送り返し，送信側は送り返されてきたデータと送信前のデータとを付き合わせてチェックするもの。送信照合(loop checking system)ともいう。

エコーバック　*echo back*

入力されたデータを入力側に送り返し表示させること。パーソナルコンピュータでキーボードより入力されたデータがディスプレイに表示されるのも，エコーバックの一種である。

エスケープシーケンス　*escape sequence*

ディスプレイやプリンタ出力を制御するためのコード。画面上での文字位置や表示行数，表示色などを指定したり，プリンタで印刷される文字の大きさ，改行の間隔などを指定できる。指定は16進数の1Bに続いて命令を表すコードを記述する。

エディタ　*editor*

テキストやグラフィックスを編集するソフトウェアのこと。テキストファイルを編集するテキストエディタを，単にエディタと呼ぶことが多い。

ワードプロセッサと比べて，文字装飾やレイアウトなどの機能がないが，高速なスクロールやジャンプ，検索・置換が可能。プログラミングや長文の編集などに使われる。○スクリーンエディタ, ラインエディタ

え <u>エナジースターコンピュータズ計画</u>　【エナジースターコンピュータズケイカク】　*Energy Star Computers Program*

　米環境保護局(EPA)が発表したパソコンの省エネルギー化推進計画。パソコン本体, ディスプレイ, プリンタが一定時間使用されないと節電モードになり, それぞれの消費電力を一定の基準以下にして省エネを図ろうというもの。この基準に適合するパソコンを「GreenPC」と呼ぶ。

　この計画の目的は, 無駄な消費電力をなくし電力需要の伸びを抑えること, 発電により発生する環境汚染物質の増加を防ぐことにある。

　○Green PC

<u>エフェクタ</u>　*effecter*

　サウンドやビデオなどに特殊効果をかける装置。サウンドでは, 音をひずませるディストーションや音を伸ばすコンプレッサなど, ビデオではワイプやモザイクなどの処理があげられる。

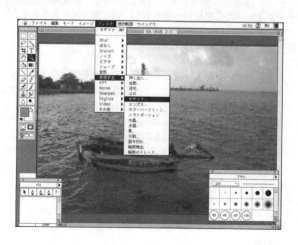

Photoshop のエフェクタ

<u>エミュレーション</u>　*emulation*

　あるコンピュータで別のコンピュータ用のソフトウェアを, 移植することなく動作できるようにすること。このために使用するハー

326

ドウェアやソフトウェアのことをエミュレータ (emulator) という。

エラー　*error*

誤り。エラーにはハードウェアにおけるものと，ソフトウェアにおけるものとの2種類が考えられるが，一般にエラーという場合，ソフトウェアのエラーをさしている。

プログラムの作成から完成までの過程で起こるエラーは，文法上のエラーと論理的なエラー（ロジックの誤り）に分けられる。

文法上のエラーは，インタプリタが判断してくれたり，コンパイルエラーの出力などでユーティリティプログラムが指摘してくれるので比較的簡単に解決できるが，論理的エラーについては発見が困難な場合も多く，十分なチェック，テストが必要である。

エラーチェック機構　【エラーチェックキコウ】　*error check*

データにエラーが無いかチェックするもの。

エラーリカバリ　*error recovery*

コンピュータのハードウェア的な故障を直すことをさす。また，プログラムのエラーなどによって処理が中断されてしまった場合などには，処理以前の状態にデータを戻すことをさす。

エラーリスト　*error list*

コンパイラ言語でプログラムを作るとき，文法上のエラーがあるままコンパイルすると出力される，文法上のエラー箇所を羅列したリストのこと。

エリア　*area*

データやプログラムを格納するための記憶装置上の領域のこと。

エリート　*elite*

英数字の文字サイズのひとつ。1文字の幅が12分の1インチ。

⮕パイカ

エルゴノミクス　*ergonomics*

人間工学の意。キーボードやディスプレイなどのマンマシンインタフェースを，人間が無理なく機器を使えるように，操作性や作業環境，運用管理などあらゆる点から考察する技術領域。エルゴノミクスは，ハードウェアだけでなくソフトウェアなどにも影響をあたえる。

エレクトロニックコマース

⮕電子商取引, EDI

エレベータシーキング　*elevator seeking*

ディスクアクセスを高速化するため,データの読み書きをプログラムの指示する順番ではなく,いったんソートをかけて,ディスクのヘッドが物理的にいちばん近いところにあるデータから処理する手法。エレベータが,ボタンを押した順番ではなく,近い階から止まることからこう呼ばれる。

エンコーダ encoder

符号器のこと。複数の入力端子,出力端子をもち,入力端子に信号が入力されるとそれに対応する出力端子に信号が出力される装置。パーソナルコンピュータでは,キーボードより入力されたデータを(つまりは電気信号として入力されるわけだが)対応するコードに変換する部分をさす。

エンコード encode

もとのファイルの形式を,別の形式のファイルへ変換すること。一番ポピュラーな例として,インターネットのメールのやりとりに利用されている。

インターネットでは,バイナリ形式のファイルをそのまま転送することはできない。そこで,送信時に,バイナリファイルをある一定の法則でテキスト形式のコードにエンコードしてから転送する。受信側は,送信時と逆のデコード処理を行いもとのバイナリファイルに復元する。最近のインターネット用のメールソフトには,エンコード機能が組み込まれているものが多い。エンコードの形式にはいくつかの種類があり,UNIXで多く使われているUUENDOCE,Macintoshで多く使われているBinhex,そして現在一番ポピュラーなMIMEなどがある。

⊃MIME

演算 【エンザン】 operation

オペランドに対し処理を行い,新しい結果を得ること。数値演算,論理演算,文字列演算などがある。

演算子 【エンザンシ】 operator

演算の動作を示す記号のこと。+,-,*,/,MODなど。オペレータともいう。

演算時間 【エンザンジカン】 operation time

命令語の実行が終わってから,次の命令語を取り出し解読し,実行し終わるまでの時間のこと。取り出して解読する時間を命令取り出しサイクルといい,実行に要する時間を命令実行サイクルという。演算時間はこの両者の和で表される。

演算装置 【エンザンソウチ】　*arithmetic and logic unit(ALU)*
コンピュータを構成する主要な要素は制御装置，演算装置，入力装置，出力装置，記憶装置だが，この中で四則演算，論理演算の実行を受けもっているのが演算装置である。

エンジニアリングワークステーション　*Ensineering Work Station*
◯EWS

エンジン　*engine*
ソフトウェアやハードウェアの核となる基本部分。または反復して使われ負荷のかかる部分。見かけ（ユーザインターフェイス）や，付随的な機能と区別した言い方。データベースで問い合わせに応じて実際にデータを処理するサーバをデータベースエンジンというなど。

エンタープライズ　*enterprise*
ネットワークにおいて，様々な機種，OSや複数のLAN，WANが混在する企業内システムを統合し，有機的に運用すること。またはそれを目的とするシステム製品を形容する語。

エントリ　*entry*
プログラムやサブルーチンの開始アドレスのこと。プログラムを実行するときには，最初にそのプログラムの開始アドレスが指定されそこから実行が開始される。

エントリーマシン　*entry machine*
コンピュータ機器で，機能が限定され，価格も安い機種。おもに初心者ユーザ向けの機種をさす。ローエンドマシンともいう。

エンドユーザ　*end user*
コンピュータのユーザのうち，コンピュータに関する特別な知識を持たず，単にコンピュータからの出力を仕事に利用する人をさす。コンピュータの高性能化と低価格化，処理の分散化やネットワークの発達に伴い，従来，コンピュータの操作に縁のなかったエンドユーザが直接コンピュータを操作するようになってきた。

エンドユーザコンピューティング　*End User Computing, EUC*
エンドユーザ自らが市販のソフトウェアを利用したアプリケーションシステムの開発を行うこと。業務に精通している担当者がアプリケーションシステム開発に携わることで，要求に合った使いやすいシステムが構築できる。なお，エンドユーザコンピューティングを推進するソフトウェア技術者をシステムアドミニストレータという。

応答時間 【オウトウジカン】　*response time*

　コンピュータに何らかの指示を与えてからその処理を終えて結果が出力されるまでの時間。

　汎用コンピュータであれば，端末よりデータを入力してから，ホストコンピュータが処理を行い，その結果が再び端末に戻ってきてディスプレイやプリンタに出力されるまでの時間にあたる。

オーサリングシステム　*authoring system*

　プログラミング言語を使わずに，簡単な操作でテキストやグラフィック，音声，動画などを組み合わせたアプリケーションを作成するためのプログラミングツール。

　元々，CAI分野で使われた用語なので教材作成支援システムともいうが，現在ではマルチメディアのアプリケーション製作システムをさすことが多い。⊃オーサリングソフトウェア

オーサリングソフトウェア　*authoring software*

　オーサリングシステム用のソフトウェア。代表的な製品としてはMacromedia社のDirector（Macintosh Windows用），Action（Macintosh/Windows用），Authorware（Macintosh/Windows用），Asymetrix社のToolBook（Windows用），Apple Computer社のHyperCard（Macintosh用），Adobe社Premiere（Macintosh/Windows）などがある。

　たとえばMacromedia Directorでは静止画や動画，サウンドなどを「キャスト」として登録し，「スコア」に各キャストの動きを時系列に記述することで，作品を作る。

　さらにLingoというオブジェクト指向言語を使えば，対話的な操作も可能になる。⊃オーサリングシステム

オーダエントリシステム　*order entry service*

　ビデオテックス（日本ではCAPTAIN）で利用されるサービスのこと。家庭や街頭にディスプレイ付きの端末を置き，ホスト側から注文表などをディスプレイに表示させ，利用者はそれを見ながら注文情報を入力することができる。

⊃CAPTAIN

お

落とす 【オトス】 *download*

パソコン通信ホストのライブラリなどに登録されているフリーウェアやシェアウェアなどのファイルをダウンロードすることを「落とす」あるいは「拾う」という。逆に, ファイルをアップロードして登録することは「上げる」などという。

○アップロード, ダウンロード

オートダイアル *auto-dialing*

コンピュータに公衆電話回線を使ってアクセスする場合, 電話をかける作業を, ソフトウェアに行わせること。相手が話し中の場合でも, 接続するまで電話をかけ続ける。事前にリダイアルの回数, 何秒後に電話をかけなおすか, などの設定をする。

オートパイロット *auto-pilot*

パソコン通信サービスへのアクセス, ログインからログアウトまでの一連の作業をすべて自動的に処理すること。オートダイアル, オートログインの機能を拡張した通信ソフトウェアの機能。

通信ソフトウェアがユーザーにかわってBBSにアクセスし, コマンドを送って電子メールや必要なボードのダウンロード/アップロードを行い, 自動的にアクセス終了までを実行させることもできる。

オートパイロットを電話料金やBBSのアクセス料金の安い深夜や早朝に設定すれば, 効率のいいアクセスができる。

オートパワーオフ *auto power off*

パーソナルコンピュータを一定時間操作しないと自動的に電源が切られる機能。ノートブック型コンピュータなど, バッテリ駆動するもので節電のために用意されており, 動作時間はユーザーが設定できるようになっているものが多い。

オートマトン *automaton*

あらかじめ与えられた情報や命令に自動的に反応するよう設計された装置のこと。自動機械の動きを研究するために作られたC. E. Shannonの情報理論を基にしている。広い意味で, 情報処理を目的としたもの全般をいうこともある。

オートリトラクト機能 【オートリトラクトキノウ】 *auto retract*

ハードディスクのクラッシュを避ける機能。一定時間内にハードディスクにアクセスがない場合に, 自動的に磁気ヘッドがシッピングゾーン (退避区域) に移動する。

お

<u>オートログイン</u>　*auto-login*

コンピュータへのログインの作業を，ソフトウェアに自動的に行わせる機能。

ホストにアクセスの際に毎回行う手順(ホストに電話をかけ，接続したらIDとパスワードを入力する)を，ユーザに代わって実行する。ログインする手順はホストによって異なるので，それぞれのオートログインファイルを用意することになる。

ユーザーがマクロファイルなどにIDとパスワードを書いて登録する場合が多いので，他人にパスワードを盗み見されることのないよう，管理には十分な注意が必要である。

<u>オーバードライブ</u>　*over drive processor*
◯ODP

<u>オーバーフロー</u>　*overflow*

一般にコンピュータで扱える値の範囲には限界があり，その値を超えてしまうことをオーバーフローという。

コンピュータ内部での数値の表現方法はいろいろあり，それぞれでオーバーフローの起こり方も変わってくる。整数型では16ビットを使って数値を表すものが多く，1ビットを正負の区別をするための符号用(符号ビット)としてあて，残り15ビットで絶対値を表す。この場合正数で表し得る最大の数は32,767(2^{15})で，これに1を加えると符号ビットへ桁が移動して正の数としては表現できなくなる。

また，単精度実数型，倍精度実数型のように$a \times 10^b$の形で表す場合はaもbも桁数に制限があるのでやはりオーバーフローが発生，下位の桁が不正確になる場合がある。これは，下位の桁に桁落ちが発生するからだが，この桁落ちのこともオーバーフローと呼ぶことがある。◯アンダーフロー

<u>オーバーヘッド</u>　*overhead*

コンピュータが動作している時間のうち，目的のプログラム (アプリケーションプログラム) が使っている時間以外の時間のこと。オペレーティングシステムが使用する時間もオーバーヘッドと呼ばれる。

<u>オーバーライト</u>　*overwrite*

(1) 文字の上書きのこと。日本語ワードプロセッサなどにある上書きモードでは，すでに入力されている文字の上から新たな文字を入力すると，元の文字は消去されて新たな文字に更新される。

(2) ファイルの上書きのこと。すでに記録されているファイルを消去し，新たに同名のファイルに更新すること。

お

オーバーラップ　*overwrap*

マルチウィンドウや壁紙などを，重ねて表示する方法。

○タイリング

オーバーレイ　*overlay*

メインメモリに格納しきれないほどプログラムが大きい場合，プログラムをセグメントと呼ばれるモジュールに分割し，必要な部分をそのたびごとにロードして使用する方法。

オフィスオートメーション　*Office Automation*

オフィスの機能を効率的に遂行するためにワープロ，パソコン，オフコン，ファクシミリなどの機器を活用すること。頭文字を略してOAと呼ぶことが多い。最近では，ネットワークによる各機器の統合化が進められており，経営活性化と事業創造に貢献する統合OAシステムも増えている。○OA

オフィスコンピュータ　*office computer*

おもに事務処理を中心とした小型コンピュータのこと。小型で操作が簡単なため，専用のコンピュータ室や操作要員を必要としない。この点で汎用コンピュータとは区別されるが，ミニコンピュータ，パーソナルコンピュータとハードウェア的な違いは少ない。オフコンと略して呼ぶことが多い。

ディーラなどを通して専用，またはパッケージソフトウェアとセットで販売されることが多いのが特徴である。

オブジェクト　*Object*

データとそのデータを生成するためのメソッドを一体化したもの。

オブジェクト指向　【オブジェクトシコウ】　*object oriented*

何らかの操作をする際，操作の対象となるもの（オブジェクト）を中心にする考え方。これに対し，操作手順を中心とする考え方を手続き指向という。

プログラミングでは，データを中心としたオブジェクトを単位として操作し，ワードプロセッサでは目的の文字や行，範囲をオブジェクトとして先に選択し，それに対してコピーや削除といった操作を行う。

手続き指向にくらべて人間の直感に近く，操作性が向上することが多い。

○オブジェクト指向プログラミング

オブジェクト指向プログラミング 【オブジェクトシコウプログラミング】
object oriented programming

プログラミング手法のひとつで, プログラムが行う処理を, データとそのデータに対する処理手続きをまとめたオブジェクトという単位で考える。

共通の性質をもつオブジェクトはクラスという単位にまとめられ, 階層化される。

各クラスには固有の性質や規則が定義されており, メッセージが送られると, その定義に従って処理を行う。データを抽象化し, 開発効率を向上し, 移植性を高められる。

オブジェクト指向のプログラミング言語としてはSmalltalkやC++などがある。

●C++, Smalltalk

オブジェクトファイル *object file*

コンパイラやアセンブラは, ソースファイルを翻訳して, オブジェクトファイルと呼ばれるファイルを出力する。このファイルはライブラリファイルに登録するか, ライブラリや他のオブジェクトファイルとリンクして実行形式のファイルを作る。

オブジェクトプログラム *object program*

目的プログラムともいう。プログラミング言語によって書かれたプログラム, つまりソースプログラムは, そのままではコンピュータは理解できない。そこで翻訳プログラムにより"0"と"1"の集まりである機械語に直してやる必要がある。こうして得られたプログラムによってはこのままでも実行可能だが, さらに別のプログラムとつなぎ合わせてロードモジュールと呼ばれる形式に直してから実行するものもある。

オプション *option*

コンピュータ本体に接続する周辺機器のうち, 別途購入しなければならないもの。キーボードやビデオアダプタ, ディスプレイなどは, メーカーによって本体の付属品としているところもあれば, オプションとしているところもある。

周辺機器がオプションとなっていると, コンピュータ本体以外にも購入しなければならないので, 一見不便であるような印象を受ける。しかし何通りかのオプションから選べるようになっていれば, 自分の使用環境にマッチした機器構成を自由に構築できるメリットがある。

オプションボタン *option button*

Windowsのダイアログボックスの中にあるオン・オフスイッチ。このスイッチにマウスポインタを合わせ，左クリックすると内部が黒く表示されてオンになる。複数の項目のうち1つしか選択できない。

⟡チェックボックス

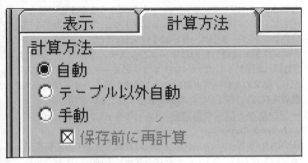

オプションボタン

オプティマイズ *optimize*

実行速度の高速化やサイズの縮小などの目的を優先し，その目的に合ったコーディングを行うことをコードのオプティマイズ（最適化）と呼ぶ。高級言語のコンパイラには自動的にオプティマイズする能力があるものが多くなってきている。

⟡コーディング

オプトエレクトロニクス *opto-electronics*

オプティクス（光学）とエレクトロニクス（電子工学）の合成語。エレクトロニクスの技術に光の技術を組み合わせたもので，オーディオ用のCDやビデオディスク，また光ファイバを利用した光通信がその応用にあたる。

オフライン *off-line*

装置と装置との間が回線で結ばれておらず，データの受け渡しや制御が行われないような状態をいう。CPUの制御下になければ，やはりオフライン状態であるといえる。

オープンアーキテクチャ推進協議会 【オープンアーキテクチャスイシンキョウギカイ】 *PC Open Architecture Developers' Group*

⟡OADG

<u>オープンシステム</u>　*open system*

ハードウェア，ソフトウェアの仕様が公開され，標準化されているコンピュータシステム。

大型汎用コンピュータの時代は，自社でハードウェア本体からOS，周辺機器までを用意するクローズドシステムであったが，パーソナルコンピュータやワークステーションでは，1社ではすべてをまかないきれず，広くサードパーティの参入をうながすことになった。そして，多くのサードパーティがソフトウェアや周辺機器を用意できたコンピュータがユーザーに受け入れられた。

AppleIIが大成功したのはオープンシステムをとったためであり，IBM社はIBM PC でパーソナルコンピュータ市場に参入するにあたり，従来のクローズド路線から180度転換したオープンシステム路線を採用。IBM PCを業界標準とすることに成功した。

<u>オープンネットワーク協議会</u>　【オープンネットワークキョウギカイ】
Open Network Consortium

ONA(Open Network Architecture)計画を協議する実施機関。協議会の参加者は，NTTとテレコムサービス協会の代表であり，オブザーバとして郵政相も参加している。協議会の内部は「電話網分科会」，「専用線分科会」，「パケット網分科会」から構成されている。また，この協議会は「日本電信電話株式会社法人則第2条に基づき講ずる政府措置2(3)におけるネットワークのオープン性確保の措置」にも対応している。

<u>オペランド</u>　*operand*

演算数ともいう。演算の対象となる数値のことで，アセンブラではラベル，オペコード（ニーモニック）の右側に置かれ，演算の対象となるレジスタや数値のことをいう。

```
MOV     AH, 02
MOV     BX, 0115
MOV     CX, [BX]
CMP     CL, 00
JZ      0   13
```

オペコード（左側）とオペランド（右側）

オペレーション　*Operation*

パソコンやソフトの操作を行うことを指す。

オペレーションマニュアル　*operation manual*

操作手順書，操作マニュアル。システムの起動から終了まで，操作全般について順序よく，わかりやすく記したもの。

オペレーションズ・リサーチ　*Operations Research*

企業経営や国家政策等の意思決定を支援するために，数学的なモデルを用いて最適解を求める手法。第二次大戦中に英国から始まり，戦後米国で発展した。代表的な手法として制約条件下での最適化のための線形計画法，プロジェクト管理のためのPERT，待ち行列問題等を扱う離散型シミュレーション等があり，いずれもコンピュータ利用が不可欠で，ソフトウェア・パッケージも豊富である。

オペレータ　*operator*

パソコンなどの機器を操作する人のこと。また，演算子のことをこう呼ぶこともある。

⇨演算子

オペレーティングシステム　*Operating System,OS*

コンピュータのハードウェア，ソフトウェアを有効に利用するために総合的管理を行うソフトウェアのこと。

現在のように，複数のユーザーがさまざまなプログラムの使用を考えているとき，ハードウェアだけで複数のジョブを効率よく動くように調整したり，ファイルなどの資源の割り当ての判断を行うことは不可能である。このため管理調整専用のプログラムとして考えだされたのがOSである。

OSを開発する際の基本的な目標として

(1) 処理能力を高める（スループットの向上）
(2) 応答時間を短くする（ターンアラウンドタイムの短縮）
(3) RAS（信頼性，可用性，保守性）の向上
(4) 汎用性を高める
(5) 適用性の向上
(6) 拡張性のあるシステム
(7) 資源の共有化と安全対策

お

があげられる。具体的には，入出力装置など周辺機器の制御，マルチタスクの管理，TSS（タイムシェアリングシステム）によるCPUの活用，などとなる。これらは生産性の向上につながるのはもちろん，人間にとって使いやすいシステムを実現する（マンマシンインターフェイス）ためのものでなくてはならない。

パーソナルコンピュータ用の汎用OSとしてはMS-DOS, OS/2，ワークステーション用ではUNIXが代表的である。

重い 【オモイ】

あるコンピュータシステムに過大な負荷がかかり，処理時間が長くなり，レスポンスが遅くなる状態。

たとえばマルチユーザーのBBSで，ログインしているユーザーが増えてコマンドに対するレスポンスが遅くなったり，掲示板の読み出し速度が遅くなったときに「重い」と言う。

親ディレクトリ 【オヤディレクトリ】

あるディレクトリに対して，より上位のディレクトリ。

親指シフト 【オヤユビシフト】

親指シフトキーボード

富士通が開発したかな入力方式。日本語入力のために，指の動きが最小限になるような配列を考えた親指シフトキーボードを使う。

これは, 両手の親指にシフトキーを割り当て, シフトキーを押しな
がら文字キーを押すことで, ひとつのキーで2〜4通りの文字を入
力できる。キーボード上のかな文字を3段にまとめているため, 指
の移動範囲が小さく, ローマ字入力やJISキーボードのカナ入力と
比較して入力効率に優れている。
有力メーカーが集まって設立した日本語入力コンソーシアム:
NICOLA(ニコラ)が親指シフトを採用し, いくつかの機種に採用
されはじめている。
⟳JIS キーボード

オールインワン *all-in-one*

オールインワンパソコン Woody 松下電器産業（株）

箱を開けたらすぐに使うことができるよう, ハード・ソフトの両
面で必要なものを最初からセットにして販売しているパソコンの
モデル。具体的には, ハードウェアは, パソコン本体のほかに,
ディスプレイ, グラフィックアクセラレータ, サウンドボード, ス
ピーカ, CD-ROMドライブなどを装備。一方, ソフトウェアは,
Windowsや漢字Talk7.5といった基本ソフトウェアに加え, ワー
プロ・表計算・データベースの機能をひとつにした統合ソフトや,
実用アプリケーションなどがインストールされており, パソコン
購入後に何も購入しなくても使えることが特長である。ディスプ

お

レイと本体を一体化した一体型パソコンが多い。

オレンジブック　*Orange Book*

正式名称はDepartment of Defense Trusted Computer System Evaluation Criteria(Tcsec)。表紙の色からオレンジブックと呼ばれる。米国政府が作成した、情報システムのセキュリティレベルを規定するガイドラインである。ハードウェアやソフトウェアを評価する基準として幅広く用いられているが、もともと軍の調達基準として策定されたため、一般の情報システムに適さないと言う指摘もある。

音響カプラ　【オンキョウカプラ】　*acoustic coupler*

電話の受話器に装着し、コンピュータで通信を行うための周辺装置。コンピュータと音響カプラはRS-232Cインターフェイスで接続し、電話の受話器と密着させ、デジタル信号を音声信号（アナログ）に変換し、データを送受信する。

モデムが電気的に合成した音声信号を直接電話回線網に送り込むのに対し、カプラはいったん実際の音を出して受話器に送り込む点が異なる。騒音の多い場所では正常に信号を送受信しにくいことがある。

⊃ハンディカプラ

音源ボード　【オンゲンボード】　*sound borad*

⊃サウンドボード

音源モジュール　【オンゲンモジュール】

キーボードをもたないシンセサイザ（プリセット音しかないものも含む）。外部のキーボードやコンピュータなどからMIDI信号を受け、アンプに接続して楽器音を鳴らすことができる。いまでは1台で同時に多数の音色を鳴らせるマルチティンバ型が標準となっている。

⊃MIDI, マルチティンバ

オンサイトサービス　*on-site service*

機器の故障などが起きたときに、メーカー販売店から修理担当者がユーザー先に出向いて修理を行うこと。

音声応答システム　【オンセイオウトウシステム】　*audio response system*

音声により情報の入出力を行うコンピュータシステムのこと。通常、コンピュータではキーボードからの指示により処理を行うが、これを人間の声で行おうというもの。技術的には入力音声を判断する「音声認識」と、情報を音声に置き換える「音声合成」に分け

て考えられる。

音声合成はすでに実用化されており，自動販売機やカメラなどにも使われている。一方，音声認識は特定の人が前もって声を記憶させている場合，100〜500語程度の認識が可能といわれている。しかし文章のように単語がつながっていると，認識が難しいのが現状である。

音声データ 【オンセイデータ】　*sound data*

サンプリング音源で取り込んだ音声のデータ。Windowsでは.WAVという拡張子が付いているWAVEファイルが標準的な音声データのファイル形式である。⊃PCM

オンライン　*online*

端末機器がホストコンピュータと通信回線で接続されている状態。反対に接続していない状態をオフラインという。

オンラインサインアップ　*online sign up*

パソコン通信やインターネットプロバイダなどへの入会方法のひとつ。ネットワーク側が用意したゲストIDを使ってアクセスし，画面の指示に従い住所や氏名などを入力することによって，入会の申し込みを受け付けてくれる。IDの発行を即座に行うサービスもあれば，仮のID/パスワードを指定し後日郵送で送られてくるところもある。

オンラインシステム　*online system*

ホストコンピュータと端末が回線で結ばれ，端末よりデータのやりとりが行えるシステム。代表的なオンラインシステムとしては，銀行のオンラインサービス，航空機などの座席予約サービス，データベースサービスなどがある。

オンライン情報サービス 【オンラインジョウホウサービス】　*online database*

⊃オンラインデータベース

オンラインショッピング　*online shopping*

BBSを利用した通信販売。BBSがデパートや書店，商店と提携して，ユーザーがオンラインで買物ができるようにしたサービス。代金はクレジットカード決済によるところが多い。最近ではインターネットを使った個人輸入もさかんになった。

オンラインデータベース　*online database*

電話回線によってアクセスできる商用データベース。端末から特定のキーワードを指示すると，必要な情報を探し出し表示してくれ

お

る。BBSのホストである会社とデータベース会社が提携し，BBS
のメニューサービスの中にデータベースのコーナーがあるところ
も多い。

オンライントランザクション *onlin transaction*

発生したデータに対する処理を即時に行い結果を出す処理。代表
的な例に，銀行のオンラインシステムや鉄道の座席予約システム
がある。利用形態は，処理要求を端末装置から通信回線を通じて
コンピュータに送り，処理結果を端末装置で得るという形が増え
ている。

特徴として，即時性，高い信頼性，高コストなどが挙げられる。オ
ンライントランザクション処理のソフトウェア構成は(1)ユーザイ
ンタフェースシステム(2)通信ソフトウェア(3)オンラインデータ
ベース管理システム(4)アプリケーションシステムである。

オンラインヘルプ *on-line help*

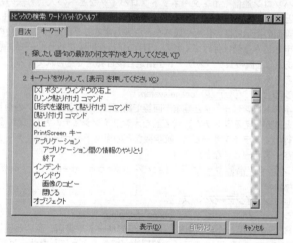

Windows95のヘルプ

アプリケーションの使用中，特定のキー（F10キーなど）を押すこ
とによって知りたい機能の解説画面を表示させる機能のこと。マ
ニュアルの該当項目を探す手間を省き，アプリケーション上の一連
の作業を中断することがなくなる。

Windows対応のアプリケーションの場合は，すべてのソフトウェ
ア間でヘルプ機能の操作方法が統一されている。

オンラインリアルタイム　*online realtime*

ホストコンピュータと端末とが接続された状態で処理を行うオン
ライン処理と，要求のあった都度ただちに処理するリアルタイム
処理の両方の機能をもつ処理。最近は，コンピュータとユーザが
対話的に処理を進める方式が主なので，オンラインリアルタイム
処理とまとめて呼ぶことが多い。

か

下位互換 【カイゴカン】

　　劣った古い製品でありながら将来のバージョンアップした製品の
　　ためのプログラムが実行できたり周辺機器が実行できたり，デー
　　タを読み込めること。英語ではupward compatibility（上方互換）
　　といい，混乱して使われている。

外字 【ガイジ】　*external character*

　　ユーザーが独自に作成し，登録して使用する文字パターンのこと。
　　JIS第1水準，第2水準以外の文字や記号など，システムであらか
　　じめ用意していない文字は外字として作成し，登録する。ただし，
　　他のコンピュータではその部分が読めないので，ファイル交換をす
　　るときには使わないように注意しなければならない。

外字作成画面

開始ビット 【カイシビット】　*start bit*

　　スタートビットともいう。非同期通信でデータを転送するときに

は，7ビットまたは8ビットごとに区切ってやりとりをするが，そのブロックの先頭を示すために必ず付けられるスペース信号が開始ビット。開始ビットの次のビットからデータとして受け取られる。

外字ファイル 【ガイジファイル】　　*external character file*

外字のパターンとそれの読み，コードなどを保存しているファイル。日本語入力システムによってファイル名や登録方法，内部データが異なる。日本語入力システム間で外字ファイルを交換するためのコンバータなどもある。

回線交換サービス 【カイセンコウカンサービス】　　*circuit switching ser-vice*

データを送る側と受け取る側とがダイレクトに接続される通信方式。通常の電話回線がこれにあたる。データの転送量に対して課金されるパケット交換サービスとは異なり，接続した時間に応じて課金されるため，長時間の利用や大量のデータ交換には適さない方式といえる。

回線リセール 【カイセンリセール】

NTTやKDDなど自前で電気通信設備をもつ第一種電気通信事業者から大容量の専用回線を借りて，容量の小さな多数の回線に分割してユーザに販売すること。回線のリセールは第二種電気通信事業者が行う。回線リセールにより，ユーザは直接第一種電気通信事業者から回線を借りるよりも低価格で同じ容量の回線を利用できるメリットがある。

階層構造 【カイソウコウゾウ】　　*structural architecture*

ファイル管理の方法をいくつかの層に分けて行うもの。基準となる層の下にいくつかの層を作り，ファイルの内容や用途によって保存する層を変えておく。構造はツリー型になる。大量のファイルを管理するために利用されている。

階層ディレクトリ 【カイソウディレクトリ】　　*tree structure of directories*

ツリー構造になっているディレクトリ管理方法。あるディレクトリの下に複数のサブディレクトリがあり，さらにその下にもサブディレクトリを置くことができる。プログラムやデータ，OSなどのファイルを管理しやすいようにディレクトリごとにグループ分けするのに便利。MS-DOSやOS/2, MacintoshOS, UNIXなどのOSで採用されている。

●ツリー構造

海賊版　【カイゾクバン】　*pirated software*

　違法に複製され，販売されたり無償配布されたりするソフトウェ
ア。コンピュータのデジタルデータは，複製が容易で品質も劣化
しない。CD-RやMOなどの大容量書きこみ媒体の低価格化，イ
ンターネットによる通信の普及で，個人でも手を染めやすく，現
代のコンピュータ犯罪の代表的なものとなっている。

解像度　【カイゾウド】　*resolution*

　レゾリューションともいう。一般的に画面全体にどれだけの点
（ドット）が置けるかという値で表す。使用するビデオアダプタの
性能，およびCRTの表示能力によって上限が決まってくる。

640× 200 ドット	CGA	
640× 350 ドット	EGA	
640× 400 ドット	PC-98 ノーマルモード	
640× 480 ドット	VGA	
800× 600 ドット	SVGA	
1024× 768 ドット	SVGA/XGA	
1280×1024 ドット	SVGA	
1600×1280 ドット	SVGA	

解像度の種類

階調

　画像の明るい部分から暗い部分までの明るさの段階のこと。白と
黒だけならば2階調という。モノクロの画像を自然な調子に表現
するには256階調必要である。

回転待ち時間　【カイテンマチジカン】　*search time*

　磁気ディスク装置を使ってデータを入出力する際，必要なデータの
位置が読み書き用ヘッドの場所まで回転移動するのに必要な時間
のこと。装置の処理能力を考えたとき重要な要素となる。最小値
0,最大値ディスク1回転時間であり，平均回転待ち時間はディスク
1/2回転である。

開発システム　【カイハツシステム】　*development system*

　プログラムを作るための機材とソフトウェアをまとめて開発シス

か

テムという。

プログラムを作るためには最初から対象となるコンピュータ（実機）上で行う場合と，より高級なコンピュータで開発を進め，最後に実機でチェックする場合とがある。16ビット以上のパーソナルコンピュータ以上ならば，かなり処理能力も高いので実機で開発を進めることが可能だが，4ビットや8ビットのマイクロコンピュータ，あるいは組み込み用システムを開発するには上位のコンピュータやクロスアセンブラ，クロスコンパイラを使って開発を進めることになる。

外部記憶装置 【ガイブキオクソウチ】　*external memory storage*
バスに接続するタイプの記憶装置のこと。メインメモリを主記憶装置というのに対し，補助記憶装置ともいう。フロッピーディスク，ハードディスク，RAMカードなど，コンピュータ本体に内蔵されていても外部記憶装置と呼ぶ。CPUは入出力チャネルによってアクセスし，データの書き込みや読み出しを行う。
◖補助記憶装置

回復管理 【カイフクカンリ】　*recovery management*
コンピュータが正常に動作しないときの状態を記録しておくこと。それを分析することで，修理に必要な時間を短縮し，その影響による損害を最小限にくい止め，システムの効率が落ちるのを防いでいる。

外部コマンド 【ガイブコマンド】　*external command*
MS-DOSでは，dirコマンドなど，コマンドプロセッサ(command.com)の内部に組み込まれている「内部コマンド」と区別するために，formatコマンドなどファイルの形で供給されるコマンドをいう。

外部ラベル 【ガイブラベル】　*external label*
ファイル媒体の外部（ケースなど）に付けられたラベルで，人が見て区別するためのもの。機械では判別できない。

外部割り込み 【ガイブワリコミ】　*external interruption*
周辺装置の読み書きによって起こる割り込み。プログラム実行中にキーボードが押されたり，電源異常などによって発生する。

解放 【カイホウ】　*release*
メモリ領域を管理しているプログラムは，要求に応じて未使用メモリブロックを割り当てるが，使い終わって返却されたメモリブロックを未使用状態に戻すことを「解放する」という。主語を転じて，

管理プログラムにメモリを「返す」ことも，そう呼ばれる。

会話型言語 【カイワガタゲンゴ】　*conversational language*

BASICのように，ディスプレイに表示されるコンピュータからの
メッセージに従って操作していくことで構成パラメータを決定す
るインタプリタ型の言語。この逆はFORTRANやCなどのコン
パイラ型言語である。

会話型処理 【カイワガタショリ】　*conversational processing*

コンピュータと人間がCRTなどのディスプレイ装置を介して，
データをやりとりしながらプログラムの作成や修正，また計算する
方式。タイムシェアリングシステムに用いられることが多い。

カウンタ　*counter*

プログラムのループにおいて回数を記録する変数。たとえばnを
カウンタとし，ループの中で

$$n=n+1$$

とすれば，1回ループを回るごとにnの値が1ずつ増える。nの値が
あらかじめ定めた数値になったときにループを終了させたい時な
どに使われる。

書き込み 【カキコミ】

BBSで，電子掲示板にメッセージをのせることを「書き込む」と
いう。「Aさんの書き込み」とか「ここは書き込みが少ない」など
というぐあいに使う。

隠しファイル属性 【カクシファイルゾクセイ】　*hidden file attribution*

MS-DOSのdirコマンドやUNIXのlsコマンドなど，通常のファ
イル表示コマンドでは，ユーザーからその存在が見えなくなる属
性。ファイルアトリビュートの隠し属性フラグがONになってい
る状態。OSのシステムファイル，アプリケーションの作るテンポ
ラリファイルなど，ユーザーが操作する必要のないファイルに付け
られることが多い。◇アトリビュート

学習機能 【ガクシュウキノウ】

かな漢字変換で同音異義語の変換を行うときに，最後に変換確定し
た文字がつぎには最初の変換候補として表示される。さらに変換
キーを押していけば，その前に選んだ字が出てくる。これは辞書の
並び方が使用頻度の高い順に変わっていくからであり，学習機能と
呼ぶ。ただし，辞書を直接並べかえずに，学習専用の記憶部分で処
理するものもあり，電源を切ってしまうと学習結果が消えてしまう

ものや，しばらく使っていると前の学習結果が消えてしまうものもある。

拡張 IDE 【カクチョウアイディーイー】　　*Enhanced IDE, E-IDE*

PC/AT互換機の記憶装置の接続インターフェイスであるIDEを拡張したもの。ANSIで規格化されるまでに，様々なメーカー独自の拡張があった。狭義にはWestern Digital社が提唱したEnhanced IDE仕様を指し，最大容量7.8GB，最大転送速度13MB/秒，最大同時接続数4台，CD-ROMやMOなどの接続も規定した。これをもとに ANSIのATA-2，ATA-3，ATAPI規格が定まり，ATA-4で最大容量8.4GB，DMA（Direct Memory Access）技術を利用した最大33MB/秒までの高速データ転送が可能になっている。1998年に規格審議中のUltra ATA/66では66MB/秒となり，Intel社がCPUのチップセットで対応を表明，対応ハードディスクの出荷も始まっている。

拡張子 【カクチョウシ】　　*extension*

MS-DOSのファイルネームに付けられている「.」のあとに続く3文字のことをいう。MS-DOSのファイル名は，拡張子も含めて11文字までという制限があるので，先頭の8文字でファイルの内容を表し，残りの拡張子3文字分でファイルの種類を分類している。
拡張子は自由に付けられるが，一般的なルールとして次のような付け方をすることが多い。また，アプリケーションやシステムによって自動的に決まるものもある。なお「.bat」「.exe」「.com」の3つのファイルは，コンピュータに処理を実行させるコマンド。MS-DOSは，拡張子の種類によって実行形式のファイルであるかを判断しているので，これらについては拡張子を変更してはいけない。

MS-DOS のおもな拡張子	
.bat	バッチファイル
.exe	実行形式ファイル
.com	実行形式ファイル
.c	C 言語ソースファイル
.asm	アセンブラソースファイル
.txt	テキストファイル
.doc	Word for Windows の文書ファイル
.jbw	一太郎 Ver.6 の文書ファイル
.dic	日本語入力 FEP の辞書ファイル。

拡張スロット *expansion slot*

　　コンピュータのバスに拡張ボードを接続するためのソケット。
　ビデオアダプタやメモリ, ディスクインターフェイスなどを増設し
　たり取り替えて強化することができる。
　　拡張スロットの形態としてはISA, EISA, MCA, VLBus, CBus,
　NuBus, PCIなど, 様々なものがある。
　　ラップトップ型やノート型コンピュータでは拡張スロットがまっ
　たく用意されていないか, あっても小型のものが1, 2個というもの
　が多いが, デスクトップ型やタワー型コンピュータでは10個以上
　の拡張スロットをもつ製品もある。

拡張性 【カクチョウセイ】 *Expadability*

　　パソコンの機能を拡張するための機器がどれぐらい後付けできる
　かを表す。通常は, メモリの増設量, 拡張スロットの数とスロット
　の種類, 内部増設ベイの数などを指す。特に拡張スロットは, 拡
　張性の中でも一番のポイントとなる。

拡張ボード 【カクチョウボード】 *expansion board*

　　拡張カードともいう。コンピュータの拡張スロットに差し込んで
　バスに接続し, コンピュータの機能を強化する回路を搭載したボー
　ド。
　　パーソナルコンピュータ用の一般的な拡張ボードにはビデオアダ
　プタ, フロッピーディスクインターフェイス, ハードディスクイン
　ターフェイス, シリアルインターフェイス, パラレルインターフェ
　イス, 増設メモリ, SCSIインターフェイス, Ethernetインター
　フェイスなどがある。

確定 【カクテイ】

　　かな漢字変換で, 適切な変換が行われた場合, その変換を決定する
　こと。同音異義語がある場合には, 複数の候補から選択すること
　になる。また, 複数の文節を一度に変換する場合には, 文節の区切
　りが適当でないこともあるので, 文節の区切りを変更したのちに行
　う。使用するかな漢字変換の日本語入力システムによって確定の
　方法は異なるが, 多くはリターンキーを押すことによって行う。

重ね打ち 【カサネウチ】 *strikeout*

　　一度印刷した文字の上にさらに印刷をすること。0改行（改行を行
　わない）を使用して重ね打ちする方法と, 1文字ごとにBS（バッ
　クスペース）を使用して重ね打ちする方法とがある。

加算器 【カサンキ】 *adder*

コンピュータの頭脳部分といわれるCPUにおいて，とくに重要な役割をもっているのが加算器である。これは2進数演算を行う回路で，加えられたふたつの2進数xとyとの和を求め，桁上がりを考慮して出力する。この回路で入力xと入力yに1が加えられた場合，$2^0 = 1$の桁の出力Zは0，$2^1 = 2$の桁上がり情報であるC_Rが1となり，1+1＝10という結果が得られる。

入力 x	入力 y	U_R	W_R	C_R	出力 Z
0	0	0	0	0	0
1	0	1	0	0	1
0	1	1	0	0	1
1	1	0	1	1	0

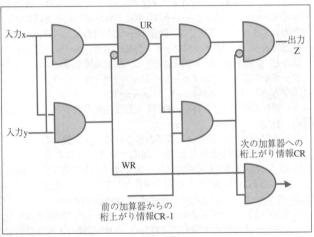

全加算器

仮数部 【カスウブ】 *mantissa*
浮動小数点表示を行うときに使われる固定小数点の部分をさす。すなわち数を

$$m \times a^n$$

で表示するときのmを仮数部という。

カスケーディングスタイルシート

○CSS(1)

カスケード　*cascade*

LANの集線装置であるハブとハブを多段接続する形態。これにより，LANの規模を大きくすることができる。ただし，カスケード用の接続ポートを持たないハブへはクロスケーブルを用いる必要があることと，最大4段までのカスケードしかできないことなど制約がある。

カスタマイズ　*customize*

ソフトウェアやハードウェアの仕様や操作環境を，ユーザーが使いやすい環境に設定変更すること。メーカーや販売店，システムハウスが顧客の要望に応じて行うものと，ユーザーが自分で行うものがある。ユーザー自身が行うカスタマイズを，とくにユーザーカスタマイズといい，製品によってその自由度が異なる。たとえばエディタのカスタマイズ機能では，機能キーの割り付け，一行の文字数，行番号表示，バックアップファイル作成の有無，ユーザー定義マクロなど，多種多様な操作を設定できる。使用環境を設定する一連のファイルのことをコンフィギュレーションファイルという。

カスタム IC　【カスタムアイシー】　*custom IC*

ユーザーの注文により特別に設計して限定生産されるIC。

画素　【ガソ】　*pixel*

ディスプレイで，ブラウン管に表示されるドット数。たとえば，640×480の解像度なら307200画素ということになる。通常，DOS/VマシンやPC-9800シリーズではドットで表すが，Macintoshではこの画素(ピクセル)を単位として扱うことが多い。

仮想 86 モード　【カソウハチロクモード】　*virtual 86 mode*

i386SX以上のCPUにおいて，ネイティブモードの保護タスクレベル3の一部の機能を示す。このため，8086互換のメモリ空間をひとつのタスクと見なせるので，8086コードのアプリケーションを複数起動できる。ただし，8086命令の中でもシステム全体に影響を与える命令はOS側が判断・処理する。

○ネイティブモード

仮想 EMS ドライバ　【カソウイーエムエスドライバ】　*virtual EMS（enhanced memory specification）driver*

仮想86モードを使用し，1Mバイト以上のメモリをEMSメモリとして見せかけるブロック型デバイスドライバ。仮想86モードでは8086の全命令が使用できないので，8086命令をシミュレートさせる。また，ハードウェアEMS処理をシミュレートする（上位メモリとのアドレス変換やデータ転送をする）。

画像圧縮　【ガゾウアッシュク】　*graphial data compression*

画像データを圧縮すること。もともとビットマップデータなどの画像ファイルは，その画素数および色数が増えてくると膨大なデータとなる。そこで，画像データを圧縮し，コンパクト化すれば，画像データのやりとりが容易になる。たとえば，Windowsでよく利用されるTIFFファイルは，圧縮されたファイルと非圧縮のファイルではファイルサイズに大きな差がでる。
○圧縮率

仮想アドレス　【カソウアドレス】　*virtual address*

仮想記憶装置内におけるプログラムの記憶場所のアドレスのこと。相対アドレスともいう。メインメモリの容量を超える巨大なプログラムは，いったん仮想記憶装置に格納されるが，その際，空きスペースに割り当てられるので仮のアドレスとなり，メインメモリのアドレス（実効アドレス）とは対応しなくなる。そのため，実行されるときは実効アドレスに変換される。
○実効アドレス

仮想記憶　【カソウキオク】　*virtual storage*

プログラムを作成するときに，メインメモリとして使用可能な記憶空間。プログラムする際は，コンピュータ内部で仮想アドレスを実効アドレスに変換している。この方式を使うことで，ユーザーがメインメモリの実際の容量にとらわれることなく，自由な大きさのプログラムを作成できる。

仮想コンピュータ　【カソウコンピュータ】　*virtual computer*

1台のコンピュータを見かけ上複数のコンピュータにみなせるようにした方式。タイムシェアリングシステムで複数ユーザーが1台のホストコンピュータを共有するときは，ユーザーにとっては他のユーザーは存在は見えず，（実行速度の低下などは除いて），自分だけで1台のコンピュータを占有しているのと同じように使うことができる。

○タイムシェアリングシステム

仮想小数点 【カソウショウスウテン】　*assume decimal point*
　数値データの中で，小数点にあたる文字をデータとしてもたせない
で小数点の位置を表す方法。

画像処理 【ガゾウショリ】　*image processing*
　コンピュータで文字や静止画，動画を加工する処理。文字のみの
データに比べ，画像はデータが大きくなるため，高速なCPU，大量
のメモリ，大容量ハードディスク，高速なグラフィックカードなど
が必要となる。

画像通信システム 【ガゾウツウシンシステム】　*image communication*
　別名をビデオテックスシステムともいう。文字だけでなく，静止
画やアニメーションなど画像データのやりとりも行えるデータ通
信の総称。文字を表現するためにテキストコード以外のデータも
取り扱うため，一般的にはコード拡張の手法が用いられる。
　ビデオテックスのための国際標準規格は3種類あり，CEPT方式に
よるフランスのテレテル（ミニテル），NAPLPS方式によるアメ
リカのProdigy，そしてCAPTAIN方式による日本のキャプテン
システムがある。

○CAPTAIN

画像データ 【ガゾウデータ】　*graphics data*
　グラフィックソフトウェアなどで作成されたデータ。Windowsな
らBMP，WMF，TIFF，MacintoshならPICT，EPSなど，イン
ターネットでは圧縮率の高いGIF，JPEGがよく利用される画像
データ形式である。

仮想ドライブ 【カソウドライブ】　*virtual disk drive*
　ひとつのドライブを別のドライブとして登録し，あたかももう一
つドライブがあるかのごとく利用できるようにするもの。たとえ
ば，ディスクコピーを行う場合，通常は2つのFDドライブが必
要となるが，仮想ドライブを設定することで1つのFDドライブし
かないマシンでもメディアを交換すればディスクコピーが可能と
なる。ソフトウェアで3モード切り替えを行うタイプのFDDの場
合，通常の1.44MB対応のドライブがAドライブ，1.25MBが読め
る仮想ドライブがEドライブというように，仮想ドライブが設定
されるものもある。

画像ファイル 【ガゾウファイル】　*Graphics File*
　グラフィックソフトウェアなどで作成されたファイル。

〇画像データ

<u>カーソル</u>　*cursor*

■ カーソル　cursor
次に入力する文字が、ディスプレイ上でどこ
示すマーク。キーボード上にある ［→］ ［←］
どのカーソルキーや、［CTRL］キーとア
字の組み合わせによって画面上を移動させる
ーソルの形状はソフトウェアによって違うが、
ーライン）が一般的である■

↑
カーソルが文字の上にくると文字は反転する

カーソル

画面上の入力位置を示すマーク。つぎに入力する文字が，ディスプレイ上でどこに表示されるかを示す。キーボード上にある →，←，↑，↓などのカーソルキーや，Ctrl キーとアルファベット1文字の組み合わせによって画面上を移動することができる。カーソルの形状はソフトウェアによって違うが，■や__（アンダーライン）が一般的である。

<u>カーソルキー</u>　*Cursor key*

画面上のカーソルを移動させるためのキー。↑（上），↓（下），←（左），→（右）の4つの方向を命令できる。方向キー，矢印キーともいう。

<u>カタログ</u>　*catalog*

データ管理プログラムの中に用意されているもので，データセット名とアドレスによる索引をもつファイルのこと。

<u>カタログ型プロシージャ</u>【カタログガタプロシージャ】　*catalog pro-cedure*

コンピュータの処理に必要なデータセット名，格納場所，処理手順などの標準的な手続きを，あらかじめマクロ命令として登録してお

くことで，システムの合理化，共有化を実現する機能のこと。

カット アンド ペースト　*cut and paste*

エディタやワードプロセッサでデータを編集するときに用いられる技法。指定した範囲のデータを別の場所に移動させる機能のことで，切り貼りともいう。元データの切り取る（カット）範囲を設定し，切り取ったデータの貼り付け場所を指定して実行する。範囲は矩形，文，行単位などで設定することが多い。WindowsやMacintoshのアプリケーションでは標準の機能。

カットシートフィーダ　*cut sheet feeder*

A4，B4などの単票用紙を自動的にプリンタに送り込んで印刷するための装置。1枚ごとに紙をセットする必要がなくなり，連続印刷が可能になる。

カットバッファ　*cut buffer*

カット＆ペースト，あるいはコピー＆ペーストによるデータ移動の際に，カット（コピー）されたデータをペースト用に記憶しておくメモリ領域のこと。次のデータがカット（コピー）されるまで記憶する。MS-WindowsやMacintoshでは，クリップボードという共通バッファを介してデータを記憶するので，複数の異なるアプリケーションとの間でデータを共有することができる。

　⊃カット＆ペースト

カード型データベース　【カードガタデータベース】　*flat-file database management program*

データベース管理システム（DBMS）の一種で，一度に一個のデータベースファイルのみを取り扱うもの。フラットファイル型DBMSともいう。図書館カードのように，あるフォーマットにしたがって記入したデータを検索したり，並べ替えたり，印刷できる。(次ページ図参照)

　⊃データベース，データベース管理システム，リレーショナルデータベース

カードサービス　*card service*

PCカードに割り当てられたハードウェア資源(メモリ空間やI/O空間，割り込みレベルなど)のテーブルを持つものをいう。PCカードの着脱に応じて資源を動的に再配分するほか，カード着脱などのイベントを現在利用しているデバイスドライブやアプリケーションに通知する。JEIDA4.2，PCMCIA Ver.2からサポートしている。

カード型データベース

<u>カートリッジ</u>　*cartridge*

　はめこみ式の交換部品。周辺機器や部品をケースに入れ,ワンタッチで装着できるようにしたものである。プリンタのインクリボンを収めたインクリボンカートリッジ,ゲーム機で使われるROMカートリッジ,バックアップ用の磁気テープカートリッジなど。

<u>かな漢字変換</u>　【カナカンジヘンカン】　*kana-kanji transformation*

　漢字かな混じりのデータをコンピュータに入力するための仕組み。変換方式には種類があり,もっとも単純なのが単漢字変換(一文字ごとに入力/変換)で,以下熟語変換(熟語と助詞を分けて処理),文節変換(文章ごとに処理。複数の文節を扱える連文節変換も含む),文章変換(入力した文章をまるごと変換)などがある。

　例「今日は医者に行きました。」という文章を入力するとき,

- 単漢字変換
  いま/にち/は/い/もの/に/ぎょう/きました。

- 熟語変換
  きょう/は/いしゃ/に/いき/ました。

- 文節変換

　　　　きょうは/いしゃに/いきました。

　　● 文章変換
　　　　きょうはいしゃにいきました。

文章変換では，例文と「今日歯医者にいきました。」という文章と，いかにして正しく区別して変換するかが課題となっている。
●ワードプロセッサ, FEP, IME

カナ入力 【カナニュウリョク】

日本語をキーボードから入力する方法の一種で，ひとつのキーにひとつ（あるいはふたつ）のカナを割り振っておき，キーから直接カナを入力する。

ひとつのキーに複数のカナが割り振られている場合は，シフトキーなどを組み合わせることで選択。キーに対するカナの割り振りには旧JIS式，新JIS式，親指シフト式，五十音配列式などがある。

カナ入力はローマ字入力にくらべ，1ストロークで目的のカナを入力できるので入力効率は高い。
●ローマ字入力

カーニング　*kerning*

DTPソフトウェアで，文字の間隔をつめたり空けたりすること。たとえば，アルファベットではT, W, Yなど横が空いている文字に隣の文字を食い込ませることをいう。

---

qwerty key type writer
qwerty key type writer
qwerty key type writer

カーニング

カーネル　*kernel*

OSの基本部分でプロセスを動作させる基本環境。プロセスを切り替え，監視したり，外部とデータを交換するなどの基礎的な機能を

提供する部分。メモリに常駐してプロセスに対するサービスを行う。ファイルシステムやメモリ管理，ネットワーク制御などOSの様々な機能をカーネルに一体化したものと，最小限の機能だけに分離したマイクロカーネルがある。 ●プロセス，マイクロカーネル

カプセル化 【カプセルカ】 *encapsulation*

オブジェクト指向のプログラムで，オブジェクト内部の情報を隠し，決められた手続きだけによってアクセスできるようにすること。システムの信頼性を向上させ保守を容易にする。

壁紙 【カベガミ】

●ウォールペーパー

ガーベージコレクション *garbage collection*

記憶領域内に各種のプログラムを格納する場合，プログラム間にすきまができることがある。ひとつずつはわずかなものでも，それをまとめることでかなり大きな記憶領域を作り出すことができる。そのために，プログラムを移動させてすきまを連続した領域とする作業のことを，ガーベージコレクションと呼んでいる。

可変小数点表示法 【カヘンショウスウテンヒョウジホウ】 *variable-point representation system*

小数点を含む数字を表示する場合，小数点のかわりに特殊文字を使って表示する方法のこと。

可変長レコード 【カヘンチョウレコード】 *variable length record*

ファイルの中のデータ桁数に大小があり，レコードの長さが一定でないもの。

事前に一定の桁数が設定されている固定長レコードとくらべ，桁数の小さなデータでもファイルを効率的に利用できる点や，レコード長を気にせずデータ登録ができるなどのメリットがある。反面，データ構造が複雑になるため，固定長レコードの場合より処理速度が劣ることもある。

加法混色 【カホウコンショク】

●RGB

可用性 【カヨウセイ】 *availability*

●アベイラビリティ

カラー液晶 【カラーエキショウ】 *color LCD*

カラー表示が可能な液晶ディスプレイ。D-STNタイプと TFT タイプのどちらかを採用するノートパソコンが多い。

●TFT，アクティブマトリックス液晶

カラープリンタ

カラープリンタ　*color printer*

カラー印刷ができるプリンタ。ドットインパクトプリンタや熱転写プリンタで4色のインクリボンを使うもの，インクジェットプリンタで4色のインクを使うものなどがある。最近では発色やドットの細かさからインジェットプリンタが主流となっている。

空文字　【カラモジ】　*null*

記憶媒体の空きまたは処理時間の空きを埋めるために使われる制御文字のこと。文字列の意味を変えることなく，文字列中に挿入したり削除したりできるが，装置制御または情報形式に影響を及ぼすこともある。

軽い　【カルイ】

「重い」の逆で，負荷が軽いためにレスポンスが速い状況を「軽い」という。

　⇨重い

カレンダー　*calendar*

コンピュータに年月日および時間をカウントさせる機能のこと。あらかじめコンピュータに年月日と時間を登録しておけば，電源がバッテリでバックアップされている内部時計によって自動的にカウントしていく。うるう年なども自動的に算出してカウントするものが多い。オペレーティングシステムなどではファイル管理をするときに，このカレンダー機能を利用してファイルに年月日と時間を保存している。コンピュータの通信においても通信時間の管理にこの機能を利用しているものがある。

カレントディレクトリ　*current directory*

現在，操作の対象となっているディレクトリ，あるいは作業対象としているディレクトリのこと。

カレントドライブ　*current drive*

現在，操作の対象となっているドライブのこと。

簡易言語　【カンイゲンゴ】　*non-programming language*

本格的なプログラミング言語ではなく，MS-DOSのバッチやアプリケーションのマクロなど，ユーザーが簡単に処理を自動化できる言語。

環境　【カンキョウ】　*environment*

あるコンピュータやソフトウェアを動かすのに必要となるさまざまな条件。ハードウェア的にはCPUの種類や速度，メモリ容量，ディスク容量，ディスプレイ解像度，その他の周辺装置の接続状況

か

をさし，ソフトウェア的にはOS，日本語入力システム，ユーティリティやツール類などの装備状況およびメモリ配分，環境変数の設定などをさす。

環境設定 【カンキョウセッテイ】 *configuration*
ソフトウェアを動作させるためのさまざまな条件の設定。

環境設定ファイル 【カンキョウセッテイファイル】 *configuration file*
アプリケーションなどの環境設定を保存しておくファイル。環境設定ファイルの名前には，.cfgや.iniといった拡張子の付いたものが多い。

環境変数 【カンキョウヘンスウ】 *environmental variable*
コンピュータの使用環境を設定するために使われる変数。使用するソフトウェアやOSによって異なるが，コンパイラで使用するライブラリファイルや，テンポラリファイルを作るためのディレクトリ指定などの用途に使用される。MS-DOSでは

```
path=C:\;C:\DOS;C:\BIN;C:\WIN
```

などのように，環境変数pathを設定することによって，シェル（command.com）が指定されたディレクトリを検索するので，プログラムがカレントディレクトリになくても起動できるようになる。

漢字ROM 【カンジロム】 *kanji ROM*
漢字（2バイト）フォントデータを格納したROM。日本語表示のために必要な漢字を格納していて，日本語対応のマシンやプリンタなどの周辺機器には必要不可欠なものとされていた。ただし，日本語MS-WindowsやDOS/Vはそれ自身が漢字フォントファイルをもっており，ソフトウェアで日本語をグラフィック表示させることができ，現在では過去のアプリケーションの互換性のために付いているだけである。

漢字Talk 【カンジトーク】 *Kanji Talk*
Macintoshで日本語を使うためのソフト。現在では，日本語版MacOSとなり漢字Talkとは呼ばれない。最初の漢字Talkは，1986年，Macintosh Plus用に発売された。その後，1988年に漢字Talk2.0，1989年に漢字Talk 6.0とバージョンアップを重ね，1995年にはPowerMacintoshの発売に合わせて漢字Talk7.5となった。漢字Talk 6.0までは，英語版のMacintoshOSを後から書き換えて日本語の入出力を実現していたため，動作が不安定であったり，英

語版のアプリケーションが動作しないというトラブルがしばしば発生した。漢字Talk 7.1は，Macintoshの多国語対応規格であるWorld Scriptに基づき，基本版のSystemに日本語モジュールを組み合わせることで日本語化を実現しており，英語版システムとの互換性が高くなった。漢字Talk7.5はPower Macintoshのネイティブコードをサポートし，より高速になるほか，Quick DrawGXなども装備された。

漢字コード 【カンジコード】　*kanji character code*

16進数の4桁，つまり2バイト（16ビット）で1文字を表すように規格されたコードのこと。英数字やかなは，1バイト（8ビット）あれば256通りの文字が表現可能なので十分だが，3000種を越える漢字のパターンを収録するには2バイト必要になる。

実際には，16ビット中14ビットを使って1万6384通りの文字を収録させている。

関数 【カンスウ】　*Function*

表計算ソフトなどで，複雑な計算をあらかじめ記号に登録したもの。たとえば，「SUM(B1:B5)」と入力すると，B1〜B5の縦のセルに代入された数値の合計値を計算してくれる。関数には，このような数値を割り出すものと，文字列を検索したり抽出する文字列関数もある。

　　　［関数の例］
　　　ABS:絶対値を計算
　　　AVG:平均値を算出
　　　DATE:日付を代入
　　　INT:整数部分を計算
　　　MOD:わり算の余りを計算
　　　SUM:合計を算出

間接アドレス指定 【カンセツアドレスシテイ】　*indirect addressing*

命令内部のアドレス部で，データ格納場所のアドレスを直接指定するのではなく，そのデータの格納場所を記憶している場所のアドレスを指定する方法。

たとえば，命令語のアドレス部にxという値が，ベースレジスタにはbという値が格納されているとする。このとき，メインメモリ上

のx＋bで表されるエリアに保持されているcという値が，目的とするデータのアドレスということになる。

感熱紙 【カンネツシ】　*Thermal Prist Paper*

熱が当たったところが黒く変色する特殊な用紙。この特性を生かしてプリンタやFAXなどの記録用紙として利用されている。プリントアウトした用紙が変色してしまうことや，すぐに傷がついてしまうことから，最近は利用されなくなった。

感熱プリンタ 【カンネツプリンタ】　*thermal printer*

○感熱方式

感熱方式 【カンネツホウシキ】　*thermal recording*

熱に反応して発色する感熱紙に，熱を発生するサーマルヘッドを接触させて印字する方式。比較的騒音が低く，本体コスト，ランニングコストも安い。反面，印刷速度が遅く，用紙が変色しやすく保存性が悪い。ファクシミリや感熱プリンタなどに採用されている。

○ファクシミリ

関連付け 【カンレンヅケ】　*association function*

WindowsのファイルマネージャやMS-DOSのDOSSHELLで，データファイルのアイコンをダブルクリックしたとき，拡張子に応じてアプリケーションを自動的に起動するよう登録すること。たとえば拡張子が「DOC」ならばMS-Word，「XLS」ならばExcelが起動する，といったように設定できる。

慣用暗号方式 【カンヨウアンゴウホウシキ】　*conventional cryptography*

従来型の暗号方式。秘密鍵暗号方式のこと。

き

キー *key*

(1) キーボードに配列されているスイッチのこと。文字入力に使用する。

(2) レコードの見出しとして使用される文字列。データの並べ替えや検索時などには, キーが指標となる。

キーアサイン *key assign*

キーコードをキーボードの刻印に一致させるための変換処理。またある機能を特定キーまたはキーの組み合わせに割り当てること。最近では, ほとんどのエディタやワードプロセッサ, 日本語入力FEPなどがこの機能をもっている。その場合は, キーカスタマイズとも呼ばれる。

記憶装置 【キオクソウチ】 *storage*

プログラムやデータを格納保持し, 必要に応じて取り出すことができる装置。

コンピュータの構成要素のひとつで, 主記憶装置と補助記憶装置に分けられる。

主記憶装置はメインメモリともいい, CPUが直接読み書きする。高速応答性が求められるためICメモリを使うのが一般的。補助記憶装置は磁気ディスク装置やMOを用い, 安価で大量のデータを記録できる。外部記憶装置とも呼ばれる。⊃CPU, MO, 磁気ディスク, 補助記憶装置, メインメモリ

記憶容量 【キオクヨウリョウ】 *storage capacity*

記憶装置に格納できるデータ量のこと。単位としてはバイト, ビット, キャラクタ, 語などを用いる。

ギガ *giga*

10進数で10^9, 10億の位。コンピュータでは2進数で2^{30} =1073741824。メガの1024倍。キロの1048576倍である。

機械語 【キカイゴ】 *machine language*

マシン語ともいう。コンピュータ内部で使われ, CPUが直接理解できる言語。0か1によってすべての命令語や文字を表している。機械語は人間には理解しにくいので, アセンブリ言語や高水準言語

を使用してソースプログラムを記述し，アセンブラやコンパイラで
作成した実行形式のファイルが機械語となる。

機械翻訳 【キカイホンヤク】　*mechanical translation*

自動翻訳ともいう。コンピュータを使った翻訳のこと。
プログラムは基本的に原言語と目的言語の辞書データ，および翻訳
ルーチンから構成される。翻訳は以下の手順で実行される。

(1) 原文の入力
(2) 原言語辞書からの単語と文法の検索
(3) 構造分析
(4) 目的言語辞書による目的言語への変換
(5) 文章の合成
(6) 翻訳された文の出力

キーカスタマイズ　*Key Customize*

ワープロやフロントエンドプロセッサなどで割り付けてあるキー
設定を，自分の好みに変更すること。エーアイソフトのWX-IIIな
どは，ジャストシステムのATOKと同様のキーアサインも用意さ
れており，ATOKユーザーでも違和感なく利用できるようになっ
ている。

ギガバイト　*giga byte*

⊃G バイト

基幹 LAN 【キカンラン】　*backbone LAN*

一つの組織のネットワークの中で中心となる重要な位置づけにあ
る LAN。通常，FDDIなどのリング状の形態である。基幹LAN
からイーサネットなどの支線LANが派生している。⊃バックボー
ン

記号 【キゴウ】　*symbol*

一定の形式をもち，人が理解しやすいように表現されたもの。0と
1の数字で構成されている符号や，番地表示記号などがある。

記号処理 【キゴウショリ】　*symbolic processing*

プログラム中の命令を記号に置き換えずに，記号そのものをデータ
として扱う処理のことをいう。さらにこの記号処理のために開発
された言語を記号処理言語（symbol manipulation language）と
いう。また，記号列を処理する言語をストリング処理言語（string
manipulation language）という。

記号処理とは記号を使用している文の解析をし，その文が何を表しているのかを調べる処理であり，数式の解析などに使うことができる。またストリング処理とは記号の列から部分列を検索したり，ふたつの記号の列が同じものであるかどうかを調べる処理である。

き

木構造 【キコウゾウ】   *tree structure*

データ構造のひとつで，階層型とも呼ばれる。

データ項目のひとつのまとまりをセグメントというが，このセグメント間のつながりを木の枝のように考えたものが木構造である。

親セグメントはひとつ以上の子セグメントをもっているが，子セグメントは必ずひとつの親セグメントしかもつことができない。最上位の親セグメントについては，根セグメントと呼ぶこともある。

疑似命令 【ギジメイレイ】   *pseudo instruction*

ソースファイルを機械語に変換するときに，アセンブラやコンパイラの動作を制御する命令語のことをさす。命令としてはプログラムの番地の設定，変数エリアの確保，定数の定義，データテーブルの番地の設定などがある。マクロ命令も疑似命令の一種である。

机上デバッグ 【キジョウデバッグ】   *desk debugging*

コーディングの終わったプログラムを実際にコンピュータで実行する前に，人間がソースリストを読んで誤りがないかチェックする作業のこと。

基数 【キスウ】   *radix*

各コードの基本となる数のことで，2進コードならば2が，10進コードならば10が基数である。

基底アドレス 【キテイアドレス】   *base address*

⯈ベースアドレス

起動時 【キドウジ】

コンピュータやプログラムを動かしはじめたとき，あるいは起動した直後の状態。必要なファイルを読み込んだり，内部処理に関するメッセージを表示したりする。

キートップ   *key top*

キーボードの文字が書いてある上部を指す。

キー入力 【キーニュウリョク】   *key-in*

キーボードを備えた入力装置によって，コンピュータにデータやプログラムを直接入力していく作業のこと。

揮発性記憶装置 【キハツセイキオクソウチ】   *volatile storage*

RAMなど，電源を切ってしまうと記憶内容が消失してしまう記憶

装置。これに対し，ROMや磁気テープ，磁気ディスクのようなも
のを，不揮発性記憶装置と呼んでいる。

キーバッファ　*key buffer*

キーボードからの信号を一時的に保管しておくためのメモリ。人
間が直接扱うキーボード操作は，コンピュータ内部の処理と比べれ
ば非常に遅いので，CPUがキーからの入力をいちいち読み取って
いたのでは，コンピュータ全体の動作が遅くなってしまう。そのた
めキーボードからの入力データはある程度メモリに蓄積しておい
て，まとまってからCPUに送られるようになっている。このメモ
リがキーバッファである。

キーバッファの設計が悪いと，データがあふれてしまったり，取り
こぼしたりして使いにくいものになる。

キーボード　*keyboard*

文字を入力したり，コンピュータに指示を与えるために使用される
周辺装置。英文キーボード，日本語キーボードなどのほか，特殊業
務用キーボードなど，コンピュータの機種や用途によって数多くの
バリエーションがある。

キーボードロック　*keyboard lock*

キーボードの入力を受け付けないようにすること。一時的にコン
ピュータの前を離れるとき，他人に操作されるのを防ぐための機
能。パスワードを入力することで解除するソフトウェア方式と，鍵
を使うハードウェア方式がある。

基本インターフェイス　【キホンインターフェイス】　*Basic Rate Interface, BRI*

ITU-Tで規定された家庭用ISDNのサービス形態。日本でNTT
グループが「INSネット64」として販売しているもの。

○INSネット64

基本サイクル　【キホンサイクル】　*basic cycle*

コンピュータの動作の基本となるようなクロック信号のことをい
う。コンピュータやその周辺機器は，すべてこの信号またはこの信
号を加工したものに同期して動作している。またコンピュータが
ひとつの命令を実行しはじめて次の命令を実行するまでの時間を
マシンサイクルという。

基本ソフトウェア　【キホンソフトウェア】　*basic software*

コンピュータを動作させるための基本となるソフトウェアのこと。
ユーザーが目的に合わせて用いる応用ソフトウェアと対をなす

367

言葉。

機密保護　【キミツホゴ】　*computer security*

⇨コンピュータセキュリティ

き

逆アセンブラ　【ギャクアセンブラ】　*disassembler*

機械語プログラムを人間が理解できるアセンブラのソースプログラムに復元するためのツール。プログラムを解析したり，改造するために使う。OSに用意されているデバッガプログラムのほとんどは基本的な逆アセンブラ機能を備えているが，単独の製品として供給されている逆アセンブラはさらに高度な解析機能をもつ。

逆アセンブル　*disassemble*

機械語プログラムを，逆アセンブラを使って人間が読むことのできるアセンブラのソースファイルにすること。

逆ポーランド記法　【ギャクポーランドキホウ】　*reverse Polish notation*

$A+B$を$+ab$と書くなど，演算子のあとにオペランドを書く記述法をポーランド記法というが，その逆の記法（$ab+$と書く）は逆ポーランド記法（RPN）と呼ばれ，スタックを利用した演算などに応用されている。両者はポーランドの数学者Lukasiewiczが考案した。⇨スタック

キャスト　*cast*

C言語で，型の異なる代入では規則に従って自動的な型変換が行われるが，はっきりと変換の型を指定することも可能で，その指定のことをキャストと呼ぶ。

キャッシュディスク　*cache disk*

ハードディスクなど，ディスク装置の読み書きを高速化するメモリ。ハードディスクやフロッピーディスクからデータを読み出すときに，データをキャッシュメモリに記憶しておく。次回，同じデータを利用する際にはディスクにアクセスするのでなく，キャッシュメモリから読み込むので，高速にデータを処理できる。

キャッシュメモリ　*cache memory*

CPUの処理速度が速い場合，メインメモリにアクセスすると処理が滞るので，メインメモリとCPUの間に高速なメモリを入れて，CPUの処理速度の低下を軽減する機構。CPUに内蔵されているものを内部キャッシュと呼び，CPU外部に増設したキャッシュを外部キャッシュという。

キャディ　*caddy*

CD-ROMをCD-ROMドライブに挿入するために入れるケース。

ふたを開いてCD-ROMを入れ，キャディごとCD-ROMドライブにセットする。CD-ROMが記憶媒体として登場したばかりの頃は，ドライブ内での精密な位置指定のためこれを必要とした。現在はキャディを使わないトレイタイプのCD-ROMドライブが一般的。

キャプチャ　*capture*

画面に表示されている内容をファイルとして保存すること，あるいはそのためのプログラム。ファイル化された画面をスナップショットあるいはスクリーンダンプともいう。MacintoshやMS-Windowsには標準でキャプチャ機能が用意されており，より高度な機能をもつ単独プログラムもある。

キャラクタ　*character*

文字のこと。コンピュータで使用される文字は，アルファベット，数字，特殊記号のほか，日本語ではカナ，漢字も扱われる。これらを総称してキャラクタと呼ぶ。

キャラクタコード　*character code*

特定の文字を表すコードのこと。コード体系はASCIIやJISなど，いくつかの規格で制定されている。

キャラクタジェネレータ　*character generator*

コンピュータから送られてきた文字コードを，ディスプレイ画面やプリンタに文字として出力するために，その文字のパターンを記憶しているROM。

キャリー　*carry*

加算を行ったときの桁上がりのこと。

キャリッジリターン　*cariage return*

○CR

キャンセル　*cancel*

実行中の作業を中止すること。

キュー　*queue*

バッファと同様にこれから実行されるべき命令群を，前の命令の処理が終わってプロセッサが次の命令を受ける準備が整うまで一時的に保管しておく待ち行列のこと。

境界調整　【キョウカイチョウセイ】　*boundary control*

コンピュータグラフィックスにおいて，隣り合うピクセル（画素）のコントラストが高いときジャギー（なめらかなはずの線が階段状になること）が目立つが，境界調整により境界にグラデーション

き

を施すことにより見た目のジャギーを減らすことができる。

<u>競合</u> 【キョウゴウ】　*conflict*

コンフリクトともいう。複数のインターフェイスボードを装着したり，複数のプログラムを同時に実行した場合，同じアドレスの割り込み命令を奪い合ったり，同じファイルをアクセスしようとし，不都合が起きること。たとえば，IBM PC互換機にMIDIインターフェイスのローランドMPU-401と，SCSIホストアダプタのAdaptec AHA-1542を装着すると，両者ともI/Oアドレスが300hなので，動作しない。これを避けるには，どちらかのボードのアドレスを変更しなければならない。

また，MacintoshではINITとcdevという常駐ツールを組み込むことができるが，これがお互いに影響を与え，ハングアップしたり文字が化けることがある。この場合は，問題のあるINITとcdevを外したり，組み込む順番を変更する。

<u>行端揃え</u> 【ギョウタンゾロエ】　*justification*

各行の左端と右端を同じ位置に揃えること。プロポーショナルフォントやカーニングを使うと，文字によって幅が違うので，そのままでは右端が揃わない。そこで，文字間隔を調整したり，空白を挿入したりして行端を揃える。

<u>共有鍵暗号方式</u> 【キョウユウカギアンゴウホウシキ】　*common key cryptography*

●秘密鍵暗号方式

<u>共有ファイル</u> 【キョウユウファイル】　*Shared file*

ふたつ以上の異なるコンピュータでアクセスできるように制御されたファイルシステム。

ただし，共有ファイルを利用する場合には，異なるコンピュータで同時にファイルをアクセスできないことに注意しなければならない。このためコンピュータでのファイルのアクセスが終了したら，他のコンピュータにそのことを知らせる。それには割り込みを使用する。割り込みによって他のコンピュータにファイルの変更を知らせたりする。

またファイルの使用を待っているコンピュータには命令の待ち行列ができるのでそれを管理することも必要である。

<u>共有メモリ</u> 【キョウユウメモリ】　*shared memory*

複数のプロセス間で同時に共用される記憶領域のこと。UNIXなどのOSで使用されているプロセス間の通信手段のひとつ。

切捨て 【キリステ】 *truncation*

ある計算を行ったときに，その計算結果の中から利用者が必要な精度以下の桁を除くこと。また，計算処理をあらかじめ決めた規則により途中で終わらせることをいう。たとえば級数の計算などで利用者の要求に従いどの項まで計算するか決めておく。コンピュータはその決められた項まで計算をすると処理を終了する。

切捨てる場合に注意しなければならないことは，切捨てることによって生ずる誤差を考慮にいれて精度を決定することである。

キーリピート *key repeat*

キーを一定時間押し続けると，同じ文字が入力され続ける機能。日本のマシンでは，キーリピートがはじまるまで約0.25秒で，リピート速度は1秒間に約24文字。なお，欧米ではキーリピート機能は好まれない傾向がある。

キロ *kilo*

10進数で10^3，千の位。コンピュータでは2進数で$2^{10}=1024$。

記録密度 【キロクミツド】 *packing density*

単位長，単位面積，単位体積あたりの記憶データの量。より多くの情報を記録できるものを高密度という。

キーワード *key word*

ある情報のカギとなるような重要な言葉のこと。オペレーティングシステムやコンピュータ言語などではそのシステムに予約された語，すなわち入力されたらコマンドとみなされ処理される語のことをキーワードまたは予約語という。ユーザーがキーワードをファイル名や変数名，処理名などに使えないことが多い。

情報検索システムでは，あるデータのレコードを検索する場合，その中の重要な語を入力することによってそれを含むレコード全体を検索するが，その入力された語のことをキーワードという。

⇨予約語

禁則処理 【キンソクショリ】

ワードプロセッサの画面上，あるいは文書を印刷するときに，句読点や」などが行の先頭に，また「や（などが行の最後にこないようにする処理のこと。行の先頭における禁則を行頭禁則，行の最後における禁則を行末禁則という。禁則処理の対象とする文字記号を禁則文字という。禁則文字が2個，3個重なるのを二重禁則，三重禁則という。禁則文字の種類，二重禁則，三重禁則をどう処理するかはソフトウェアによって異なり，ユーザーが指定できる製品

き

均等割り付け

とされる。これが簡易言語である。現在は、簡易言語という言葉をあまり使わずに、それぞれのソフトのジャンルで呼ばれる。

簡易言語のジャンルには、スプレッド・シート（表計算ソフト）、カード型データベースなどがある。表計算ソフトの代表的なものにはロータス1-2-3 があり、表集計、シミュレーションなどに活用される。カード型データベースは、国内ではアイリ

禁則処理を行わない文

とされる。これが簡易言語である。現在は、簡易言語という言葉をあまり使わずに、それぞれのソフトのジャンルで呼ばれる。

簡易言語のジャンルには、スプレッド・シート（表計算ソフト）、カード型データベースなどがある。表計算ソフトの代表的なものにはロータス1-2-3 があり、表集計、シミュレーションなどに活用される。カード型データベースは、国内ではアイリス、Ｎｉｎｊａなどが有名で、名簿管理、蔵書管理などに利

禁則処理を行った文

禁則処理

もある。禁則処理を実現するには，1行の既定文字数よりも文字数を増やして，同じ行に収める「ぶら下がり禁則」，禁則文字の前で改行してしまう「行送り禁則」，文字間隔を調整して行内に収めるなどの方法がある。

<u>均等割り付け</u>　【キントウワリツケ】

　1行中に設定した範囲の中に，文字を均等に割り振ること。

　ワードプロセッサなどでは，あらかじめ設定した1行あたりの文字数より入力する文字数が少なくても，文字と文字の間隔は設定値となるが，均等割り付けをすると文字間が自動的に調整される。

　なお，文字の数より少ない範囲に，均等割り付けをすることはできない。⊃センタリング

均　　　　　　　　　　　　等
割　　　り　　　付　　　け
き　ん　と　う　わ　り　つ　け

区画 【クカク】 *partition*

多重プログラミング方式でプログラムをメインメモリにロードするとき，メインメモリを分割して各プログラムに与える場所のこと。エリア（領域）と呼ぶこともある。

区切子 【クギリシ】 *delimiter*

●デリミタ

草の根ネット 【クサノネット】 *grass roots*

大手商用ネットワークに対して，個人や法人の運営する小規模ネットワーク。

クパティーノ *Cupertino*

Apple Computer 社の本社がある，カリフォルニア州の都市。シリコンバレーとよばれる地域の中にある。

組み込み関数 【クミコミカンスウ】 *built in function*

数式計算を行う場合，プログラミング言語があらかじめ関数としてもっているために，プログラマがとくに定義することなく使用できるもののこと。おもなものに，三角関数，指数，対数，平方根，絶対値などがある。

組み込み用マイコン 【クミコミヨウマイコン】 *embedded microcomputer*

電気製品，産業機器などの内部に直接組み込まれたマイクロコンピュータ。現在では炊飯器，エアコン，洗濯機，電話機など家電製品からファクシミリ，コピー機といった事務用品，街頭の自動販売機や自動車など，ほとんどあらゆる製品にコンピュータが内蔵されている。

これらの製品に組み込まれるコンピュータのほとんどは，きわめて小型化された，LSI 1個だけからなるマイクロコンピュータである

クライアント *client*

クライアントサーバの形態で，サーバからさまざまなサービスを受け取るコンピュータ。実際にユーザーが操作する端末のこと。

クライアントサーバ *client server*

複数のコンピュータをネットワークで接続して使用するときの形

クライアントサーバ

態。サーバと呼ばれるコンピュータに，複数のユーザーが共有するデータやプログラムを収め，そのサーバからデータを受け取ったり，サーバにデータの処理を行わせたりするクライアントで構成される。クライアントサーバはデータベースとともに発達してきており，従来のファイルサーバを中心とした単純なデータ共有の形態から，データ処理をサーバとクライアントの両方で行う形態に移ってきている。

クライアントサーバを使ったデータベースでは，クライアント側でユーザーの要求を受け取り，サーバに対して必要なデータのみを送るようにデータベース問い合わせ言語を発行する。サーバはデータの抽出を高速に行い結果をクライアントに返す。クライアントは受け取ったデータをユーザーが使いやすい型に加工するといった一連の作業によってひとつの処理が行われる。

いわゆるダウンサイジングのモデルともなっているコンピュータのネットワーク化の一つの形態。メインフレーム中心のシステム

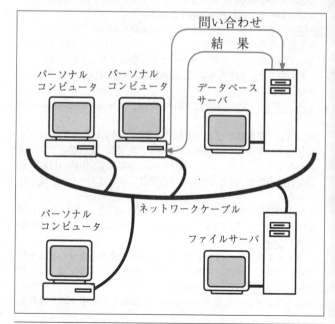

と比較し，システムの拡張がしやすい，コストが安いなどの特徴がある。反面，ネットワークの信頼性やコンピュータシステムそのものの信頼性が重要になってきている。また，クライアントサーバには明確な定義がないため，単なるファイルサーバとパーソナルコンピュータの組み合わせでも場合によっては，クライアントサーバと呼ぶことがある。

クライアントサーバモデル　*client server model*
クライアントサーバを利用したシステムの構造。

クラス　*class*
オブジェクト指向プログラミングで，機能や性質に共通点のあるオブジェクトを総称してクラスと呼ぶ。クラスに属するオブジェクトは，クラスの「メンバ」と呼ぶ。FAXモデムの規格。EIAクラス1，2で表され，クラス1はハードウェアのみで制御されるが，クラス2ははハードウェア+ソフトウェアでの制御が可能。

クラスタ　*cluster*
メモリの最小管理単位のこと。磁気ディスクの場合は，同一トラック内のセクタをまとめて1クラスタとし，記憶位置を管理している。
○トラック，セクタ

クラッカー　*cracker*
インターネットやパソコン通信などでウィルスをばらまいたり，機密事項の納められたサーバにアクセスしてデータを破壊するといったいたずらをするユーザーのこと。似たような意味でハッカーという言葉があるが，本来は，単にコンピュータにのめり込んでいる人をさす言葉で，最近ではシステム破壊などコンピュータを使った犯罪行為を行う者を区別してクラッカーと呼ぶようになった。
○ハッカー

クラッシュ　*crash*
ハードディスクやフロッピーディスクなどに不具合が発生し，データの読み取りや書き込みができなくなる状態をいう。
ハードディスクの場合，ヘッドが直接ディスク面に触れることで発生する。フロッピーディスクの場合では，ほかの磁気の影響を受けることで発生する。いずれも，物理的な要因である。

グラデーション　*gradation*
色網のパーセンテージを段階的に変えていくことで得られる特殊

効果。色あいを連続的に変化させること。

グラフィックアクセラレータ　*graphics accelerator*

パソコンやワークステーションのグラフィックス(画像)処理を高速化するためのハードウェア。ビデオカード，グラフィックスカード，ウィンドウアクセラレータなどと同じ意味。表示解像度や同時表示色数を増やすためのビデオカードに描画用プロセッサ(アクセラレータチップ)を搭載して高速化したもの。ソフトウェア上でこのような処理を行うものをグラフィックスエンジンと呼ぶときもある。⊃ウィンドウアクセレータ

グラフィックアクセラレータボード

グラフィック画面　【グラフィックガメン】

文字や図形，画像をドット単位で表示する画面。グラフィックVRAMの内容を表示する。

グラフィックス　*graphics*

コンピュータを利用して図形やモデルなどの画像を生成すること。その応用例はさまざまである。コンピュータグラフィックスには2D（2次元）モデルと3D(3次元)モデルとがある。

2DモデルはおもにLSIやプリント基盤などの回路を設計するCAD，グラフ作成，気象衛星からの画像の分析，CTスキャナなどに応用されている。

3Dモデルは自動車のボディや機械部品の設計, コマーシャルフィルム, フライトシミュレーションなどに応用されている。

3Dモデルの生成方法にはさまざまなものがある。線のみで構成されたワイヤフレームモデル, 多数の平面が集まって立体を構成しているポリゴンモデル, 画面の画素1点1点ごとに光線を追跡して行くレイトレーシングなどがある。

以前はアニメーションなどを制作するためには膨大な費用と労力, 時間がかかったが, 現在ではパーソナルコンピュータやワークステーションで手軽にコンピュータグラフィックスを作ることができるようになった。

グラフィックスワークステーション　*graphics workstation,GWS*

コンピュータグラフィックスの機能を特別に強化したワークステーション。高速CPU, 大容量メモリ, 高速ビデオアダプタ, 高解像度ディスプレイ, 大容量ハードディスクなどを備え, グラフィック処理用のアプリケーションが揃っているもの。

⊃IRIS Indigo

グラフィックスソフトウェア　*graphics software*

図形や画像を作成したり, 処理するソフトウェア。描画ソフトウェアにはドット単位で描くペイント系, 線や面の集合で描くドロー系があり, 両者を兼ね備えている製品もある。ドロー系をさらに高機能化し, シミュレーションなどの機能を取り込んだものがCADソフトウェアである。

そのほか, 平面図を元に立体化し, 光や影, 反射などを付加する3Dソフトウェア, スキャナなどで取り込んだ写真を加工するフォトレタッチソフトウェア, 動きを指示することでコマ撮りができるアニメーションソフトウェア, 最近CMなどで多用されている2枚の写真の間をなだらかに変化させてつなぐモーフィングソフトウェアなどがある。

グラフィックボード　*graphics board*

⊃ビデオアダプタ

クリア　*clear*

記憶されていたデータやプログラムを消去し, 元の状態, 通常はゼロか間隔文字の状態にすること。

くり返し　【クリカエシ】　*loop*

ある条件が満足されるまで, いくつかの命令を何度も実行すること。くり返される一連の命令や命令文のことをループ(Loop)と呼

ぶ。このほか，条件が満たされているあいだ，指定した動作を反復して実行することもこう呼ぶ。

○ループ

クリッカブルマップ　*clickable map*

ホームページ上の地図などのイメージ内で，クリックする場所によって，異なるURLの情報が表示されるようにリンクさせるためのHTMLの機能。

クリッカブルマップは，グラフィックスの表示位置を座標で管理しており，座標ごとに違ったイベントを指定することができる。このため，グラフィックスの中に複数のボタンを置いて複数のイベントを設けることができる。

例えば，X座標の0〜40，Y座標10〜80の範囲内をクリックするとA.HTMLが，X座標60〜100，Y座標10〜80の範囲内をクリックするとB.HTMLが立ち上がるように指定しておけば，一つの画像内のクリックする位置を変えることで別のHTMLにジャンプさせることができる。

クリック　*click*

画面上のボタンや範囲選択などを指定してマウスのボタンを押すこと。1回押すことをシングルクリック，つづけて2回押すとダブルクリックと呼ばれる。Windowsの場合，通常クリックというと左ボタンを押す左クリックを意味する。

グリッド　*grid*

画面上の正方形や平行線などを書きやすくするために，画面に表示されるマス目。グラフィックス(特にドロー系)ソフトなどに搭載されている。

クリップアート　*clip art*

イラストや絵を画像データにしたもの。文書などに貼り付けて利用できる。よく利用されるのは，年賀状や暑中見舞いなどで使用する干支や季節画など。最近では，商業使用も可能なテクニカルイラストなどもあり，DTPなどの商業印刷で利用できるものもある。

クリップボード　*clipboard*

WindowsやMacintosh上で，複写や切り抜きを行った文章やグラフィックスのデータを一時的に保管しておく場所。さまざまなアプリケーションで，複写や切り抜きコマンドを実行すると，データはクリップボードに自動的に保管され，貼り付けコマンドが実行

されるとそのデータが送られるようになっている。電源を切ると
データの内容は消去されてしまう。

グリーン PC 【グリーンピーシー】

◯Green PC

グループウェア *groupware*

LAN上で部署ごとやプロジェクトチームなどの共同作業の効率を
あげるためのソフトウェア。

電子メールや電子会議システム，プロジェクト進行管理システムな
どがある。製品としてはLotus社のNotesなどが有名。

グレイコード *gray code*

2進数表示の一種で，交番2進コード，サイクリックコードともい
う。通常の2進数のビットパターンで同じものが並んでいるとき
には0，異なっているときに1とすれば作ることができる。

これは10進数では1だけ異なっているものが1桁異なるようにな
る。そのため，アナログ値をデジタル値に変換するときに誤差を1
とすることができる。

10 進数	2 進数	グレイコード
0	0000	0000
1	0001	0001
2	0010	0011
3	0011	0010
4	0100	0110
5	0101	0111
6	0110	0101
7	0111	0100
8	1000	1100
9	1001	1101

グレースケール *gray scale*

白黒画像を中間調で表示したもの。16階調，256階調などがある。
256階調あれば白黒写真とほぼ同じレベルで表現できる。

グロシュの法則 【グロシュノホウソク】　*grosch's rule*

コンピュータの処理能力はその価格の2乗に比例するという考え方。小型・高性能化の進む現状では，この法則は成り立たなくなってきている。

クロスアセンブラ　*cross assembler*

実際にプログラムを実行するコンピュータやOSとは異なる環境でアセンブルすること。たとえば，組み込み用マイクロコンピュータのプログラムを開発するのに，MS-DOSマシン上でクロスアセンブルするなど。

クロスケーブル　*cross cable*

RS-232C用ケーブルで信号の配線を一部交差させたもののこと。おもにコンピュータ同士を直接接続する場合に使用する。

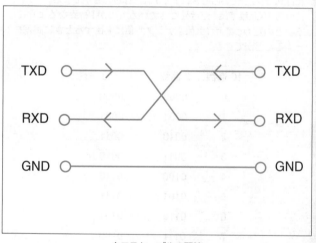

クロスケーブルの配線

クロスコンパイラ　*cross compiler*

動作対象とは異なるコンピュータ上で動くコンパイラ。486マシンでZ80用のプログラムを開発するような使い方をする。

クロックジェネレータ　*clock generator*

デジタル回路は一定のタイミングに従って動作しているが，その基本となるタイミングを発生させた基本クロックを，動作に必要な周

波数まで下げ, 各部に供給する回路。

クロック周波数 【クロックシュウハスウ】 *clock frequency*

デジタル回路で動作を設定する基準タイミング信号の周波数。これに従ってICやLSIが動作し, データを処理する。クロックジェネレータで信号を発生させる。同一の回路構成であれば, クロック周波数が高いほど処理速度は速くなる。

クロックパルス *clock pulse*

クロックジェネレータから供給される時刻信号のこと。

クローン *clone*

ハードウェアの回路構成のレベルやファームウェアまで同一の機器を指す。本来は生物学用語で, 親と同じ遺伝子組成を持つ細胞のこと。パソコンでは互換機(コンパチブルマシン)を意味し, 現在, IBM社製のパソコン(PC/AT)のクローン(PC/AT互換機)が, パソコンの主流となっている。しかし, オリジナル機メーカーの許可なしにクローンの製造等を行うと, 特許権や著作権に違反することになる。

け

計算センター 【ケイサンセンター】　*computer center*

高度な計算のできる大型コンピュータやスーパーコンピュータを備えた施設。企業や研究所，大学が専用の計算機センターをもっている場合と，共用できる計算機センターがある。

継承 【ケイショウ】

　→インヘリタンス

携帯型パーソナルコンピュータ 【ケイタイガタパーソナルコンピュータ】
portable personal computer

据え置き型のデスクトップタイプに対し，持ち運ぶことを前提にしたパーソナルコンピュータ。

1981年にOsborne Computer社が発売したOsborne-1は，飛行機に持ち込めるトランク型ケースにZ80CPU，5インチディスプレイ，キーボード，フロッピーディスクドライブなどを詰め込んだ「携帯可能」パーソナルコンピュータの第1号。ただし，AC電源が必要で，10キロ以上の重さがあった。

ハンディな携帯型パーソナルコンピュータは，1983年に発売されたTandy Model 100にはじまる。A4サイズ，横40字×縦8行の液晶ディスプレイを搭載し，ワードプロセッサや通信ソフトウェアを内蔵して，電池で動作する。これは京セラのOEMで，日本ではNECからPC-8201として発売された。→ノートブック型コンピュータ

携帯電話 【ケイタイデンワ】　*cellular phone*

個人が携行移動して通話することができる無線電話。1980年代から米国で普及が始まった自動車電話がルーツであるが，小型軽量化が進んで用途を自動車内での使用に固定する必然性がなくなり1990年代後半から携帯電話が一般的になった。このことから，移動中に通話できることが携帯電話の要件とされ，PHSと区別されることが多い。

携帯電話はモバイルコンピューティングの火付け役となり，ノートパソコンと接続して外出先で端末として使うほか，携帯電話機自体にPDAの機能を持たせる方向に発展進化している。

ゲスト ID　*guest ID*

特定のBBSにおいて，非会員向けに，誰でもアクセスできるよう
用意された公開ID。ただし，ゲストIDでは接続できる時間や受け
られるサービスに制限があることが多い。インターネットでは一
般公開されているすべてのファイルにアクセスできる "anonymous
FTP" というゲストID（匿名ID）によるFTPがある。
◯anonymous FTP

結合子　【ケツゴウシ】　*connector*

フローチャートを作成するときに1枚の用紙で書ききれない場合
などに，途切れる部分に出口の印を付け，次の用紙の冒頭に入口の
印を記入してから続きを作成する。この場合の出口と入口の印の
ことを結合子と呼ぶ。また，流れ線が交差して見にくくなるとき
も，結合子を使うことで解決できる。結合子の中に数字を記入する
こともできるので，より効果的な使用法が考えられる。（次ページ
図参照）

結合テスト　【ケツゴウテスト】　*combined test*

単体ごとのテストを終了した各プログラムのうち，関連のあるプロ
グラム同士をつないで，全体を通してテストを行うこと。単体では
正常に終了するが，結合するとエラーを発生する場合があるので，
この作業は必ず行わなければならない。

ゲート　*gate*

デジタル信号の入口のこと。入力された信号の状態に応じて出力
信号を送り出す働きをしている。

ゲートアレイ　*gate array*

標準ゲートセルを規則的に多数配列したICチップ。汎用論理回
路，または半カスタム論理回路ともいう。
ユーザーの仕様に応じて配線することで特定の回路用のカスタム
ICを作成できる。マスクパターンから作成するカスタムICを作
るほどではないが，汎用ICでは機能がまかないきれない場合など
に利用する。

ゲートウェイ　*getaway*

プロトコルが異なるシステムやネットワークを，相互に接続す
る機器，あるいは異なるネットワークへ接続すること。OSI参照
モデルでは第4層，トランスポート層より上で動作するものをさ
す。また，パソコン通信ホストサービスで自局以外のネットワー
クに接続することもいう。NIFTY-Serveと米国のCompu-Serve

け

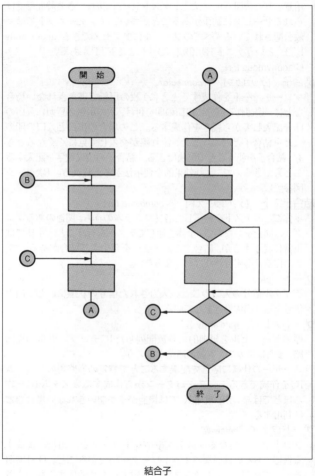

結合子

とのゲートウェイは有名。
○OSI参照モデル, ルータ

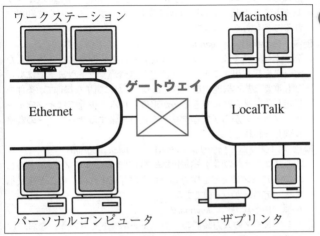

ゲートウェイ

ゲート回路 【ゲートカイロ】　*gate circuit*

　ひとつ以上の入力チャネルをもち, かつ, ただひとつの出力チャネルをもっている回路のこと。

ケーブルテレビ　*cable television*

　○CATV

ケーブルモデム　*cable modem*

　CATV回線をコンピュータに接続しデータ通信するためのモデム。電話回線より大容量転送に有利なCATV回線を, 急速に普及する家庭用インターネットのインフラに転用する目的で製品開発された。ケーブルモデムとコンピュータ間はEthernetで接続する。既存のCATV回線は放送用に設計され, ユーザ側から大容量のデータを発信することを想定していなかったため, ユーザから局への上り方向を高速にすることが技術的に難しい。このため, 下り方向のデータ送信速度だけを10Mbps以上の高速にとり, 上り回線に電話回線を用いたり, 上り方向は数Mbps以下の低速に抑える非対称型のモデムが多い。

け

ゲームポート　*game port*

ジョイスティックをつなげるためのコネクタで，ゲームポートと呼ばれている。8ビット入出力ポートとしての機能をもつので，タブレットなどの低価格の周辺装置のインターフェイスとして利用されることもある。⊃タブレット

検索　【ケンサク】　*search*

データベースや文書，ファイル，ディスク装置などから指定したデータを探し出すこと。データベース管理ソフトウェアではもっとも重要な基本機能のひとつであり，いかに簡単な操作で，条件を指定し，高速に検索できるかが求められる。最近ではオンラインデータベースから必要なデータを代行検索するサーチャーの資格試験も行われている。

検査プログラム　【ケンサプログラム】　*check program*

他のプログラムの誤りを検出するプログラム。タイプミス，矛盾したコーディングなどを検査しそれらが存在すればそのことを表示する。デバッガの一種である。

けん盤　【ケンバン】　*keyboard*

コンピュータの入力装置の一つ。キーボードともいう。なお，けん盤配列に関してのJIS規格は「X6002 情報処理系けん盤配列」として定められている。

⊃キーボード

減法混色　【ゲンポウコンシヨク】

⊃YMCK

語 【ゴ】　*word*

コンピュータで処理されるデータの基本単位のこと。ワードとも
呼ぶ。通常ひとつの命令またはひとつの数値を1語と考えている。
使用するコンピュータによって語の長さが限定されているもの（固
定語長）と変えられるもの（可変語長）がある。固定語長には，8
ビット，16ビット，24ビット，32ビットなどの各種の大きさがあ
る。また，1ワードの半分の長さのものをハーフワード，倍の長さ
のものをダブルワードと呼んでいる。

コアメモリ　*core memory*

縦横に編まれた銅線の交点にドーナッツ状のフェライト磁石をか
ませたもので，環状の磁心の磁束方向を2進数の値に対応させて情
報を記憶する。これは環状の磁心の磁束方向が，磁化するときの電
流の方向によって決定され，かつ保存されるという原理を利用した
ものである。読み書きは線に電流を流すことで行われる。比較的
呼出し時間が短く，安価であったので広く利用された。

半導体メモリが一般化する以前はメモリといえばコアメモリのこ
とであった。

公開鍵暗号方式 【コウカイカギアンゴウホウシキ】　*public key cryptography*

情報通信の暗号化技術。データを暗号化する鍵と復号化する鍵が
別々で，暗号化する鍵の構造を公開し，復号化する鍵を秘密とする
暗号方式。送り手側は，だれでも公開鍵を使ってデータを暗号化
することはできるが，復号化することができるのは，秘密鍵を持つ
受け手側だけである。このため，不特定の顧客の信用情報を第三
者に漏らさないオンラインモール等に応用される。公開鍵暗号方
式は復号化する鍵が完全に秘密（本人以外は知らない）なので秘
密鍵方式よりセキュリティは強靭だが，処理速度が遅い。⊃SSL

交換法 【コウカンホウ】　*exchange sort*

キー比較によるソート処理方法のひとつ。となり合ったふたつの
データのキーの大小を比較し，順序が逆の場合にのみデータの位置
を入れ替える作業をくり返していく方法。最終的にデータは昇順

または降順に並べかえられる。 ⊂キー

高級言語 【コウキュウゲンゴ】　*high-level language*

人間が理解しやすい単語で記述できるプログラミング言語。高水準言語とも呼ばれる。COBOL, FORTRAN, C, BASICなどがこれにあたる。これに対し，アセンブリ言語など，マシン語に近い言語を低級言語（低水準言語）という。

公衆通信回線 【コウシュウツウシンカイセン】　*communication life for public use*

一般の電話につながっている電話電信回線網のこと。不特定多数の人を対象とし，NTTの交換機によって接続される。これに対して，特定の利用者に提供される専用の回線を特定通信回線という。

降順 【コウジュン】　*descending order*

データを並べ替えるときに，大きいものから小さいものへと順に並べていくこと。アルファベットの場合はZからAへ，カタカナの場合はンからアへと並べていく。これは，ファイルをソートする処理のときなどによく用いられる。

構造化プログラミング 【コウゾウカプログラミング】　*structured programming*

1960年代，オランダ・アイントホーヘン工科大学のDijkstra教授の提唱によるプログラム設計の規範。プログラムの構造を基本要素の組み合わせとして捉える。不規則な枝分かれ(goto)や階層化されていない巨大なルーチンは排除する。プログラム設計はトップダウン方式により階層的に分割して行う。

構造体 【コウゾウタイ】　*structure*

複数のデータを操作しやすいようにひとかたまりにした，ある特定内容についての情報集合体。C言語などで利用できる。特徴は，文字型，整数型，実数型変数などをひとまとまりの構造体名で宣言できるため，一度宣言した後は変数の型を気にせずに使えること。構造体を構成するそれぞれの変数をメンバーという。

高速デジタル伝送サービス 【コウソクデジタルデンソウサービス】　*high-speed digital transmission service*

信頼性という面で問題の多い従来のアナログ方式による電話回線に代わり，光ファイバケーブルを採用したデジタル専用の通信回線網。代表的なものとして，NTTのISDNがある。データの伝送速度は最高64Kbpsと高速で，A4用紙サイズ1枚の情報量をおよそ5秒で送ることができるG4ファクシミリやフロッピーディスクの伝

送装置，テレビ会議システムなど，応用範囲も幅広い。

高速バックボーン 【コウソクバックボーン】
100Mビット/秒以上の伝送速度を持つ高速LAN。
○100BASE-T，100VG-AnyLAN

広帯域 CDMA 【コウタイイキシーディーエムエー】
現在実用化しているcdmaOne（帯域幅1.25MHz）を広帯域化することを想定したCDMA通信方式。次世代の携帯電話＝地上波移動体通信の標準方式と見られている。現在，北米のcdma2000（Wideband cdmaOneより改称。帯域幅3.75MHz），日本のW-CDMA（Wideband CDMA，帯域幅5MHz），欧州のUTRA（Universal Terrestrial Radio Access，W-CDMAと同様）などの規格が並立しており，標準化に向けてITU（国際電気通信連合）で審議中である。

構内回線 【コウナイカイセン】
○LAN

高品位テレビ 【コウヒンイテレビ】　*high-definition television*

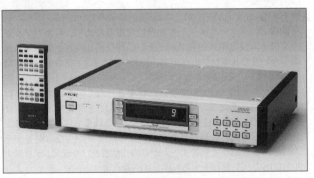

BS チューナー内蔵 MUSE デコーダー

従来より走査線の本数が多く，伝送周波数帯域を広くしたテレビ放送方式のこと。細部まで鮮明な画像と良質の音声を得られる。HDTV，あるいは高精細度テレビ（high resolution television）ともいう。日本では，デジタル圧縮/アナログ伝送方式のMUSE（ハイビジョン）放送はじまっているが，アメリカとヨーロッパではデジタル圧縮/デジタル伝送方式を採用することとなり，MUSEは却

下された。
MUSEでは，画面の縦横比が従来の家庭用テレビ（3対4）とくらべて横に長く（3対5），映画のシネマスコープに似ている。現在のテレビ放送の走査線本数は525本だが，高品位テレビでは2倍以上の1125本。画素（画像を構成する点）数も約35万個から150万個に増加し，画像の細かな部分まで再現可能である。
MUSEコンバータによって，伝送された部分的な画像データを受像器がメモリに蓄積して再生する方式がとられている。その結果，一度に大量のデータを送る必要がなくなり，周波数帯域を狭くすることにも成功した。
しかし，それでも周波数帯域が従来方式の4.2MHzから約7倍の30MHzに広がるため，SHF帯を使う衛星放送が採用された。

後方一致　【コウホウイッチ】
語を検索する際，語の末尾から一致するものを指定すること。例えば，語尾が「大学」で「東京大学」「日本大学」「明治大学」などを検索する場合。
⊃前方一致

互換 BIOS　【ゴカンバイオス】　*compatible BIOS*
互換機で，ソフトウェア上の互換性を得るために，もとのマシンのシステム設定やサービスルーチンの呼び出し内容とアドレス情報を合わせた基本ソフトウェア。ROMなど（メインフレームではRAMが多い）に記憶されている。
オリジナルBIOSとプログラム内容をまったく同じにすることは著作権侵害にあたる。そのため，互換BIOSを開発するにはオリジナルBIOSの内容を解析するチームと，これまでに一度もオリジナルBIOSの内容を見たことのないプログラマからなる開発チームに分ける。そして解析チームからの仕様書だけを元に，オリジナルBIOSと同じ動作をする互換BIOSを作成する。
IBM PC互換BIOSの専業メーカーとしてはAMI, Phenix, AWORDなどが有名。

互換機　【ゴカンキ】　*compatible machine*
もとのマシンに対し，同じアプリケーションソフトウェアや拡張ボードが利用できるマシン。IBM PC/ATに対するDOS/Vマシンなどがある。むしろ現在では，対応アプリケーションを充実させるために，ワークステーションや，ゲーム機でも互換機の開発を積極的に認めるメーカーが増えてきている。

互換性 【ゴカンセイ】 *compatibility*

アプリケーションソフトウェア, OS, 周辺機器に対して支障なく動作する能力の度合を示す。互換性の高低は, 互換機で元になった純正マシン対応のソフトウェアとハードウェアが動作するかどうかが最も重要な評価項目となる。たとえ純正メーカーであっても, 新機種を開発するときには, 完全な互換性が取れているとは限らない。

⊃上位互換, 下位互換

国際電気通信連合 【コクサイデンキツウシンレンゴウ】

⊃ITU

ゴシック体 *gothic*

書体の一種。縦横の線が同じ太さで構成されている。漢字Talk7, 日本語Windows3.1には明朝体とともにアウトラインフォントで標準装備されている。

ゴシック体

ゴシック体

故障検査ルーチン 【コショウケンサルーチン】 *fault detection routine*

コンピュータ内部のハードウェアの故障, または実行中のプログラムの誤りを検査し指摘するルーチン。これによりユーザーがコンピュータの故障箇所を知ることができるほか, コンピュータ自身による故障部分の分離など自動的に故障に対応した処理を実行させるこてができる。

コースウェア *courseware*

コンピュータを使った対話型教材。ドリルと演習問題, チュートリアル, 問題解決, シミュレーションなどからできている。

コストパフォーマンス

コストパフォーマンス *cost performance*

システム導入に必要な経費と，データ処理能力との比率のこと。コンピュータシステムを設計するときに問題とされる要素のひとつ。コストについては，ハードウェアとソフトウェアのほかに，システム内でトラブルが発生した場合に起きる損害，および修理費用までも考慮する必要がある。

語長 【ゴチョウ】 *word length*

データの記憶やコンピュータ内部で行われる，データ転送のときの1語の長さ，すなわち桁数。

固定小数点 【コテイショウスウテン】 *Fixed Point*

小数点の位置を，一定の位置に固定する方式。

```
  123.45
12345.67
  789.12
     └┘
     右から2ケタに固定
```

⊃浮動小数点

固定長レコード 【コテイチョウレコード】 *fixed-length record*

データ内容の多少に関らず，すべてのレコードの長さが同じ記録方法。処理プログラムの作成が容易であり，処理速度が速いというメリットがある。ただし，1レコードの長さは，予想されるデータの最大長にあわせなければならず，ファイルサイズは大きくなる。

固定ディスク 【コテイディスク】 *Hard Disk Drive*

⊃ハードディスク

コーディング *coding*

仕様書やフローチャートにもとづき，設計の済んだプログラムを，実際にエディタやコーディングシートにプログラム言語で記述する作業のこと。

コード *code*

データをコンピュータで扱うために体系化された表現をいう。コードは独自に決めることもあるが，標準化されていると混乱なく汎用性も高い。コンピュータで扱う文字表現を定めたものに，アメリカのASCIIコードや日本のJISコード，UNIXで使われるEUCコードなどがある。**⊃キャラクタコード**

コードネーム *code name*

開発段階の製品につける仮の名称。もとは正式な商品名が決まる

までの間，関係者の間でだけ使われる隠語だったが，開発に長い期
間が必要となる現在では，一般に報道されるようになった。商標
などは命名にあたって，他の現実にある商標に重複しないよう調
査が必要だが，コードネームをつける場合はあらかじめこうした
可能性を排除するため，商標権が設定できない地名をつけたりし
た(Windows95のコードネーム「Chicago」，Intel社の64ビット
CPU「Merced」)。現在はイメージ訴求のため音楽用語(Mac OS
の「Gershwin」、「Allegro」、「Rhapsody」)を使ったり，コード
ネームをそのまま製品名にする(Lotus Notesの「Domino」)など，
宣伝戦略の一環として命名されるようになってきている。
●ベイパーウェア

ことえり

漢字Talk 7に標準で付属する日本語入力メソッド。従来の日本語
入力FEPとは作動原理が異なり，変換した文字をシステムの一部で
あるText Service ManagerへApple Eventを使って渡している。
名前は，和歌を詠むときに言葉を選ぶという意味の古語，「言選」
からきている。

ことえりメニュー

コネクタ　connector

コンピュータ本体と周辺機器，または周辺機器同士を接続するた

めの端子。ピン数や形状によりさまざまな種類があるので，接続前に十分確認する必要がある。

〇DB コネクタ，DIN コネクタ

コピー　copy

元のデータを損なうことなく，同じデータを別のところにも書き込むこと。1文字分のコピーや複数行のコピーのほか，ファイル全体を同一ディスク（あるいは別のディスク）上に作ることもコピーという。

コピーアンドペースト　Copy and Paste

範囲指定した文字列などをバッファに保存しておき，別のファイルや場所にコピーすること。カットアンドペーストのコピー版。Windows3.1の場合は，範囲指定した後，Ctrlキーを押しながらカーソルをコピーしたいところへドラッグするだけでよい。

〇カットアンドペースト

コピープロテクト　copy protect

通常のコピーコマンドなどではファイルの複製が作れないようにすること。ソフトウェアの販売元が，不法なコピーを防止するために行う。

必ずオリジナルディスクがないと動作しないもの，起動時にキーディスクと呼ばれる専用ディスクが必要なもの，ハードディスクへのインストール回数に制限を加えるもの，ネットワーク上で同じシリアル番号の製品が同時に起動できないもの，専用アダプタを接続しなければならないもの，など形態はさまざま。

ハードディスクの普及にともない，ビジネスアプリケーションはプロテクトがなくなりつつあるが，ゲームソフトウェアや日本語フォントにはコピープロテクトされたものが多い。

子プロセス　【コプロセス】　child process

あるプロセスが別のプロセスを生成したとき，前者を親プロセス，後者を子プロセスと呼んで区別する。UNIXでは，まず親プロセスの実行がふたまたに分かれて子プロセスができるので（fork機能）子プロセスの中身は，最初は親とまったく同じである。

コプロセッサ　coprocessor

CPUとローカルバスを共有し，CPUの機能を強化する共同プロセッサのこと。同じクロック信号上で，同一命令を同期しながら実行していく。

代表的なものとしては，浮動小数点演算を専門に扱う数値演算コ

プロセッサ(FPU)がある。たとえばIntel社のCPUでは，8086用には8087，80286用には80287，i386用にはi387が用意されている。

これらのCPUを搭載した多くのパーソナルコンピュータでは，FPUのソケットが用意されており，オプションで装着できるようになっている。CADやスプレッドシート，CG，データ解析など，数値計算を頻繁に行う業務ではFPUを装着する効果は大きい。

コマースサーバ　*commerce server*

インターネットを利用した商取引において決済処理を専門に行うためのサーバ。強力なセキュリティ機能を持っており，顧客情報やクレジットカード情報などが外部に漏洩したり，改竄されることを防ぐために利用される。インターネットのホームページを利用したオンラインショッピングが注目を集めているが，インターネットでの商取引は非常に危険性をはらんでいる。たとえば，商品を購入して決済を行うためにクレジットカードを使う場合，カード番号を転送しなければならない。しかし，インターネットのメールシステムは，様々なサーバを経由して宛先へ転送されるため，途中でカード番号を盗まれても，本人は全く気が付かないということが起こりうる。そこで，カード決済などでの安全性を確保するために作られたのが，コマースサーバーである。

コマンド　*command*

コンピュータに対する命令。コンピュータがコマンドを受け付けられる状態をコマンドモードという。

コマンドインタプリンタ　*command interpreter*

入力されるプログラムやコマンド(コンピュータに対する命令)を1ステップずつ読みとって，機械語に翻訳しながら実行するプログラム。ユーザーとOS(オペレーティングシステム)の間にあるソフトウェア，インタフェースの一種。BASICなどがこれに属する。

コマンド検索パス　【コマンドケンサクパス】　*command search path*

OSのシェルがプログラム実行命令を受け取ると，その名前の実行ファイルを検索する。まず，カレントディレクトリを検索し，見つからなければ指定されている順番にディレクトリを検索する。この指定をコマンド検索パスという。

コマンドライン　*command line*

OSを起動したのち，キーボードからのコマンドを入力できるライン (行) のこと。

ゴミ

ゴミ

BBSへの書き込みで，無内容もしくは非常にくだらないものの
こと。

ゴミ箱 【ゴミバコ】　*trash*

Macintosh、Windowsで不要なファイルを削除するために設けら
れているアイコン。Windowsでは「ごみ箱」と表記。削除したい
ファイルをドラッグして，ゴミ箱のアイコンの上にドロップする
と，ファイルを簡単に削除できるようになっている。なお，実際に
ディスク上からデータは削除されず，「ゴミ箱を空にする」を実行
するまで残るようにしている。

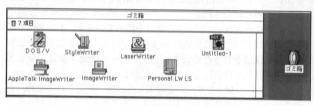

ゴミ箱

コミュニケーションサーバ　*comunication sever*

通信用サーバ。ネットワーク環境で共有される，印刷，通信，ファ
イリング等の機能を集中化して，管理，提供に当たるコンピュー
タをいう。通信機能を専門に管理・提供する。

コメント　*comment*

プログラムの中に書き込まれた説明文のこと。一般にプログラム
の冒頭部分にプログラム自身の説明文を記入することが多い。ま
た，各セクションネームや命令文のあとに説明文を入れて，開発者
以外にも流れが分かるようにする目的もある。

コール　*call*

サブルーチンを呼び出すこと。サブルーチンを使用するプログラ
ムは，必要な箇所でサブルーチンを呼び出し，制御情報を渡す。サ
ブルーチンは処理が終わると，結果を呼び出し元のプログラムに返
し，制御を受け渡す。

コールドスタート　*cold start*

コンピュータシステムを起動させる場合に，前回に終了したときの
情報を利用せずにスタートさせること。これに対して，前回終了時

の情報を利用して再起動させる方法をウォームスタートという。

コンカレント処理　*concurrent processing*

複数のデータ処理を同時に行うこと。マルチタスク処理ともいう。

コンストラクションゲーム　*construction game*

プレイヤーが，その内容を自由に組み立てられるゲームのこと。1981年，Apple II用に発売された「ピンボールコンストラクションセット」がその元祖とされる。現在ではこのほかに，パズルアクションゲームでは「ロードランナー」，シミュレーションゲームでは「大戦略」など，各種のコンストラクションゲームが登場している。

コンソール　*console*

コンピュータの入出力装置のこと。通常はキーボードとディスプレイをさす。MS-DOSでは標準入出力がコンソールで，conと指定する。他にパラレル出力のprnまたはlpt，シリアル入出力のauxなどがある。

コントラスト比　【コントラストヒ】　*contrast ratio*

白黒または明暗の対照比のこと。コントラスト比は，画質を決めるに当たって最も重要な要因となる。具体的には，モノクロ画面で画面全体が白のときと黒のときの，光の透過量比率によって定義される。

コントロールS　【コントロールエス】　*CONTROL-S*

SONY独自のビデオ機器制御信号。Vboxインターフェイスなどからビデオスイッチャなどを制御するのに使われる。インターフェイスから被制御機器への一方向制御しかできない。●LANC，Vbox

コントロールカウンタ　*control counter*

コンピュータの制御部のひとつであり，ある命令が実行されるとその値がひとつ増えてつぎの命令を実行する。アドレスに命令が記述されている場合などはその実行しているアドレスを示している。プログラムカウンタとも呼ばれている。

コントロールキー　*control key*

キーボードの Ctrl キーとほかのキーを同時に押して，特殊な機能を実現すること。ショートカットキーともいう。英文ワードプロセッサのWordMasterやWordStarでのダイヤモンドカーソル（矢印キーと同じカーソル移動を Ctrl キーと英文1文字で行う）が

歴史的に有名。操作に慣れると作業効率が飛躍的に上がる。この
ため, ほとんどのアプリケーションで採用されている。

<u>コントロールパネル</u> *control panel*

(1) Windowsの見かけや周辺機器の設定を変更するためのプログラ
ムグループ。画面の色, フォント, プリンタ, エンハンスドモー
ド, ドライバ, 日本語入力などの設定を行う。

(2) Macintoshで, cdevと呼ばれる特別なプログラムを保存するホ
ルダーと, それらのメニュー画面をさす。最近では, 本来メ
ニューをもたないINITにメニューの機能をもたせたタイプのコ
ントロールパネルのプログラムが増えている。

◯INIT

<u>コンパイラ</u> *compiler*

高級言語で書かれたソースプログラムを機械語またはそれに近い
プログラムに翻訳するプログラム。出力となるプログラムをこの
コンパイラのオブジェクトプログラムという。オブジェクトプロ
グラムが機械語であるものもあるが, 高級言語をアセンブラ言語に
変換して出力するコンパイラもある。

コンパイラは

(1) 語彙解析
(2) 構文解析
(3) 意味解析
(4) コード生成

の4つの機能からなっており, つぎのように作業が進行していく。

(1) 語彙解析
ソースプログラムに含まれる単語を分析し, シンボルテーブルと
いうテーブルに登録する。またコメントや無駄な空白などを削
除して圧縮した中間言語を作る。

(2) 構文解析
語彙解析されたシンボルテーブルと圧縮された中間言語を受け
取り, ソースの文法をチェックする。もしも文法上誤っている
箇所があればエラーメッセージを表示する。誤りがなければ1
次元的に展開されたソース言語を解析し, 立体的な解析木を生成

する。
(3) 意味解析
　構文解析によって分析された解析木の意味を解析し，その意味を表現する解析木に変換する。
(4) コード生成
　意味解析で抽出された解析木からオブジェクト言語，あるいは機械語のコードを生成する。

⇨インタプリタ

コンパイラ言語 【コンパイラゲンゴ】　*compiler language*

コンパイラによって機械語もしくはそれに近い形に解釈されるプログラム言語。
機械語やアセンブラ言語と比べて

- レジスタの状態などコンピュータの内部をいちいち考えながら書く必要がない

- ループや再帰呼び出しなどが容易に記述できる

- 複雑なデータ構造，公式，関数なども扱いやすい

- 書かれたプログラムが読みやすく誤りが発見しやすい

- 機種に依存するする部分が少なく移植性が高い

などといった特徴がある。よく知られているものとしてはFOR-TRAN, COBOL, PASCAL, C, LISPなどがある。

コンパイラコンパイラ　*compiler-compiler*

メタ言語をソースプログラムとしてコンパイラプログラム言語を出力するコンパイラ。とくにクロス開発（たとえばMS-DOSマシンで新しい4ビットマイクロコンピュータのプログラムを作る）をするときには，そのためのコンパイラが用意されているとは限らず，ユーザがコンパイラを書かなければならない場合もある。このようなときにコンパイラコンパイラを使えば効率的な作業が進められる。代表的なコンパイラコンパイラとしてはMETA4, yacc, lexなどがある。

コンパイル　*compile*

高級言語で書かれたソースプログラムを翻訳してオブジェクトプログラムを作成すること。翻訳とも。これに対して，アセンブラ

言語で書かれたプログラムを機械語にすることをアセンブリという。⟳インタプリタ, オブジェクトプログラム

コンパティビリティ　*compatibility*

⟳互換性

コンパティブル　*compatible*

⟳互換性

コンパレータ　*comparator*

(1) オペアンプと似た回路構成だが, そのふたつの入力端子の電圧が相対的に高いか低いかを調べる回路である。一般に, 使用するときは一方の入力端子の電圧を基準電圧に固定し, もう一方の入力端子の電圧の変動を検出する。

(2) ふたつのデータを入力するとそのデータの違いによって結果を出力する装置またはプログラム。これはデータ転送時のチェックなどに使われる。

コンピュータウィルス　*computer virus*

```
Scanning memory for critical viruses.
Scanning 640K RAM
Scanning for known viruses.
Scanning C:\BIN\FD\FD.COM
  Found the Yankee [Doodle] Virus
Scanning C:\BIN\TOOL\ISH.COM
  Found the Yankee [Doodle] Virus
Scanning C:\BIN\TOOL\LHA.EXE
  Found the Yankee [Doodle] Virus
Scanning C:\DOS\COMMAND.COM
  Found the Yankee [Doodle] Virus
```

コンピュータシステムやソフトウェア, フロッピーディスクなどに侵入し, 増殖し, データなどを破壊するプログラム。
システムプログラムや, 他のアプリケーションに隠れているので, 簡単には発見できない。ウィルスに感染しているフロッピーディ

スクやプログラムを正常なパーソナルコンピュータで使うと，ウィルスプログラムがシステムに入り込む。

潜伏期間が過ぎると，パーソナルコンピュータの動作がなんとなく不安定になったり，画面にメッセージを出したり，音楽が流れたり，フロッピーディスクやハードディスクの中身を削除するといった症状が出る。また，この間に別のフロッピーディスクに侵入するなどして感染を広げる。被害を食い止めるには，まず出所不明のプログラムやフロッピーディスクは使わない，ウィルスチェックプログラムの定期的な利用を心がけるなど。

当初はIBM PCとMacintoshに感染するものが多かったが，最近ではNEC PC-9800シリーズなども被害にあっている。図は，ウィルスチェックプログラムScan104を実行したところ，いくつかのプログラムがYankee Doodleウィルスに感染していることが発見されたところを示している。

コンピュータグラフィックス
⊃CG

コンピュータシミュレーション *computer simulation*

コンピュータを利用し，現象を予測すること。物理や工学分野から生物，経済，政治動向など幅広い分野で利用されている。

コンピュータセキュリティ *computer security*

コンピュータシステムの安全性と信頼性を守る方法。ハードウェアの故障，停電，火災，ソフトウェアのバグ，不正ユーザーの侵入，ウイルスの感染，故意または誤操作によるファイル破壊などからシステムを守ること。

ハードウェアに対しては，ディスクミラーやディスクデュープレクシング，RAID，代替CPU，消火装置，無停電電源装置などの設置がある。不正ユーザの侵入やユーザによるファイル破壊に対しては，IDやパスワードの管理，アクセス権の設定，システムログファイルのチェック，定期的なバックアップなどをする。ウイルスの感染を防ぐには，出所不明のプログラムを使用しないことや定期的なウイルスチェックなどを行う。

コンピュータソフトウェア著作権協会 【コンピュータソフトウェアチョサクケンキョウカイ】 *Association of Copyright for Computer Software*

コンピュータソフトウェアの著作権保護を目的とした団体。コンピュータプログラムが著作物として公正に利用されるよう，著作権の侵害行為の監視・摘発を行っている。

こ

コンピュータネットワーク *computer network*

独立して動作するコンピュータ同士を，回線で結んだもの。ピア・ツー・ピアのLANからクライアント・サーバ型LAN，パーソナルコンピュータ通信など，その形態はさまざまだが，ネットワーク化することによって周辺機器の共有，ファイルの共有，データの並行入力，電子メール，電子会議，グループウェアなど，より効率的なコンピュータ活用が可能になる。⊃LAN

コンピュータ犯罪 【コンピュータハンザイ】 *computer crime*

コンピュータを使った犯罪のこと。コンピュータ犯罪には，大きくわけて

- データの改ざん
- コンピュータ/データの不正使用
- コンピュータ/データの破壊

などがある。コンピュータ同士がネットワークされることが増えたため，キャッシュカードの不正使用，他者のファイルを覗き見する，コンピュータウィルスの配布といった犯罪が増えてきた。

コンフィギュレーション *configuration*

システム構成という意味。MS-DOSのCONFIG.SYSは，パーソナルコンピュータにシステム構成を登録するファイル。

コンペティティブアップグレード *competitive upgrade*

ソフトウェアなどを販売する上で，他社競合品のユーザーに対して自社製品を大幅に割り引きして販売すること。

コンベンショナルメモリ *conventional memory*

MS-DOSを使用する場合の標準的なメモリ領域（640Kバイト）のこと。EMBやHMAといった1Mバイト以上の領域は，拡張メモリ領域と呼ぶ。⊃XMS

コンポジット信号 【コンポジットシンゴウ】 *composite video*

同期信号，輝度信号，色信号をひとつの信号にまとめたビデオ信号。色信号は，同期信号に合成されているバースト信号と色搬送波との位相差から検出する。

アメリカで開発され，現行のテレビ放送に使われている。白黒ビデオ信号とカラービデオ信号のどちらも送ることが可能。接続は同軸ケーブル1本で済むが，映像の周波数帯域が色搬送波によって制

限されてしまうので，鮮明な映像を送ることはできない。
パーソナルコンピュータの画像出力はRGB信号方式だが，コンポジット信号に変換するコンバータを経由すれば，家庭用テレビに画像を映すことができる。
⊃RGB

再帰的プログラム 【サイキテキプログラム】 *recursive program*

プログラムの中で,ある関数が実行中に自分自身を呼び出して実行できること。プログラミング言語によって再帰的プログラムが可能なものと,不可能なものがある。PascalやCは再帰が可能。たとえば,1からnまでのすべての自然数の積 $1 \times 2 \times \cdots \times n$ を求める階乗計算は

$$f(0) = 1$$

$$f(n) = n \times f(n-1) \qquad (n > 1)$$

で定義される。

再帰的プログラムを使えばTurboPascalでは,

```
function RecFact(n: integer) : integer;
begin
  if n = 0 then
    RecFact:= 1
  else
    RecFac:=n * RecFact (n - 1);
end;
```

と,簡潔に記述することができる。

サイクルスチール *cycle steal*

CPUがメインメモリを使用しているとき,入出力の制御を行うチャネルがデータ転送のために割り込みをかけてメインメモリを使うこと。チャネルの命令はCPUの命令よりもメインメモリでの優先度が高いため,CPUが使用中に盗むようにメインメモリを使ってしまうことからこの名がある。○チャネル

サイクルタイム *cycle time*

記憶装置がデータを読み出したり,書き込んだりするのに要する時間のこと。最近では,記憶装置の速度性能を表現するときは,所

定の記憶装置から読み出し作業が行えるようになるまでの時間であるアクセスタイムを使う場合が多くなった。

再送訂正方式 【サイソウテイセイホウシキ】 *request repeat system*

データ伝送時の誤り訂正方式の1つ。受信側で何らかのチェックを行いエラーが発見されたとき，再度正しいデータを送信してもらうことによって訂正を行うもの。

最大化ボタン 【サイダイカボタン】

Windowsで，各ウィンドの右上にあるそのウィンドウを画面いっぱいに拡大して表示させるためのボタン。

◯◯アイコン化ボタン

さ

最適化 【サイテキカ】 *optimization*

コンピュータシステムを最大限に活用するため，システムやプログラムを修正すること。

実行速度を上げたり，メモリサイズを減らしたりする。最近のコンパイラは，自動オプティマイズ機能をもっている。人間がソースコードを見て，不要な箇所を書き直したりするのがハンドオプティマイズ。

サイト *site*

WWWサーバやFTPサーバなどをそれを構築している企業や個人ごとにひとまとめにしたものをいう。たとえば，サイトにアクセスすると言えばWWWサーバにアクセスすることを意味し，サイトを持つというとたいていの場合は，ホームページを持っているという意味になる。

サイトライセンス *site licence*

1つのソフトウェアを学校や企業といった特定の場所において，複数のユーザーが利用できる権利。

同一ソフトウェアを複数のユーザーで利用したい場合にコンピュータ数，同時利用人数などの条件を限定し，ソフトウェアのコピーを認めること。人数を対象とした場合5ユーザー，20ユーザーなどと呼ばれる。

再配置可能 【サイハイチカノウ】 *relocatable*

メインメモリ上のどこに配置されても，修正せずに実行可能なプログラムのこと。MS-DOSではEXE形式が再配置可能である。再配置不可能なCOM形式に比べ，プログラムの記述が柔軟に行えるが，構造が複雑になり，プログラムロードが遅く，ファイルサイズも大きくなる。

サイバネティックス

<u>サイバネティックス</u> *cybernetics*
　生物と機械における通信制御に関する理論や研究のこと。アメリカの数学者で電気工学者のNobert Winerが1948年に発表した『サイバネティックス』により広く世界に知られるようになった。サイバネティックスという言葉は非常に広い意味をもち、エレクトロニクス、統計学、生理学、心理学、そして情報科学など、さまざまな分野の学問に大きな影響を与えている。

<u>サイバーモール</u> *cyber mall*
　インターネット上の商店街。ホームページでは、写真やイラストなどを表示できるので、カタログ販売的なショップを簡単に作ることができる。いったんショップを作成すると全世界をターゲットにしたワールドワイドな商取引が可能であることから、現在では多くのショップがインターネット上に存在している。サイバーモールはこのようなインターネットショップの集合体で、日本だけでなく全世界に存在している。

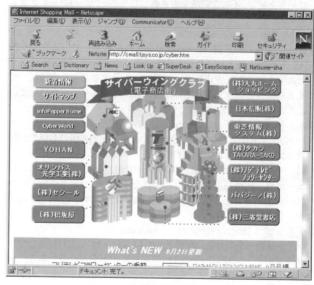

サイバーモール

サイリックス

◯Cyrix

サウンドボード　*sound board*

サウンド機能をもたないパーソナルコンピュータで音を出すための拡張ボード。

PC-98シリーズやDOS/V機では，Creative Labs社から発売されているFMシンセサイザとADPCMを搭載したステレオ対応のSound Blaster 16が業界標準となっている。

さ

坂村 健　【サカムラケン】

東京大学理学部情報科学科教授。コンピュータアーキテクト。1951年，東京生まれ。慶応大学大学院工学研究科博士課程修了。TRON計画の提唱者。◯TRON

先入れ先出し　【サキイレサキダシ】　*first in first out, FIFO*

ジョブのスケジューリングの際におもに用いられる言葉で，先に待ち行列に入ったジョブから順番に実行していくもの。この他にジョブに優先順位を設定し，その順位の高いものから実行する方法もある。また，データの格納についても用いられ，先に格納されたデータが後から格納されたデータよりも先に取り出されることをいう。◯後入れ先出し

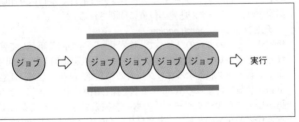

先入れ先出し

作業領域　【サギョウリョウイキ】　*work area*

プログラムは実行の過程でさまざまな計算を行い，データを加工処理しているので，計算を行うためのエリアや途中の結果を一時的に退避させておくエリアが必要となってくる。このために確保されるエリアを作業領域と呼んでいる。普通，メインメモリ上に確保されるが，容量によってはディスクなどの外部記憶装置を使用する場合もある。

索引順編成ファイル 【サクインジュンヘンセイファイル】
　○ISAM

削除 【サクジョ】　*delete*

記録されたデータを消すこと。ファイル自体を消したり，ファイルの中の特定のレコードを消したりすること。MS-DOSなどではファイル自体の削除はデータのすべてを消し去るのではなく，ディレクトリに削除の情報を書き加えるだけであり，誤って削除してしまった場合でも，削除の直後であればファイルの復活ができることが多い。また，レコードの削除は使用するソフトウェアによって方法が異なるが，アンドゥ機能を使用したり，データ復旧の方法が用意されていることが多い。

　○アンドゥ

差し込み印刷 【サシコミインサツ】　*merge print*

基本となる文章に，別のファイルからデータを挿入しながら印刷する機能。ひとつの文章中，宛名だけ変えて多くの相手に送るときなどに使われる。

対応するソフトウェアにより形式は多少異なるが，基本となる文章の中で，データが挿入される場所にあらかじめ差し込み印刷用の制御文字を書いておき，宛名などのデータは別ファイルにまとめて書いておく。印刷時にデータのファイルを指定して差し込み印刷を指定すれば，データが所定の位置に印刷される。

サーチエンジン　*search engine*

検索サービスの方式のひとつで，検索サービスの同義語として使われることも多い。自動的にインターネット上を巡回し，その内容面までもデータ収集するプログラムのことで，結果として，任意の単語が名前に含まれるWebサイトを探し出すだけでなく，その単語が登場するホームページそのものを検索できるようになっている。代表的なものとして，米デジタルイクイップメント社の，Alta Vista（URL = http://www.altavista.digital.com）などがある。

サーチャー　*searcher*

IR(Information Retrieval)に基づき，データベースを検索して，ユーザーが求めるデータを探索提供する職業。サーチャーはユーザーの依頼を受けて，目的のデータがどこのデータベースにあるか，大量のデータから何を引き出せばいいか，余計な情報まで引き出してコストがかかることを防ぐにはどうしたらいいかを考え，実行するもの。

サードパーティ　*third party*

コンピュータ本体のメーカーに対して，その製品用の周辺機器やソフトウェアを開発する企業のこと。

本体メーカーが周辺機器やソフトウェアを作っている場合には，自社製品と競合することを嫌う場合もあるが，サードパーティに対してコンピュータ本体のアーキテクチャを積極的に公開し，意図的に周辺機器やソフトウェアを充実させることもある。

その代表例がIBM社のIBM PC/ATだが，コンピュータ本体までサードパーティ製が出現し，いまや互換機のほうが主流になってしまった観がある。○互換機

サーバ　*server*

クライアントサーバの形態では，データの保管および管理を受けもつコンピュータ。通常パーソナルコンピュータの上位機種か，ワークステーション，中型のミニコンピュータなどがサーバとして使われる。また，ファイルサーバのように，単純にネットワーク環境で共有されるファイルを保管および管理するためのコンピュータもさす。○クライアントサーバ

サーバサイドインクルード

○SSI

サービスプロバイダ　*service provider*

インターネットに接続する手段を提供することを目的とした会社のこと。世界各国の大学と企業などによって構成されるインターネットに，一般の個人ユーザが接続するためには，大手商業BBSを経由してそのIDでアクセスするか，あるいはサービスプロバイダと契約する以外に手段はない。現在では数多くのサービスプロバイダが存在するが，サービスの内容と料金，実際のアクセス環境など，プロバイダによってかなりの差があるため，契約する場合には事前によく調べる必要がある。

サーフェスモデル　*surface model*

コンピュータグラフィックにおける3次元画像の表現方法のひとつ。線による表現から一歩進め，光のあたり具合など，濃淡の差によってリアルな立体感を表現できるようにしたもの。○CG, ソリッドモデル, ワイヤーモデル

サブシステム　*subsystem*

システムを構成する要素のひとつで，それ自体でもシステムを形成しているもののこと。システムが大きくなると，内部をさらに小

さなシステムに分けて考えるほうが, 設計や管理の上でも容易になるためサブシステムが存在する。たとえば人事労務管理をひとつのシステムとして考えると, その内部を人事管理システム, 労務管理システム, 賃金管理システム, 雇用管理システムなどに分けられる。

　○システム

サブセット　*subset*

コンピュータのソフトウェアや言語で, 標準の命令群のうち, その一部だけを採用した簡易版。

サブスキーマ　*subschema*

データベースの論理構造を定義するものの一種。データベースがどのようなレコードで構成され, どんなキーをもち, レコードとレコードの関係はどのようになっているかなどは, スキーマやサブスキーマで定義する。スキーマでは上位レベルの定義を, サブスキーマでは下位レベルでの定義を行うのが普通である。サブスキーマは, おもにレコード内のフィールドの定義を行う。

　○スキーマ, データベース

サブスクリプト　*subscript*

(1) 下付文字のこと。上付文字はスーパースクリプトという。

　　例：H_2O　　CH_3OH

(2) 配列変数を指定するため, 変数名に付けられる整数値。

サブタスク　*sub task*

タスクが必要に応じて生み出す従属的なタスク。マルチプログラミングが一般的になると, それまでのようにジョブを仕事の単位としていたのでは, CPUに空き時間が生じたり周辺装置が遊んでしまったりして処理効率が著しく低下する。そのためシステムでは, 資源の無駄を省きCPUの空き時間がなくなるようにジョブを再構成してタスクという単位に変えて管理を行っている。

　○タスク

サブディレクトリ　*sub directory*

階層型のディレクトリ構造では, ルートと呼ばれる根幹のディレクトリの中に, ファイルのほかにディレクトリを作ることができ, さらにその中にディレクトリを作ることもできる。このような構造で, 下位のディレクトリをサブディレクトリと呼ぶ。

　○階層ディレクトリ

サブネット *subnet*

ネットワーク全体から見て，ルータで分割されたネットワークの最小単位のこと。

サブネットマスク *subnet mask*

サブネットの集まりであるIPネットワークで，認識されるホストのIPアドレスからサブネットアドレスを識別するための設定値。認識されるIPアドレスにサブネットマスクを掛けた論理積がサブネットのアドレスになる。サブネットごとにサブネットマスクを設定することにより，複数のネットワークを識別することが可能になる。

IPアドレスは8ビットずつ4ブロックに階層化されている。ブロックごとに，上位1ブロックまでがネットワークアドレスであるクラスA，2ブロックまでのクラスB，3ブロックまでのクラスCがある。このブロック以下にホスト部がある。ホスト部ではサブネットごとに個々のノード（端末）に勝手にホスト番号がわりあてられており，サブネット外では認識できない。このホスト部から無効なホスト番号の情報を隠（マスク）するため，ネット部とホスト部内のサブネット部の桁ビットに1を，それ以下の桁に0を乗じてサブネットのアドレスを抽出する。

サブノートパソコン 【サブノートパソコン】 *subnotebook PC*

本体のサイズがB5判以下のノートパソコンをさす。携帯性を重視するためCD-ROMドライブやフロッピーディスクドライブを内蔵しないことが多く，その結果軽量化（2kg未満）が実現できる。

サーブレット *servlet*

Javaで作成され，サーバ側で実行されるプログラム。クライアントのブラウザで実行されるアプレットの対語。

サブルーチン *subroutine*

比較的少数の命令により構成され，主プログラムより複数回呼び出され一定の処理を行う命令群のこと。実行後は主プログラムが呼び出したところに再び制御が戻る。

差分ファイル 【サブンファイル】

プログラムなどのバージョンアップに際して，旧バージョンとの差分のみをファイル化したもの。主にパソコン通信でオンラインソフトのバージョンアップに使われる。新バージョンをフルサイズでアップロードすると，圧縮してもかなりのサイズになる。これを差分ファイルで提供すれば，その数十分の1のファイルサイズ

で済む。大手商用ネットでオンラインソフトをダウンロードするには，通話料金+ネットの通信課金が必要になるため，差分ファイルを活用すれば時間とお金の節約につながる。ダウンロードした差分ファイルは，専用のソフトを使ってパッチを当てると新バージョンに変えられる。MS-DOSではBDIFF(*.bdf)ファイルなどが有名。

サポート　*support*

(1) コンピュータや周辺機器，ソフトウェアを購入したユーザーへのアフターサービスとして問い合わせに対する回答やアドバイス，バージョンアップサービスなどを行うこと。一般的なサポートをユーザーサポートといい，技術的なサポートをテクニカルサポートという。

(2) 製品がある機能に対応していること。「フルカラー再生をサポート」などという。

サーマルプリンタ　*thermal printer*

⟐感熱プリンタ

サムチェック　*sum check*

チェックサムを用いてデータの検査をすること。チェックサムとは，複数の2進数を伝送したときにエラーが発生したかどうかを検出するための合計の値。たとえば``01011011"と``00101110"という2進数について考えると，この2つの数字の各桁ごとに桁上がりを無視して求めた和，``01110101"がチェックサムである。

データを送信するとき，前もってチェックサムを求めておき，チェックサムを付加して送る。受信側では受け取ったデータのチェックサムを計算し，送られてきたチェックサムと照合する。

2つのチェックサムに相違があれば，その桁にエラーがあったことがわかる。

この方法の欠点は，同じ桁に複数のエラーが発生した場合はチェックサムが同じになってしまい，エラーを検出できないことである。

算術シフト　【サンジュツシフト】　*arithmetic shift*

2進数がレジスタ内で符号ビット付きで表されているとき，符号ビット以外を1つずつ左右にずらすこと。

8桁の2進数で左端に1桁分符号ビットをもっている場合を考えると，符号ビットは0のとき正，1のとき負の数を表している。ここで左に1桁分シフトすると左端の符号ビットはそのままで，残りのビットが1つずつ左に移動する。このとき，右端のビットは元の右

端のビットの内容がそのまま残される。

右にシフトすると符号ビット以外が1つずつ右にずれるが, このとき, 符号ビットのすぐ右隣のビットには符号ビットと同じものが入る。▷論理シフト

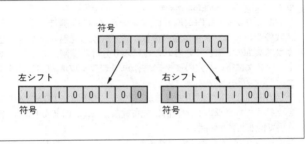

算術シフト

算術論理ユニット 【サンジュツロンリユニット】 *arithmetic and logic unit (ALU)*

算術演算, 論理演算を行うCPU内の回路のこと。算術演算である加減乗除は加算器, 補数を作る回路, シフト回路によって行う。他に論理和や論理積を求める論理演算回路などから構成されている。

サンプリング *sampling*

アナログ信号を, 一定時間ごとにA/D変換し, デジタル符号にする作業。1秒あたりのA/D変換回数をサンプリング周波数という。サンプリングする際の分解能をビット単位で表し, 量子化ビット数という。サンプリング周波数が高く, 量子化ビット数が大きいほど変換精度は上がるが, デジタル化したデータ量は増大する。

シャドウマスク　*shadow mask*

一般的なカラーCRTに使われているガラス面の裏側にある，細かに穴の空いたニッケル合金の薄板。電子銃から発射された電子をガラス裏面の3原色で塗られた点にふり分ける役割がある。シャドウマスクに空いた穴のピッチが細かいほど画像の精細さは増す。

シェアウェア　*shareware*

一定の期間は無料で試用できるが，継続して使用する場合には代金を支払うプログラム。一般的に配布制限はなく，ほとんどの場合，無料で配布可能である。

多くのシェアウェアはオンラインで入手できる。フリーソフトウェアとともにシェアウェアを集めたフロッピーディスク添付の雑誌や単行本，CD-ROMなども発行されている。

パッケージやマニュアルの制作コストを削減でき，在庫が不要な新しい流通形態として利用されている。

シェーディング　*shading*

3次元グラフィックスに陰影を付けて立体らしく見せること。実際には隠れる面を見えないようにし，光の強さを計算し色づけを行う。

シェル　*shell*

OSとユーザーとの間にあって入力されたコマンドを解釈し，実行するプログラム。MS-DOSではCOMMAND.COMが標準のシェルプログラム。UNIXではBourne Shellやそれを改良したC Shellが使われている。

シェルスクリプト言語　【シェルスクリプトゲンゴ】　*Shell Script Languege*

シェルによってインプリメントされたスクリプト言語。多くはインタープリタ型言語であり，フロー制御，コマンド実行機能，入出力のリダイレクト，パイプライン，簡潔な変数管理機能が備わっている。

しきい値　【シキイチ】　*Threshold*

何らかの反応を起こさせるための最小物理量，もしくはその変化点のこと。このほか刺激が反応を起こす限界点という意味もある。

<u>磁気カード</u> 【ジキカード】　*magnetic card*
　片面に磁性体を塗ってあるプラスチック製のカード。磁性体の部分に情報を記録して使用する。記録内容が目に見えないこと（秘密が保たれる），機械にとって読みやすいこと，小型でもち運びに便利なことなどから，銀行のキャッシュカードやクレジットカード，オレンジカード，テレホンカードなど広く使われている。

<u>磁気シールド</u> 【ジキシールド】　*magnetic shield*
　磁力線の漏洩や侵入を防ぐための遮蔽。磁力線は鉄やパーマロイなど，強磁性体の中を通ろうとする。磁力線の発生源，あるいは磁力線が入っては困る箇所をこれらの板で囲ってやれば，そこで磁力線はさえぎられる。磁気の影響を受けやすい磁気ヘッドのまわりや，磁力線を発生するスピーカなどに施す。

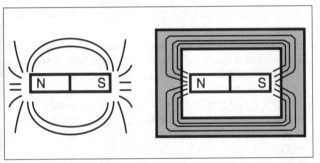

磁気シールド

<u>磁気ディスク</u> 【ジキディスク】　*magnetic disk unit*
　フロッピーディスクやハードディスクなど，磁性体を表面に塗布した円盤に磁気ヘッドを用いてデータの書き込み，読み取りを行う外部記憶装置のこと。
　レコードを順番に処理するシーケンシャルアクセスのほか，任意の位置のレコードを読み取ることのできるランダムアクセスが可能である。○索引順編成ファイル, ハードディスク, フロッピーディスク

<u>識別子</u> 【シキベツシ】
　プログラミング言語で，データやプログラム中の位置を示すために変数，関数，構造体のタグなどにつける名前。文字および数字の系列から作られる。

<u>磁気ヘッド</u> 【ジキヘッド】　　*magnetic head*
　ハードディスクや磁気テープなど，磁気を用いた外部記憶装置で，データの読み取り，書き込みを行う部分のこと。

<u>シグオペ</u>　*SIGOP*
　大手商用ネットワークなどにあるSIGを管理する人。いわばSIGの代表者がシグオペである。SIG内のファイルや書き込みの管理やメンテナンスなどを行う。

<u>シークタイム</u>　*seek time*
　ハードディスクのヘッド移動時間。

<u>シーケンサ</u>　*sequencer*
　シーケンス制御装置。作業行程を自動的に制御するための命令を逐次発生する。現在ではマイコン内蔵によるプログラム可能なものが多い。また電子楽器では，音程や音の間隔などのデータをパターン化して記録・再生するためのハードウェアやソフトウェアのこと。

<u>シーケンシャルアクセス</u>　*sequential access*
　レコードが書き込まれている順番にデータの読み出しを行うこと。また，頭から順番にレコードを書き込んでいくこと。
　○ランダムアクセス

<u>シーケンシャルアクセスファイル</u>　*sequential access file*
　順編成ファイル。レコードが格納された順番に保存されているファイル。頭から順番に読んでいくシーケンシャルアクセスしかできないが，大量のデータを高速に扱うことができるのが特徴である。レコードの追加や更新するときは，更新用のファイルと元のファイルを使って新しいファイルを作り直さなければならない。
　○ランダムアクセスファイル

<u>シーケンス</u>　*sequenth*
　ファイルやデータなどの情報を連続的に決まった順番に並べること。または，その情報の集合を示す。

<u>自己解凍ファイル</u> 【ジコカイトウファイル】　　*self extract file*
　自己展開ファイルともいう。アーカイバプログラムでファイルをまとめ，圧縮したアーカイブファイルに展開プログラムを組み込んだファイル形式。それ自体が拡張子「exe」の実行プログラムであり，コマンドラインから実行することで，展開プログラムなしでもオリジナルファイルが自動的に展開される。
　○アーカイバ

システムインテグレーション

自己訂正方式 【ジコテイセイホウシキ】 *self correcting system*
データ送信時におけるエラー訂正方式のひとつ。伝送されてきた
データを受信側でエラーがないかチェックし（サイクリックリダ
ンダンシチェックなど），エラーが検出されたとき，一緒に送られ
てきた何らかの誤り訂正符号により受信側でエラーを直してしま
う方式。これに対して，エラーが検出されたときに再度送信側から
正しいデータを送るように要求するものを再訂正方式という。○
再送訂正方式

自己展開ファイル 【ジコテンカイファイル】
○自己解凍ファイル

辞書 【ジショ】 *dictionary*
日本語入力システム，スペルチェッカ，機械翻訳システムなど，言
葉を扱うシステムで，変換すべき言葉を蓄えてある一種のデータ
ベースを辞書と呼ぶ。普通は日本語入力システムの日本語辞書の
ことをさす。かなで読みが入力されると，その読みに対応する漢字
が選ばれ表示される。○かな漢字変換

シスオペ *SYSOP*
System Operatorの略。パソコン通信ホストの管理者。草の根
ネットワークの多くは，運営者がシスオペであることが多い。

システム *system*
目的とする業務全体を体系化してまとめ，コンピュータで適用可能
としたもの。システムは普通，さらに細分化されたサブシステムよ
り構成されている。
何が必要とされているかを分析し，そのためには何が入力されどう
処理されて何が出力されるかを体系化してまとめることをシステ
ム化という。
コンピュータでシステムというときは，コンピュータ本体，キー
ボード，ディスプレイ，外部記憶装置（フロッピーディスク装置や
ハードディスク装置），プリンタなどのハードウェアひと揃えをさ
す。また，単にシステムとかシステムまわりとかいうときは，オペ
レーティングシステムの略として使われることもある。
○システム設計

システムインテグレーション *System Integration*
大規模で複雑な情報システムに対して，企画・開発からシステム運
用・保守にいたるまで，一括して請け負うサービスをいう。情報
システムの高度化に伴い，一般企業の多くが企画プロジェクト管理

やシステム開発において，つねに最先端の技術を把握することは困難である。そこで高度のコンサルティング，プロジェクト管理能力などを提供する業者が求められ登場してきた。これがシステムインテグレーションである，このシステムインテグレーションを専門に行う企業をシステムインテグレータ(SI:SystemIntegrator)という。

○SI

システムエンジニア　*System Engineer, SE*

コンピュータ化を目さす業務の分析を行い，どのようにシステムとして構築（システム設計）していくかを考える人。基本となるシステムを設計し（概要設計），さらに細かい設計（詳細設計）に移っていく。システムエンジニアはこの詳細設計をプログラマに渡しプログラマはそれを元にプログラムの設計を開始する。

システムオペレータ　*system operator*

(1) ネットワーク施設の管理・運営にあたる施設事業者のこと。公益法人，営利法人，地方公共団体，協同組合，任意団体などの運営形態をとっている。事業としては，装置産業という性格が強く，初期投資に多大な資本を必要とする。

(2) パソコン通信の管理・運営者。シスオペと略されることが多い。

システム監査　【システムカンサ】　*system auditing*

情報処理システムを客観的に分析点検し，評価を行うこと。コンピュータ社会の発展に伴ってシステムに対する社会の依存度が高まり，システムに対してより高い信頼性と安全性が要求されるようになってきているため，システムの監査を専門に行う人材が求められている。このため通産省では1986年秋より情報処理技術者試験にシステム監査の部門を加え，人材の養成を図っている。

○オーディット

システム管理者　【システムカンリシャ】　*system administrator*

システムの保守と管理を担当する人。

システムコンサルティング　*system consulting*

情報処理システムに関する問題点を分析検討し，それに対するアドバイスを行うこと。業務処理にコンピュータを導入しようとする際，現状の業務の流れを分析し，コンピュータ化にふさわしいものに整理することや，データ量の見積り，導入機種の選定，導入スケジュールの作成，メーカー，ソフトウェアハウスとの交渉などについて，顧客の立場にたってアドバイスをする。

システム設計 【システムセッケイ】   *system design*

システムを設計するにはその前に目的の業務の分析がなされ，必要な情報の収集や条件の検討などが行われていなくてはならない。コンピュータを使ったシステムが可能と判断されてはじめてシステム設計に入る。ハードウェアやソフトウェアの選定，コストや人員の問題，日程の問題など，コンピュータ導入決定時に検討される事柄だが，システム設計時にも引き続き考慮されなくてはならない。システム設計では，まず基本線を決める概要設計を行い，それに基づいてさらに細かいレベルの詳細設計を行う。プログラマはこの詳細設計を実際のプログラミング言語に置き換えていく（プログラム設計）。

システムソフトウェア   *system software*

OSを構成する最低限必要な基本ソフトウェア。たとえばNEC PC-9800シリーズ用のMS-DOS6.2Dでは

```
io.sys  msdos.sys  command.com
```

がシステムソフトウェアである。

システムダウン   *system down*

コンピュータを使ったシステムが何らかの理由で停止してしまうこと。おもな理由としてはハードウェアのエラー（つまり故障），プログラムの論理エラー，運用上のミス，回線障害によるものなどがあげられる。⊃フェイルセーフ

システムディスク   *system disk*

システムソフトウェアが入っており，起動可能なフロッピーディスクのこと。

システムハウス   *system house*

システムを構成するソフトウェア，ハードウェア双方の設計開発を行う会社のこと。

システムバス   *system bus*

CPUと入出力装置，記憶装置，周辺機器を接続するバス。代表的なものとして，PCIバスなどがある。

システムファイル   *system file*

⊃システムソフトウェア

システムフォント   *system font*

WindowsやMacintoshなどで，メニューやタイトルなどで使うフォントを意味する。基本的には，OSインストール時に自動的に

設定され，一度設定するとほとんど変更する必要はない。ただし，Windowsの場合は，12，16，20，24ドットのなかからシステムフォントのドット数を設定できることから，画面解像度に合わせて表示フォントのドットサイズを決めることが可能。Macintoshではosakaと呼ばれるフォントがシステムフォントとしてよく使われる。

システムプログラム　*system program*

コンピュータ上で動くプログラムは，大きく分けてアプリケーションプログラムとシステムプログラムのふたつに区別される。アプリケーションプログラムは目的の業務を行うプログラムのことで，たとえば経理プログラムといえば経理に関する入出力と処理を行うプログラム全部のことをさすのに対し，システムプログラムはおもにOSをさす。

システム分析　【システムブンセキ】　*system analysis*

ある業務をコンピュータを使ってシステム化しようとする場合，まずその業務の分析を行い，業務の流れを調査し，どういう情報がいつ発生し，どういう情報が必要とされているかなどを把握し，システム設計のための準備をしてやらなくてはならない。これをシステム分析という。

自然言語　【シゼンゲンゴ】　*natural language*

人間がふだん使っている，日本語や英語などの言語のこと。これに対し，コンピュータプログラムに使うプログラム言語は人工言語の一種といえる。コンピュータに自然言語を理解させる研究が進められている。

シソーラス　*thesaurus*

(1) 分類語彙辞典，類義語辞典のこと。英文ワードプロセッサにはスペルチェック機能に加え，シソーラス機能を装備しているものもある。

(2) 情報検索用の辞書のこと。文献検索，オンラインデータベースの検索に使われる。情報検索をする場合には，検索したい内容を的確に表す言葉をキーワードにしなくてはならない。しかし，自然言語と呼ばれる一般の言語は，同じ言葉に複数の意味があったり，違う言葉が同じことをさしていたりする。そこで，検索に使うことのできる言葉を分類し，同義語，関連語，上位語，下位語といった言葉と言葉の関係を示した，キーワードの体系が必要になる。それを整理したもの。

実アドレス空間 【ジツアドレスクウカン】

実在するメモリにアドレスをつけ，OSが管理できるようにした空間。仮想記憶方式のデータ処理システムにおける，動的アドレス変換機構によって変換されたあとのアドレス空間。どこまでメモリを装着できるかは機種に依存し，どこまでメモリを管理・使用できるかはOSに依存する。

実効アドレス 【ジッコウアドレス】 *effective address*

CPUが機械語の命令を実行するとき，その命令語のアドレス部がもっている値に何らかの処理をすることによって得られるアドレスのこと。⊃アドレス修飾，間接アドレス指定，相対アドレス

実行ファイル 【ジッコウファイル】 *execute file*

コンピュータがそのまま実行できるプログラムファイル。MS-DOSでは「exe」か「com」という拡張子が付いている。

実装 【ジッソウ】 *implementation*

(1) コンピュータにOSやインタープリタ言語を組み込むこと。
(2) ハードウェア，ソフトウェアに部品や回路，機能を追加すること。

自動着信 【ジドウチャクシン】 *auto answer*

モデムの（正確にはNCU部の）機能で，電話がかかってきたときに自動的にオフフックする（電話では受話器をとることに相当する）こと。⊃NCU

自動発信 【ジドウハッシン】 *auto dialing*

モデムの（正確にはNCU部の）機能で，自動的にオフフックし，相手を呼び出す（ダイアリングする）こと。⊃NCU

シートフィーダ *sheet feeder*

⊃カットシートフィーダ

シノニム *synonym*

ランダムアクセスファイルではレコードのアドレスを決めるために，レコードの識別子に何らかの計算をしてアドレスを求めるハッシング法（ランダマイズとも）を行っているが，このとき，ふたつ以上の異なるレコードが計算によって同じアドレスを与えられてしまうことがある。これをシノニムと呼んでいる。
⊃ハッシング，ランダムアクセスファイル

シフト *shift*

レジスタの内容を左右に移動させること。符号ビットはそのままで他のビットを移動させるものを算術シフト，レジスタ内の全部の

ビットを移動させるものを論理シフトという。

シフトJIS 【シフトジス】 *shift JIS*

JIS漢字(JISC6226)コード体系に修正を加えたもの。大きな特徴は，ANKコードと混在しても区別できることである。パソコン通信で文字やファイルなどをやりとりするためのコードとして，日本では最も使われている漢字コードである。

し

シフトJISコード 【シフトジスコード】 *Shifted JIS Code*

JISコードの漢字体系から派生したもので，パソコンで使われている日本語のコード体系の一つ。日本のMicrosoft社が定義したもので，MS-DOSを始めとするパソコン用OSの多くに採用されている。漢字1文字を2バイトで表現する。JISコードでは英数カナコードを必要としたが，シフトJISコードでは第1バイトに英数カナコードでは使われない81～9EまたはE0～FCとしている。

シフトキー *shift key*

他のキーと一緒に押すことで，そのキーに別の意味を割り当てる補助キー。たとえば，アルファベットの大文字と小文字を切り替えたり，数字と記号を切り替える。

時分割多重化 【ジブンカツダジュウカ】 *time division multiplexing*

1本の電波や回線を複数の通信路（チャンネル）で共用する方法の1つ。非常に細かい時間間隔で電波又や電気信号を区切り，複数の交信を交互に交替させることによって実現する。

シミュレーション *simulation*

物理的，経済的理由や安全面から実験が困難な事を，それに似せたモデルで代用して行うこと。膨大な数値の計算を高速に行うリアルタイムのシミュレーションはコンピュータの利用によってはじめて可能になったものである。⇨スーパーコンピュータ

ジャクソン法

主に事務処理分野におけるデータ処理に適している設計技法。M. Jacsonが提唱。この技法が新しく提案したこととして，入出力データからのプログラム構造作成や入力データと出力データの処理単位の不一致で，上手くプログラム構造が作成できないときの対処技法がある。

ジャスト *JUST(Japanese Unified Standardfor Telecommunications)*

郵政省推奨通信方式。郵政省が国内規準として推奨する，ファクシミリやパソコン通信装置(JUSTPC)，電子メールなどの通信方式。この方式に従った製品であれば，スムーズにネットワーク機

能を果たすことを保証する。

ジャストウィンドウ　*Just Window*

ジャストシステムが開発したMS-DOS用ウィンドウシステム。一太郎Ver.4の動作環境として登場し,一太郎Ver.5ではジャストウィンドウVer.2になった。入出力機器などのドライバ化,フォントの一元管理,クリップボード経由によるアプリケーション間でのデータ連携とリアルタイムリンクなど,日本語Windows3.1に近い機能を実現している。ただし,Windowsとの互換性はない。動作には80286以上のCPU,プロテクトメモリ2Mバイト以上,ハードディスク15Mバイト以上を必要とする。95年に,以後の開発をとりやめると発表。

シャットダウン　*shut down*

実行中のプログラムを終了させ,システムを停止すること。UNIXやWindowsNTのシステム運用手続きの一種である。

シャドウ RAM 【シャドウラム】　*shadow RAM*

ROMに書かれている内容を,同一アドレスのRAMに転送して,そのRAMをROMの代りに使用する技法。ROMのアクセス速度よりRAMのアクセス速度のほうが速いので,シャドウRAM化すれば処理速度が向上する。シャドウROMともいう。

終端抵抗 【シュウタンテイコウ】　*terminator*

➲ターミネータ

周波数分割多重化 【シュウハスウブンカツタジュウカ】　*frequency division multiplexing*

1本の電波や回線を複数の通信路(チャンネル)で共用する方法の1つ。1本の周波数帯を複数の交信ごとに異なる周波数帯に分割して送る。

周辺機器 【シュウヘンキキ】　*peripheral equipments*

コンピュータの本体に接続してデータの入出力や通信に使用する機器のこと。ディスプレイ,キーボード,マウス,プリンタなどの入出力装置,ネットワークボードやモデムなどの通信装置のほか,CD-ROMドライブやハードディスクなどの記憶装置も含める。

終了ビット 【シュウリョウビット】　*stop bit*

ストップビットとも言う。非同期式のデータ伝送でデータの最後を示すために付けられるビット列のこと。

主記憶装置 【シュキオクソウチ】　*main memory, main storage*

➲メインメモリ

出力装置 【シュツリョクソウチ】 *output unit*

コンピュータで処理した結果を何らかの形で出力する装置。ディスプレイやプリンタなど。

手動発信 【シュドウハッシン】

⊃オートダイアル

主プログラム 【シュプログラム】 *main program*

比較的大きなシステムでは，まず中心となるプログラムがあって，そこから処理に応じてさまざまなサブプログラムが呼び出されるのが普通である。この中心となるプログラムのことを主プログラムと呼んでいる。

主プログラム，サブプログラムとメインルーチン，サブルーチンの違いは，メインルーチン，サブルーチンがプログラムとしては完結した形ではないのに対し，主プログラム，サブプログラムとも独立したプログラムと考えられることにある。

準拠 【ジュンキョ】

よりどころとなる標準のこと，あるいは標準に従うこと。RS-232C準拠といえば，RS-232C規格に従っているインターフェイスであるということ。

純正品 【ジュンセイヒン】

メーカーが自社の製品用に販売している周辺機器，拡張用キット，消耗品，補修部品など。

ジョイスティック *joy stick*

おもにゲームに使われるポインティングデバイス。スティック部分を握り，前後左右に動かして移動方向を指示する。先端部にトリガーボタンが付いているものもある。(次ページ図参照)

ジョイン *join*

リレーショナルデータベースにおいて，2つのデータで共通した属性のデータ項目を推定し，その中で，一定の関係をもつ行の組み合わせを選択し，この行の集合を新しい関係として作成すること。

上位互換 【ジョウイゴカン】 *upper compatibility*

あるコンピュータやアプリケーションプログラムに対し，より高級な機能をもちながら，従来の製品のためのプログラムが実行できたり，周辺機器が利用できたり，データを読み込めること。アッパーコンパチ。英語ではdownward compatibility（下方互換）というのが正しく，誤用，または混乱して使われている。backward compatibility（後方互換）という言い方もある。

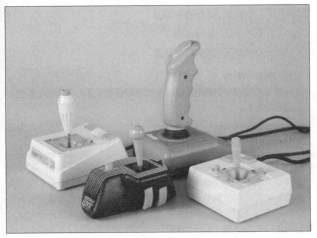

ジョイスティック

<u>条件コード</u> 【ジョウケンコード】　*condition code*
命令を実行した結果，その状況が分かるように設定されるコード
で，通常は数ビットで構成されている。たとえばI/O 命令では正
常に動作した場合とI/O エラーを起こした場合で，それぞれ別の
コードがセットされるようになっており，プログラムがそのコード
を調べて次の処理を行うようになっている。

<u>仕様書</u> 【シヨウショ】　*specification*
システムを設計し，プログラムを作成するための基準となる文書。
仕様書には

- 要求仕様書

    - 業務システム要求仕様書

    - コンピュータシステム要求仕様書

        * ソフトウェア要求仕様書
        * ハードウェア要求仕様書

- プログラム仕様書

- プログラム構造仕様書
- モジュール仕様書
- モジュール内部仕様書

などの種類がある。

ユーザーの要求を分析し，要求される項目を定義し，必要な機能を記述したもの。

常駐プログラム 【ジョウチュウプログラム】

●TSR

情報交換用コード 【ジョウホウコウカンヨウコード】 *Code for Information Interchange*

システム間で情報交換するときに用いる文字符号について取り決めたもので，「X0201 情報交換用符号」としてJISで規定されている。ふつうJISコードといっているものである。●コード

情報処理技術者試験 【ジョウホウショリギジュツシャシケン】 *information technology engineers examination*

情報処理技術者の資格を認定する国家試験。1969年より通産省主催によって開始され，現在は財団法人日本情報処理開発協会，情報処理技術者試験センターが実施している。技術レベルによりいちばんやさしい「第2種」から「第1種」，「特種」，システムの有効利用をアドバイスする「システム監査」，「オンライン技術者」が対象のオンライン技術者の5つにわかれている。

この試験はあるレベルに達しているかどうかを認定するだけであり，資格を取得しなければ実際の情報処理業務に携われないわけではない。ただし，企業では資格者数が「看板」となることもあり，有資格者に手当を出すなどしているところもある。

情報スーパーハイウェイ 【ジョウホウスーパーハイウエイ】 *information super-highway*

アメリカのゴア副大統領が提唱した構想で，経済発展と競争力強化のために全米の研究機関，大学，病院などを高速で大容量の光ファイバーで結ぼうという計画。その後，クリントン政権は情報基盤の整備促進を図るためNII(全米情報基盤:National Information Infrastructure)構想を打ち出した。NIIは，民間企業が運営していくものと位置付け，NIIへの民間投資の促進，競争力の確保，消費者，サービスの提供者に対するNIIへのオープンシステムの提供，ユニバーサルシステムの確保，規制緩和などから成り立って

いる。

○NII

情報リテラシー　【ジョウホウリテラシー】

コンピュータを使った読み書きの能力の育成をコンピュータリテ
ラシーと言うが，コンピュータについてだけでなく，幅広く情報
化社会に適した情報活用能力を情報リテラシーという。1989年の
学習指導要領に情報リテラシーの育成が掲げられている。

初期化　【しょきか】　*initialize/format*

○イニシャライズ，フォーマット

初期故障　【ショキコショウ】　*initial failure*

コンピュータ装置は導入直後は比較的故障しやすいもので，性能が
安定するまでに起こる故障を初期故障と呼んでいる。

初期設定　【ショキセッテイ】　*default setting*

○デフォルト

初期値　【ショキチ】　*default value*

ソフトウェアやハードウェアが最初から設定している値。通常は
一般的な値を初期値とし，特に条件がない限り値を設定しなくて
もソフトやハードを使用できるようになっている。

ジョセフソン結合素子　【ジョセフソンケツゴウソシ】　*Josephson junction device*

ある種の金属を低い温度にすると，電気抵抗が0になるという，超
伝導現象を利用したスイッチング素子。スイッチングがきわめて
速いため，高速のCPUを開発できるのではないかと期待されてい
る。とくに，常温超伝導が発見されてから実用化への期待が増し，
注目を集めた。

ショートカット　*short cut*

(1) 一連のコマンド入力やメニュー操作を，特定のキーの組み合
わせに置き換えたもの。とくにマウスによるメニュー操作が多い
GUI環境では，キーボード入力中にホームポジションから手を離
さずに操作できるので，効率を上げられる。キーボードマクロ機能
により，ユーザーがショートカットを登録できるものもある。

(2) Windows95で，よく使うプログラムのアイコンをデスクトッ
プ上や別のフォルダにもう一つ作成しておくこと。通常，プログ
ラムの実行ファイルは，バラバラのフォルダに納められており，起
動したいときにはいちいちそのフォルダをオープンしてから実行
ファイルをダブルクリックしなければならない。ショートカット

を使えば，よく使うアプリケーションを簡単に起動することができる。ショートカットで作成したアイコンは，ゴミ箱に捨ててもファイルそのものは削除されない。

ジョブ　*job*

利用者がコンピュータにさせる仕事の単位。一般にひとつのプログラムは限られた機能しかもっておらず，プログラムが複数合わさってはじめて仕事としてのまとまった形となる。

たとえば，あるシステムでは毎日Aというファイルを更新してリストを出力しなければならないとする。このとき，ファイルの更新を行ってからリストを出力する一連の処理を一つのジョブと見ることができるが，コンピュータにとってはこのジョブはファイル更新プログラムとリスト出力プログラムに分かれていると考えられる。また，受注のプログラム開発などで，請け負う業務の単位をさすこともある。

ジョブスケジューラ　*job schedule*

ジョブを管理する機能のひとつで，多数のジョブが投入されたときにジョブの実行順を決定して待ち行列に入れ，待機状態にするもの。

シリアルインターフェイス　*serial interface*

コンピュータとモデム，シリアルプリンタ，他のコンピュータなどとの間で同期もしくは非同期通信を行うインターフェイス。RS-232C, RS-422, モデムポート，UARTなど。

シリアル転送　【シリアルテンソウ】　*serial transfer*

データ信号を1ビットずつ直列（シリアル）に転送する方式。2本の回線で転送するためコストは安いが，反面1ビットずつ送るので数ビットずつ送るパラレル転送に比べると転送速度は遅くなる。

シリアルナンバー　*serial number*

パソコンや周辺機器，ソフトウェアなどに付いている製造番号。ユーザー登録の際には必ずこのシリアルナンバーを記載しなければならない。また，ソフトによっては，インストールするとき，このシリアルナンバーを入力しなければ組み込むことができないものもある。

シリアルプリンタ　*serial printer*

印字ヘッドを横に移動させ，1文字ずつ印字するプリンタのこと。パーソナルコンピュータ用のほとんどのドットインパクトプリンタ，感熱プリンタ，熱転写プリンタ，インクジェットプリンタはシ

リアルプリンタである。

○ラインプリンタ, ページプリンタ

シリアルポート　*serial port*

シリアル回線のRS-232CまたはRS-422のコネクタをさす。端子形状はいろいろあるが, NECのPC-9800シリーズではDSub-25ピン(RS-232C), IBM PC互換機ではDSub-25ピンまたは9ピン(RS-232C), Macintoshではミニ DIN8ピン(RS-422)が用いられる。

シリアルマウス　*serial mouse*

シリアルインターフェイスで接続するマウスのこと。データ通信用のRS-232Cのシリアルポートと接続し, パーソナルコンピュータ本体とマウスがデータをやり取りする。IBM PC互換機では標準的なマウス。

シリコンアイランド　*silicon island*

九州には半導体の工場が多く, 国内生産量の約半分を占めている。そのため, アメリカ合州国の半導体産業の中心地であるシリコンバレーにならって, 九州をシリコンアイランドと呼ぶことがある。

シリコンディスク　*silicon disk*

RAMやROMなどのシリコンLSIを補助記憶媒体としたディスク装置。ハードディスクと同じ目的で使用するのでディスクと呼ばれているが, 本体電源をOFFにしてもデータ内容が保護される電源バックアップ付きのRAMや, フラッシュROMなどを使用して, 高速ハードディスクとして使用する。

シリコンバレー　*silicon valley*

カリフォルニア州北部のサンタクララ郡一帯, サンホセ, サニーベール, サンタクララ, マウンテンビュー, クパティーノ, パロアルトなどを含む地域をさす。理工系の名門であるスタンフォード大学を中心に数多くの半導体メーカー, コンピュータメーカー, ソフトウェアベンダーをはじめとするハイテク企業, ベンチャー企業が集まっている。トランジスタの発明者でノーベル賞を受賞した, Wiliam ShockleyがパロアルトにShockley semiconductor社を設立, 同社から独立した技術者がFairchild semiconductor社を作り, さらにIntel社が誕生した。こうして半導体メーカーがサンタクララバレーに林立したことからシリコンバレーと呼ばれるようになった。

1970年代にマイクロコンピュータが誕生すると, これらの企業に

勤務していた技術者や学生がガレージでパーソナルコンピュータを作り，ソフトウェアを開発して，一躍成功を収め，コンピュータ産業の中心地ともなった。

なお，シリコンバレーは名前から想像されるような谷間の地域ではなく，もともとは果樹園などの多い温暖な地域である。

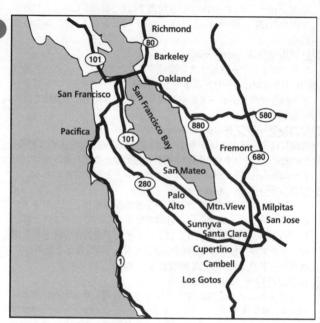

シリコンバレー

シリンダ　*cylinder*

磁気ディスク装置で，重なりあった複数のディスク面上の中心部を貫いた円筒(シリンダ)のこと。目には見えないが各磁気ディスク面には，データを記録するトラックが円筒状に存在し，番号がふられている。各磁気ディスクの周番号のトラックが円筒状にみえるため，これをシリンダと呼んでいる。

シングルコピーライセンス　*single-copylicense*

パソコン1台につき1ライセンスが提供される契約形態。このラ

イセンスに該当するソフトウェアは，パソコンの数だけソフトを
購入しなければならない。

シングルジョブ *single job*

同時にひとつのジョブだけを実行すること。

シングルスペース *single space*

1インチ(約25.4mm)あたり6行の割合で印刷する書式。タイプラ
イタの標準設定が基本になっている。この他にシングルハーフス
ペースと呼ばれる1インチあたり4行のもの，ダブルスペースと呼
ばれる1インチあたり3行のものがある。

シングルタスク *single task*

同時にふたつ以上のプログラムを動作させることができないプロ
グラム管理方式。MS-DOSがシングルタスクOSとして有名。
　◯マルチタスク

人工現実 【ジンコウゲンジツ】　*artificial reality*

現実感をともなった，仮想的な世界をコンピュータの中に作り出
す技術のこと。この語はバーチャルリアリティ(VR)とよく混同さ
れるが本来別の言葉である。
　◯バーチャルリアリティ

人工知能 【ジンコウチノウ】　*artificial intelligence, AI*
　◯AI

シンセサイザ *synthesizer*

音源を使って電気的に音色を作成し，鳴らすことができる楽器を
総称して呼ぶ。最近では，サンプリング音源を使ったデジタルシ
ンセサイザが主流で，MIDI機器の中核的存在である。

シンタックス *syntax*

プログラミング言語における文法規則のこと。トークンの種類や，
使用する場所，コメントを入れる場合の方法など，プログラムの基
本的なレベルの規則である。また，この規則に従っていないために
発生したエラーをシンタックスエラーと呼ぶ。**◯トークン**

診断ルーチン 【シンダンルーチン】　*diagnostic routine*

コンピュータのハードウェアが正常に機能しているかをチェック
するプログラム。

シンボリックデバッガ *symbolic debugger*

アセンブリ言語プログラムを，英数などのシンボル名を用いてデ
バッグできるプログラム。後に高級言語プログラムを行や式のレ

ベルでデバッグできるものもできた。これによってデバッグの効率が大きく向上した。

真理値表 【シンリチヒョウ】　　*truth table*
　ある論理的な回路で，入力のすべての組み合わせとそれに対する結果とを表にまとめたもの。
　⊃AND, NAND, NOR, NOT, OR

し

垂直パリティチェック 【スイチョクパリティチェック】　*vertical parity check*

データ伝送時のエラーチェック方式の一種。ある一定数のビットの集まりごとに（たとえば8ビットごと）余分なビットを付け加え，その中で1が立っている数がつねに偶数個または奇数個になるようにしてから伝送を行い，受信側ではビットに1の立っている数が偶数個または奇数個あるかをチェックすることでエラーを検出する方法をパリティチェックという。

このうち，1文字分のデータごとに1ビットを付け加えるものを垂直パリティチェックという。この方法では1文字分のデータのうち1ビットだけ誤りが発生したときは偶数と奇数の違いでエラーが発生したことが分かるが，偶数個のエラーが発生したときはエラーが検出されない。

このため，複数個の文字データについて，1番目のビット，2番目のビットなど同じ桁のビットごとに1ビットを付け加えてチェックを行うことで，さらにエラーの検出能力を高めたものを水平パリティチェックという。⟳パリティチェック

スイッチ *switch*

プログラミング技法の一種で，処理の分岐を判断するために設定する項目のこと。分岐のための条件が複雑なときに，ある項目にON，OFFのフラグ（通常は1と0，1と2など分かりやすく設定する）を立てておき，分岐する場所でその情報を見て分岐するようにプログラムを設計する。

⟳フラグ

スイッチキャラクタ *switch character*

コマンドを入力する際，オプションやパラメータを区別するために直前に付ける記号。「／」や「−」など。

スイッチング電源 【スイッチングデンゲン】　*switching regulator*

スイッチングレギュレータともいう。電圧を変えるのに従来のトランスを使用せず，半導体を使用したもの。トランスを使用しないため軽量化でき，スペースも節約できる。また，大容量化すること

が比較的容易に行える。

スイッチングハブ　*switching hub*

スイッチング機能をもつハブ。ハブとは，10BASE-T(LANの伝送路の一種)で使用される複数のセグメントを収容するマルチポートリピータのことである。10Mbpsの伝送速度で，複数のポート間を同時に通信できる。相手先端末のLANアドレスをデータフレームから読み取り，その端末が接続しているLANにだけデータを転送する。

数値演算プロセッサ　【スウチエンザンプロセッサ】　*numeric data processor*

おもに，浮動小数点演算を高速に実行する専用コプロセッサ。FPUともいう。CPUとして使用するプロセッサと組み合わせ，その補助として使用する。Intel社の8086用として8087，80286用，i386用としてそれぞれ，80287，i387がある。i486DXには最初から数値演算コプロセッサが組み込まれている。

数値演算コプロセッサを併用すると，スプレッドシートやCADなど，浮動小数点演算のウェイトが高いアプリケーションプログラムでは，CPUだけで実行するのに比べ，かなり処理速度を向上させられる。

数値化　【スウチカ】　*digitize*

物理的な量の連続的変化をデジタルな形（つまり数字）に置き換えること。

数値制御　【スウチセイギョ】　*numerical control,NC*

工作機械の自動制御方式のことで，工場にある複雑な仕事をこなす機械に対して，数値で表された命令を与えることで微妙な動きまでをいっさいコントロールしようというもの。

水平走査周波数　【スウヘイソウサシュウハスウ】　*horizontal scanning frequency*

ディスプレイで横方向の同期をとるためのタイミング周波数。

数理計画法　【スウリケイカクホウ】　*mathematical programming,MP*

利益を最大にするとか，経費を最小限に切り詰めるといった，目的とするものをある制約条件のもとに最大もしくは最小にする方法。制約条件を使って最大（最小）とするものを表す数式を作って解いていく。

スキップ　*skip*

ある命令や処理を行わず次の命令まで飛ぶこと。

スキーマ　*schema*

データベースの論理構造の定義，記述のこと。データベースを構成するレコードの大きさ，キーの定義，レコードとレコードの関係，検索方法などの定義を行う。

スキーマにはさらに下位レベルのサブスキーマがあり，レコードの細かいフィールドの定義を行う。

○サブスキーマ，データベース

スキャナ

○イメージスキャナ

スキャンコンバータ　*scan converter*

コンピュータのビデオ出力（RGB信号）をNTSC方式やPAL方式，SECAM方式の信号に変換する回路のこと。

テレビモニタでコンピュータの画面を表示したり，ビデオデッキで録画することができる。

スクラッチパッドメモリ　*scratch pad memory*

比較的小容量の記憶装置で演算装置と同レベルの読み込みの速度をもっているもの。データの退避や一時的記憶のために用いられる。オンラインシステムやデータベースの排他的制御を行う際に，更新前のイメージを記憶させておき更新時に実際のファイルと退避させておいたイメージを比べることによって，排他的処理が行われているかどうかを確認できる。

スクラップブック　*scrapbook*

Macintoshに付属するプログラムで，グラフィック，文字，音などさまざまなデータを保管しておくことができる。

クリップボードとは異なり，複写，切り取りなどのコマンドでは自動的にデータが転送されないため，ユーザー自身がデータをスクラップブックに貼り付けなくてはならない。しかし，複数のデータを登録でき，電源を切っても内容が保管される。

スクリプト　*script*

マクロ命令など，簡単な命令を記述したプログラムのこと。

スクリーンエディタ　*screen editor*

ディスプレイ上に複数行のテキストを表示し，カーソルを上下の行に自由に移動して，文字の追加，挿入，削除などの編集作業を行えるようにしたエディタ。MIFES, Vz, Emacs, Vi, 秀丸, YoEditなど，現在ではほとんどのエディタがスクリーンエディタである。

○エディタ

스크린セーバー

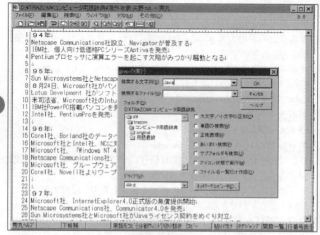

スクリーンエディタ（Windows 用シェアウェア秀丸）

スクリーンセーバー *screen saver*

画面に長時間同じイメージを表示させると、電源を切ってもそのイメージが残ってしまう。この画面の焼き付けを防ぐために、一定時間キーボードやマウスの操作がないと画面に刻々と変化するイメージを表示したり、画面を暗くするためのプログラム。

スクロール *scrolling*

ディスプレイ画面上に表示されている内容を上下、あるいは左右方向にずらし、隠れて見えない部分を表示すること。

スクロールバー *scroll bar*

ウィンドウの端にある、画面をスクロールするためのスライド式のバー表示。マウスで操作してスクロールする。

スケジューラ *scheduler*

○ジョブスケジューラ

スケーラビリティ *scalability*

2つの関係ある事柄において、一方の条件に左右されずにもう一方に拡張性があること。例えば、システムの規模に関係なく、同じレベルの機能が提供されることがあげられる。

スケーラブルフォント *scalable font*

○アウトラインフォント

スコープ　*scope*

　プログラミングの際に使用する，変数名の有効範囲。たとえばスコープの外では同じ変数名で別の変数を定義できる。スコープの規則は言語によって異なるが，モジュールや関数などがスコープの境界になる。また，importあるいはexportによる越境を認める言語もある。

スタイルシート　*Style Sheet*

　(1)テンプレート(1)と同じ。
　(2)CSSと同じ。

スタイルファイル　*style file*

　ワードプロセッサやDTPソフトウェアで，1行の文字数や1ページの行数，さらにはマージンや段組み，見出しや本文などのフォント設定などのスタイル(書式)データを設定したファイルのこと。
　1度スタイルファイルを作っておけば，次回から同じレイアウトの文書を作る際に，スタイルを設定する手間を省くことができる。

スター型ネットワーク　【スターガタネットワーク】　*star connection*

　LANでの端末の接続方式の一種。すべての端末を中央の集線装置(HUB)につなぐもの。ネットワーク全体や他の端末に影響を与えず端末の取り外し，増設が可能。また，HUBが診断機能を備えていれば，故障発生時に故障箇所をすぐに特定できる。10BASE-Tで使われている。▷10BASE-T

スタータキット　*starter kit*

　商用ネットワークなどに加入するために必要なソフトや体験IDなどをワンセットにした製品。これさえ購入すれば，入りたいネットのIDを簡単に手に入れられるほか，マニュアルなども付属しているので，ネットワーク操作も分かりやすい。さらに，最近ではインターネットプロバイダなどが，インターネット接続キットを発売している。

スタック　*stack*

　(1) データを一時的に退避させること，もしくはそのための記憶領域のこと。退避させるデータを順番に重ねていき，使うときは上から順番に使っていく。つまり最後に退避させたデータを最初に取り出す「後入れ先出し方式」を採用している。
　スタックは入れ子（ネスティング）になったサブルーチンの戻りアドレスを退避させるときなどに使用する。(次ページ図参照)
　(2) HyperCardで作成したアプリケーション。フリーソフトウェ

す

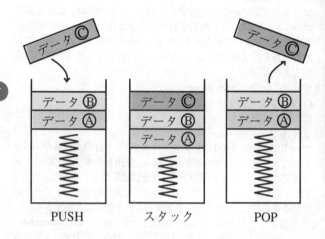

PUSH　　　スタック　　　POP

スタック (1)

アから商品まで，さまざまなものがあり，HyperCardプレイヤーが
あれば再生できる。

スタックポイント　*Stack Pointer*

つぎに使えるスタック領域のアドレスを保存しておくレジスタ。
スタック領域は後入れ先出し方式（LIFO）を採用しているため，
退避させているデータが増えると次に使えるエリアのアドレスも
増え，データを取り出すごとにアドレスも逆に減っていくため，こ
のようなレジスタで管理しておく必要がある。

スタティック RAM　*static RAM*

⟹SRAM

スタティックバッファリング　*static buffering*

CPU から入出力装置へデータを送る際に途中に緩衝帯としてバッ
ファが設けられているが，スタティックバッファリングは，この
バッファのサイズが常に一定に保たれているもの。逆にデータの
量によってバッファのサイズが変化するものをダイナミックバッ
ファリングという。

スタートアップスクリーン　*start up screen*

コンピュータの電源を入れた直後や，プログラムを起動した直後に，表示される画像をさす。Macintoshではデフォルトのスタートアップスクリーンが「Welcome to Macintosh」だが，正月には自動的に「あけましておめでとうございます」になる。また，ユーザーが自由に変更することもできる。

スタートメニュー　*startmenu*

Windows95で，さまざまなプログラムを起動するためのメニュー。ここからアプリケーションの実行，各種の環境設定，検索，ヘルプ情報の表示などを行うことができる。

スタンダードモード　*standard mode*

MS-Windows3.xの動作モードのひとつ。起動するには80286以上のCPU，640Kバイトのメインメモリ，256Kバイト以上のXMSメモリが必要。

このモードでは，CPUをプロテクトモードで動作させることができ，最大16Mバイトのメモリ空間を利用できる。非Windowsアプリケーションを全画面表示で実行することが可能である。◑MS-Windows

スタンドアローン　*stand alone*

ほかのコンピュータに接続されず，それ1台で独立して処理を行っているコンピュータのこと。ワークステーションやパーソナルコンピュータはスタンドアローンでも業務をこなせるが，LANなどでネットワーク化することによってさらに機能を拡張し，より効率的な活用が可能になる。

ステータス　*status*

状態語ともいう。CPUや周辺装置などの各装置の動作状態を示す情報のこと。ステータスコードというデータやビープ音，パイロットランプ，液晶パネルなどで表示される。

たとえば演算の結果，桁あふれが生じたとか，符号が正か負か，あるいは，プリンタがオンライン状態になっている，紙づまりが生じた，ファイルへアクセスしている，などといった情報のこと。

ステータスバー　*status bar*

作業中のステータスを表示する画面の一番下にあるバー表示。ステータスには，現在カーソルのあるページや位置などの情報が表示される。

ステータスレジスタ　*status register*

ステータスコードが格納されているレジスタ。8086ではフラグレジスタといい, オーバーフローフラグ, ゼロフラグなど9個のフラグが用意されている。

ステップ　step

プログラムの命令語1個のこと。プログラムの大きさをステップ数で表すこともある。

ステップスカルプチャ　step scarpcher

キーボードの形状を表す言葉, キートップの位置が手前から向こうに行くにしたがって高くなるように傾斜がついているもの。すべてのキーが同じ高さのものよりも, 入力しやすく疲れにくい。

ステート　state

CPU のマシンサイクルを構成する周期のことで, ひとつのクロックの時間に等しい。複数のステートでマシンサイクルが構成されている。

ステートメント　statement

プログラミング言語の命令文のこと。

ストア　store

データを記憶領域に格納すること。1命令の実行結果をメインメモリに書き込むことも, データファイルを記憶装置に保存することも共にストアという。

ストックフォーム　stock form

プリンタで印刷する際に使う用紙の一種で, ミシン目で折り畳んだ連続用紙のこと。パーソナルコンピュータでは, 10 × 11インチ, 15 × 11インチのものがよく使われる。

ストップビット　stop bit

非同期シリアルデータ転送において, データの区切りの最後を示す符号。最初を示すのがスタートビット。

ストライピング　striping

セグメント単位で分割された動画データを, 複数のディスク装置に分散させること。目的は1つの動画を同時に複数の端末に配信すること。

ストリーマ　streamer

大量のデータをカセット式の磁気テープに記録する装置。ハードディスクのバックアップや, データの受け渡しなどに使われる。テープにはコンパクトカセットテープ, QIC（4分1インチカセット）テープ, DAT, 8ミリビデオテープなどを使う。1本あたり40

す

Mバイトから3G(ギガ)バイト程度の記憶容量をもっている。

ストリーム *stream*

ユーザープロセスとデバイス間の2重結合路のこと，もしくはこの結合路を使用した入出力機構のことをさす。ストリームによる入出力は，ストリームヘッド(結合路のユーザープロセス側の端)とデバイスドライバ間のメッセージ処理と転送によって行われる。

ストリーミング *Streaming*

ネットワークで音声，動画を再生する際に，サーバからデータを受信しながら再生すること。ネットワーク回線の伝送速度が遅い場合は，データを一度ダウンロードしてユーザのハードディスクなど記憶装置に保存し再生する方式が一般的だったが，高速な回線になると，ストリーミングが可能になる。データの圧縮により，音飛びや画像の乱れを修復するような工夫が必要であり，ダウンロード方式より品質は劣るが，ユーザ側にデータが残らないため，試聴やインターネット放送などに利用される。ストリーミングが可能なソフトウェアにReal Networks社のReal Playerやヤマハ(株)のSoundVQなどがある。

ストリームエディタ *stream editor*

⇨アウトラインプロセッサ

ストリング *string*

文字列のこと。数字や記号，アルファベットなど文字として扱うデータがひとつながりになったもの。数字が含まれていても，加減乗除を行わずコードの一部として用いるのであれば文字列となる。

⇨キャラクタ

ストレージベイ *strage bay*

ハードディスクやフロッピーディスクの格納スペース。パーソナルコンピュータなどでは，ハードディスクやフロッピーディスクの増設を想定して，あらかじめ取り付け場所を用意している場合が多い。その場所の呼び名である。

ストレートケーブル *straight cable*

RS-232C用のケーブルのうち，同じ機能のピン同士を結線するためのケーブルをいう。A，Bという2つのピンをもつコネクタと，もういっぽうの同一のコネクタとの間で，A-A，B-Bというぐあいに繋いだものである。コンピュータとモデムをつなぐ場合に利用する。コンピュータ同士やコンピュータとプリンタなどを接続する場合は，信号線を交差させたクロスケーブルを利用する。

○クロスケーブル

スナップショットダンプ　*snapshot dump*

プログラムの実行中に，任意に設定した地点でレジスタや特定の項目のダンプを行うこと。プログラムのテスト中にある項目内容や途中経過が知りたいときや，プログラムエラーの理由がどうしても分からないときに利用する。

スーパーインポーズ　*superimpose*

コンピュータの画面をテレビやVTRの画面と重ね合わせること。テレビとコンピュータの信号の同期がとれるようになってから，映画に字幕を入れるなどの方法で利用されるようになってきた。また，単に画像を重ね合わせることもさす。

スーパーコンピュータ　*supercomputer*

高速処理を第一の目的とするコンピュータ。アレイプロセッサなどによる並列処理により1秒間に数億回以上の計算が可能なコンピュータが開発されている。

アメリカのCray Research社が開発したCRAY-1によりスーパーコンピュータが注目されるようになり，日本のメーカーも参入した。

スーパースクリプト　*super script*

上付き文字のこと。

例：X^2

○サブスクリプト

スーパーセット　*superset*

コンピュータのソフトウェアや言語で，標準の命令群に，個々の命令に新機能をつけ加えたり，新しい命令を追加したりした拡張版。

スーパードライブ　*super drive*

2HDフォーマットに対応したMacintoshのフロッピードライブ。Macintosh用のフォーマットである800Kバイト(2DD)，1.4Mバイト(2HD)の他，MS-DOSの720Kバイトと1.44Mバイトフォーマットのディスクを読み書きできるようになっている。Macintosh IIx以降の機種に採用された。

スーパバイザ　*supervisor*

OSの機能の中心となるプログラムで，プログラムの運用全般に関する監視を行い，メインメモリに常駐している（つまり常に稼働状態にある）。監視プログラムともいう。実際にはマルチプログラ

ミングの際, 複数のプログラムの動作のタイミングやメモリの管理
を行っている。

スーパバイザコール　supervisor call

処理プログラムが必要に応じてスーパバイザを呼び出すこと。
スーパバイザコールを行うとスーパバイザコール割り込みが発生
し, スーパバイザはPSW (プログラムステータスワード) で受け
渡されるコードから要求された処理の内容を判断して処理を行う。

スピンドル　spindle

ハードディスクの中心にあって, 円板状の記録媒体を支えて回転さ
せる部分のこと。

スプライト　sprite

コンピュータの画面表示において重ね合わせの合成をする機能。
スプライト画面上で別々にグラフィックを描き, それを優先順位に
したがって重ね合わせることにより, アニメーションなどに使われ
ている"セル"と同じ合成画面を作ることができる。
またアニメーションと同様, バックグラウンド (背景) が存在し, セ
ルを自由にスライドさせたり優先順位を入れ替えたりできる。さ
らにバックグラウンド画面にビデオ信号を利用できるものもある。

スプライン補完　【スプラインホカン】　spline interpolation

離れて存在している複数の点を, なめらかな曲線や曲面で結ぶこ
と。コンピュータグラフィックスでは, スプライン関数でなめらか
な曲線や曲面を生成する。

スプリットスクリーン　split screen

画面分割ともいう。画面をふたつ以上に分割して, それぞれ別の内
容を表示するもの。ワードプロセッサやエディタ, スプレッドシー
トなどで複数のデータを比較, 参照する場合に使われる。

スプール　spool

CPUで処理されたデータをプリンタなどの出力装置で出力する場
合, CPUの処理速度に比べてプリンタの処理速度が遅いため, プ
リンタがすべてのデータを出力し終わるまでCPU は次の処理を
待たなくてはならない。
これを, CPUからのデータをいったん高速アクセスが可能なディ
スクやRAMディスクなどへ出力し, プリンタはここからデータを
受け取って出力させれば, その間CPUは出力処理から開放されて
次の仕事を行うことができる。
このように, 中間に記憶領域を設けてCPUの効率の良い運用を図

ることをスプール，もしくはスプーリングという。

<u>スプレッドシート</u>　*spread sheet*

表計算プログラムともいう。

縦横にならんだ表データの集計，計算を中心とするデータ処理プログラム。経営分析や売り上げ予測，財務計算などに多く使われている。

す

スプレッドシートの画面は，縦の列と横の行から構成されており，ひとつひとつのマス目をセルという。画面全体やデータファイルをワークシートという。

セルに数値や文字列，計算式を入力し，さまざまな計算を実行できる。計算式は他のセルの数値や文字列を演算対象とすることができるので，対象セルの値を変更すれば，計算式はそのままで異なる結果を求めることができる。また，四則演算から科学計算，統計計算，財務計算，文字列処理など各種の関数が用意されている。

複雑な計算も瞬時に計算するので，いくつかの関連する数値を変更して将来予測をするような，人間が計算するのは面倒なシミュレーションが簡単に実現できる。

その他，データの並べ替えや抽出といったデータベース管理機能，数値データを元にグラフを作成する機能などを備えている製品が多い。1979年，Personal Software 社が開発した Visicalc がスプレッドシートの第1号といわれている。Lotus 社の 1-2-3，Microsoft 社の Excel，などが代表的なもの。

<u>スペクトラム拡散</u>　【スペクトラムカクサン】　*Spread Spectrum, SS*

無線通信は，音声など元データの波形を変調して，電波として送信するが，この電波＝搬送波の帯域幅を広くとる新しい通信技術。従来型の無線通信は帯域幅数十kHzの狭帯域変調である。

音声信号は数kHzに過ぎないが，これを電波として変調する際に符号を付加して冗長化し，帯域幅を数十倍にまで広げる。帯域幅は数百kHzから数MHzにまでなる。符号を付加することにより，同一の周波数を同時に複数のチャンネルで使うことができ，隣接する基地どうしでも，同じ周波数を使えるので，高速移動しても通信が途切れにくい，符号化により盗聴されにくいなどの利点がある。これを直接拡散方式（Direct Sequence, DS）といい，携帯電話の通信技術であるCDMAに使われている。別に周波数ホッピング方式（Frequency Hopping, FH）があり，一定の短い時間間隔で狭帯域の周波数を変えていくことにより広帯域化し，複数

の通話を実現する。周波数が絶えず変わっているので，妨害や盗聴がされにくい。

スペース　*space*

空白を表す文字のこと。あるいは，ハードディスクやフロッピーディスクなどの空き領域のこと。

スペック　*spec*

specifications（仕様書）を略した言葉。おもに装置の性能について「スペックが悪い」とか「スペックに達していない（仕様書に書かれたとおりの性能が出ない）」などという。

スペルチェッカ　*spell checker*

単語のスペル間違いを調べるソフトウェア，もしくは機能。独自の辞書をもち，作成した文章のスペルをチェックする。誤ったスペルがあるときには，正しいと思われる単語の候補を表示し，選択して直せるようになっている。すでに作成された文章を対象にチェックするのではなく，ユーザーのキーボード入力をチェックするものもある。欧文ワードプロセッサにはスペルチェッカの機能が組み込まれているものが多い。

スマートカード　*Smart Card*

クレジットカードや各種の会員カード，IDカードや銀行カードなど，従来は紙やプラスチック磁気カードの類だったものをICカードにしたものをこう呼ぶ。磁気カードはカード自体に暗証番号など最小限のデータが入っているだけだが，ICカードとすることにより，高度な情報処理や大容量の記憶が可能になる。すなわち，カードそのものに暗号処理システムを組み込んで安全性の高いカードキーとしたり，病院の診察券そのものに大容量のカルテの全情報を記憶させたり，銀行カードそのものに電子マネーの機能をもたせたりといったことが可能になる。

スライド辞書法　【スライドジショウ】　*sliding dictionary method*

圧縮アルゴリズムのひとつ。同じ文字列が再度出現した場合，「何文字前に戻って何文字分コピーせよ」という形で符号化する。たとえば，「じゅげむじゅげむ」は「じゅげむ４４」となる。LHAなどで使われている。

○LHA，アーカイバ

スループット　*throughput*

一定時間にコンピュータがどれだけの処理を行えるか。単位時間あたりの処理能力のこと。普通bps（ビット／秒）の単位で計る。

スレッド　*thread*

　マルチタスク環境での，仕事の単位。OS/2などで使われる用語。

スロット　*slot*

　Pentium II，IIIで採用されたSEC方式のCPUを接続するコネクタ。242ピンのSlot 1とXeon用330ピンのSlot 2がある。Slot 1と同形態であるが互換性のないSlot AはAMD社のAthlon向け。

スワップ　*swapping*

　メインメモリの内容を外部記憶装置の内容と入れ替えること。メモリに入り切らないプログラムやデータを処理するとき，メモリ内容の一部を一時的に外部記憶装置に待避させる。

スワップファイル　*swap file*

　メモリからあふれたデータをハードディスクに記録するためのファイル。

正規化 【セイキカ】　*normalize*

1. 浮動小数点の仮数部と指数部を調整し, できるだけ仮数部の上位桁に0が入らないようにして誤差を少なくすること。

◐浮動小数点

2. リレーショナルデータベースにおいて, 重複するデータを最小限にし, データをより単純なものにすること。

◐リレーショナルデータベース

正規表現 【セイキヒョウゲン】　*regular expression*

ある文字列をメタキャラクタ (超文字) の組み合わせで記述することのできる表現の集合。UNIXのシェルやコマンド, あるいはUNIXから移植されたMS-DOS用のツール類 (sedやawkなど) ではファイルや文字列の指定に共通の正規表現が使える。

メタキャラクタ	機能
.	任意の1文字。
*	直前の文字, キャラクタクラスまたは部分文字列の0回以上の繰返し。
[ ] - ^	[と]で囲まれた1個以上の文字によって, 文字の集合 (キャラクタクラス) を定義し, この集合に属する1文字を表す。
^	行頭。
$	行末。
¥(, ¥)	¥(と¥)で囲まれた正規表現パターンに対応した文字列を部分文字列として登録する。
¥1 ¥2 ... ¥9	それぞれ, 登録されている部分文字列と同じ文字列に対応する。

おもなメタキャラクタとその機能

例

[あいうえお] → "あ","い","う","え","お"のいずれか

[^亜-龠] → 漢字を除く任意の1文字

```
^ [¥t ] *$ → 行末の複数のスペース, タブ
[Ww] [Ii] [Nn] [Dd] [Oo] [Ww] [Ss]
    → WINDOWS, Windows, windows, wInDowS
      などのすべて
```

正規ユーザー 【セイキユーザー】

アプリケーションやOSなどのソフトウェアを販売店などの正しいルートで購入して利用しているユーザーのこと。違法コピーで利用しているコピーユーザーに対してこう呼ぶ。

制御コード 【セイギョコード】　*control code*

画面やプリンタの表示を制御するためのコード。カーソル移動や改行, 画面消去などを指示する。JISコードで00hから1fhに割り当てられている。

制御装置 【セイギョソウチ】　*control unit, CU*

コンピュータを構成する5つの要素, 入力装置, 出力装置, 記憶装置, 演算装置, 制御装置のうちのひとつで, 命令語を記憶装置から取り出し解釈し, 実行に必要な制御のための信号を各装置に送る働きをもっている。普通はさらに演算装置を加えてCPU（中央処理装置）と呼んでいる。
〇CPU

制御バス 【セイギョバス】　*control bus*

コンピュータ内部ではデータや信号が通るさまざまな路があり, これをバスと呼んでいる。このうち, 実際の処理対象となるデータが通る路をデータバスといい, アドレスデータを指定するために使うものをアドレスバスという。そして制御装置から各装置へ制御信号を伝えるための通り路を制御バスと呼んでいる。

制御文 【セイギョブン】　*control syntax*

プログラムは普通, 上から下へと実行されていくが, この流れを変えるのが制御文である。指定した番地へジャンプするgoto文, 条件に合致するかによって異なる処理をするif文, 繰り返し処理をするfor文などがある。

整列 【セイレツ】　*sort*
〇ソート

セカンドソース　*second source*

Intel社やMotolora社などLSIを開発したメーカーからその開発技術を買い, それと同じLSIを他のメーカーが作ること。

赤外線通信 【セキガイセンツウシン】　*IrDA*

せ

赤外線を使ってデータをやりとりするための方式。シャープ(株)のZAURUSやIBM社のThinkPad230cに搭載されてから，PDAやノートパソコンには必須の機能となった。

積分回路 【セキブンカイロ】　*integration circuit*

入力された電気信号の積分値を出力する回路。▷微分回路

セキュリティ　*security*

事故や人為的な破壊行為から，コンピュータシステムの安全性や信頼性を確保すること。事故に対するセキュリティには，コンピュータシステムの処理内容が信用できること(Reliability)，コンピュータシステムが停止しないこと(Availability)，障害の防止や発生時の対応の容易さ(Serviceability)などがあげられる。これらの頭文字をとってRASと呼ぶ。また，人為的な破壊行為に対するセキュリティには，データの機密保護などがある。

セクタ　*sector*

ハードディスクやフロッピーディスクのデータを記録する部分は，年輪のように円状になったトラックという部分より構成されている。このトラックをさらに細かく分割した部分をセクタと呼ぶ。レコードの大きさに関係なく，CPUはセクタ単位で読み書きを行っている。

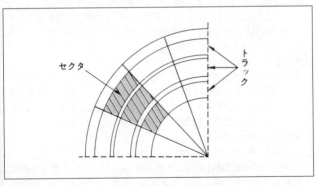

セクタ

セグメント　*segment*

(1) メインメモリを管理する単位。Intel社の8086系では64Kバイトごとにメインメモリに区切りが設けられている。実際のアド

レスを指定するにはセグメントアドレスの他にセグメントの先頭からの位置を示すオフセットを指定する必要がある。

(2) プログラムが非常に大きくなり、メインメモリに一度に格納できない場合、そのプログラムを同時には使用されないいくつかの部分に分割し、メインメモリには分割した部分をロードし、必要に応じて次々に分割された部分を入れ替える。このような方法をオーバーレイ方式、分割された部分をセグメントと呼んでいる。

(3) プログラムを分割して管理する方法に仮想記憶方式がある。プログラムをページという単位に分割し、ページ単位でロードするもので、OSが管理しやすいように、ページを複数個まとめて扱っている。このページの集まりをセグメントという。

世代 【セダイ】　*generation*

コンピュータを素子などで分類したもので、現在では第1世代コンピュータから第4世代コンピュータまでが数えられている。

第1世代といわれるものは真空管を用いたもので、第二次世界大戦直後から1950年代の末までに開発されたものがこれにあたる。

第2世代はトランジスタを用い1960年代の中頃まで続き、第3世代はICを使ったもので1970年頃までをさすことが多い。

第4世代コンピュータは素子にLSI、超LSIを使ったもので、第3世代以後、現在に至るまで第4世代のコンピュータが中心となっている。これら、素子の違いによる世代分類とは別に、通産省は人工知能の実現を目指す非ノイマン型、次世代コンピュータのことを"第5世代コンピュータ"と定義した。

セッション　*session*

端末が回線を通じてホストコンピュータとデータのやりとりができる状態にすることをログオンといい、解除することをログオフという。このとき、ホストコンピュータ側では端末がログオンしてからログオフするまでの時間をひとつの単位として捉えている。これがセッションである。

セッション層 【セッションソウ】　*session layer*

ISO(国際標準化機構)が規定するOSI(開放型システム間相互接続)基本参照モデルの第5層。セッション層は、データの転送制御に関連する処理を行う。

絶対アドレス 【ゼッタイアドレス】　*absolute address*

直接アドレスともいう。プログラムの命令にアドレスそのものを指定する方法。

プログラム実行時にアドレスを計算する必要はないが，メインメモリ内でのプログラムの位置が変わると，ソースコード中のアドレス指定を全部修正し，再コンパイルしなければならなくなる。
○相対アドレス

セーブ　save

プログラムやデータファイルなどを外部記憶装置に記録して保存すること。一般的には，パーソナルコンピュータで作ったプログラムや文書をディスクに記録させることをいう。

セマフォ　semaphore

マルチタスクが可能なコンピュータでは複数のタスクが同時に動くため，OSはタスク間の調整を行わなければならない。このとき，タスク間の同期を取るときに使う信号をセマフォと呼んでいる。

セマンティックス　semantics

プログラミング言語について考える場合，それが表す意味を問題とするものと，単語間の前後関係などの規則を問題にするもののふたつの視点が考えられる。このとき，意味を問題とする視点をセマンティックス，規則を問題とする視点をシンタックスという。

セラミックパッケージ　ceramics package

ICをセラミックス製のパッケージに収めたもの。プラスチックパッケージより高価だが，保護性が優れている。

セル　cell

スプレッドシートのワークシート上で，枠線によって区切られた範囲をさす。ひとつのセルには，ひとつのデータが保存され，複数のセルが集まってワークシートを構成している。ワークシート上のセルを参照するには，行と列の番号によるアドレスが用いられる。（次ページ図参照）

セールスマンの巡回問題　【セールスマンノジュンカイモンダイ】　traveling salesperson problem

「あらかじめ与えられた都市を1度だけ，しかもすべてを訪問する経路のうち，最短のものを求めよ」という問題。

セルポインタ　cell pointer

表計算ソフトのワークシート画面上で入力対象となっているセルを示すカーソル。

セレクティング　selecting

ホストコンピュータが端末にデータの受信準備をするように促すこと。

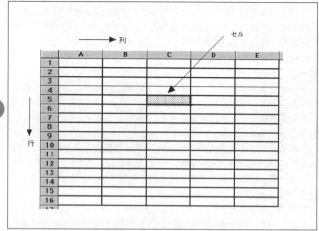

セル

ゼロサプレス *zero suppress*

コンピュータ内部で数字を表すとき、たとえば1つの数字に8桁分使うとすると (10進数)、10という数字は``00000010''と表される。これをそのまま印字すると0が並んでいて非常に見づらい。そこで、不要な0を打ち出さないように制御すること。

ゼロ除算割り込み 【ゼロジョザンワリコミ】 *Division by Zero*

代表的な内部割り込みの一つ。ゼロで除算する演算を行うことで発生する。

線画 【センガ】 *line work*

線によって構成されているCG。ドロー系と呼ばれるグラフィックソフトを使って描かれる。最近ではベジエ曲線などを使ったアウトラインイラストが描けるものが多く、拡大・縮小を行っても輪郭のきれいな線画を出力できるのが特長。代表的なソフトとして、Adobe社のIllustratorなどがある。

全角文字 【ゼンカクモジ】

日本語ワードプロセッサなど、日本語を扱うアプリケーションで使われるひらがなや漢字の標準サイズの文字。MS-DOSのコマンドや、英文ワードプロセッサで使われる英数字文字を半角文字と呼ぶのに対応している。

コンピュータ内部で全角文字は2バイトのデータとして扱われる。アルファベット，数字，カタカナ，記号には，同じ文字でも半角文字と全角文字がある。

⇨半角，倍角

全加算器　【ゼンカサンキ】

半加算器にはなかった下位の加算結果からの桁上がりを処理できるようにした回路。一般に2つの半加算器と，桁上がり用の回路からなる。n桁の2進数の加算を行う場合，上位のある桁の加算される数をXn，Ynとすると，まず半加算器を用いてXnとYnを加え合わせた後，その和Sと下位からの桁上げCnを再び半加算器を用いて加え合わせなければならない。

⇨半加算器

線形計画法　【センケイケイカクホウ】　*linear programming*

線形計画法，リニアプログラミング，LPとも呼ばれる。ある条件を満たしながら変数の最大値，最小値を求めるものであり，制限内でコストを最小にする計算などに使われている。

線形リスト　【センケイリスト】

データ構造の一種で，データをポインタで1次元的につないだもの。直後の要素アドレスを保持することによって，データを順にたどれる。

宣言文　【センゲンブン】　*declarative statement*

プログラミングにおける命令の一種だが，実際の処理を行うのではなく，エリアの確保やデータの定義を行うもの。

センサ　*sensor*

コンピュータを使った自動制御で，制御の対象の変化（位置，温度，角度，圧力，速度など）を検出する部分のこと。

センター・ツー・エンド　*center-to-end*

ホストコンピュータと端末が，回線を通してつながっている状態のこと。パーソナルコンピュータ同士を電話回線で接続するような場合をエンド・ツー・エンドという。

センタリング　*centering*

指定した文字，文字列を行の中央に配置すること。一般に，ワードプロセッサの機能のひとつである。

セントロニクスインターフェイス　*centronics interface*

アメリカのプリンタメーカーであるCentronics Data Computer社が開発した，パーソナルコンピュータ用プリンタのインターフェ

イス。コネクタの36ピンのうち、8ピンが8ビットずつデータを同時に伝送できるパラレルインターフェイスで、現在、ほとんどのパーソナルコンピュータに採用されている。ただし、その多くは仕様の基本部分のみの採用であり、メーカーによって形状やピン数、信号線の番号などが異なっていることが多い。

全二重通信 【ゼンニジュウツウシン】　*full duplex*

データ伝送を行っている端末同士が、同時に送信も受信も行える通信方式。送受信を同時に行う際の信号の衝突を避けるため、使用する回線をそれぞれ独立させるか、もしくは周波数を使い分けて通信する。ほとんどのBBSで全二重方式が使われている。

前方一致 【ゼンポウイッチ】

語を検索する際、語の頭から一致するものを指定すること。例えば、「東京」で始まる「東京大学」「東京都」「東京タワー」などを検索する場合。

専門辞書 【センモンジショ】

日本語入力FEPで、医学用語、仏教用語、技術用語など特殊な用語のために特別に単語を集めた辞書ファイル。

◯日本語入力 FEP

専用回線 【センヨウカイセン】　*leased line*

一般的な公衆回線ではなく、特定の相手と通信するための、特別に設置された回線。データ転送などで頻繁に通信をする場合には、公衆回線を利用するよりも通信費を抑えられる。また、銀行や証券など、セキュリティが重要な通信では、外部からの侵入を防ぐために専用回線を使う。特定通信回線ともいう。インターネットのプロバイダとの接続に利用されるものもある。

戦略情報システム 【センリャクジョウホウシステム】　*SIS*

情報システムのうち、その存在が企業にとって戦略上重要な意味をもち、競争優位を与えるものをさす。特別なハードウェアやソフトウェアをさすものではなく、システムが提供する情報の質によって戦略情報システムか否かが決定される。そのため、従来のMIS（経営情報システム）やDSS（意思決定支援システム）も提供する情報によっては、戦略情報システムになり得る。具体例としては、POSによって捉えられた売り上げのデータを、瞬時に集計分析し、店舗の品揃えを決定するシステムがあげられる。

そ

走査 【ソウサ】　*scan*

文字や画像を構成している要素を決まった順番で読み，情報として取り込んでいくこと。

たとえばファクシミリでは，画像を横長の細い帯の集まりとして捉え，順に入出力する。ディスプレイの画像の場合も，横に並ぶ光の点を左から右へ高速に表示していく。

➲ラスタスキャン

増設 RAM ボード 【ゾウセツラムボード】　*expansion RAM board*

メインメモリの記憶容量を増やすため，RAMが収められたボードのこと。専用ソケットを使うものと，汎用拡張スロットを使うものがある。汎用拡張スロットを使うタイプは，アクセスの際にウエイトが入るため，データ転送が遅くなる。

➲ウエイト

増設メモリ 【ゾウセツメモリ】

➲SIMM

相対アドレス 【ソウタイアドレス】　*relative address*

メインメモリの各領域にはそれぞれ番号（番地）がふられており，これを絶対アドレスと呼んでいる。これに対して，ある一定のアドレスを基準として，そこからどれだけ離れているかで位置を表すアドレスのことを相対アドレスという。

プログラムで絶対アドレスを使うと，メインメモリ上の位置が固定されてしまい，そこがふさがっていると使えなくなってしまう。また，ロード位置を変更しようとすると，プログラム内部のアドレスをすべて修正しなくてはならない。相対アドレスを用いたプログラムの場合は，ロード時に基準となるアドレスが決まると，それに応じて残りのアドレスも決まってくるので，複数のプログラムをロードする場合，便利である。

➲絶対アドレス

相対アドレス指定 【ソウタイアドレスシテイ】

基底アドレスからの相対的な差として表されるアドレスを指定すること。

相対編成 【ソウタイヘンセイ】 *relative organization*

COBOL言語を使用するときに用いられるファイルの一種。ひとつ一つのレコードは番号の付いた格納庫に収められ，この番号によってシーケンシャルアクセスやランダムアクセスを行うことができる。

双方向 CATV 【ソウホウコウシーエーティーブイ】 *bidirectional CATV*

通常のCATVはセンターから家庭に映像を送るだけだが，双方向CATVは家庭からセンターに情報を送り返すことができるようにしたもの。国内ではまだ実験段階だが，これが実用化されるようになると，家庭にいながらショッピングができるホームショッピングや，クイズ番組へ直接参加できるようになるなど，広い可能性が考えられるようになる。

○CATV

双方向通信 【ソウホウコウツウシン】 *two-way communication*

送信，受信の両方向が可能な通信のこと。電話やファクシミリなどのように，相手からの情報を受け取るだけでなく，こちらからも情報が送れるような通信。

双方向リスト 【ソウホウコウリスト】

線形リストでは要素を逆方向にたどるのは容易ではないため，直後の要素アドレス以外に直前の要素アドレスも保持することによって，双方向へのアクセスを可能にしたリスト。

添字 【ソエジ】 *subscript*

配列の要素を表す数字のこと。たとえば2次元の配列，$A(x, y)$があるとする。このとき，何列めの何番目のデータかを表すxとyが添字となる。

即値アドレス指定 【ソクチアドレスシテイ】

アドレスの指定をオペランドのアドレスではなく，値そのもので指定すること。

ソケットサービス *socket service*

PCカードを利用するための制御ソフト。搭載しているPCカード制御チップに対応して，スロット状態の取得や，スロット状態が変化したときの割り込みレベルの再設定，PCカードのメモリやI/Oポートのパソコン側へのマッピングなど29種類のファンクションを備えている。JEIDA4.2，PCMCIA 2.0よりサポートされるようになった。

○PC カード

ソースコード　*source code*

プログラマがさまざまな言語でプログラムしたコンパイル(機械語翻訳)以前のプログラム。コンピュータは2進数の機械語しか理解できないので，ソースコードをコンパイラで機械語にコンパイルしなければそのプログラムを実行することはできない。

ソースファイル　*source file*

◘ソースコード

ソースプログラム　*source program*

ソースコード，あるいは原始プログラムともいう。プログラミング言語で書かれた状態のプログラムで，コンパイル前のもの。テキストファイルであり，人間の手によって修正が可能な状態にある。コンパイルしてコンピュータが実行可能な状態のプログラムを，オブジェクトプログラム（目的プログラム）という。

ソート　*sort*

データをある一定の基準にしたがって並べかえること。コンピュータでは一定の形式で書かれた大量のデータを扱うので，なんらかの順に並んでいると処理しやすいことが多い。普通，レコードはキーとなる項目をもっており，そのキーにしたがって昇順や降順に並べかえる。

外付け　【ソトツケ】

本体の外に取り付けるタイプの周辺機器をいう。外付け周辺機器は，内蔵タイプに加え，外付けケース，電源，I/Fコネクタなどが組み込まれている。

ソフトウェア　*software*

コンピュータを動作させるための命令をコンピュータにわかる言葉(プログラム)で記述したもの。コンピュータ本体や周辺機器など，機械類をハードウェアというのに対応する。ソフトウェアを命令以上に拡大解釈してシステムサービス全般，たとえば処理手順や処理方法をふくめてさす場合もある。

コンピュータはソフトウェアなしでは動作せず，ハードウェアがいかに優れていても，よいソフトウェアがなければ能力を発揮できない。◘オペレーティングシステム，ハードウェア，ファームウェア

ソフトウェアエミュレーション　*software emulation*

専用のハードウェアを使わず，ソフトウェアだけで他のCPUやOSの動作を実現すること。

たとえば，PC-9801上でIBM PC互換機用のプログラムを実行

するSIM（T.Tanaka氏作のフリーソフトウェア）や，Macintosh
上でIBM PC互換機のプログラムを実行するSoftPC（Insignia
Solutions社）などが有名である。

ソフトウェアエンジニアリング　*software engineering*

○ソフトウェア工学

ソフトウェア開発支援ツール　【ソフトウェアカイハツシエンツール】

ソフトウェア開発を行う際に開発者が用いるツールのこと。上流
工程を支援するツールにはCASE があり，下流工程にはエディ
タ，コンパイラ，デバッガなどがある。

○CASE

ソフトウェアキーボード　*software keyboard*

画面上にキーボードのグラフィックを表示させ，マウスやペンなど
のポインティングデバイスで指示して，簡単な文字入力を可能にし
た仮想的なキーボード。

Macintosh のソフトウェアキーボード

ソフトウェアクライシス　*software crisis*

ソフトウェアの需要に対して，供給が追い付かなくなること。
1970年頃，ハードウェアの進歩と普及にともない，ソフトウェア
の需要は倍々ゲームで増大していくのに対して，その供給が同じ
ペースで増えていくことができず，供給が需要に追い付いていかな
くなるだろうという予測が出され，ソフトウェアクライシスが叫ば
れた。西暦2000年までに，必要とされるプログラマの数が地球上
の全人口を上回る，という予測がなされたこともあったが，現在の
ところそのような事態にはなっていない。

これは，ソフトウェアクライシスが叫ばれた当時に比べて，ソフト

ウェアの開発環境が格段によくなってきていることと，パーソナルコンピュータ用のソフトウェアのようなパッケージソフトウェアの普及により，個々のユーザーごとにソフトウェアを開発する必要がなくなり，質的にも量的にもソフトウェアの開発を集中して効率よく行えるようになったことが大きい。

ソフトウェア工学 【ソフトウェアコウガク】　*software engineering*

ソフトウェアの設計から開発，ドキュメンテーション，保守にいたる技術領域を扱う学問。

1960年代後半に問題になったソフトウェアクライシスをきっかけに，ソフトウェア分野において効率的な開発やより高度な処理に対する研究が必要となり，数々のプログラミング手法があみだされた。しかし，プログラミング手法の他にも利用者の要求に応じたシステムの仕様などの問題が現われ，すべてを対象とするソフトウェア工学が必要となってきた。将来的には仕様を入力するだけでソフトウェアが自動的に制作されるようなシステムの開発をめざし，ソフトウェア工学に関するさまざまな研究が進められている。

ソフトウェア使用許諾契約 【ソフトウェアシヨウキョダクケイヤク】

━━━ 開封前に必ずお読み下さい ━━━

フロッピーディスクの入った包装を開封される前に，下記のソフトウェアライセンス契約書を必ずお読み下さい。本契約書にご承認頂けない場合には，未開封のまま，お買い求めの販売店へご返却下さい。お支払済みの商品代金もお返し致します。

本契約書にご同意頂ける場合は，本ソフトウェア製品内のユーザー登録カードに必要事項をご記入の上ご返送下さい。登録カードをご返送されない場合は，本プログラムに関するサポートはいたしかねますのでご了承下さい。

ソフトウェアライセンス契約書

　　　　　株式会社は，本契約書とともに提供するソフトウェア製品を日本国内で使用することを条件に非譲渡性の非独占的権利を，下記条項に基づき許諾し，お客様も下記条項にご同意頂くものと致します。

記

1.　定　義

・ソフトウェアとは，本製品に含まれるシステム，ユーティリティ，サンプルアプリケーションおよび弊社が提供するアップデートのコンピュータ・プログラムをいいます。

・ソフトウェアの複製物とは，次条の使用条件で許諾されるバックアップ，アップデート，追加されたまたは部分的な複製を含んだだけソフトウェアの全てまたは一部分の複製物をいいます。

・関連資料とは，本製品に含まれる全ての印刷された資料またはソフトウェア使用のために弊社が後に提供する印刷された資料をいいます。

2.　使用条件

お客様は

・1台のターミナル又は一台のワークステーションのコンピュータ（またはお買い替え製品）でRAMにソフトウェアを呼び込み使用できます。

・ソフトウェアをハードディスク上にインストールできます。

・ソフトウェアを保存する目的でのみ，1枚までバックアップを作って保管することができます。この場合，バックアップには著作権表示を含むオリジナルラベルと同様の内容を含んだラベルを貼りつける必要があります。

このライセンスは，ソフトウェア，ソフトウェアの複製物および関連資料をお客様が使用する限定された権利を許諾するものであり，これらの所有権は弊社に帰属するものとします。(但し，記録されている媒体の所有権は，お客様に帰属します。)使用条件に記載されていないソフトウェアの使用，製造，配布または出版等の全ての権利は弊社にあります。

ソフトウェア使用許諾契約の文面

ソフトウェアを購入したユーザーと著作権者との間で結ぶ契約のこと。ソフトウェアは著作権法で保護される無形物なので，所有権の移動ではなく，複製物の使用権を認める，という契約になる。

市販ソフトウェアではあらかじめ契約条項が印刷されており，パッケージを開封した時点で受諾したものとみなす，と記載されているものも多い。これに対しては，一方的な契約内容であり，ユーザーの権利を侵害するのではないか，という批判もある。

そ

ソフトウェアスクロール　*software scroll*

画面のスクロールをソフトウェアで行うもの。

ソフトウェアハウス　*software house*

ソフトウェアの開発を専門に行う小規模な会社のこと。

かつては，ソフトウェアはハードウェア会社が開発してハードウェアと一緒に販売していたが，ソフトウェアとハードウェアの分離（アンバンドリング）が一般化するにしたがって，ソフトウェアだけを扱う小企業をこう呼ぶ。⟡システムハウス

ソフトウェアライフサイクルコスト　*software life cycle cost*

要求分析，システム仕様記述，概要設計，詳細設計，コーディング，デバッグ，運用，保守という，ソフトウェアの生涯すべてにかかる費用のこと。

ソフトウェア割り込み　【ソフトウェアワリコミ】　*software interrupt*

内部割り込みともいう。CPUにプログラムから割り込みをかけ，サブルーチンを実行すること。たとえばMS-DOSではプログラムの中に

  int n

と記述するとn番の割り込み命令を実行する。割り込み命令としてはキーボードからの文字入力や画面への表示など，さまざまな機能が用意されている。

ソフトコピー　*soft copy*

コンピュータの画面上に表示されている内容のこと。

⟡ハードコピー

ソリッドモデル　*solid model*

コンピュータグラフィックスにおいて，3次元の物体の形状を固体（ソリッド）として表現するモデル，すなわち空間内の任意の点がその物体の内部にあるのか外部にあるのかを識別できるということである。（次ページ図参照）

ソルバー

ソリッドモデル

ソルバー　*Solver*

線型計画法を使い，さまざまなシミュレーションを行い，経営予
測などの高度な計算が行える表計算ソフトの機能のひとつ。

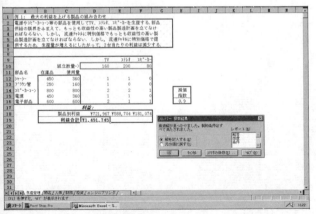

Excel のソルバー機能

461

ゾーンディジット　*zone digit*

　10進数の各桁の値を4ビットの2進数として表すBCDコードの各桁に，さらに4ビットを加え8ビットで英字，特殊記号，カナを表せるように，EBCDICに付加した4ビットのこと。

孫 正義　【ソンマサヨシ】

　ソフトバンク株式会社社長。1957年8月生まれ。カリフォルニア大学バークレー校在学中に音声装置付き多国語翻訳機を発明し，シャープに売り込む。

　帰国後，日本ソフトバンクを設立し，パーソナルコンピュータソフトウェアの流通業をはじめる。現在では流通，出版，LANなどの事業を展開している。

第1種電気通信事業者 【ダイイッシュデンキツウシンジギョウシャ】

自社で通信のための回線を設置し，電気通信に関するサービスを行う事業者のこと。

NTT，KDD，第二電々，日本テレコム，日本高速通信など。公共性が高いことから，事業を開始するには郵政大臣の許可が必要で，外国資本の参加に対する制限などもある。

◯第2種電気通信事業者

第1種プロバイダ 【ダイイッシュプロバイダ】　*type I carriers*

郵政省から第1種電気通信事業者として認可を受け，インターネットの接続サービス事業を行っているプロバイダ。自らの回線を使ってサービスを行っていることが特徴。

第1水準 【ダイイチスイジュン】

JISの漢字コードで定められたものの中から，常よく使われる字として指定されている，漢字2965字，かな169字，英字52字，数字10字，殊記号など293字の計3489字のこと。

◯第2水準

第1世代コンピュータ 【ダイイチセダイコンピュータ】　*first generation computer*

1950年代末ごろまでの，真空管を使用したコンピュータシステムのこと。

1939年，アメリカのアイオワ州立大学で試作機が作られたABCマシンはスイッチング回路に真空管を使った，世界最初の電子式デジタルコンピュータであった。

1946年，アメリカのペンシルベニア大学で完成したENIACには，1万8800本の真空管が使われていた。1949年にイギリスのケンブリッジ大で開発されたEDSACには，世界ではじめてプログラム内蔵方式が採用され，現在のコンピュータの基礎となった。

1951年には，世界初の商用計算機であるUNIVAC1が誕生した。

◯ABC マシン，EDSAC，ENIAC

第2種電気通信事業者 【ダイニシュデンキツウシンジギョウシャ】

自社の回線をもたず，第1種電気通信事業者から回線を借り受けて

行う通信事業のこと。VAN業者がこれにあたる。

全国規模や国際間にまたがるシステムを扱う特別第2種電気通信事業と,それ以外の一般第2種電気通信事業に分けられる。

特別第2種電気通信事業者は郵政大臣への登録制,一般第2種電気通信事業者は届出制である。

○第1種電気通信事業者

第2水準 【ダイニスイジュン】

JIS漢字コードで地名や人名などの固有名詞や旧漢字など3,388文字を意味する。

第2世代コンピュータ 【ダイニセダイコンピュータ】 *second generation computer*

1950年代後半から1960年代前半ごろの,トランジスタを中心部品としたコンピュータシステムのこと。磁気コアメモリが使用された。ソフトウェアの面では,FORTRANやCOBOLなどのコンパイラ言語が開発されている。

第3世代コンピュータ 【ダイサンセダイコンピュータ】 *third generation computer*

1960年代中ごろから1970年代前半にかけてのICを使用したコンピュータシステムのこと。

システムの信頼性が向上し,処理容量の拡大,高速化が進んだ。オペレーティングシステムや,オンラインシステムが確立されたのもこの世代である。

第4世代言語 【ダイヨンセダイゲンゴ】 *forth generation language*

利用者の使い易さを重視した,誰にでも利用可能な対話形式のプログラミング言語。

COBOLやBASICなどの第3世代言語に比べ,かなり生産性に優れている。主に,事務処理用のプログラムやデータベースなどを用いる仕事に使われている。機能としては,ユーザーのデータの入力や表示,通信システム,データ構造または,その属性の定義などが挙げられる。しかし,その容易さがユーザーの使用範囲を狭めてしまい,使用目的によって使い分けをする手間がかかる。現在,一般的な第4世代言語として,UNISIS社のMAPPER,ドイツSoftwareAG社のNATURALなどがある。4GLとも言う。

第4世代コンピュータ 【ダイヨンセダイコンピュータ】 *fourth generation computer*

1970年代以降,現在までのLSI,超LSIを使用したコンピュータ

システムのこと。マルチプロセッサシステムの導入，アドレス空間
の拡張などの特徴がある。

第5世代コンピュータ 【ダイゴセダイコンピュータ】 *fifth generation computer*

通産省が人工知能を1990年代に実現させようと，1982年にスタートしたした新世代コンピュータ技術開発機構(ICOT)のプロジェクトで提唱された言葉。

従来のノイマン型アーキテクチャと異なる，非ノイマン型アーキテクチャによる推論機能を採用しているということから，現在の第4世代コンピュータと区別している。

第5世代コンピュータは実用化できぬまま，ICOTは1992年に活動を終了した。

ダイアログ *DIALOG*

⊃DIALOG

ダイアログボックス *dialog box*

MacintoshやWindowsなどで，操作するときに現われる，情報を表示したり入力を求めるサブウィンドウ。

帯域 【タイイキ】 *band*

データ伝送における周波数帯域のこと。この幅が広いものほどより多くのデータを送ることができる。

ダイオード *diode*

1方向にしか電流を流さない電子部品。p型とn型の半導体を接合すると，p型にプラス，n型にマイナスの電圧を加えたときにしか電流が流れないという性質を利用している。交流から直流を作る整流，高周波から低周波成分を取り出す検波などのアナログ部品として，またOR回路やダイオードマトリクスなどのデジタル部品としても利用されている。

体験版 【タイケンバン】

アプリケーションを実際に使用しながら，ソフトの使い勝手を体験できる機能制限バージョン。

データの作成はできるがファイルのセーブやプリントアウトなどができないものや，使用できる期間が限られているものなどがある。実際に購入する前に使い勝手や自分の使いたい機能があるかどうかをチェックするためのもの。体験版は，雑誌の付録CD-ROMをはじめ，体験版ばかりを集めたCD-ROMや，パソコン通信などで入手することができる。体験版を使って，ソフトが欲しいと

た

思ったら，電話や通信などでパスワードを購入して入力すると制限が解除され，製品版になるものもある。

タイトルバー　*title bar*

WindowsやMacintoshのウィンドウの枠で，ファイル名やアプリケーション名を表示する部分。

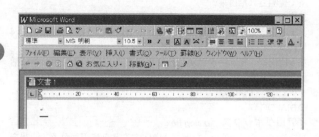

画面最上部がタイトルバー

ダイナブック　*dynabook*

(1) 1972年にXerox社パロアルト研究所(PARC)のAlan Kayによって提唱された「片手で持てて，単独で使える対話型グラフィックコンピュータ」の構想。

価格は500ドル以下で，オブジェクト指向の言語をもっており，子供でも簡単にプログラムを組める。通信回線によってほかのダイナブックやデータベースと接続できる。

パーソナルユーザーが普段の事務処理や資料調べ，あるいは子供が学習のために手軽に使うことのできるコンピュータを目指した。Alan Kayの提唱から十数年たつが，まだ本当のダイナブックは登場していない。

(2) 東芝が1988年に発売したJ-3100シリーズの商品名。電源として充電式バッテリを内蔵し，バッテリバックアップしたRAMディスク(ハードRAM)やレジューム機能を備え，爆発的なブームを引き起こした。

日本語モードでは約2000種類のJ-3100用ソフトウェアが，英語モードではIBM PC互換機として数万本のIBM用ソフトウェアが利用できる。現在はDOS/Vのみとなった。

○レジューム機能, 日本語モード, 英語モード

ダイナミック DNS 【ダイナミックディーエヌエス】　　*Dynamic DNS*

通常のDNSサーバで保持するIPアドレス情報とドメイン名の対応は固定されているため, ノードのIPアドレスが変更されると, DNSサーバのIPアドレス情報は無効になってしまうのに対し, アドレスが変更されると自動的にドメイン名との関連を動的に更新するDNSのこと。

ダイナミック HTML 【ダイナミックエイチティエムエル】　　*Dynamic HTML, DHTML*

Netscape Communicator4.0以降, Internet Explorer4.0以降で用意されたHTMLの拡張機能。両者の間に互換性はない。自動でフォントセットの設定を表示言語にふさわしいものに変えたり (Netscape Communicator4.0), アニメーションGIFを使わずにタグによってGIF画像を動かす (Internet Explorer4.0) などができる。

ダイナミック RAM 【ダイナミックラム】　　*dynamic RAM,DRAM*

○DRAM

ダイナミックアロケーション　　*dynamic allocation*

プログラムを実行するときに, 必要な記憶装置や周辺装置を割り当てること。プログラムのロード時にあらかじめ装置を割り当ててしまうと, 空き時間や待ち時間が発生しシステム効率が低下するので, それを未然に防ぐ目的がある。

ダイナミックダンプ　　*dynamic dump*

プログラムの実行中にダンプをとるもので, ダンプが終わるとプログラムの実行が自動的に再開される。動的ダンプともいう。

○ダンプ

ダイナミックプログラミング　　*dynamic programming*

多段決定をする場合の最適化に利用されている数理的手法のひとつ。動的計画法と同義でありDPという略号で呼ばれるときもある。ある処理を行うときにデータをいくつもの段階に分けて処理することがあるが, その場合に個々の処理に対して能率や精度の良しあしを評価する関数を求め, その関数を最大 (最小) にするという手法である。

ダイナミックリソースコンフィグレーション　　*dynamic resource configuration*

搭載しているメモリをメインメモリとキャッシュメモリとでど

う割り当てるか, プログラムが必要に応じて変更する手法。Net-Wareなどで取り入れられている。アプリケーションがメインメモリを使わない場合は, キャッシュメモリを増やし, パフォーマンスを向上させることができる。

ダイナミックリロケーション *dynamic relocation*

現在実行中のプログラムがメインメモリ内で占めている場所を移動し, 使われていない小さな空きスペースをまとめて, つぎに実行するプログラムに割り当てること。マルチプログラミングなどでは, これを行うことによってメインメモリを有効に利用している。

ダイナミックリンキングライブラリ

　○DLL

ダイナミックリンク *dynamic link*

プログラムの実行中に, 別の機能を持ったプログラム(モジュール)を結合して利用する手法。

ダイナミックリンケージ *dynamic linkage*

プログラム実行中に必要となるサブプログラムを, そのつど結合(リンク) する方法。記憶装置を無駄に使用することがなく合理的な方法だが, プログラム全体の大きさが把握しにくいという難点がある。

タイプセッタ *typesetter*

　○イメージセッタ

タイマ 【タイマワリコミ】　*timer*

(1) 現在の時間を知るための刻時機能

リアルタイムクロックとも呼ばれ, 自動的に時刻をカウントする。ファイルにタイムスタンプを付けるのはこの機能を利用している。

(2) 経過時間を計る機能

インターバルタイマと呼ばれ, 処理すべきプログラムの入力時からカウントがはじまり, 処理終了時までにかかった時間を表示する。プログラムのランニングコストを算出するときなどに使用できる。

(3) CPUの動作を監視する機能

ウォッチドッグタイマと呼ばれ, プログラミングミスなどによって永久ループになってしまった処理を, あらかじめ設定した時間で打ち切る働きをする。

タイマ割り込み *timer interrupt*

ハードウェア割り込みの一種。タイマが設定した時刻になると割り込みがかかるようになっている。一定時間ごとにデータを読み

込ませたりするような制御に使われる。

タイミングチャート　*timing chart*

デジタル回路で，各信号がどんな順番で送られてくるかを示した図。

タイムシェアリングシステム　*time sharing system, TSS*

時分割システムともいう。複数のユーザーと1台のコンピュータで同時に処理を行う場合に用いる方法。マサチューセッツ工科大で開発された。この方式を用いると，コンピュータは処理時間をごく短い時間単位に区切って，各ユーザーの問題を順次処理していくことになる。最初のユーザーが処理結果を得て次の命令を入力する間に，コンピュータは他のユーザーの問題処理を終えてしまうので，最初のユーザーはコンピュータを専有しているように使用できる。しかし，処理内容によってはかなり時間を要するものもあるし，優先順位の低いものは後回しにされるので，いつでも待たずに使用できるわけではない。

タイムスタンプ　*timestamp*

ファイルを作成したり，変更した日時を記録したデータ。MS-DOSのディレクトリは，そのファイルが作成（か最後に変更）された日時を4バイト形式のタイムスタンプで示している。

タイムスライス　*time slice*

マルチタスクシステムにおいて，ディスパッチャーがタスクに割り当てるCPUの処理時間のこと。

タイムチャート　*time chart*

横軸に時間の流れを示し，どの条件や制御がいつ発生し，いつ消滅するかを図に表したもの。

ダイヤモンドカーソル　*diamond cursor*

[Ctrl]キーを押しながら[S]，[D]，[E]，[X]キーを押すことでカーソルを移動する方式。ダイヤモンド型(菱形)にこの4文字のキーが並んでいることから名付けられた。

英文ワードプロセッサのWordStarで採用され，その後の多くのエディタやワードプロセッサに取り入れられた。カーソルを移動するのに，ホームポジションから指を離さなくていい。

ダイヤルアップIP　*Dial-Up Internet Protocol*

通常の電話回線やISDN(総合ディジタル通信網)など，公衆回線を利用して，インターネットにつながる通信事業者(プロバイダ)のサーバにIP(Internet Protocol)接続すること。わざわざ専用線を

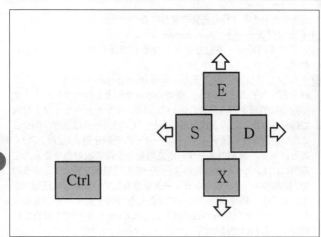

ダイヤモンドカーソル

引かなくてもインターネットにアクセスできるため，個人ユーザーの多くがこの方法でインターネットを利用している。ただし，専用線を使ったIPより，応答速度が遅くなったり，画面情報などの通信時間が長くなる。ダイヤルアップIP接続の場合，ユーザはIPアドレスを取得する必要はなく，通信事業者のサーバがIPアドレスを自動的に割り当てることが多い。このため，IP接続のWANプロトコルとして，PPPの必要性が生じる。
⟳PPP，ネットワークサービスプロバイダ

タイリング *tiling*

(1) 中間色表示のできないビデオボードで，隣り合った1ドットごとに異なる色を配置し，全体として中間色のように見せる技術。

(2) マルチウィンドウや壁紙などを，重ならないように，画面を分割して並べる方法。⟳オーバーラップ

ダイレクトアクセス *direct access*

コンピュータが記憶装置にアクセスする場合，直前にアクセスしていた位置とは関係なく，どこでもアクセスできることをいう。ランダムアクセスともいう。

ダイレクトメモリアクセス

⟳DMA

対話型 【タイワガタ】　*interactive mode*
　○インタラクティブ

ダウンサイジング　*down sizing*
　メインフレームとダム端末で行ってきた集中処理を，ワークステーションやパーソナルコンピュータなどの分散処理へ移行すること。ワークステーションやパーソナルコンピュータの性能向上，LANの普及などによって急速に進行した。○クライアントサーバ

ダウンロード　*download*
　上位のコンピュータから下位のコンピュータにデータを転送すること。ホストにあたるコンピュータから，データベースファイルやプログラムファイルを端末側のコンピュータに転送し，ディスクに保存して利用する。代表的な使われ方としてBBSでフリーソフトなどを入手することを呼ぶ。

タグ　*tag*

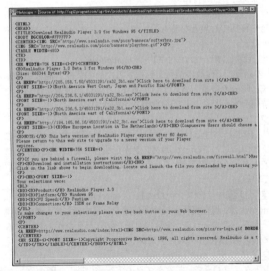

HTMLファイル

　データ上の目的の箇所を検索するために付けられる記号や，指定箇所に特定の命令を割り当てるコマンド記号をさす。最近で

はホームページ作成に利用されるHTMLファイルのタグが有名。HTMLファイルでは，テキスト形式の文章内に，さまざまなタグを入力することによって，ブラウザに表示される文章や画像の体裁と配置を指定する。たとえばある文字列を大きく表示させたいときは，その文字列の前後に，文字を大きく表示させるためのタグ(コマンド)を入力する。タグは「<」「>」の記号でかこんで記述する。

⊃HTML, HTMLエディタ

タグジャンプ　*tag jump*

エディタ上で目的のファイルの目的の行へ高速にジャンプするための機能。コンパイラのエラーメッセージやgrepなどのユーティリティで検索した出力など，目的のファイル名と行番号からなるタグファイルを用意する。これをエディタで読み込み，タグジャンプキー（エディタによって割り当ては異なる）を押すと自動的にファイルを開き，目的行にカーソルが移動する。

ターゲット　*target*

開発や移植の対象となるもの。ターゲットマシン，ターゲットユーザーなど。

多重化装置　【タジュウカソウチ】　*multiplexer*

1本の回線で，複数の情報を転送するための装置。周波数分割多重方式と時分割多重方式の2つがあり，ともに周波数をずらしたり転送時間をずらしたりして複数情報を転送する。

タスク　*task*

CPU内部における仕事の単位。バッチ処理方式では，一般にジョブひとつに対してひとつのタスクが形成される。また，オンラインリアルタイム処理では，メッセージごとにひとつのタスクが形成されている。

タスク切り替え　【タスクキリカエ】　*task change*

Windowsは，現在実行している処理を一旦中断して，別の処理を開始できる。このように，複数の処理を切り替えながら利用する方法をタスク切り替え(タスクチェンジ)という。

タスクスイッチ　*task switching*

マルチタスクOSで，あるタスクの実行が中断し，別のタスクが起動されるか，あるいは中断していたタスク（元のタスクは除く）の実行が再開されること。すなわち，実行タスクが切り替わること。

タスク制御ブロック　【タスクセイギョブロック】　*task control block,TCB*

タスクの発生と同時に，制御プログラムによってメインメモリ上の制御プログラム領域に作り出されるメモリ領域。これはタスクごとに用意され，タスク管理実行のためのデータをもっているタスクが完了し，管理の必要がなくなると制御プログラムによって消去される。

タスクバー　*TaskBar*

Windows95で，現在実行中のプログラム名や開いているフォルダ名が表示されるバー。起動中のプログラムは，ここにアイコンとファイル名でボタン化される。複数のウインドウが開いているときにこのボタンを押すと，そのプログラムのウインドウが一番前に表示される。タスクバーは画面の最下行に表示される。

タスクマネージャ　*task manager*

MS-Windowsで複数のタスクを切り替えるプログラム。

多態性【タタイセイ】　*polymorphism*

プログラミングにおいて，データや関数などのオブジェクトが複数の型をもち得るという特性があること。型が異なれば変数や演算も異なるのが普通だが，データと関数に多態性があれば，型の数だけオブジェクトを用意しておく必要はなくなる。多相性，多様性ともいう。

立ち上げる【タチアゲル】　*boot up / start*

コンピュータを動かしはじめる，あるいはプログラムを動かすという意味。パーソナルコンピュータを立ち上げるには，電源を入れるかリセットスイッチを押す。

MS-DOSではCONFIG.SYSファイルを読んでデバイスドライバなどを組み込み，AUTOEXEC.BAT ファイルを読んで PATHなどの環境変数をセットし，プロンプト状態になる。ここで，何か実行したいプログラムの起動ファイル名を入力し，Enter キーを押せば，そのプログラムが立ち上がる。

UNIXのように，最初にいくつもの設定ファイルを読み込むOSでは，立ち上げに数分以上かかることもある。

タックシール

裏紙をはがすと，糊が付いていて，そのまま貼ることのできるラベルシール。宛名用やフロッピーディスクラベル用，ビデオテープラベル用などさまざまな形態，色，素材のものがある。

タッチスクリーン　*touch screen*

画面に指で触れて入力操作をする入力装置。

タッチを識別するには，画面上に透明電極のスイッチを置くものと画面の隅から光を出して，その反射から位置を検出するものなどがある。

タッチタイプ *touch typing*

キーボードや指先を見ずにタイピングすること。高速に入力でき，視線の移動も少なく，疲れにくい。

タッチパネル *Touch Panel*

パネルに表示されているメニューを指やペン等で押すことで，コンピュータを操作する入力装置。筆圧を感知して入力するタイプと，静電気による電気的信号を感知する2タイプがある。数十項目から1つを選ぶような操作に適している。

タートル *turtle*

LOGOなどに使われている，亀の子を模したグラフィックのアイコンのこと。画面上に存在しているタートルにコマンドを与えて画面上にグラフィックを描く。タートルに与えるコマンドには相対的な位置指定などがある。たとえば「10歩前進」，「60度右回転」，「ペンアップ/ダウン」などである。

このグラフィックスシステムは小さな子どもにも理解でき，命令の組み合わせにより複雑な図形も作成できるのでCAIなどに使われている。

⊃LOGO

タブキー *tab key*

コンピュータの画面上でカーソルを移動させたり，タブ文字や指定した数のスペースを入力するキー。

スプレッドシートやデータベース管理ソフトウェア，アプリケーションのメニューなどではタブキーを押すことで入力欄を移動するものが多い。

たいていのワードプロセッサやエディタではタブキーを押すとタブ文字が挿入される。ワードプロセッサによってはタブキーを押すことで指定したタブ位置にカーソルが移動するものもある。

タブコード *tab code*

コンピュータの画面やプリンタでの印字出力において行や列を揃えるため，空白をあけるコード。水平タブコードと垂直タブコードがあり，ASCIIやJISでは水平タブコードは09h，垂直タブコードは0Bh。

タブコード1個でスペース数個分の空白を空けることができる。

たとえば水平タブコードでは，半角スペース4個もしくは8個分の空白が挿入され，次の文字の先頭を揃えることができる。

ダブルクリック　*double click*

マウスのボタンを2回続けて押すこと。

タブレット　*tablet*

図形データを入力するときに使う板状の入力装置。表面をペン状のものでタッチし，ポイントを入力できる。電磁式，磁歪（わい）式，感圧式などがある。グラフィックス分野でよく利用される。

ターミナル　*Terminal*

○端末

ターミナルアダプタ　*Terminal Adapter*

NTTの「INSネット64」回線にアナログ電話やテレックス，ファクシミリ，ビデオテックスなどのISDN回線対応以外のサービスを接続するためのアダプタ。○TA

ターミナルエミュレータ　*terminal emulator*

パーソナルコンピュータを大型コンピュータの端末として利用するため，専用端末の動作をエミュレートするソフトウェアのこと。通信ソフトウェアの多くはANSIやVT100などのエミュレーションモードをもっている。

ターミネータ　*terminator*

終端抵抗ともいう。SCSIやEthernet (10BASE-5, 10BASE-2) など，バス型配線の両端に付け，信号の反射を防ぐ抵抗のこと。SCSI機器では内部にターミネータが組み込まれているものもあるが，そのような機器をバスの途中につなぐ場合は，ターミネータを切り離さなければならない。（次ページ図参照）○SCSI

ダミー命令　【ダミーメイレイ】　*dummy instruction*

コンピュータの計算やデータ処理に影響を及ぼさない命令。NOP (non operation), NULL 命令，空文，空のステートメントとも呼ばれている。

ダミー命令も1サイクルほどCPU時間を消費するので，CPUと外部入出力機器との同期をとるためのウエイトとして使われることが多い。

ダム端末　【ダムタンマツ】　*dumb terminal*

ホストコンピュータに対してデータの送受信のみを行う端末。インテリジェント端末に比べ，操作が簡単で価格が安いというメリットがある。○イテリジェントターミナル

SCSI のターミネータ

<u>タワー型ケース</u> 【タワーガタケース】 *tower case*
　タテ置きタイプのコンピュータの本体ケース。タワー型の中でも背の低いタイプをミニタワー型, 中型のタイプをミッドタワー型, 大型のものをフルタワー型と呼ぶ。(次ページ図参照)

<u>ターンアラウンドタイム</u> *turn-around time*
　コンピュータにジョブを与えてから結果が出るまでに要する時間のこと。これはコンピュータ自体の性能のほかに, システム全体の接続方法や, ユーザーの運用の仕方によっても違ってくる。

<u>ターンキーシステム</u> *turnkey system*
　電源を入れる (キーを回す) だけで完全な動作状態になるシステムのこと。初期設定や専門のオペレータを必要とせず, 誰でも簡単に動作させられるもの。

<u>段組み</u> 【ダングミ】 *number of columns*
　新聞などでよく見られる印刷のフォーム。1行を短い長さで切り, いくつかの柱 (コラム) を作る形にする。1ページあたりの柱の数で, 2段組や3段組などの種類がある。

<u>単語登録</u> 【タンゴトウロク】
　日本語入力システムの辞書に, ユーザーが新たに単語と読みを登録すること。自分がよく使う言葉や専門用語, 固有名詞などを登録す

タワー型ケース

ることで変換効率が向上し, 使いやすくなる。

単精度 【タンセイド】 *single precision*

ひとつの数値データを1語で表すこと。

○倍精度

タンデムシステム *tandem system*

ホストコンピュータとネットワーク機器との間に, データの送受信と簡単なチェックを行う計算機 (フロントエンドプロセッサ) を設定しているシステムのこと。オンラインシステムに用いられている。

ダンプ *dump*

記憶装置内のプログラムやデータを, 外部記憶媒体上に出力すること。デバッグの際などにリストの形で出力させて使う。

ダンプリスト *dump list*

メモリやファイルの内容を画面に表示したり印刷したもの。

端末 【タンマツ】 *terminal*

通信回線によって, ホストコンピュータと接続され, データの入力および出力を行うための装置。入力はキーボードによって行い, コンピュータからのメッセージはCRT画面上に表示される。

チェックサム *check sum*
❍サムチェック

チェックビット *check bit*
エラーの検査を行うために文字やブロックに付け加えられるビットのこと。パリティチェックで付加されるビットがこれにあたる。

チェックポイント *check point*
プログラムの実行中にトラブルが発生することを考慮し，プログラムの途中数箇所にチェックポイントを設けることで，プログラムのすべての内容が失われることを防いでいる。

コンピュータがプログラムを処理中にチェックポイントに達すると，そのときのデータの内容が磁気テープなどに記録され，それ以降にトラブルが発生してもチェックポイントの位置から再スタートできる。この動作をチェックポイントリスタートと呼ぶ。

チェックボックス *Check Box*
Windowsのダイアログボックスに表示される小さな正方形のこと。ここにカーソルを合わせマウスでクリックすると「×」などのチェックマークが付き，その機能を選択しているということを表す。同時に複数を選択できる。❍オプションボタン

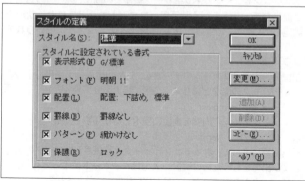

Windows のチェックボックス

478

置換　*replace*

エディタ，ワードプロセッサ，sedやawkなどのテキスト処理プログラムによってテキスト中の特定の単語を別の単語に置き換えること。

単に指定した単語だけを対象とするものから，前後の言葉の並びによって置換するかどうかを指定できるもの，書体やサイズなどの文字属性をも対象とできるものなどがある。

チェーンメール　*chain mail*

送付者にとって未知の第三者にそのまま転送されることを意図した内容のメール。電子メールの場合，ねずみ算式に際限なくひろがり，ネットワークジャム（渋滞）を引き起こすことがある。例えば「これは今はやっているウィルス情報のリストです，できるだけ多くの知り合いに送って教えてあげましょう」といった内容のもの。元は悪戯で作成されたものでも，送られた人は悪戯に気がつかずにばらまいてしまうことが多い。全く悪戯でない場合もあるが，ネチケットとしてチェーンメールになる可能性があるメールは送るべきではない。

逐次制御　【チクジセイギョ】　*sequential control*

現在のコンピュータに多く用いられている制御方式で，命令の取り出し，解読，アドレス計算，変換，データの取り出し，命令の実行といった一連の動作を順次行い，次の命令を順番に連続的に処理していく。

知識工学　【チシキコウガク】　*knowledge engineering*

専門的な知識と一般的な事実の知識とを用いて，推論から結論を導き出す学問。人工知能の応用といえる。知識工学を利用したシステムにエキスパートシステムがある。これは専門的知識を集約したデータベース(知識ベース)と(推論システム)とを兼ね備えたものであり，専門分野においての助言を行うシステムである。

知識財産権　【チシキザイサンケン】　*intellectual property right*

知的所有権ともいう。知的活動によって生み出された創作物の作者が，勝手にそれを使用されない権利。著作権と工業所有権がある。プログラムにも著作権が認められているため，購入したソフトウェアをバックアップ以外の目的でコピーすることは違法である。しかし，国によってはいまだにソフトウェアの著作権が認知されていないところもある。

●著作物

知識ベース 【チシキベース】 *knowledge base*

エキスパートシステムをはじめとする人工知能は，まず知能を蓄え，それを元にして推論していくという形をとる。推論のためにコンピュータ内に蓄えられた知識を，知識ベースと呼ぶ。

データベースシステムのデータベースに似ているが，推論を効率よく行うために知識ベースの格納方式が工夫されているのが一般的である。⊃人工知能

チップ *chip*

ICに使われるシリコンチップのこと。あるいはICそのものをさすこともある。⊃IC

チップセット *chipset*

PCのマザーボードに搭載するCPUまわりのICを組み合わせた製品。内部バスやメモリ管理，周辺機器の接続などの仕様がチップセットによって決まる。

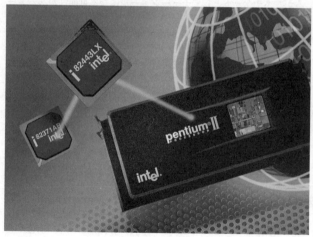

Intel 社 チップセット 440LX AGPset

チャタリング *chattering*

スイッチをONまたはOFFにしたときに，接点部分が振動することによって断続状態がくり返されること。キーボードでこの状態

が発生すると, 同じ文字がいくつも打ち込まれてしまう。

チャット　*chat*

コンピュータネットワークでメッセージをリアルタイムにやりと
りすること。キーボードから入力した文字で会話するようなもの。
BBSのサービスメニューとして用意されているものも多く, アス
キーネットではvoice , NIFTY-Serveではリアルタイム会議や
CBシミュレータ, 日経mixではCBixと呼ばれている。

チャネル　*channel*

メインメモリと入出力装置の間に置かれ, CPUの指示によって入
出力装置の起動, データの転送などを行う装置。CPUはチャネル
の起動だけを行えばよく, 入出力装置が動作している間は他の命令
を効率よく実行できる。特定の入出力装置1台だけを起動するセ
レクタチャネルと, 複数の入出力装置を動作させるマルチプレクサ
チャネルがある。

ち

中央処理装置　【チュウオウショリソウチ】　*Central Processing Unit,CPU*

コンピュータの制御装置と演算装置をまとめたときの用語。パソ
コンなどではマイクロプロセッサといい, 有名なものにIntelの
PentiumやMMX Pentium, AMDのK6, Cyrixの6x86MXなどが
ある。⊃CPU

中間言語　【チュウカンゲンゴ】　*intermediate language*

コンパイラ言語を機械語に翻訳するとき, いきなり, 機械語に翻訳
するのではなく, 両者の中間的な言語に翻訳し, その後に機械語に
翻訳するというプロセスを踏むことがある。その中間的な言語の
こと。

中間コード　【チュウカンコード】　*intermediate code*

コンパイラによってソースプログラムから実行プログラムを生成
する途中で作られるプログラム。そのままでは実行することはで
きず, リンカが必要である。また, C言語とアセンブラといったよ
うに複数の言語でプログラムを開発する場合などは, 中間コードを
集めてリンカにかけ, 全体をまとめられる。⊃リンカ

抽出　【チュウシュツ】　*extract*

データベースの処理において, 項目の集合の中から, 指定された条
件を満たす項目だけを選び出すこと。

チュートリアル　*tutorial*

ユーザーが新しいハードウェアやソフトウェアを使うための練習
プログラム。

チューリングマシン　*turing machine*

イギリスの数学者Allan M. Turingが提案した理論に基づくデータ処理機械。この機械で解ける理論的な問題は，すべて現在のコンピュータによって解けるとされるため，コンピュータで処理すべき問題の判定，そのときの効率を求める際に，その理論が利用されている。

超伝導　【チョウデンドウ】　*superconductivity*

多くの金属，ある種の半導体，有機導体の直流電気抵抗が，固有の転移温度以下でゼロになる現象。

永久に電流が流れつづける永久電流，ジョセフソン素子に使われるジョセフソン効果などの特異な現象が起こる。

これまで，転移温度は絶対零度付近の極超低温の物質ばかりであったが，近年，常温近くで超伝導現象を起こす物質が発見された。

調歩同期方式　【チョウホドウキホウシキ】　*start-stop transmission*

シリアルデータ伝送方式のひとつ。非同期方式ともいう。送信側ではデータにスタート符号とストップ符号を付加して送信する。受信側はスタート符号を受け取るとクロックでカウントを開始し，ストップ符号を受け取ると通信を終了する。1文字ごとにスタートビットとストップビットの2ビット分が付加されるため，伝送効率は悪い。

直接アドレス　【チョクセツアドレス】

⇨絶対アドレス

直接アドレス指定　【チョクセツアドレスシテイ】

プログラムの命令にアドレスそのものを指定すること。プログラム実行時にアドレス計算する必要はないが，メモリ内でプログラムが置かれる位置が変わると，ソースコード(プログラム)のアドレス指定を全て修正しなければならなくなるため，汎用性が低く，一度に複数のプログラムをロードするのには向かない。

著作権　【チョサクケン】　*copyright*

小説や音楽，絵画など，著作物を創作した個人または法人の著作者が有する権利。著作物の利用による財産的な権利を保護することを目的としている。著作人格権と異なり，他に譲渡することが可能である。

著作権は以下の権利を含んでいる。

- 複製権

ち

- 上演権および演奏権

- 放送権・有線放送権等

- 口述権

- 展示権

- 上映権および頒布権

- 貸与権

- 翻訳・翻案権等

ち

1985年6月の著作権法改定により，コンピュータプログラムも著作物として守られるようになった。コンピュータプログラムの著作権保護については，

(1) プログラムの表現は保護するが，アイデアやアルゴリズムは対象としない。
(2) 法人が業務として従業員に開発させたプログラムは，その法人の著作物となる。
(3) 著作物の利用者は著作者の意に反して著作物を改変してはいけない，という規定の例外対象とする。
(4) プログラムの登録制度を設ける。
(5) いわゆる海賊版ソフトウェアの使用者は，入手の時点で海賊版であることを知らなければ権利侵害にあたらない。
(6) 保護期間は50年。

となっている。

著作者 【チョサクシャ】

著作権法第2条第1項第2号によれば「著作物を創作する者をいう」と規定している。
また，同法第17条第1項では，著作者は著作者人格権と著作権を有することを規定している。日本はこの2つの権利を取得するためには一切の手続きを要しない，無方式主義をとっている。

著作者人格権 【チョサクシャジンカクケン】

著作者の人格的価値の保護を目的とする権利。他人に譲渡できない。
著作者人格権は以下の権利を含んでいる。

- 公表権

- 氏名表示権
  その著作物に氏名等を表示し，あるいは表示しない権利

- 同一性保持権
  意に反して著作物の変更，切除，その他の改変を受けない権利

著作者の名誉，声望を害する方法による利用はその著作者人格権を侵害する行為とみなされる。

コンピュータプログラムに関しては「特定の電子計算機においては利用し得ないプログラムの著作物を当該電子計算機において利用し得るようにするため，又はプログラムの著作物を電子計算機においてより効果的に利用し得るようにするため必要な改変」（著作権法第20条第2項第3号）を認めている。

著作物　【チョサクブツ】

著作権法第2条第1項第1号によれば「思想又は感情を創作的に表現したものであって，文芸，学術，美術又は音楽の範囲に属するものをいう」と規定される。つまり，アイディアでなく，表現されたものをいう。

同じく第11号では「著作物を翻訳し，編曲し，若しくは変形し，又は脚色し，映画化し，その他翻案することにより創作した著作物」を二次的著作物と規定している。二次的著作物を作成するには，もとの著作物について著作権を有する者から許諾を得ることが必要であり，その結果できあがった二次的著作物にはもとの著作物と二次的著作物の作成者の両者の権利が及ぶ。

つ

追加レコード 【ツイカレコード】　*addition record*
　ファイル更新時に追加されるレコードのこと。

追記型光ディスク 【ツイキガタヒカリディスク】　*direct read after write optical disk*
　レーザ光線によってデータを記録する記憶装置で, すでに記録した内容の消去, 書き換えができず, データを追加することしかできないもの。CD-RやDVD-Rなど。

ツイストペアケーブル　*twisted pair cable*
　10BASE-T規格のケーブル。電話機のケーブルと同じ外観で, シールドされていない2本の電線を対にしたものが寄り合わさっている。細く, 曲げやすいので, オフィス内LANの構築に適している。
　⟜10BASE-T

追跡プログラム 【ツイセキプログラム】　*trace program*
　プログラムが正しく実行されているかどうかをチェックするためのプログラム。各命令が実行されたあとのレジスタの内容の変化や, メインメモリ内の各アドレスの内容の変化を調べるものがある。

通信衛星 【ツウシンエイセイ】　*Communication Satellite, CS*
　無線通信を目的とした人工衛星。衛星を利用することにより, 幅広い地域で通信を行うことが可能。

通信回線 【ツウシンカイセン】　*communication line*
　データのやりとりに使用する通路のこと。チャネルともいう。電話などの公衆通信回線, 特定の相手とつながる専用回線, 会社内での構内回線などがある。

通信条件 【ツウシンジョウケン】　*protocol*
　⟜通信プロトコル

通信制御 【ツウシンセイギョ】　*communication control*
　データ通信において, データの流れを円滑に保つための制御方式。電話回線の回線制御からフロー制御, エラー訂正といった伝送制御に関わる作業も通信制御の一部である。

○伝送制御手順

通信速度 【ツウシンソクド】　*data transfer rate*

通信回線を用いてデータを伝送するときに，単位時間あたりに送ることのできるデータ量。一般的に，ビット/秒（bps:bit per sec）であらわす。通信速度が速いほど，同じ時間に大量のデータを伝送できるが，通信回線の帯域幅と信号/雑音比によって，速度の上限は決まってしまう（Shannonの法則）。

通信ソフトウェア 【ツウシンソフトウェア】　*communication program, terminal software*

他のコンピュータやBBS，周辺機器とシリアルインターフェイスでデータをやりとりするためのソフトウェア。ターミナルソフトウェア，ターミナルエミュレータなどともいう。

多くの通信ソフトウェアは通信データの一時保存，画面制御，通信コードの変換，ディスクからのアップロード，ディスクへのダウンロード，電話帳管理，オートパイロットなどの機能をもつ。

通信プロトコル 【ツウシンプロトコル】　*communications protocol*

データの送受信を行うときに設定する，相互間の取り決め。これが一致していないと，接続できなかったり，データの送受に誤りが生じたりする。取り決めの内容は，おもに通信速度，データビット長，制御コード，パリティチェックに関する項目である。

ツリー構造 【ツリーコウゾウ】　*tree structure*

データ構造のひとつで，階層型とも呼ばれる。データ項目のひとつのまとまりをセグメントというが，このセグメント間のつながりを木の枝のように考えたものがツリー構造である。親セグメントはひとつ以上の子セグメントをもっているが，子セグメントは必ずひとつの親セグメントしかもつことができない。最上位の親セグメントについては，根セグメントと呼ぶこともある。**○**データ構造

ツール　*software tool*

テキストを整形したり，プログラムを作ったりするときに役にたつ比較的小さなプログラムのこと。ユーティリティプログラムなどともいわれる。

元々プログラマが能率よく作業を進めるために自分で作ったものが一般に普及している。とくにUNIX系のシステムはこれらのツールが充実している。キーボードからの入力履歴を記憶しておいて，簡単に呼び出せる history や文字列を検索する grep，文字を置き換えたり抽出したりする sed や awk などがある。

これらのなかにはMS-DOS用に移植されたものもあり，プログラマ以外にも利用しているユーザーは多い。

ツールバー　*Tool Bar*

アプリケーションソフトで，プルダウンメニューの下などに表示される，機能をアイコン化したバー。WindowsやMacintoshなどのアプリケーションの多くが，使い勝手を考えてツールバーを採用している。また，このツールバーは，表示・非表示，並び方，登録できる機能など，自由にカスタマイズできるものが多い。（次ページ図参照）

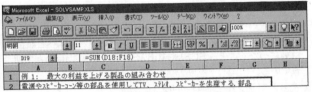

ツールバー

<u>低級言語</u> 【テイキュウゲンゴ】

　●アセンブリ言語, 高級言語

<u>ディザ方式</u> 【ディザホウシキ】　*dither method*

　写真など, 階調のある画像を白黒のドットの組み合わせで擬似的に表現する方法。

　●ハーフトーン

<u>デイジーチェーン</u>　*daisy chain*

　周辺装置の接続方法で, ケーブルを数珠つなぎに接続すること。データバスをインターフェイスからインターフェイスへと順番に, 直列につなぐこと。SCSIや10BASE-2, LocalTalkなどで使われている。

<u>ディスアセンブル</u>　*disassemble*

　●逆アセンブル

<u>定数</u> 【テイスウ, ジョウスウ】　*constant*

　コンピュータのプログラムで, プログラムの実行中に変わることがないデータそのもの。常数とも書く。

<u>ディスク</u>　*disk*

　円盤状の記録素材のこと。ハードディスク, フロッピーディスクなどの磁気ディスクと, コンパクトディスク, レーザディスクなどの光学式ディスクがある。

　一般にパーソナルコンピュータやワークステーションで「ディスク」と言う場合はハードディスクを意味することが多い。

<u>ディスクアクセス</u>　*disk access*

　●アクセス

<u>ディスクアレイ</u>　*disk array*

　RAID(Redundant Arryas of Inexpensive Disks)ともいう。小型ハードディスクを数台から数10台並べ, これに分散してデータを記録, 並列にアクセスする装置。データ用のディスクの他にエラー訂正コード用のディスクを付加しており, データディスクの1台が故障してもデータを復元して正常に動作できる。

　ディスクの台数倍のデータ転送速度が得られ, ディスクミラーリン

グと同等の耐故障性が低コストで実現できる。

エラー訂正や複数データの取り扱いなど，レベルによってRAID 1からRAID 5までのレベルに分類される。

ファイルサーバなどの記憶装置として製品化が進んでいる。

○RAID，ディスクミラーリング

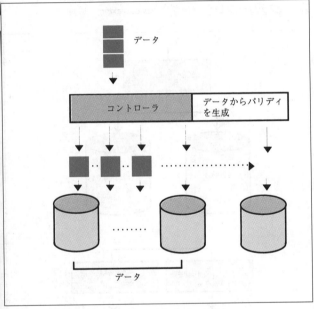

ディスクアレイ

ディスクキャッシュ　*disk cache*

○キャッシュディスク

ディスク共有システム　【ディスクキョウヨウシステム】　*Disk Sharing System*

少数のパソコンで，ハードディスクや光磁気ディスクを共有するためのハードウェアまたはソフトウェア。パソコンをSCSIバスに接続するタイプは，合計8台までのディスクやパソコンを接続できる（SCSI規格の制限）。また，パソコンを独自の装置に接続す

るタイプの接続可能台数は製品によって異なる。

ディスククラッシュ *disk crash*

➡クラッシュ

ディスクコントローラ *disk controller*

ディスクの制御を行う回路のこと。ハードディスクのコントローラとしてはST-506, SASI, SCSI, IDEなどがある。

ディスクデュープレクシング *disk duplexing*

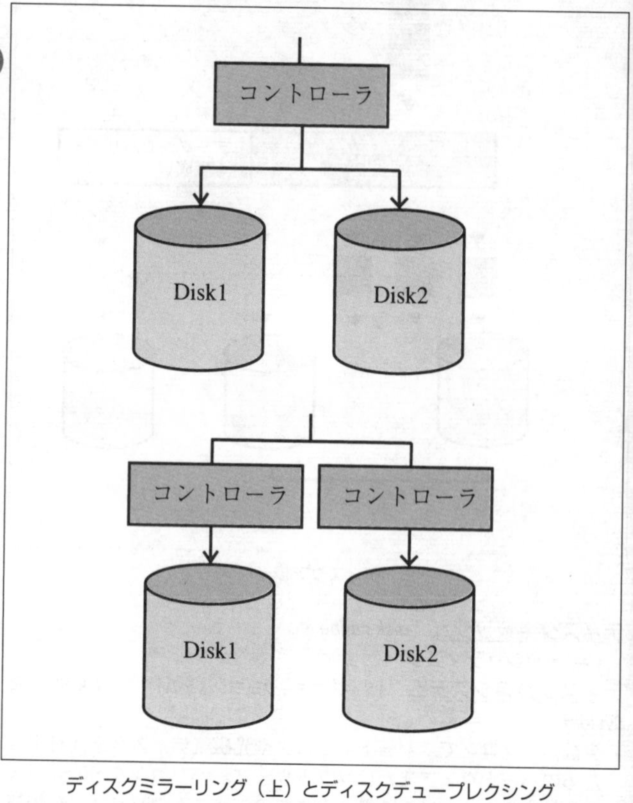

ディスクミラーリング（上）とディスクデュープレクシング

ハードディスクの故障による障害を防止する方法。1台のコン

ディスプレイドライバ

ピュータに2台のディスクコントローラを接続し，同時に2台の
ハードディスクにデータを書き込む。ディスクコントローラの一
方が故障しても処理を継続できる。

ディスクドライブ　*disk drive*

ハードディスクとフロッピーディスクの駆動部の総称。とくに
フロッピーディスク駆動部とフロッピーメディアを呼び分けたい
ときにこう呼ぶ。FDD（フロッピーディスクドライブ）やHDD
（ハードディスクドライブ）と記載されるほうが普通である。

ディスクミラーリング　*disk mirroring*

ハードディスクの故障による障害を防止する方法。1台のディスク
コントローラに2台のハードディスクを接続し，両方に同時にデー
タを書き込む。片方のハードディスクが故障しても，処理を継続で
きる。

ディスケット　【ディスケットクドウソウチ】　*diskette*

フロッピーディスクのこと。

ディスケット駆動装置　【ディスケットクドウソウチ】　*diskette drive*

●ディスクドライブ

ディスパッチ　*dispatch*

マルチタスクOSが各タスクに処理を割り振ること。CPUと周辺
回路や入出力機器との間では，さまざまなタスクがデータのやりと
りを行っている。しかし，CPUは一度に複数のタスクを処理でき
ないので，タスクの優先順位によって処理を割り振っている。スケ
ジューリングともいう。

ディスプレイ装置　【ディスプレイソウチ】　*display unit*

コンピュータの出力装置のひとつ。画面上に文字や図形を表示す
る装置。CRTディスプレイが一般的だが，液晶ディスプレイやプ
ラズマディスプレイなどがある。

●CRTディスプレイ, 液晶ディスプレイ, プラズマディスプレイ

ディスプレイドライバ　*display driver*

Windowsなどで，ビデオカードを駆動するための専用デバイスド
ライバ。ビデオカードを利用するためには，ディスプレイドライ
バを必ず組み込まなければならない。ビデオカードには必ずディ
スプレイドライバが付属しているが，インターネットやパソコン
通信ネットにはメーカーが常に最新のドライバをアップロードし
ているので，そちらを利用するべきである。（次ページ図参照）

ティーチングマシン　*teaching machines*

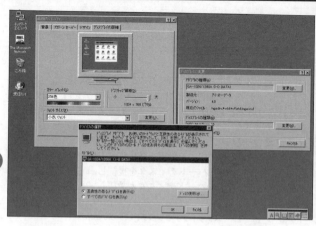

ディスプレイドライバ

学校などの授業で使う機械。必ずしもコンピュータを使ったものとは限らない。ティーチングマシンですべての学習を行うことはできない。機械による学習は、ドリル学習など基本的な理解が済んでいるかどうかをの確認するのに適している。

ティッカー *ticker*

無線の受信印字機から転じて、ニュースが入り次第その文字情報を流すプログラム。作業中に常に起動しておいても邪魔にならない大きさで、電光掲示板のようにプッシュ型の速報性をもつもの。（次ページ図参照）

ディップスイッチ

○DIP スイッチ

定電圧回路 【テイデンアツカイロ】 *voltage stabilizer*

入力電圧の変動や負荷の変動があっても出力電圧を一定に保つための回路。電源装置の一部でもある。

ディーラー *dealer*

販売代理店のこと。コンピュータの販売にはメーカーによる直販とディーラーによるもの、さらに店頭販売がある。企業向けのソフトウェアやハードウェアは、ディーラーによる販売が大きな比重を占めている。

ディレクトリ *directory*

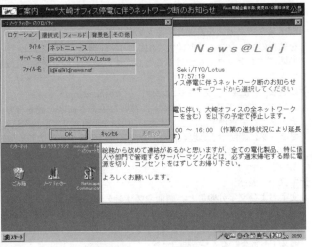

ロータスノーツティッカー

ディスクに記録されているファイル管理の登録簿のこと。ファイルの名称，属性，作成日時，サイズなどが記録されており，ファイルの読み書きはここを通して行われている。また，階層構造を形成しておりその階層自身をさしてディレクトリともいう。

元となるディレクトリ（ルートディレクトリ）の下に数多くのディレクトリ（サブディレクトリ）を置くことができ，グループ別にファイルを分けて保存できるようになっている。また，ディレクトリの間は自由に移動でき，現在いるディレクトリをカレントディレクトリという。

○階層構造，ツリー構造

ディレクトリキャッシング　*directory caching*

ディスクアクセスを高速化するための方法のひとつ。データがディスク上のどこにあるかを記録する，ディレクトリやFATの情報をキャッシュメモリに常駐させる。ファイルへのアクセス命令が発生したとき，いちいちディスクのディレクトリ情報，FAT情報を見ることなく，メモリを検索してより速く目的のファイルにアクセスできる。

ディレクトリハッシング　*directory hashing*

ディスクアクセスを高速化するための方法のひとつ。ファイル名を独自のハッシングアルゴリズムによって圧縮し、さらにファイル名順にインデックスをかけることで高速にファイルを探すことができる。

手書き文字認識　【テガキモジニンシキ】　*freehand input*

専用ペンなどで感圧タブレットに書いた手書き文字を読み取り、データとして処理すること。また、印刷物や手書き文字を読み込んでデータに変換する処理も含む。認識装置に登録された文字と、読み取った文字のパターンや筆順などを比較することで認識を行っている。

テキスト　*text*

文字および文字列のこと。画面やプリンタに表示されるグラフィック以外のデータ。なお、コンピュータ用語としては、文字には実際に目に見える文字はもちろん、コントロールコードと呼ばれる制御文字も含まれる。●制御コード

テキストエディタ　*text editor*

文字および文字列を入力・編集するための基本的なソフトウェア。元々はプログラムを記述するために作られたもので、ワードプロセッサに比べるとレイアウト、装飾、印刷の機能はないが、処理速度が速く、軽快に文字の入力・編集が行える。

UNIX用ではEmacsやvi、MS-DOS用ではMIFES、Vz、Macintosh用ではYoEditやASLEdit+などがよく知られる。

テキスト画面　【テキストガメン】　*text plane*

文字専用画面。グラフィック表示機能はもたず、文字表示しかできないが、反転や専用のアトリビュート（属性）処理をもつ画面。低速なCPUしかなかった時代には文字をグラフィックとして表示させると描画スピードが極端に遅くなるので、PC-9800シリーズなどでは専用のテキスト画面をもち、高速化していた。

IBM PC/AT互換機や、Macintoshといったパーソナルコンピュータでは、書体や文字の大きさを自由に操るために、文字であってもグラフィック画面に描き、テキスト画面そのものをもたない。

テキスト形式　【テキストケイシキ】　*text format*

文字列だけで構成されたデータやファイル。英数字、かな、カナ、漢字とコントロールコードによって構成される。コントロールコードには改行コードや改頁コードやタブコードなどがある。コ

ンピュータにとって最も基本的な文字データを扱う形式である。

テキストファイル　*text file*

○テキスト

テクスチャ　*texture*

表面の模様や材質のこと。グラフィックスソフトウェアで，背景や
立体表面に張り込む模様をさす。とくに3Dで模様を張り込むこと
をテクスチャマッピングという。木目や大理石，布の写真など，テ
クスチャを集めたCD-ROMも販売されている。

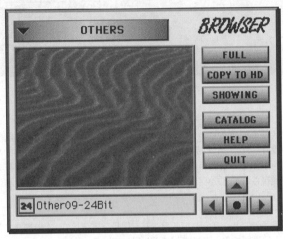

テクスチャ集 CD-ROM　マテリアル・ワールド

テクスチャマッピング　*Texture Mapping*

コンピュータグラフィックスで作られた物体の表面に，様々なテ
クスチャ(模様)を貼り付けて質感を出すこと。布や木目などに大
理石の質感を出したいときには，あらかじめ貼り付ける面である
大理石の表面の凹凸を作成しておいて，それを布や木目に写像し
ていく。

テクニカルライター　*technical writer*

コンピュータの操作方法やアプリケーションプログラムの活用方
法などを技術的な専門知識をもたない素人にもわかりやすく解説
したマニュアルを作るための技術をテクニカルライティングと呼

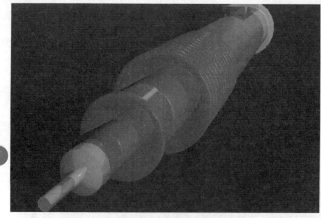

テクスチャマッピングの例

び, それを行う人がテクニカルライターである。

アメリカでは多くの大学にテクニカルライティングのための講座が設けられ, 一定の成果を挙げている。日本ではこうした専門的な技術事項をいかにわかりやすく文章に表現してゆくかという技術が軽視されてきたので, 優秀なテクニカルライターの養成が急務になっている。

デコーダ *decoder*

解読器のこと。送られてきたコード信号を解読して, 次の機器または人に理解できる形に直して送り出している。

デジタイザ *digitizer*

ポインティングデバイスの一種。盤面の上でポインタを動かすと, その位置が座標データとしてコンピュータに送られる。CADなど, 精密な図面を描くための入力ツールとして使われる。

デジタル *digital*

ある量, またはデータを連続していない離散値で表現すること。連続値で表現するのがアナログ。たとえばそろばんはデジタル計算機であり, 計算尺はアナログ計算機である。現在のコンピュータは, ほぼすべてがデジタル信号 (0と1による2進数) によって処理を行うデジタルコンピュータである。

○アナログコンピュータ

デジタル PBX 【デジタルピービーエックス】 *Digital Private Branch eXchange*

音声などのアナログ信号をデジタル信号に変換し，電子式スイッチで交換するデジタル方式の構内交換機。アナログPBXと比較すると，パソコンなどデジタル信号で通信する端末と親和性が高いことが長所である。また，デジタルPBXは各種機能をソフトウェア化・モジュール化しているため，制御機能の拡張，強化が容易にできることがメリットである。

デジタル RGB 【デジタルアールジービー】 *digital RGB*

カラー信号をRGB3色のON/OFFで表現すること。階調をもたないので8色しか表示できない。●アナログRGB

て

デジタルコンピュータ *digital computer*

データをデジタル値，すなわち数値化して処理するコンピュータ。現在のコンピュータはポケコン，電卓から大型汎用機に至るまで，ほぼすべてがデジタル式である。これに対してデータを電圧や電流など，アナログ量でシミュレーションして処理する計算機をアナログコンピュータという。

デジタルコンピュータの登場以前や初期においてはアナログコンピュータのほうが利用されていたが，いまではほとんど使われていない。これはデジタルコンピュータのほうが

- 計算精度を向上させることがたやすい

- プログラムを作りやすい

- 処理の自動化がしやすい

- 小型化，コストダウンが実現した

- 動作が安定している

などの長所があったからである。●アナログコンピュータ

デジタルカメラ *digital camera*

画像をデジタル情報に変換し，カメラ本体内のメモリやメモリカードに記録する方式のカメラ。普通のカメラのようにフィルムを用いず，その代わりCCD（電荷結合素子）で電気信号に変換している。撮った写真をそのままパソコンなどで利用できるのがメリッ

トで，フィルム代や現像代もかからない。画質は画素数や解像度により異なる。

デジタル信号 【デジタルシンゴウ】　*digital data*

データをデジタル化した信号。たとえば0ボルトを'0', 5ボルトを'1'として，2進数のデジタルデータをやりとりできる。アナログ信号をデジタル信号にするのがA/D変換器，その逆がD/A変換器。

デジタル伝送 【デジタルデンソウ】　*Digital Transfer*

データ伝送方式の1つで，デジタルデータ交換網やデジタル専用回線を使って符号化された情報の受け渡しを行うこと。

デジタルビデオ　*Digital Video*

○DV-I

デジタル変調 【デジタルヘンチョウ】　*Digital Modulation*

デジタルデータを伝送する際に，そのままの搬送波で変調を行うこと。メリットは，アナログ伝送に比べ信号対雑音比(S/N)が低いことである。デジタル変調は，

(1)多値変調
(2)狭帯域変調
(3)多搬送波(マルチキャリア)
(4)スペクトラム拡散

に分けられる。(1)には，振幅変調のPAMや位相変調のPSKや振幅と位相をあわせたQAMなどがある。(2)には，移動通信に向いたPSKやMSK(Minimum Shift Keying)を帯域制限した，π/4シフトQDPSK(Quadriphase Differentialphase Shift Keying)やGMSK(Gaussian Filterd Minimum Shift Keying)等がある。(3)には，OFDM(Orthogonal Frequency Division Multiplex)等があり，データを数百以上の搬送波に分割して多重する方法である。(4)は，データに拡散符号(通常はPN符号(疑似雑音)を使う)を乗算して周波数軸に拡散する直接拡散DS(Direct Sequence)と搬送波周波数を一定時間で切り替える方法を採る周波数ホッピングに分けられる。

デジタル放送 【デジタルホウソウ】

デジタル圧縮技術を用いて，電波の送信を行う放送方式。従来型のアナログ方式と比べ多チャンネル化が可能で，高品質な映像・音声の提供が低コストでできるようになる。1998年現在わが国では通信衛星（CS）による放送だけがデジタル方式を用いているが，郵政省は2000年をめざしてBS放送，地上波放送ともにデジタル

方式での放送を開始することを決めている。

デシベル　*decibel,dB*

伝送回路の信号損失，利得，音の大きさなどを表すのに使われる単位。2つの値の対数関係で表す。たとえば，入力電圧をVi，出力電圧をVoとしたとき，損失または利得Aは

$$A = 20 \log_{10} \frac{Vo}{Vi}$$

で求められる。

デスクアクセサリ　*desk accessory*

Macintoshでアップルメニューからのみ起動できる特別なプログラム。従来は，システムソフトウェアに組み込んではじめて使えるようになっていたが，System7からは，通常のプログラムとして利用できるようになった。

デスクトップ　*desktop*

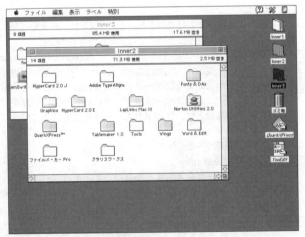

Macintosh のデスクトップ

(1) 卓上，机上の意味。机の上に置くデスクトップコンピュータや机上で出版物を作るDTP（デスクトップパブリッシング）というふうに使われる。

(2) MacintoshやWindowsなどGUI環境において，アイコンを置いたり，ウィンドウを開くいちばん上の画面。机の上を模したもので，アプリケーションを起動することが机の上で本やノートブックを開くことになぞらえる。(次ページ図参照)

<u>デスクトップコンピュータ</u>　*desktop computer*

机の上に設置して使う，据え置型コンピュータのこと。横置きにデザインされたマシンをさすが，広義ではミニタワー型，タワー型，ピザボックス型など机の上や側に置くタイプの総称を表す。またもっと広く，ノートブック型，ラップトップ型などの携帯型以外のマシンの総称としても使われている。

<u>デスクトップパブリッシング</u>

　　○DTP

<u>テストプログラム</u>　*test program*

コンピュータのハードウェア，ソフトウェアの故障，能力の検査，プログラミングのチェックなどにおいて使用されるプログラム。テストプログラムは検査プログラムとも呼ばれる。

<u>データ</u>　*data*

コンピュータが処理する対象のこと。また，コンピュータが処理しやすいように事象を条件に合わせて形式化したもののこと。

<u>データ圧縮・伸長</u>【データアッシュクシンチョウ】　*data compress/expand*

データの類似性，規則性，冗長性などに基づいて符号変換を行い，必要な内容を失わないようにデータの容量を減らすこと。そうすることにより，ディスクスペース，データの転送時間の短縮ができる。データの伸張とは，圧縮されたデータを元の状態に戻すことである。

　　○アーカイバ，圧縮ツール

<u>データエントリ</u>　*data entry*

コンピュータにデータを入力する作業のこと。キーボードを使って入力するのが一般的である。記録媒体によって，キーツーディスク，キーツーパンチ，キーツーテープなどがある。

<u>データ型</u>【データガタ】　*data type*

データの属性や構造のこと。1組の演算が定義されている値の集合や数学的見地，または表現上の見地から分類したデータのこと。

<u>データ記述言語</u>【データキジュツゲンゴ】　*data description language*

DDLともいう。データベース管理システムでデータの記録方法や管理方法について定義するときに用いる言語。

データグローブ　*data glove*

手の動きをデータ化し，コンピュータに送る手袋型のセンサ。関節
や手の振りなどを検出する。TVゲーム用の簡単なものから，バー
チャルリアリティシステムで使われる，高度なものまである。

データ構造　【データコウゾウ】　*data structure*

データを効率よく利用するためのデータの並べ方。配列，スタッ
ク，連結リスト，木構造など，さまざまなデータ構造が考案されて
いる。

データコンバート　*Data Convert*

異機種間，異ソフト間でデータをやりとりできるように，データ
の変換を行うこと。

データショウ

毎年秋に開催されるコンピュータ関連の展示会。春のビジネスシ
ョウとともに大規模なイベントである。主催は日本電子工業振興
協会。

データ通信　【データツウシン】　*data communication*

通信回線をつないでデータを送ること。コンピュータとコンピ
ュータ，コンピュータと端末機器のデータの送受信一般をさす。

データ通信回線　【データツウシンカイセン】　*data communication line*

データ通信に用いられる回線のこと。企業が自己の目的のためだ
けに使用する私設回線，NTTなどの第1種電気通信事業者がデー
タ通信回線サービスとして第三者に提供する特定通信回線，公衆通
信回線，DDXネットワークなどがある。

データ転送速度　【データテンソウソクド】　*data transfer rate*

コンピュータ同士のデータのやりとりを，単位時間あたりに転送さ
れるビット数で表した数値。通常，bpsという単位が使われる。

データバス　*data bus*

CPU，メモリ，I/Oコントローラなどとの間で相互にデータをやり
とりするための規格化された通路のこと。

CPU内部でレジスタとALU，データバスバッファ間をつないでい
るのが内部データバス，データバスバッファからCPUの外に出て
いき，メモリやI/Oとつながっているのが外部データバスである。
パーソナルコンピュータではデータバスの他にアドレスバス，制御
バスが存在する。

バスの概念がなかった昔は，I/Oを直接CPUと接続していた。そ
のために周辺機器を増設したり変更することが回路の組み直しを

意味し，きわめて繁雑な作業を余儀なくされた。現在はバスの規格
にあわせてあれば，すぐに周辺機器の増設などが行えるようになっ
ている。

データバンク　*data bank*

大量のデータを分類してデータベース化し，その内容を多くのユー
ザーに提供する組織や機関のこと。

図書館はデータバンクの一種である。企業情報など，民間企業が
データバンクを構築しているものも多い。

現在ではデータベースの内容をコンピュータに登録し，端末から検
索し，必要な項目をダウンロードできるものも増えている。

データフロー　*dataflow*

非ノイマン型コンピュータのアーキテクチャの一種。非ノイマン
型はノイマン型のようにひとつのプロセッサが処理を順に行う逐
次処理を行わず，複数のプロセッサが並列処理を行う。

データフローの特徴はその並列処理が非同期なことである。デー
タフローシステムでは必要とする入力データがすべて揃った命令
はいつでも処理を開始できる。そのため，並列処理を最大の効率で
実行できるため，ノイマン型のシステムに比べて処理速度が速い。

データベース　*database*

多目的の利用を前提とした，総合化されたファイルの集まり。カー
ド型，リレーショナル型などがある。

データベースエンジン　*database engine*

データベース管理機能(DBMS)へアクセスするプログラムモジ
ュール。データベース操作言語やC, BASICなどで作成した操作
画面プログラムとDBMSとのインターフェイスを担当する。

データベース管理システム　【データベースカンリシステム】　*database management system,DBMS*

データベースの管理を行うソフトウェアのこと。ユーザーからの
要求に応じ，問い合わせ，検索，並び換え，更新などあらゆる操作
を管理する。データベース管理システムには，データベース記述言
語，データベース操作言語が用意され，記述言語ではスキーマ，サ
ブスキーマによりデータベースを定義する。

データベース言語　【データベースゲンゴ】　*database language*

データベースを操作したり，データベースを記述するときに使う
プログラムのこと。代表的なものに，ネットワークデータベース
用のNDLや関係データベース用のSQLがある。

データベースソフト　*database*
　〇データベース

データリカバリ　*data recovery*
　何らかの原因，トラブルによって破損したり消去されたデータを復活させること。

手続き型言語　【テツヅキガタゲンゴ】　*procedural language*
　処理するべき手順を処理命令を並べる形で記述する言語のこと。BASIC, FORTRAN, COBOL, C, Pascalなどがある。一般に普及しているコンピュータのハードウェアの構造では，手続き的な処理が合っていることから実行効率がよい。

デッドロック　*dead lock*
　複数のプログラムが同時に動く環境で，ひとつのプログラムがAというデータとBというデータを必要とし，すでにAをロックして，Bにアクセスしようしたときに，もうひとつのプログラムが実行されており，そのプログラムはすでにBをロックして，Aのデータにアクセスしようとして，いつまでたってもプログラムが実行できない状態となってしまうこと。
　お互いに，データのロックが解除されるのを待っているが，永遠にこの状態から抜け出せなくなってしまう。デッドロックの回避は，システムの排他制御の機能などの他，データを管理するプログラムによって行われる。

デバイス　*device*
　CPUに接続されるメモリ，キーボード，ディスプレイ，ディスクドライブ，周辺機器などいっさいの装置類をさす。あるいはICやトランジスタ，抵抗などの電気部品のこと。

デバイスドライバ　*device driver*
　OSの機能を拡張し，コンピュータの周辺機器を利用可能にするためのプログラム。プリンタやマウス，SCSI対応周辺機器などの入出力を制御する役割をもつ。ドライバソフトウェアあるいは単にドライバともいう。

デバッガ　*debugger*
　プログラムのバグを探し出し，取り除くためのユーティリティプログラム，もしくは装置。対象とするプログラムをワンステップ(1命令)ごとに分割して実行させ，そのときのレジスタ値やプログラムカウンタ，フラグなどCPUの内部状況を表示する。トレーサともいう。

まず，バグのあるプログラムをいくつかの部分に分けて実行させ，だいたいのバグの位置を見当付ける。一時停止する場所はブレークポイント(BP)といい，何箇所か指定できるのが普通である。問題がありそうな場所がわかったならば，その先はワンステップずつ実行させて誤りの箇所を見つけ出す。

実行形式のプログラムだけではなく，ソースプログラムの対応する行を同時に表示しながらトレースできるものもある。

デバッグ　*debug*

プログラムの中のエラーを発見してそれを取り除くこと。一般にこの場合のエラーのことをバグ（虫）と呼ぶので，その虫を取ることから呼び名がある。

デフォルト　*default*

コンピュータを使って作業するときに，各種の情報を指示する必要がある。しかし，コンピュータの内部では，あらかじめ標準的な値が設定されており，とくに指示されていないものについてはその値に設定される。このような状態をデフォルト（省略値）と呼ぶ。コンピュータの使用法を容易にするための，ひとつの方法となっている。

○初期値

デフラグ　*defragment*

ハードディスクなど大容量記憶装置のデータを最適化するプログラム。デフラグメントの略。ファイルの保存や消去を繰り替えすと，大きなファイルはディスクの空いている位置にばらばらにフラグメント（断片）化して書き込まざるを得ない。そうするとファイルを読み書きする際に，ヘッドがディスクのあちこちを探さなくてはならないので，パフォーマンスが落ちてくる。そこでディスク上のファイルを連続した位置に並べ替えて最適化することが必要になる。

テーブル　*table*

データ間の関係を表にまとめたもの。プログラム内にテーブルを置き，データの変換や置き換えに使用する。また，リレーショナルデータベースでのデータの集まりのこともテーブルという。

テーブルルックアップ　*table look-up*

プログラム中で使用されているキーに対応するデータを格納しておき，処理時にそれに対してテーブルから値を引き出すこと。索表とも呼ぶ。

デマンドプライオリティ　*Demand Priority*

要求優先アクセス方式。IEEE802.12委員会で決められた高速LANの規格100VG-AnyLANではじめて採用されたネットワーク制御の方式。CSMA/CD方式に代わるもの。ハブにネットワーク制御機能を持たせ，送信要求に優先順位を設定することができる。CSMA/CDでは各端末が勝手に送信と待機を繰り返し，ネットワークが込んでいる場合は，一定時間待機するだけであるが，デマンドプライオリティ方式では，すべての送信要求はハブによって優先順位に従って送信許可を受ける。

デモ　*demonstration*

デモンストレーションの略。コンピュータショップの店頭や展示会などでサンプルを見せること。

デーモン　*daemon*

「もしAという状態になったらBをする」といったような，イベント型起動手続きを監視し起動するUNIXプログラム。

デュアルポート RAM　【デュアルポートラム】　*dual port RAM*

データの読み書きを同時に行うことができるDRAM。VRAM用のメモリとして使用される。CPUからのデータを読み込みながら，CRTデータをグラフィックチップへ書き出すことができるので，グラフィックの描画速度がDRAMの2倍となる。2 Port RAMと呼ばれることもある。⊃DRAM, VRAM

テラ　*tera*

10進数で10^{12}，兆の位。コンピュータでは2進数で2^{40}=1099511627776。ギガの1024倍。メガの1048576倍。キロの1073741824倍。

デリート　*delete*

⊃削除

デリミタ　*delimiter*

データの項目を区切る記号。スプレッドシートやデータベースをテキストファイルとして保存するとき，項目をカンマやタブ，スペースなどのデリミタで区切る。

テレカンファレンスシステム　*teleconference system*

コンピュータと通信回線を利用して会議を行うためのシステム。テレビ会議と呼ばれる，モニタテレビと音声による会議場の提供が一般的である。テレビ電話との違いは，多人数で討論ができる点にある。このシステムを利用すれば，出席者が会議場に集まる必要が

て

なく，遠隔地の人とも容易に討議できる。また，通信費は高くなるが，多忙を究める重役クラスの人間が会議のために一カ所に集まるデメリットを考えれば，結局はコストの削減になる。

テレコミュニケーション　*telecommunication*

遠隔地の間で無線や伝送回線などを利用して，データやメッセージの交換などの通信を行うこと。またこの考えを利用して制御を行うことをテレコミュニケーションコントロール，この通信処理のことをテレプロセシングという。この考えは現在のコンピュータ間の通信の基礎となっている。電話回線によるコミュニケーションや無線によるパケット通信などはテレコミュニケーションの典型的な例である。

テレビ会議　【テレビカイギ】　*TV conference*

テレビ電話のように遠く離れたところにいる相手と，テレビ画面に映る画像と音声を通じて会議をすること。このシステムは，コーディック(画像・音声符号化装置)，マイクロフォン，モニター・テレビなどで構成されており，専用の回線を通じて行われる。そして，テレビ会議をすることで無駄な時間や旅費を削減でき，しかも会議の参加者全員が同じ会議室にいるように，会議ができるという利点がある。

テレワーク　*telework*

情報通信ネットワークを活用して仕事をするワークスタイル。(社) 日本サテライトオフィス協会の定義では，「本来勤めるべき場所として割り当てられたヘッドオフィスがありながらも，毎日そこに通勤するかわりに，定期的あるいは不定期に自宅やサテライトオフィス等で勤務すること」。企業が都市部周辺にサテライトオフィスを設置したり，営業マンにノートパソコンを携帯させたりする他，自治体が共同利用型のテレワークセンターを運営するなど様々な運用形態が試行されている。

デュアルシステム　*dual system*

二重化システム。2つのシステムに同一の処理を同時に行わせ，正常時は主系システムの処理結果を用いるが，主系システムが障害で停止した場合は，従系システムの処理結果を用いることで処理の連続性を保ちながらシステムの停止を防ぐ高信頼性方式。信頼性は高いがコストも高くなる。より信頼性を高めるために2つのシステムの処理結果を照合しながら処理を進める方式もあるが，この場合はどちらかが故障するとシステムは停止する。

デュプレックスシステム　*duplex system*

待機システム。2系統のコンピュータシステムで構成され，正常時は主系システムが目的の処理を行い，従系システムは待機して他の処理を行う。主系システムが障害で停止した場合は，従系システムが目的の処理を行う。システムの切り替えにはある程度の時間が必要であり処理の連続性は保ちにくい。デュアルシステムに比べてコストパフォーマンスが良い。

展開　【テンカイ】　*expand*

圧縮したファイルを元のサイズに戻す作業をいう。解凍ともいう。

テンキー　*ten key*

数字入力の効率を上げるため，0～9の10個の数値キーをまとめたブロック。たいていは ＋ － ＊ ／ といった四則演算キーと一体になっている。カーソル移動キーと兼用のものもある。小型キーボードやノートブックコンピュータでは，テンキーは外付けオプションになっているものもある。

テンキーパッド　*ten key pad*

テンキーと数式記号などの部分だけのキーボード。ノート型コンピュータなどでは小型化のため本体にテンキーがなく，この部分をオプションとしている。（次ページ図参照）

電子掲示板　【デンシケイジバン】　*bulletin board system*

⊃BBS

電子掲示板システム　【デンシケイジバンシステム】

⊃BBS

電子交換機　【デンシコウカンキ】　*electronic branch exchange*

コンピュータ制御により，電話回線を電子的に切り替える交換機。信頼性が高く，高速動作が可能。転送サービスなどの付加機能をプログラムだけで追加できる。

電子商取引　【デンシショウトリヒキ】　*Electronic Commerce, EC*

コンピュータネットワーク上で，信用情報や電子マネーのような電子的に交換可能な決済手段を用い，商品の売買契約を行うこと。またそのための技術をさす。暗号化技術を採用したWebブラウザやWeb専用ソフトウェアを利用して，サイバーモールでのオンラインショッピングや銀行取引，証券取引が実用化されている。

⊃EDI

電子写真方式　【デンシシャシンホウシキ】　*electro-photographic*

コピー機，プリンタ，普通紙ファクシミリなどで広く使われている

テンキーパッド

技術。帯電した半導体ドラムに光を当てると，それに応じて電荷が
なくなる。ここにトナーをふり掛けると，電荷の残っているところ
にだけトナーが付く。このトナーを印刷用紙に転写し，加熱して定
着させる。Xerox社が発明した方式なので，ゼロックス方式とも
いわれる。

電子出版 【デンシシュッパン】　*electronic publishing*

編集や印刷の流れをコンピュータ化した，紙によらない出版形式
のを指す。以前は原稿が電子編集され，電子組版を行うDTPによ
る出版をさしていたが，現在では，CD-ROM(読み出し専用ROM)
やICカードなどの電磁気媒体にテキストや画像データなどを収録
したものも含むようになった。このCD-ROM版の出版物は携帯
性や検索速度に優れているという特長をもっている。

電子出版システム 【デンシシュッパンシステム】

⊃EPS(1)

電子通貨 【デンシツウカ】　*electronic money*

電気的な信号を保存できるチップをカード内に用意しておき，こ
の中に現金情報を記録しておくことにより，現金と同様に買い物
や給与などをやりとりできるようにしたもの。

インターネットでは，各国の通貨と交換可能な電子通貨を使ってイ

ンターネットでの商品の売買および決済が簡単に行えるシステム
も考えられている。
○電子商取引

電子手帳 【デンシテチョウ】　*electronic organizer*

電子手帳

電卓, 住所録, スケジュール表, メモ帳などの機能を手帳サイズに
まとめた電子機器。
機構的には特定用途向けに機能を限定したパーソナルコンピュー
タといえる。ICカードによって機能を拡張できたり, パーソナル
コンピュータと接続してデータをやりとりできるものや, FAXや
モデムを使ってデータを転送できるものもある。

電子ファイルシステム 【デンシファイルシステム】　*electronic filing system*

大量の文字と画像のデータを蓄積し, データベースとして活用する
システムのこと。記録用のメディアとしては, ハードディスクの
ほかに光磁気ディスク, CD-ROMなども利用する。地図やイラス
ト, あるいは新聞, 書籍などの紙面をイメージスキャナで画像とし
て読み取り, 検索用のキーワードとともにデータベース化するのが
一般的。

電子ブック 【デンシブック】　*electronic book*

　8cmのCD-ROMに文字や音声，グラフィックなどのデータを入れ，専用のプレイヤーで再生するもの。辞書や辞典，語学教材など，電子出版物に使われている。プレイヤーには液晶画面をもった携帯型と，表示装置がなく，パーソナルコンピュータと接続して使うタイプとがある。最近では，パソコンのCD-ROMドライブでこの電子ブックフォーマットのソフトを読めるものもある。

電子編集システム 【デンシヘンシュウシステム】　*electronic publishing system*

○DTP

電子メール 【デンシメール】　*electronic mail system*

　コンピュータネットワークで，特定の相手とファイルをやりとりすること。電子掲示板とは異なり，指定したIDをもっている人間にしかそのファイルの存在および内容が分からないので，私信のように利用できる。システムによって，テキストファイルしかやりとりできないものと，バイナリファイルの伝送が可能なものがあり，音声や画像を組み込めるものもある。

伝送制御手順 【デンソウセイギョテジュン】　*data link control*

　コンピュータ同士によるデータ通信を，円滑かつ確実に行うための各種手順を定義したもの。具体的には回線制御，データのフロー制御，そしてエラー訂正の3つがそれにあたり，それぞれの手順作成にあたってはOSIである程度の基準が設けられている。

　代表的なものとしては，無手順，ベーシック手順，HDLC手順などがあるが，現在主流となっている無手順通信では，MNPモデムによるエラー訂正がよく知られている。

テンプレート　*template*

　(1) いわゆるひな型で，ワードプロセッサやスプレッドシートで定期的に使用する文章や，書式などのフォーマットなどを保存し，後から，必要に応じてデータを付け加えたりして，文章や表を作成するためのもの。

　(2) MS-DOSでファンクションキーに割り当てられている機能で，前回入力した内容を繰り返したり，内容を編集できる。

　(3) フローチャートを作成するときに用いる，プラスチック製の定規。フローチャートで使用する図形がくりぬかれている。

テンポラリファイル　*temporary file*

　作業用ファイルとも呼ばれる。アプリケーションソフトウェアが

作業のために一時的に作成するファイルのこと。通常はプログラムが終了するときに自動的に削除される。

エディタなどで大きなファイルを編集するときは、メモリ上に格納できない部分を一時的に退避させておいたり、カット & ペーストなどの作業を行う際、作業内容を保管するために利用する。

と

<u>透過 GIF</u> 【トウカジフ】　　　*Transparent Graphics Interchange Format*

インターネットのホームページでは，グラフィックソフトなどで
作成した画像や写真を表示させることができる。これらのイメー
ジファイルの多くは，GIF形式のファイルとして扱われるのが，一
般的である。

GIF形式にもいくつかの種類があるが，一般的なGIF形式のイ
メージファイルを表示すると，特に背景を指定しない場合，白で
指定されるため，枠線で囲んだ図形などをホームページ上に貼り
込むと違和感が生じる。そこで，この透過GIFというファイル形
式にしておけば，画像の背景部分を透明にして，画像だけが貼り
付けられているように表示させることができる。

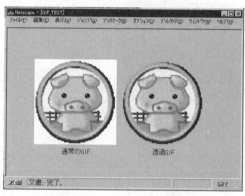

通常の GIF と透過 GIF（右）の表示例

<u>透過原稿</u> 【トウカゲンコウ】

スキャナやコピー機において，ポジフィルム（スライド）やネガ
フィルムなど，後ろから光を当て，その透過光で画像を読む原稿の
こと。

通常のコピー機やフラットベッド型スキャナは反射原稿用なので，

透過原稿を使うにはそのためのオプションが必要になる。➡反射原稿

動画データ 【ドウガデータ】 *movie data*

静止画像と異なり，時間とともに内容が変化する画像のデータをさす。録画のときには，映画のフィルムのように，変化する画像を一定の間隔で取り込み，1コマ1コマのデータとして保管し，再生のときには，同じ間隔でデータを表示させることで動きのある画像を表現する。

スムースな動きを再現するには，データを取り込む間隔を短くしなくてはならないが，その分データ量が増えることになる。そのために，動画データを圧縮する方法が多数開発されている。

透過モード 【トウカモード】 *transparent mode*

伝送制御手順のひとつ。コード無制約伝送とも呼ばれ，あらゆるデータをバイナリデータのまま伝送できる。この方式だとコードを変換する必要がなく，高速で大量のデータを伝送できる。

同期 【ドウキ】 *synchronization*

データを伝送するときに，送信側と受信側の動作タイミングをあわせること。そのための方法として，ビットによってタイミングを検出するビット同期と特定の符号によって識別するキャラクタ同期の2通りがある。同期の方式としては，同期方式と非同期方式（調歩式）とがある。

同期式 【ドウキシキ】 *synchronous system*

データを伝送するとき，送信データの中にタイミング信号を組み込んで送信し，受信側ではこのタイミング信号によって動作タイミングを合わせる方式。自己同期方式，連続同期方式ともいう。

ブロックごとに同期をとるので，回線の利用効率が高く，高速な伝送が可能である。

同期信号 【ドウキシンゴウ】 *synchronous wave*

同期通信において，送出されるデータと同時に送られるタイミング用の信号。受信側では，タイミングの確認と同時に同期信号をデータから分離できる。

統計的多重化 【トウケイテキタジュウカ】 *statistical multiplexing*

パケット通信など，回線の込み具合を認識して，自動的に最適なタイミングで分割したデータを送る時分割多重化技術のこと。データが送られていない空きチャンネルにもあらかじめ時間が割り当てられている方式に比べ，回線に負荷がかからない。その反面，遅

延やデータのとりこぼしが生じやすいので圧縮やエラー制御など
高度な技術が必要である。

❍時分割多重化

統合環境 【トウゴウカンキョウ】

プログラムを実行するための数種類の環境（OSなどをさす場合が
多い）をひとつにまとめたもの。ある固有の環境に合わせて作ら
れたアプリケーションを利用する際に，その環境に戻る必要がな
く，また別な環境のためのプログラム同士でデータを直接共用で
きる。

統合ソフトウェア 【トウゴウソフトウェア】 *integrated software*

ワードプロセッサ，スプレッドシート，データベース管理，グラフ
作成，通信など実務によく使う複数の機能をひとつにまとめたソフ
トウェア。単独の製品よりは機能が限定されるものが多いが，安価
であり，各機能で操作性が統一されていたり，データ交換が簡単に
できるなどのメリットがある。

搭載 【トウサイ】

ハードウェアやソフトウェアに，ある機能，部品，回路などが組み
込まれていること。

動作環境 【ドウサカンキョウ】

目的とするプログラム，あるいはOSを動かすのに必要なコン
ピュータの環境。CPUの種類，メモリサイズ，ハードディスクの
空き容量，ディスプレイ解像度，その他の周辺機器など。

同軸ケーブル 【ドウジクケーブル】 *coaxial cable*

高周波信号を伝送するためのケーブル。単線または複数の線を
よった銅線のまわりに円筒形の絶縁物層があり，その外側を網線，
もしくは銅箔，銅板が取り巻き，さらに絶縁用のビニールなどをか
ぶせた構造になっている。外側の導線が遮蔽になるので，外部
に信号が漏れたり，外からノイズが入るのを防ぐ。太さ，絶縁物
の種類，インピーダンスなどによってさまざまな種類がある。無
線機やテレビの接続，高解像度ディスプレイケーブル，Ethernet
（10BASE-5，10BASE-2）などに使われている。（次ページ図
参照）

動的アドレス変換 【ドウテキアドレスヘンカン】

仮想記憶形式におけるシステムの中で，命令の実行中に仮想アドレ
スを実アドレスに変換する方法のことをいう。一般的にDAT(ダ
ット)といわれている。

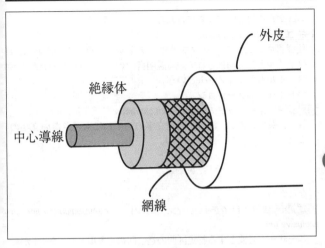

同軸ケーブル

導入　【ドウニュウ】　*installation*

コンピュータやそれに付随する周辺機器，通信回線を設置すること。この場合，ただコンピュータを並べるだけではなく，操作性などを考慮にいれて配置しなくてはならない。

⊃インストール

ドキュメンテーション　*documentation*

ドキュメント（文書）を書くこと。

現在，大規模なプログラムを開発する際には，複数の人間が分担して開発を行い，後に突き合わせるのが普通である。そのとき，自分で書いたプログラムならともかく，他人が書いたものは容易には理解できない。プログラミング言語は，人間にとってより分かりやすい方向へと進化してきたが，まだひと目見て誰もがすぐわかるというレベルにはなっていないからである。

したがって，できあがってきたプログラムが何を意味しているのか，どのような仕様をもっているのかを示す文書（仕様書）が不可欠である。こうしてできあがった，プログラムに添付する仕様書をドキュメントといい，ドキュメントを作成する作業をドキュメテーションという。

同時にこれらのドキュメントはプログラム全体の仕様書として，マ

ニュアルを書く際に参考にされる。

ドキュメント *document*

仕様書のこと。フリーソフトウェアやシェアウェア，PDSでは
ファイルとして同梱されている説明書，マニュアルなどのテキスト
ファイルもドキュメントという。
○ドキュメンテーション

特殊文字 【トクシュモジ】 *special character*

数字，英字，カナ，漢字，間隔文字のいずれにも属さない文字の
こと。

```
* / + - \\ $ %
```

などがある。

特定通信回線 【トクテイツウシンカイセン】 *communication line for exclusive use*

ユーザーが必要とする特定区間の通信回線を専用としてNTTから
借り受けた回線。途中に交換機を介することがなく，高速で安定し
たデータ伝送が可能。オンラインシステムの多くがこの回線を利
用している。

特別第2種プロバイダ 【トクベツダイニシュプロバイダ】

特別第2種電気通信事業者として登録し，インターネットの接続
サービス事業を行っているプロバイダ。自らの回線を持たずに
サービスを行うことが特徴。政令の定める基準に合致しなければ，
なることはできない。○第1種プロバイダ

トグル *toggle*

1回動作させるごとに，ON，OFFが入れ換わり，一度操作すると
つぎに操作するまでその状態を保つスイッチ，または，そのような
機能をいう。車でいえば，クラクションのスイッチのように押した
間だけONとなるものではなく，ヘッドライトのスイッチのような
もの。

トークン *token*

コンパイルの単位を表す記号をさし，C 言語では

```
( ) ; { }
```

などが使用される。また，単に区切りの文字をさすこともある。
○デリミタ

と

トークンパッシング　*token passing*

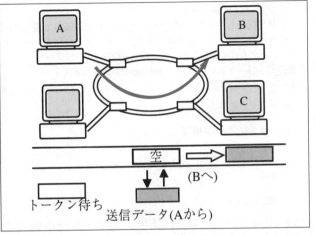

トークンパッシング

LANのプロトコルの1種。複数の端末が同時にデータを送信して、データの衝突が起こることを防ぐのに"トークン"という特殊なデータを使う。トークンをもっている端末のみに送信権があり、他の端末は送信できない。トークンは順に受け渡され、端末を巡っていく。物理的な回線の形態によって、トークンリング方式、トークンバス方式に分けられる。

トークンリング方式では、回線はリング状であって、通常はフリートークンが端末を一方向に巡っている。データが発生した端末は、フリートークンを取り込んで、データにビジートークンを付けて隣の端末に送る。受信側端末でない端末は、そのまま隣の端末に受け渡す。受信側の端末はデータを受け取った印をビジートークンに付けて隣の端末に送る。送信側の端末は、ビジートークンを受け取ったら、受信されたことを確認して、フリートークンを隣の端末に送る。

トークンバス方式では、トークンリング方式における物理的なリングが、論理的なリングに置き換えられている。トークンパッシング方式では、回線上に存在するデータパケットがひとつだから衝突は

発生しないが，トークンの損失，二重発生などのエラー対策が重要
となる。

トークンリング　*token ring*

IBM社が開発したLANのアクセス方式。IEEE802.5で規定され
ている。各ノードをリング状に接続し，トークンを回すトークン
パッシング方式を採用している。 ▷トークンパッシング

特権命令　【トッケンメイレイ】　*privileged instruction*

スーパバイザ命令ともいう。

- タイマの変更

- フラグレジスタの変更

- 入出力処理の停止

- 続行

- 記憶装置の制御

などがある。これらの命令を実行するにはスーパバイザモードで
あることが必要である。また，ユーザープログラムが実行したら
システムの運用に支障をきたす恐れがある場合，監視プログラムが
スーパバイザコールを発生させる。このコールが発生するとユー
ザープログラムは停止し指定された処理を実行する。

ドット　*dot*

文字や図形を構成する最小単位。ディスプレイやプリンタは，文字
や図形を点の集合として表示する。この点1個が1ドット。

たとえばVGAでは1画面が640×480ドット，つまり横に点が
640個，縦に480個並んだ30万7200個の点から構成される。ま
た，文字は16×16ドットや24×24ドットといった点の組み合わ
せでフォントが作られる。当然，表示に使う文字のドット数が同じ
ならば，VGAより1024×720ドットのSVGAのほうが表示でき
る文字数は多くなる。画面上でのドットの間隔をドットピッチと
いう。

プリンタでは1インチに打てるドットの数，DPI（Dot Per Inch）
を解像度の目安とする。 ▷ドットピッチ，DPI

ドットインパクトプリンタ　*dot impact printer*

細いピンでインクリボンを用紙に叩き付け，印字する方式のプリン
タ。文字や図形をドット（点）の集合で表し，ひとつのドットが1

本のピンに相当する。機種によって9ピン, 18ピン, 24ピン, 48ピンなどがある。漢字をきれいに印字するには24ピン以上が必要。印刷速度は, 漢字で毎秒30字から120字程度。構造が比較的単純であり, ほとんどの用紙に印刷でき, ランニングコストが安い。複写伝票などにも印刷できる。印字時の騒音が大きく, 最近ではインクジェットプリンタやレーザプリンタなど, 静かなノンインパクトプリンタに人気が集まっている。◎ノンインパクトプリンタ

ドットピッチ　*dot pitch*

ディスプレイの表示の細かさを示す数値のこと。画面表示の最少単位をドットといい, ドットとドットの間隔(ピッチ)をmm単位で表す。

カラーディスプレイの場合, R(赤) G(緑) B(青)の3ドット(光の三原色)が1ピクセル(画素)として扱われるが, ドットピッチはRとR, GとGのように, 同色同士の距離をさす。ドットピッチが小さいほど, きめ細かな表示が可能。◎解像度, ドット

ドットマトリックス　*dot matrix*

文字や図形を格子状に分解し, ドットの並びで表現すること。

トップダウン　【トップダウン】　*top down*

プログラム設計のひとつの方式である。まずプログラム全体の設計を行い, つぎに各セクションの細部を設計していくもので, ごく一般的な方式である。

これに対してボトムアップ方式というものがあり, これは各セクションごとに設計を行い順に積み上げていく方式である。テストを行う場合に, ボトムアップ方式がよく用いられる。

トナーカートリッジ　*toner cartridge*

コピー機やページプリンタなど, 電子写真式印刷装置のトナーを簡単に交換できるようにカートリッジに収めたもの。キヤノンの製品のように感光ドラムと一体になっているタイプもある。

ドネーション　*donation*

シェアウェアにおいて, 制作者に支払う寄付金のこと。ユーザーがそのシェアウェアを使用してみて, 気に入って使い続けるならば, 制作者に対し指定された寄付金を送ることになっている。使い続けるつもりがなければ, そのソフトウェアは廃棄してドネーションを払わずに済ませられる。

寄付金という名目になっているが, 実質的には試用してから後払いできる使用料と考えることもできる。◎シェアウェア

ドメイン *domain*

インターネットをはじめとするTCP/IPネットワークでは，接続するコンピュータを区別するために，IPアドレスと呼ばれる名前を付ける。しかし，このIPアドレスは「202.245.256.32」などの数値で構成されている。これではどのコンピュータを表しているのかが非常に分かりづらい。そこで，IPアドレスを人間に分かりやすいように文字化したものがドメインである。

URLを指定する際，「natsume.co.jp」などと入力する文字列がドメインネームである。これは，ドットで区切られた部分ごとに意味がある。まず最初のnatsumeとはナツメ社のアドレスであることを意味し，いわばそのサーバの名前である。次のcoは，companyの意味で企業であることを意味し，このほかgoとつくと政府関連機関，acとつくと教育機関というようにどのような団体であるかを意味している。最後のjpはjapanの意で，日本にあるサイトだということを表している。

ドメインネームシステム *domain name system*

⊃DNS

ドライバ *driver*

⊃デバイスドライバ

ドライブ *drive*

駆動装置のこと。ハードディスクドライブ(HDD)といった使い方をする。

ドライブナンバー *drive number*

システムがハードディスクやフロッピーディスクなどに付ける名前や番号。OSによって名称の付け方は違うが，MS-DOSではA:，B:，C:などの名前がドライブに付けられる。

ハードディスクには実際の接続ドライブ名ではなく，パーティションと呼ばれる区画に対してドライブナンバーが割り当てられる。また，ネットワークなどを使用する場合には，ほかのマシンに対してもドライブナンバーが割り当てられる。

トラクタフィーダ *tractor feeder*

プリンタで連続用紙を使うとき，用紙の穴に歯車をかませて紙を送る装置。

トラスティ *trustee*

アクセス権のこと。たとえばNetWare 3.1では，すべての権利をもつスーパーバイザから読み込みのみ，書き込みのみ，作成，削除，

変更, 検索などのレベルがある。 ○アクセス権

トラック　*track*
ディスク表面の, データを記録した同心円状の部分。

ドラッグ　*drag*
マウスの操作で, ボタンを押したままマウスを動かすことをさす。
Windows上でのウィンドウの移動のときに, ウィンドウの上部で
マウスのボタンを押し, そのままボタンを押した状態でマウスを動
かすといった操作もドラッグである。

ドラッグ & ドロップ　*drag & drop*
GUI環境で, データのアイコンをプログラムのアイコン上に移動
し (ドラッグ), そこでボタンを離す (ドロップ) ことでそのプロ
グラムを起動させたりする操作をさす。また, ワードプロセッサ
や, スプレッドシートのソフトでは, データの移動などに利用され
ている。

トラックボール　*track ball*
台に半分程度埋め込んだボールを手で回すことでコンピュータに
方向, 移動量を指示するポインティングデバイス。マウスを逆さま
にしたような構造をしている。
本体を移動させる必要がないため, マウスに比べスペースの節約と
なる。カーソルの移動距離が長くなるCAD/CAM関係や, スピー
ドが要求されるゲームなどで利用される。また, ノートブック型コ
ンピュータでは本体に組み込まれていることもある。

トラップ　*trap*
プログラム実行中にハードウェアの異常が発生した場合, 割り込み
がかかって実行中のプログラムは停止し, 所定の処理に制御を移す
動作をトラッピングという。

　○割り込み

トラフィック　*traffic*
電話網, パソコンLAN(Local Area Network)などのような特
定の経路上に流れる, 発信元やあて先の異なる複数の情報のこと。
情報量が多くなると情報遅延や損失の恐れが出てくるので, それ
を防ぐために各経路のトラフィックを均等化したり, 不必要な情
報を流さないように経路を選択したりする必要がある。

トラブルシューティング　*trouble shooting*
システム内における異常や故障の原因を調べ, それを解決するこ
と。また, ユーザーにとってマニュアルの書き方が悪くて, 正しい

操作方法が分からない場合や，間違った操作を行って目的の処理ができない場合に，相談に応じて解決することもいう。

トランザクション　*transaction*

マスタファイルを更新するためのデータのこと。または，端末がホストコンピュータに要求する仕事の処理のこと。

トランザクショントラッキングシステム　*transaction tracking system*

NetWareでデータベースを更新処理している最中に，電源断などによってファイルが壊れてしまった場合，データベースを更新前の状態に戻す機能。

トランザクションファイル　*transaction file*

発生ファイル，取り引きファイルとも呼ばれ，マスタファイルを更新するためのデータを記録している。

トランジスタ　*transistor*

半導体の界面現象を使って増幅やスイッチングなどの動作を行う電子デバイス。1948年，AT&Tベル研究所のWiliam Shockley, John Bardeen, Walter Brattainの3人をチーフとするプロジェクトチームによって発明された。

p型半導体とn型半導体を接合し，エミッタ，コレクタ，ベースという3つの電極を作る。n型半導体の間にp型半導体をはさむnpn型と，p型半導体の間にn型半導体をはさむpnp型とがある。

まず，エミッタにプラス，コレクタにマイナスの電圧を加えた状態ではエミッタのホールはベース側に押しやられ，コレクタのホールは電極側に引き寄せられるだけで電流は流れない。

ここでベースにマイナス電圧を加えると，ベースから電子がエミッタに供給される。エミッタのホールは極めて薄いベースを突き抜けてコレクタに到達し，エミッタとコレクタの間に電流が流れる。ベースに加える電圧をわずかに変化させるだけでエミッタとコレクタの間を流れる電流が大きく変化する。すなわち，ベースに微弱な信号を加えることによって信号を増幅することができる。

それまで増幅素子として使われてきた真空管と比べ，小型，軽量，低消費電力，低発熱，長寿命などの特徴がある。

トランジスタの出現によってコンピュータの小型化が進んだが，その後，トランジスタを小型集積化したICが誕生したため，トランジスタコンピュータの時代は長く続かなかった。（次ページ図参照）

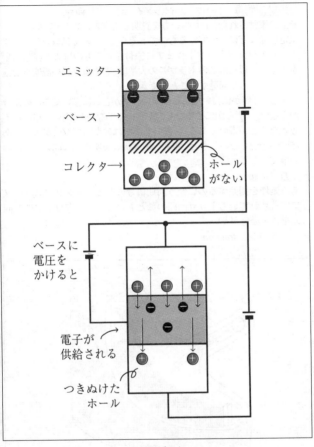

トランジスタ

<u>トランスポート層</u> 【トランスポートソウ】　*transport layer*
　OSIの基本参照モデルの第4層に位置し，上位層であるセッション層にサービスの品質を保証するもの。ネットワークに依存しないエンドシステム間で，両方向同時にデータ転送を行えるようにするための通信手段を規定している。

取り扱い説明書 【トリアツカイセツメイショ】 *Manual*

製品に添付された，取り扱い方を説明した文書，マニュアル。

家電製品などに付いてくるものでもそうだが，とくにコンピュータのハードウェアやソフトウェアに添付されたものはよく読む必要がある。一般に起こるトラブルの大半は，この取り扱い説明書を読むことによって回避することができる。

しかし，「確かに書いてあるはずの事柄がどこに書いてあるのか分からない」「明らかに必要なものが書いていない」「逆に一般には不必要なことが書いてある」「書いた場所は分かっても何が書いてあるのか分からない」など，現在の取り扱い説明書には問題が多いのも事実である。

トリガ *trigger*

ある処理を開始するのに使う同期信号のこと。シンクロスコープに内蔵されているトリガ回路のこともいう。ハードウェア的な同期をさす場合が多い。

トリニトロン *trinitron*

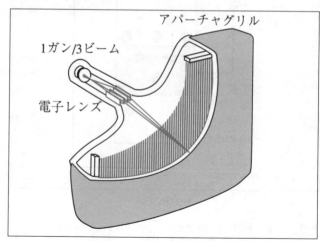

アパーチャグリル

1ガン/3ビーム

電子レンズ

トリニトロン

ソニーが開発したカラーCRTの名称。色を選別する機構に通常のカラーCRTで使われているシャドーマスクを使わず，垂直に電線

を張ったアパーチャグリルを採用。1本の電子銃からRGB用3本のビームが発射される。スクリーンは縦方向に垂直な円筒形。シャドーマスク方式と比べ，発色が鮮やかで天井光の反射が少ない。

トレース　*trace*

プログラム実行中にプログラムの進行にあわせて，CPU やその周辺の装置の状態を記録することをトレースという。各命令を実行するごとにその命令のアドレスやレジスタの変化を調べ，記録したり表示したりすることのできるものをトレーサという。

トロイの木馬　【トロイノモクバ】　*Trojan horse*

と

ユーティリティやゲーム，アプリケーションなどにシステムのセキュリティやシステムそのものを破壊することを目的とする機能を組み込んだプログラム。トロイの木馬を実行すると，正常にプログラムが動いているように見えて，システムに悪影響を与える。感染能力，増殖能力をもっていないのでコンピュータウィルスとは異なる。

ドローソフトウェア　*draw software*

◯グラフィックソフトウェア

ドロップアウト　*drop out*

データを読み書きする途中で一瞬データの取りこぼしが発生し，エラーとなること。

ドロップダウンメニュー　*drop down menu*

メニュー名を選ぶと，下にサブメニューが開き，選択肢が一覧表示される形式のメニュー。

トンボ

印刷物の裁ち落し位置を示す記号。出版物の制作工程において，用紙への印刷を終え，製本する際に周囲の不要部分を裁断するための目印として，あらかじめその位置を版下に指定しておく。（次ページ図参照）

トンボ

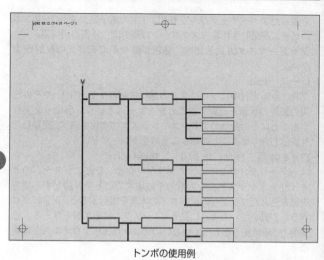

トンボの使用例

な

内部コマンド　【ナイブコマンド】　*internal command*

MS-DOSのコマンド(命令)のうち，COMMAND.COMに内蔵されているもの。COPYやTYPE，DIRなど，比較的頻繁に利用される30あまりの命令がある。これに対し，FORMAT.COMやDISKCOPY.COMなどは別の実行ファイルになっており，外部コマンドと呼ばれる。

⊃外部コマンド

break	chchp	chdir(cd)	cls
copy	ctty	date	del(erase)
dir	exit	for	loadhigh(lh)
mkdir(md)	path	prompt	rename(ren)
rmdir(rd)	set	time	type
ver	vol		

内部コマンド

内部割り込み　【ナイブワリコミ】　*internal interruption*

CPUやメモリにおいて，演算やデータ処理により内部的に発生する割り込みのこと。ソフトウェア割り込みともいう。その例をあげるとオーバフロー，アンダーフロー，ゼロ除算，誤命令，誤データ検出，読み出し誤りなどである。このような要因により内部割り込みが発生するとプログラムの実行をやめてあらかじめ決められた処理を行う。

⊃ソフトウェア割り込み

なりすまし

インターネットで，他人や他のサイトを騙ること。

⊃CA

流れ図 【ナガレズ】 *Flow chart*

問題の解法や具体的な手順の概略を考えるために，判断，処理，端子，結合子，入出力といった流れ図記号を用いて，自分自身や他の人にも視覚的に問題解決の手順を分かりやすく図式で示したもの。一般的に，フローチャートと呼ばれる。PAD図やNSチャートといった流れ図もある。

ナノ *nano*

n と表記する。10^{-9}，10億分の1のこと。$1000n$ は 1μ になる。

ナレッジエンジニア *knowledge engineer*

KEともいう。AIを応用したシステムの分析設計を行うSE。
⊃人工知能

な

日本橋 【ニッポンバシ】 *Nipponbashi*

にっぽんばし。大阪市浪速区，地下鉄日本橋駅から恵美須町駅にかけての堺筋通り，道頓堀川の南側に広がる西日本最大の電気店街。上新電気，ニノミヤ無線を中心に大小の家電店，部品店，専門店，コンピュータショップが並ぶ。

ニフティサーブ

○NIFTY-SERVE

ニブル *nibble*

1バイトの半分のビット数である4ビットで表した数のことをニブルという。ニブルは0から15までの数を表すことができ，それらの値はそれぞれ0〜9，A〜Fに対応している。

日本語化 【ニホンゴカ】 *Japanize*

日本語による処理を可能にするためのソフトウェアおよびハードウェアの改良。アプリケーションの場合には，2バイト文字を表示・入力できるようにすることだが，日本語マニュアルを準備することも含まれる。また，ワードプロセッサのように国によってユーザーが要求する処理が違う場合には，禁則処理や段組や罫線処理に至るまで大幅な改良が必要となる。

日本語環境 【ニホンゴカンキョウ】 *Japanese environment*

DOS/Vにおいて，日本語表示用デバイスドライバの$DISP.SYSと$FONT.SYSを組み込んだ日本語モードで起動し，日本語の入出力ができる状態。DOS/V専用アプリケーションを実行できる。CHEV USコマンドで英語モードと切り替えることができる。
○$DISP.SYS, $FONT.SYS, 英語モード, 英語環境, 日本語モード

日本語入力ソフト 【ニホンゴニュウリョクソフト】

キーボードから入力されたローマ字，あるいはカタカナをかな漢字に変換するプログラム。日本語入力FP，単にFEP（フェップ）などとも呼ぶ。メモリに常駐し，キーボードからの入力を解析し，辞書を検索して漢字に変換し，システムに渡す。
変換方式には文節単位で変換する文節変換，複数の文節をまとめて変換する連文節変換，ある程度の文字数を入力すると，変換キーを

押さなくても変換する自動変換/べた書き変換，句読点を入力するたびに変換する句読点変換などがある。

代表的な日本語入力FEPとしてはジャストシステムのATOK，マイクロソフトのIMEなどがある。

日本語モード 【ニホンゴモード】 *Japanese mode*

DOS/Vで，日本語表示用デバイスドライバの$FONT.SYSおよび$DISP.SYSを組み込んで起動した状態。

CHEVコマンドで日本語環境と英語環境に切り替えることができ，日本語環境では日本語表示と入力ができ，DOS/V用アプリケーションが動作する。SWITCHコマンドで日本語表示用デバイスドライバを組み込まない英語モードと切り替えることができる。

➲$DISP.SYS, $FONT.SYS, 英語モード, 英語環境, 日本語環境

日本語ワードプロセッサ 【ニホンゴワードプロセッサ】 *Japanese wordprocessor*

➲ワードプロセッサ

日本電子工業振興協会 【ニホンデンシコウギョウシンコウキョウカイ】 *JEIDA*

1958年3月29日に設立されたコンピュータ関連会社や電子部品メーカーなどが加盟する業界団体。また，電子協ともいう。その設立目的は，「電子工業に関する技術の向上，生産の合理化，利用の高度化ならびに普及の促進等により電子工業の振興を図り，よって日本経済に寄与すること。」とされている。

日本パーソナルコンピュータソフトウェア協会 【ニホンパーソナルコンピュータソフトウェアキョウカイ】 *JPSA*

パソコンにおけるソフトウェアの発売元業者，制作者で構成されるパソコンソフトウェア業界の団体である。現在では，約360社が協会に加盟している。

ニーモニック *mnemonic code*

機械語の命令を人間が読みやすいコードに置き換えたもの。このときに使うコードのことをニーモニックコードという。ニーモニックコードは主命令であるオペコードと，主命令が操作対象とする相手，条件，パラメータなどのオペランドからできている。たとえば機械語命令が

    B01A

    B90001

だったとき, ニーモニックは

```
MOV     AL, 1A
MOV     CX,0100
```

のようになる。ここでAL, CXがオペコードで1A, 0100がオペランドである。
ニーモニックコードを使って記述するプログラムがアセンブラ言語である。○アセンブラ

入出力インターフェイス 【ニュウシュツリョクインターフェイス】 *I/O interface*

コンピュータと外部の機器との間でデータをやりとり(Input/Output)するためのインターフェイス。コンピュータの最も基本的かつ重要な部分。AT互換機を自作する場合, I/Oカードは絶対必要な部品である。

入出力制御装置 【ニュウシュツリョクセイギョソウチ】 *I/O unit*

入出力装置と入出力インターフェイスとを接続するのに必要な回路。

入出力チャネル 【ニュウシュツリョクチャネル】 *I/O Chanel*

CPUの指令に従って, 入出力装置と記憶装置の間でCPUとは独立にデータのやり取りをする装置。入出力装置のデータ転送速度は, CPUの演算速度に比べるとかなり遅いので, 入出力装置の制御だけを行う装置を置くことにより, CPUの処理に影響をあたえないようにしている。

ニュースサーバ 【ニュースサーバ】 *news server*

ネットニュースが保管されているサーバ。接続しているプロバイダによってそれぞれアクセスできるニュースサーバは違う。
○NetNews

ニュースリーダ *news reader*

ネットニュースの記事を読んだり, 記事を書いて投稿したりするためのソフト。
○NetNews

入力装置 【ニュウリョクソウチ】 *input unit*

コンピュータ本体内にデータを取り込むための装置。文字や数値を入力するキーボード, 図形や写真を入力するイメージスキャナ, そのほかデジタイザやジョイスティック, マウス, トラックボール

などがある。

ニューメリック　*numeric*

数値データのこと。これにアルファベットを加えたものがアルファニューメリック，さらにカナを加えてANKと呼んでいる。

ニューラルネット　*neural network*

脳神経ネットワークの構造や機能を研究し，その機構を応用して"学習機能"をもつようにしたコンピュータ。刺激に反応する神経細胞のように入力値から出力を作る単純な"ニューロン"を複数の網の目のように結合させた構造になっている。

ニューロコンピュータ　*neural-computer*

脳神経細胞の構造や働きをシミュレートし，人間の脳が行うデータ処理を実現するコンピュータ。基本的な処理単位である計算モジュールひとつ1つを"セル"と呼び，それらを"シナプス"と呼ばれる通信回線でネットワーク化する。学習，記憶，自己の組織化などができる。

また光伝送技術と画像マトリクスを使った光連想コンピュータというものがあり，これは画像認識に応用されている。さらにファジイシステムと組み合わせる研究開発がすすめられている。

ネイティブコードコンパイラ　*native code compiler*

コンパイラは高級言語をCPUが実行できる形式に変換する（実際はリンカも必要）ソフトウェア。その際CPUの性能によって出力されるコードが違う。ネイティブコードコンパイラは，386SX以上のCPUで最も高い性能を発揮できるネイティブモードのためのプログラムコードを出す。また固定モードの意味で，アドレス固定の実行形式ファイルを出力するコンパイラとしての呼び名の場合もある。

⟳リンカ

ネイティブモード　*native mode*

80x86CPUで386SX以上のCPUがもつ32ビット動作モードのこと。仮想メモリ空間64T（テラ:1T=1024G）バイトで4Gバイト単位のページ管理ができ，すべてのCPU命令が使用できる。標準添付のOSでネイティブモードを使用できるのはFM TOWNSだけである。IBM PC互換機，NECのPC-9800シリーズなどでは市販品またはフリーソフトウェアでネイティブモードを利用できるようにするDOSエクステンダが供給されている。また，汎用機では統合管理されたエミュレーションタスクをさす。

⟳DOS エクステンダ

ネチケット　*netiquette*

ネットワーク上のコミュニケーションで守らなければならないとされる慣例。networkとetiquetteの合成語。インターネットの世界は，当初学生間で培われた，技術的にも文化的にも用途を制限しない実験精神で発展してきた。規制や検閲を嫌うところから，自己責任で行う最低限の約束事という形でネチケットが唱えられた。このため，礼儀という以上に，チェーンメールや大容量メール配信の禁止や文字コードの制限など，ネットワークでの特殊な制限も含まれるし，この制限も技術の発展とともに緩和されやすい。一方で，商業利用が進み，ネットワークという場所が公共の路上と変わらなくなっていくなかで，大学というある種ユートピアの土壌から生まれたnetiquetteだけでは覆い切れない矛盾が噴出し，

一部で規制の必要が唱えられているのも現実である。

熱転写プリンタ 【ネッテンシャプリンタ】 *thermal transfer printer*

ノンインパクトプリンタの一種。熱によって溶けるインクを塗ったインクリボンに，熱したヘッドを押し付けることによって，用紙にインクを転写する構造になっている。

インパクトプリンタと比べて印刷時の騒音が小さく安価なため，家庭用・個人用プリンタとして，またワードプロセッサ専用機などで採用されている。最近は48ドット，52ドットなどの高解像度タイプも登場。インクリボンの再利用ができないので，ランニングコストがきわめて高くなるのが欠点。

ネット

ネットワークの日本式略称。パソコン通信やインターネットの意味にも使われる。

ネットサーフィン *net serfing*

ホームページを次から次へ渡り歩くことをこう呼ぶ。たとえば，Aというホームページに入って，そのリンクからBというホームページへ移り，つぎにそのページからCというホームページへ移行するという風に，ホームページを次々に移動していくことを波乗りにたとえてサーフィンと呼んでいる。

ネットニュース *netnews*

インターネット上で利用できる巨大な電子掲示板。テーマごとに掲示板があり，それぞれの掲示板をニュースグループという。誰でも記事を投稿したり読むことができる。
○USENET

ネットワーカー *networker*

パソコン通信を活用している人を総称してこう呼ぶ。どちらかというと，積極的にアクセスしている人を意味する。

ネットワーク *network*

複数のコンピュータや周辺機器を通信媒体（有線，無線を問わない）で結び，データの伝送を行えるようにした通信網のこと。
BBSに対比してインターネットやIP(internet protocol)で接続されているネットワークのことをさす場合もある。
○LAN, TCP/IP, インターネット

ネットワーク OS *network OS, NOS*

LANの通信管理機能をもったOS。省略してNOS。パーソナルコンピュータ用の代表的なNOSであるNetWareはMS-DOSを

起動した上で動くが, ファイルサーバのディスク管理はNetWare
が直接行うのでOSとしての機能ももっている。

ネットワークアーキテクチャ   *network architecture*

コンピュータネットワークを構築するために必要な論理構造と通
信プロトコルのこと。ISOの推奨するOSI基本参照モデルによっ
て標準化が進められている。

ネットワーク管理システム   *Network Management System*

コンピュータや通信回路および機器などから構成されるデータ通
信ネットワークにおいて, 障害管理, 回復, 分散処理, 排他制御
などを行うシステム。

ネットワークサービスプロバイダ   *network service provider*

インターネットに接続するための窓口となってくれる会社。一般
ユーザーは, このサービスプロバイダを介してインターネットに
アクセスすることになる。プロバイダは, ダイヤルアップIPと呼
ばれる電話回線を使ったパソコン通信のような接続方法と, 専用
線を使ってプロバイダのコンピュータと直接接続する方法がある。

ネットワーク層 【ネットワークソウ】   *network layer*

OSI参照モデルで, 下から3番目に位置するレイヤー。メッセージ
パケットを作成し, パケットを正しい相手に送り届けるための各
種詳細と受信したパケットの検証をする。NetWareではSPXが,
TCP/IPではIPが相当する。

○アプリケーション層, OSI

ね

の

の

ノイズ　noise

コンピュータ用語では，信号を変えてしまう電気的障害もしくは
誤った符号のこと。電気回路の中では発生をゼロにすることは理
論的に不可能である。

ノイマン型コンピュータ　【ノイマンガタコンピュータ】　von Neumann-Type Computer

1940年代に von Neumann(フォン ノイマン)によって提唱された，
プログラム内蔵型コンピュータのこと。内蔵されたプログラムに
従って，命令を1つずつ順番に CPU(中央演算処理装置)に呼び出
して実行するコンピュータのこと。現在使われているコンピュー
タのほとんどがノイマン型である。

○非ノイマン型コンピュータ

ノーウエイト　no wait

CPUが RAM にアクセスする際に，ウエイトが入らないこと。ク
ロック周波数の高い CPU に高速版 RAM を組み合わせれば，ノー
ウエイト動作が可能で，全体のデータ処理能力を向上できる。○ウ
エイト

ノード　node

ネットワークシステムの各コンピュータ，端末，ネットワークの
中継点や分岐点を意味する。

ノードコンピュータ　node-computer

コンピュータネットワークにおける通信網で，その接合点となると
ころに通信制御機能をもったコンピュータを置くことによって複
数からの，または複数への通信を円滑に処理する。この通信制御機
能をもったコンピュータのことをノードコンピュータという。

ノートブックパソコン　【ノートブックパソコン】　notebook PC

A4サイズ程度の大きさ，折り畳み式フラットディスプレイとキー
ボードを搭載し，バッテリで数時間駆動できる軽量なパーソナル
コンピュータのこと。これよりも大きいものをラップトップコン
ピュータ，B5サイズ程度の小さいものをサブノートブック型と
いう。

ノベル
⊃Novell

ノンインターレース *non interlace*
ディスプレイに画面を表示するとき，飛び越し走査をせず，毎回すべての走査線を表示する方法。飛び越し走査をするインターレースと比べ，ディスプレイボードやディスプレイが高価になるが画面のちらつきが少なく，眼が疲れにくい。とくに高解像度のディスプレイを使う場合はノンインターレースにしたい。インターレースかノンインターレースかは，ディスプレイボードとディスプレイの種類および設定による。したがって，ノンインターレース表示が可能なディスプレイでもディスプレイボードがノンインターレース対応でなければノンインターレース表示にはならない。⊃インタレース

ノンインパクトプリンタ *non impact printer*
感熱，熱転写，インクジェット，電子写真式など，インパクト式ではないプリンタの総称。動作音が静か。ただし複写式伝票には使えない。⊃インパクトプリンタ

ノングレア *non glare*
ディスプレイの表面に細かい凹凸を付けるなどして，光沢をなくす処理のこと。照明や窓からの光りなどの反射光が画面に映り込んで見にくくなるのを抑える。

ノンストップコンピュータ *non-stop computer*
つねに稼働状態にあるコンピュータのこと。またコンピュータの内部で故障が起こっても自動的に発見，診断，修復を行い，機能が停止してしまうことを防ぐシステム。銀行や病院，研究所のコンピュータでこの方式が採用されている。

ノンブル *nombre*
目次。印刷物において，ページを示す数字のこと。フランス語の「数」から。

ノンマスカブルインタラプト *non-maskable interrupt*
外部割り込みのうち，ソフトウェアでその割り込みを禁止（マスク）できないもの。通常は電源の異常，メモリのパリティエラーなど，システムの致命的な異常に対する割り込み処理に使われる。

バイアス　*bias*

回路の動作特性を制御するため, その回路の素子にあらかじめプラス, またはマイナスの一定電圧を加え, 動作点をずらすこと。

ハイエンドマシン　*high-end machine*

同じシリーズ, 同系等のコンピュータの中で, 最高価格帯のコンピュータのこと。

　○ローエンドマシン

バイオコンピュータ　*biocomputer*

生物の脳や神経が行っている情報処理や伝達方法を解明し, その方法論を応用したコンピュータのこと。

実際には, 生物の細胞内のタンパク質や酵素を使ったバイオチップによって, コンピュータ内部の半導体素子と置き換えていく方法をとる。

コンピュータが人間の脳に近づく試みであり, 未来のコンピュータのひとつの方向でもある。

　○量子コンピュータ

バイオチップ　*biological chip*

バイオコンピュータに使用されるチップ。バイオコンピュータとは生体機能のもつ複雑な情報処理システムに着目して研究されているものである。とくに脳のもつ記憶, 学習, 自己の組織化, 推論などをコンピュータシステムによって構成しようというものである。バイオチップにセンサー機能をもたせる研究が進められている。

パイカ　*pica*

文字のサイズ。

(1) 印刷用語, DTPソフトウェアでは1パイカは12ポイント, 0.166インチに相当する。あるいは72ポイントを6パイカ, 1インチとする。

(2) 1インチの間に10文字印刷できるタイプライタ活字のこと。

　○エリート

倍角文字 【バイカクモジ】

標準文字より縦もしくは横の長さが2倍の文字。最近では，Windowsが主流になり，自由にポイント数が選べることからあまり利用されなくなった。

○4倍角, 縦倍角, ポイント, 横倍角

全角　鞆　横倍角
縦倍角　4倍角

排紙 【ハイシ】

ページプリンタなどプリントアウトデータを一時的に保存しておくメモリを持っているプリンタで，そのメモリに残っているデータを印刷しメモリ内のデータを空にすること。印刷途中にエラーを起こして止まってしまった場合などに利用する。

○バッファ

ハイシエラフォーマット *High Sierra Format*

CD-ROMの論理フォーマットに関する国際規格。Microsoft社，Apple Computer社，ソニー(株)などが中心となって制定した。1988年にはISO9660となった。「ハイシエラ」とは，会合を開催したアメリカ，ネバダ州のホテルの名前。

倍精度 【バイセイド】　*double precision*

ひとつの数値データを2語で表現すること。これを用いた演算に浮動小数点演算があり，16バイト（128ビット）の演算を行っている。

○浮動小数点

倍速 CD-ROM ドライブ 【バイソクシーディーロムドライブ】　*double speed CD-ROM drive*

標準規格ではCD-ROMはデータ転送速度が150KB/秒と，ハードディスクやフロッピーディスクに比較してかなり遅い。そこでメ

ディアの回転数をあげ，データ転送速度を2倍にしたものが倍速CD-ROMドライブ。32倍速，48倍速のドライブも登場している。

倍速CPU 【バイソクシーピーユー】 *double speed CPU*

内部処理速度を外部クロック周波数の2倍以上としたCPU。通常のCPUでは内部と外部クロックは同じだが，内部だけ2倍にすれば，CPUを付け替えるだけで2倍の内部処理速度が得られることになる。

媒体 【バイタイ】 *medium, media*（複数形）

データを記憶または記録するために用いられる物のこと。フロッピーディスク，ハードディスク，MO，CD-ROM，ストリーマテープなど。

排他制御 【ハイタセイギョ】 *exclusive control*

複数のプロセスを同時に処理するネットワーク環境やマルチタスクOSなどのシステムにおいて，そのシステムの共有資源であるメモリやプロセッサ，外部記憶装置を複数のプロセスが同時に使用しないように制御すること。マルチタスク，マルチユーザーシステムにおいて，複数のタスクが同時に同じデータに更新をかけると，データの整合性がとれなくなる。そのため，あるタスクが使用中のファイルは，他のタスクでは書き換えできないようにする。

たとえば，ある預金通帳のファイルから2人のユーザーが同時に引き落とした場合，データ上は1人分しか引き落とされないのに，2人の端末では両方とも引き落としたことになってしまい，重大なミスになる。これを防ぐのが排他制御である。

排他的論理和 【ハイタテキロンリワ】

⇒XOR

バイト *byte*

コンピュータがひとつの単位として扱うビットの集まりのこと。8ビットの集まりを1バイトと呼ぶ。1バイトは$2^8 = 256$通りの状態を表すことができる。

⇒bit

バイナリ *binary*

0と1によって表記される2進数のこと。単に「コンピュータが解釈するべきもの」という意味でも使われる。

バイナリサーチ *binary search*

2等分探索のこと。2等分探索とは，2分探索の一種で，1群の項目を要素別に2分し，目的物の含まれる方を探索する。さらに，同

じ動作をくり返すことによって，最終的に目的物に近づけていくこと。

バイナリセーブ　*binary save*

2進数コードで記録すること。おもにプログラムの実行形式を保存するのに使う。BASICインタプリタでは，通常にセーブすると中間コードに圧縮されてバイナリセーブされる。バイナリセーブに対して，文字をそのままのコードで保存することをアスキーセーブという。

バイナリファイル　*binary file*

プログラムなどの実行形式のファイル。CPUが直接読み込んで実行できるプログラムを示す。なお，BASIC言語では，通常に出力されるプログラムもバイナリファイルと呼ばれる。

ハイパーカード　*HyperCard*

Apple Computer社がMacintosh用に開発したハイパーテキストデータベース。1987年に発表され，以降のSystemにバンドルされている。ビジュアルシェル＋開発環境＋動作環境としての意味をもっており，テキストやグラフィックス，音声，画像，動画までのすべてのデータを区別せず，同一フォーマットのファイルとして扱うことができる。

基本的にはオブジェクト指向のインタプリタ言語「HyperTalk」，ハイパーカード上で動作する「スタック」というアプリケーション，そしてMacPaint型描画ツールなどからできている。ユーザーはあらかじめ提供されたり，市販されているスタックを使ってさまざまな作業が行えるし，HyperTalkを使って自分でスタックを作ることもできる。

バイパス　*bypass*

電子回路において，目的外の信号や電流をアースに逃がす回路。たとえば，直流電源ラインとアースをコンデンサで結ぶことで，ノイズ成分が回路内部に流れ込むのを防ぐ。

ハイパーテキスト　*hyper text*

WWWでインターネット上の情報を統合するために用いられている表現方法。WWWサーバに掲載するハイパーテキストはWWWコンテンツと呼ばれることもある。テキストが文面であるならハイパーテキストは超文面になる。なお，ハイパーテキストを記述するための言語がHTMLである。
○HTML

パイプ　*pipeline*

標準入出力をもつプログラムによる処理を続けて行う場合，それぞれの処理結果を順次受け渡す機能。接ぎ合わせた管の中をデータが流れるようなイメージがあるのでこの名が付いた。使い方は，最初のコマンドの後ろに，「｜」で区切って実行結果を渡したいコマンドを入力する。

たとえば，dirによって表示されるファイル名をsortで並べ替え，moreで1ページごとに表示して読むには

```
dir | sort | more
```

とする。

UNIXでは複数のプログラムを同時に実行できるので，パイプでつながれたプログラムは順次データを受け渡して処理する。MS-DOSはシングルタスクのため，いったんテンポラリファイルを作って，順番に処理を行う。

パイプライン処理　【パイプラインショリ】　*pipeline processing*

コンピュータの演算処理速度を上げるために考え出されたもので，先まわり制御方式のひとつである。ひとつの演算処理をいくつかのステップに分け，ひとつのステップが終了するたびに新しい演算処理をスタートさせていく。

複数の処理をオーバーラップさせることで，全体としての処理時間が短縮される。

ハイブリッド IC　【ハイブリッドアイシー】　*hybrid IC*

複数の部品をセラミックス基板の上にまとめて構成したIC。通常のICがシリコン基板そのものを回路部品とするのに対し，独立した部品を組み立てたもの。小型化には逆行するが，大電力用や高周波用などのICに使われている。

バイポーラ IC　【バイポーラアイシー】　*bipolar IC*

トランジスタを用いた集積回路のこと。CMOSにくらべ，高速動作が可能。

○CMOS

バイポーラトランジスタ　*bipolar transistor*

通常のトランジスタのこと。電子とホールという，ふたつのキャリアが電流を運ぶのでバイポールという。MOS FETにくらべると動作が高速である反面，構造が複雑で集積度が低い。

バイポーラメモリ　*bipolar memory*

フリップフロップ回路を使用した半導体記憶装置のこと。

バイト単位，語単位のランダムアクセスが可能で，記憶容量は小さいが動作速度は速い。CPU内部の高速小容量メモリとして使用されることが多い。

配列　【ハイレツ】　*array*

各要素が，一定の規則に従って並べられているデータの集合。数値の配列，文字の配列などがあり，それぞれのデータの種類は同じでなければならない。配列の要素は，配列名に付けられている添え字で参照できる。

パイロットシステム　*pilot system*

新しいシステムを設計する際に，そのシステムの具体的な動作をチェックするために試験的に作られるシステムのこと。試作システムとも呼ばれる。実際にシステム設計を行う前に，簡単なモデルを使って試験する場合のほか，システム設計後に動作が完全かどうかを検査する場合にも用いられる。

バグ　*bug*

プログラム中の誤りや不良のこと。バグは元々「虫」という意味。プログラム中の誤りが，ちょうど虫がいたずらをしているようなイメージを与えるところからネーミングされた。

プログラムのエラーを取り除く作業のことを，デバッグ（虫取り）という。

爆弾マーク　【バクダンマーク】　*bomb*

Macintoshでシステムエラーが発生したとき，画面上に表れる爆弾の形をしたマーク。エラーコードが同時に表示される。

バグフィックス　*bug fix*

プログラムなどに存在するバグを直すこと。

バークレー校　*University California berkeley*

カリフォルニア大学バークレー校のこと。

パケット　*packet*

デジタルデータを転送する際に，データを一定のサイズに分割し，送り先や発信元などのタグデータ（ヘッダ）を付けたもの。パケットとは，小包を意味する英単語である。⇨パッド

パケット交換　【パケットコウカン】　*packet switching*

データをパケット単位に分割して伝送する通信方式。伝送路の途中では複数の発信元から送り出されたパケットが混在したり，各パ

ケットが異なるルートを通ったり，送り出す順番と到着する順番が入れ違うことも起きるが，受信側がそれを仕分けし，順番通りにしてデータを復元する。

伝送路を特定のユーザーが占有することなく，利用効率を最大限にすることができるので通信費を安くできる。

パケット交換に関する標準規格はITU-TS(旧CCITT)勧告X.25で規定されている。

パケット通信 【パケットツウシン】

パケット交換方式による通信のこと。NTTのDDX-Pやパケット無線のことをさすことが多い。

❍パケット交換

パケット無線 【パケットムセン】 *packet radio*

アマチュア無線の電波を使ったネットワーク。通常のパケット交換に対する標準規格X.25を無線用に改良したAX.25規格を使っている。コンピュータとトランシーバの間にはモデムの代わりにパケットを制御するTNC(terminal node controler)という装置を入れる。

電話料金がかからないが電波を使う関係で不安定であり，混信などによってパケットの再送信が増えたり，途中で切断されてしまうこともある。また，電波法によって商業目的利用や暗号の使用は禁止されている。

❍BBS, 寺子屋

バーコード *bar code*

白と黒の平行線の組み合わせにより，商品情報などを表すためのコード。バーコードリーダで光学的に読み取り，レジスタなどにデータとして入力する。日本ではJISのJAN(Japan Article Number)ほか，いくつかの規格が使われている。

JANの標準では，コードは13個の数字列であり，最初の2個が国名，続く10個がメーカー別，つぎの5個が商品コード，最後の1個がチェック用となっている。データベース管理ソフトウェアなどでバーコードを印刷する機能をもっているものもある。

バーコードリーダ *bar code reader*

バーコードを読み取るための装置。光によってバーコードの形態を読み込み，デジタルデータとしてコンピュータに送信する。

読取部の形状によってペン型，ハンディ型，据え置型などがある。

❍バーコード

パーコール方式 【パーコールホウシキ】 *PARCOR method, partial correlation method*

音声を機械的に合成する方法のひとつで，音声パターンをデジタルデータに変換して記憶し，出力時には音声に再構成するもの。PCM方式に比べて1割程度の情報量で済む。⊃PCM

パーサ *parser*

構文解析を行うプログラム，もしくはルーチン。言語仕様にしたがい，ソースプログラムの意味を理解する。すべてのコンパイラおよびインタープリタに備わっている機能。

バージョン *version*

ソフトウェアやハードウェア，マニュアルなどの版のこと。公表前のテスト版にあたる α 版や β 版ではバージョン番号がないか，Ver0.9のように1未満の番号が付けられる。

最初の出荷版がVer1.0で，改定が加わるとVer2.0, Ver3.0のように数が増えていく。小さな改定のときにはVer3.0からVer3.1と，小数点以下の数値を増やす。

ただし，メーカーの都合により，いきなりVer1.2の次の製品がVer5.0になることもある。日本語バージョンというときは日本語化された版という意味になる。

バージョンアップ *version up*

ソフトウェアやハードウェアに新しい機能が追加されたり，不具合が解消され，より高性能なものに改善されること。1, 2年に1度行われる大規模なバージョンアップと，細部の改善によるマイナーバージョンアップ（リビジョンアップ）とがある。

大規模なバージョンアップでは，操作性やファイル形式が大幅に変更になり，古いバージョンのアプリケーションでは新バージョンで作成したファイルが読めなくなることも起きる。

パーソナルコンピュータのアプリケーションでは，旧バージョンから新バージョンへのバージョンアップは，無料もしくは割引価格で実施されることが多いが，中には新品を購入するのとあまり変わらない場合もある。

バス *bus*

データや電力を伝達するための回路。とくにコンピュータ内部ではマイクロプロセッサとメモリ，I/Oなどで共有する情報伝達路をさす。また，LANやSCSIなど，コンピュータと周辺機器をつなぐ情報伝達路のこともバスという。

コンピュータ内部のバスのうち,データバスは双方向でデータのやりとりをするバスであり,アドレスバスはマイクロプロセッサからメモリやI/Oにデータのアドレス情報を一方的に伝えるバスである。

ローカルバスは,マイクロプロセッサから直接ビデオアダプタやディスクインターフェイス,LANインターフェイスとデータをやりとりするバスである。

◎VL-Bus

は

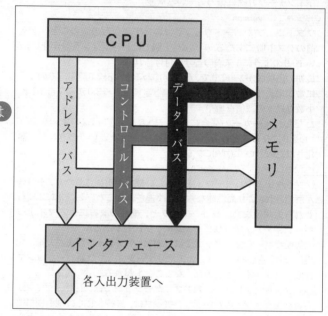

バス

バス型ネットワーク 【バスガタネットワーク】

一本のバスケーブルにすべてのノードを接続するネットワーク形式のこと。データ転送は一つのノードが通信の権利を確保することによって行われる。このとき,他のノードは通信を行うことが出来なくなる。信号はケーブルの両方向に進み,両端が終端となる。

代表的なものにトークンバスがある。

バースト誤り 【バーストアヤマリ】　*burst error*

隣接した, ふたつの誤りビット間の正しいビットの数が, ある与えられたxよりすべて小さいような誤りの一群。

バーストモード　*burst mode*

入出力チャネルのデータ転送における制御方法のひとつ。データ転送をブロック単位で行い, この実行中は特定の入出力装置にチャネルを占有されてしまう。そのため他のチャネルの動作は待機状態となる。

バスマウス　*bus mouse*

ポインタを移動したりボタンが押された時点でハードウェア割り込みを発生させ, データを処理させるタイプのマウス。CPUは常時マウスの動きを監視せずに済むので, レスポンス低下がないメリットがある。NECのPC-9800シリーズは, このバスマウスを採用している。

バスマスタ　*bus master*

は

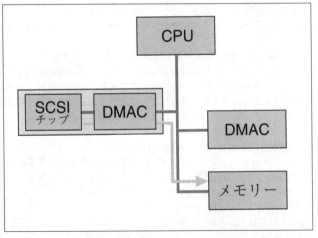

バスマスタ

CPUではなく, DMA (Direct Memory Access) チップというLSIが, メモリとメモリや周辺機器に対して高速でデータを転送す

る技術。パーソナルコンピュータ本体にもDMA機能があるが, アプリケーションおよび周辺ボードの互換性を重視するので, 低速なDMA処理しかできない。そこで拡張ボード側に高速DMAを搭載してデータ転送する技術が必要になる。おもにハードディスクインターフェイスに使用されている。

パス名 【パスメイ】　*path name*

MS-DOSやUNIXで, 特定のファイルがどのディレクトリにあるかを明示するため, ディレクトリ情報まで含めたファイル名をいう。

パスワード　*password*

ひとつのシステムを複数のユーザーで使用する場合, 本人以外の不正使用や犯罪を防ぐために, 本人であるかどうかを確認するための合言葉。数字と英字の組み合わせが用いられることが多い。

銀行のキャッシュカードを利用する場合の暗証番号もパスワードのひとつ。

パソコン

パーソナルコンピュータの略。⇨パーソナルコンピュータ

パソコン通信 【パソコンツウシン】　*PC communication*

(1) パーソナルコンピュータを使用して通信を行う行為全般をさす。

(2) 単独のコンピュータホスト局が運営するオンラインサービス。ユーザはそのホスト局の会員となり, モデムと電話回線を利用して, ホスト局のコンピュータシステムに入り, そのコンピュータの提供するサービスを受けられる。代表的なサービスは会員どうしの電子メールやチャット, ホスト局に用意された情報検索データベースの利用などである。

パーソナルコンピュータ　*personal computer*

パソコン, PCともいう。個人利用を目的とし, 単体で動作するコンピュータ。入力装置としてキーボード, 出力装置としてディスプレイやプリンタ, 外部記憶装置としてフロッピーディスクドライブやハードディスク, ICカードなどを備える。

OSとしてはMS-DOSやOS/2など, 汎用OSが利用でき, 流通している各種ソフトウェアによって多種多様な機能を利用できる。

世界で最初の市販パーソナルコンピュータは, 1976年に発売されたApple IIといわれている。

最近では, パーソナルコンピュータ用のUNIXも実用性が高くな

は

り，パーソナルコンピュータの上位機種とワークステーションの下位機種は，機能的にも価格的にも区別が難しくなってきている。⟡
ワークステーション

破損クラスタ 【ハソンクラスタ】
　ディスク装置において，読み書きできなくなったクラスタのこと。

パターン認識 【パターンニンシキ】　*pattern recognition*
　音声や文字，図形などの基本パターンをコンピュータに記憶しておき，取り込んだ音声や文字，図形などのデータと比較し，識別すること。手書き文字の読み取りや音声による命令などに使われる。
⟡OCR

バーチャルメモリ　*virtual memory*
　⟡仮想記憶

バーチャルリアリティ　*virtual reality*
　コンピュータ処理により，実際に存在しない環境を擬似体験させる技法。仮想現実感，ともいう。実用化されているものとしては松下電工の住空間シミュレーションシステム，富士通の仮想生物シミュレーションなどがある。たとえば住空間シミュレーションシステムでは，ゴーグルのように頭に取り付けるディスプレイセットのアイフォン（次ページ図参照）と指の曲げのばし状態をコンピュータに伝えるデータグローブを被験者が身に付ける。アイフォンに架空の室内の家具や光景が映し出され，指や腕を動かすことで室内を歩き回ったり，家具に触れることができる。

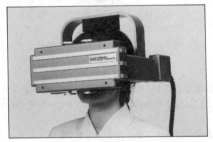

アイフォン

ハッカー　*hacker*
　コンピュータに熱中し，きわめて高度な技術をもち，システムを解

析して不具合を直したり，優れたソフトウェアを書くプログラマに
対する称号。システムを解析することをハックするという。

バッカス記法 【バッカスキホウ】　　*Buckus Normal Form, BNF*

ALGOLの構文記法のこと。発案者のアメリカ人，John W. Buckus
からきている。この記法はメタ変数，メタ記号，メタ文によって記
述される。

パック　*pack*

記憶領域を少しでも有効に使うため，データの数字部分を一定の規
則に従って圧縮すること。通常，1バイト中に1桁の数字しか格納
できないものが2桁格納できるようになる。◯アンパック

バックアップ　*back up*

日常的に利用しているソフトウェア，データ，ハードウェア，シス
テム，通信回線などが使用不能になった場合を想定してあらかじめ
用意しておく代替，支援の手段。ソフトウェアやデータは誤操作や
ディスク装置の不良などにより，簡単に内容が消失してしまう。ま
た，大規模なオンラインシステムなどではホストコンピュータや通
信回線に異常が発生すると，全体の機能が停止することもある。
そのため，ソフトウェアやデータは複製を作って保存しておく必要
があり，予備のハードウェアや無停電電源，予備の回線，自家発電
機などを備え，非常時に対処しなければならない。
パーソナルコンピュータの場合，購入したアプリケーションプログ
ラムは複製ディスクを使い，オリジナルディスクは安全な場所に保
存しておく。また，ユーザーが作成したプログラムやデータ，辞書，
各種設定ファイルなどは定期的に複製を作り，保存しておく。
ファイルのバックアップには，フロッピーディスク，データカセッ
トテープ，MO，DAT，8ミリビデオテープ，ハードディスクなどが
使われる。

バックアップファイル　*backup file*

誤動作や停電などによって，プログラムやデータのファイルが破壊
されることに対処するため，あらかじめコピーしておくファイルの
こと。
マスターとなるデータファイルを使用せず，バックアップファイル
を日常のデータ処理に用いるのが一般的。

バックスペース　*back space*

カーソル位置にある文字を1文字削除し，カーソルを左へ1文字
もどすこと。通常は Back space ， BS ， 後退 などのキー，あるいは

$\boxed{\text{Ctrl}}$ + $\boxed{\text{H}}$ キーに割り当てられている。

バックボーン　backbone

ネットワーク全体の基幹になる部分(ネットワーク)のこと。一般的には,光ファイバなどによる大容量のデータ転送が可能なネットワークをさす。

インターネットの代表的なバックボーンであったアメリカのFN-Snetの場合,電話回線の数万倍の伝送スピードで情報をやりとりできる伝送路を有している。インターネット利用者の急増やWWW上で扱う情報量の増大(動画像などの多用)により,より強力なバックボーンの整備が求められ,世界各国でその敷設が進められている。

バックライト　back light

液晶ディスプレイを見やすくするため,ディスプレイの背面に入れる光源のこと。ELバックライトやFLサイドライトなどが使われている。

パッケージ　package

筐体を含めた単体のIC（LSI）のこと。

パッケージソフトウェア　packaged software

汎用性のある商品として完成し,プログラムと操作マニュアルが一体となったパッケージの形態で,ソフトウェア流通業者(コンピュータショップ,通販業者,ソフトウェアハウスなど)によって販売されるソフトウェアのこと。

発行と引用　【ハッコウトインヨウ】　publish & subscribe

Macintosh用のOSであるSystem7で導入された機能で,ひとつのプログラムで作成したデータを他のプログラムから参照するためのしくみ。

通常のカットアンドペーストとは異なり,データを作成する側で他のプログラムに対してどの部分のデータを参照させるかを決め,その部分を「発行」という操作を使い別のファイルに保存する。

参照するプログラムでは,その発行で作られたファイルを「引用」という形で読み込む。発行元でデータの変更が起これば,自動的に引用側でもデータが更新される。

ハッシュ　hash

散らしたりかき混ぜたりするのが本来の意味。ハッシュ法とはデータを効率よく格納,探索する方法のひとつで,ハッシュ表というテーブルを使う。

探索キーに一定の演算を加えるとハッシュ表のインデックスが得られ, それをもとに格納ないし探索する。

<u>ハッシュトータル</u>　*hash total*

コンピュータは文字, 数字に関係なくすべてのデータを2進数として扱うので, データを伝送する際にデータの合計を計算しておき, 伝送の前後でその値が等しいかどうかをチェックすることで, 誤りの有無を確認するもの。

<u>ハッシング法</u>　【ハッシングホウ】　*hashing algorithm*

データベースの検索, コンパイラでの変数名・ラベル名のテーブル検索などをハッシュ関数を用いることで高速に行う方法。

データのキーワードとなる項目からハッシュ関数によってハッシュ値を求め, この結果をデータの格納アドレスとする。

異なるデータから同じハッシュ値が出てしまうことを"衝突"というが, その可能性を低くするアルゴリズムを使うこと, あるいは, 衝突が発生したときに代替アドレスを求めることが重要である。

<u>バッチ処理</u>　【バッチショリ】　*batch processing*

データやプログラムを一定時間ごと, あるいは一定量ごとにまとめて処理すること。これに対して, 要求があったとき, 即時に処理することをリアルタイム処理という。

⟳リアルタイム処理

<u>バッチファイル</u>　*batch file*

一括処理を行うためのファイル。MS-DOSでは「bat」という拡張子をもつテキストファイルで, 複数のコマンドや手順を記述しておき, ファイル名を入力するとCOMMAND.COMがその中身を解析し, 処理する。なかでもATUOEXEC.BATは, MS-DOSの起動時に自動実行されるバッチファイルである。

<u>バッテリバックアップ</u>　*battery back up*

RAMの内容が電源を切っても消えないように, バッテリによってその回路に, つねに電源を供給すること。ニッカド充電池やリチウム電池が使われることが多い。日付け時刻, システム設定などの基本情報およびノートブック型コンピュータのRAMディスクなどがバッテリでバックアップされている。

<u>バッファ</u>　*buffer*

処理の速い装置と遅い装置の間に置き, 速い装置の時間待ちの際にデータがあふれないように一時保存する記憶領域, または装置。CPUとディスク装置, CPUとプリンタなどの間に置かれる。

は

バッファリング *Buffering*

用意したバッファにデータを転送している状態。⤷バッファ

パーティション *partition*

OSのフォーマット命令により，ハードディスクなど，1台の記憶装置を論理的にいくつかの領域に分割すること。または，その分割された場所をいう。

ハード RAM

東芝ダイナブックシリーズの，バックアップされたRAMディスクのこと。ハードRAMはCドライブに割り当てられ，そこからシステムを起動できるなど，ハードディスクに似た役割に使うことができる。

ハードウェア *hardware*

コンピュータシステムを構成する機器そのもののこと。コンピュータ本体，ディスプレイ，プリンタ，外部記憶装置，通信機器など，装置全般をさす。それに対し，使用するプログラムのことをソフトウェアと呼ぶ。

ハードウェアウィザード *hardwarewizard*

Windows95上で，ハードウェアの設定を行うための機能。Windows95のプラグ＆プレイに対応した周辺機器を新たに接続した場合，このハードウェアウィザードで機器の自動検出を行えば，そのハードウェアが使えるような状態に各種の機器設定が自動的に行われる。これによりユーザーは，周辺機器の接続を簡単に行うことができる。

ハードウェアエミュレーション *hardware emulation*

エミュレーションをハードウェアによって行うこと。

⤷エミュレーション

ハードウェアスクロール *hardware scroll*

画面のスクロールを専用チップで行うこと。ソフトウェアスクロールと比べ，CPUへの負荷が軽く，全体の動作がスムーズになる。

ハードコピー *hard copy*

(1) ファイルやメモリの内容を紙に印字したもの。

(2) コンピュータの画面を，プリンタで印字したり写真で撮影して"固定"したもの。ソフトコピーの反対語。⤷ソフトコピー

ハードディスク *hard disk*

磁気ディスク装置のうち，金属やガラスの固い円盤を用いたもの。

ウィンチェスタディスク, 固定ディスクなどともいう。

1台あたりの記憶容量が数10Mバイトから数Gバイトと大きく, データ転送速度も高速。外形は5.25インチ, 3.5インチ, 2.5インチ, 1.8インチなどがあり, 小型化が進んでいる。インターフェイスとしてはSCSI, SASI, IDE, ATA, E-IDEなどが一般的。

ディスクは密閉されたケースの中で高速に回転し, 磁気ヘッドは数ミクロンほど浮いた状態でデータを読み書きするが, ごみが入ったり, 外からの衝撃, 突然の停電などによってヘッドがディスク表面に衝突し, データが消えたりヘッドが壊れることがある。

ハノイの塔 【ハノイノトウ】　　*tower of Hanoi*

3本の棒のひとつに複数の円盤が大きさの順に刺さっているとき, 小円に大円を乗せることなくひとつずつ円盤を他の棒に移していき, 何回の移動で別の棒に全体を移動できるか, というゲーム問題。ハノイの僧侶に関する伝承に基づいている。再帰型プログラミングの例としてしばしば取り上げられる。

ハブ　*hub*

スター型LANを構築するための集線装置。複数本のツイストペアケーブルをRJ-45モジュラージャックで接続できるようになっている。接続の口数をポートという。たとえば, 16の口数を持つものを16ポートのハブという。

8 ポートスイッチングハブ　アイ・オー・データ機器 (株)

ハーフトーン　*halftone*

黒と白の2値しか表現できないディスプレイやプリンタで, 黒点の集まりで疑似的に連続階調を表現すること。

ハーフトーンを作成するには, 色の濃度に応じて点の大きさを変える網点法, 点の大きさを固定しておき, 濃度に応じて間隔を変えるディザ法がある。

ハーフトーン　網点法（左）とディザ法（右）

ハフマン法 【ハフマンホウ】 *huffman coding*

圧縮アルゴリズムのひとつ。頻繁に現われる文字を小さいビット数で, 滅多に現われない文字を多いビット数で符号化することにより, 全体のファイルサイズを小さくする。たとえば, 文字A, B, C, D, E, Fの出現頻度の比率が8:4:1:1:1:1であれば, 文字はそれぞれ

A:0
B:10
C:1100
D:1101
E:1110
F:1111

と表わされる。LHAなどで使われている方法。

バブルジェットプリンタ *bubble jet printer*

キヤノンが開発した, インクジェットプリンタの印字方法。インクを加熱すると生じる泡（バブル）の膨張により, インクをノズルから噴出させて印字する。

バブルソート　*bubble sort*

ソートアルゴリズムのひとつ。隣りあう要素を端から順番に見て行って,順序が違っていたら入れ替える。これを最後まで繰り返すことで,すべての要素が小さい順に並べ替えられる。

下の方にある小さい要素が泡(バブル)のように浮かび上がっていくことからこの名がある。整列作業に要する時間は,要素の数の2乗に比例するため,要素数が増えるとたちまち遅くなってしまう。

パームトップコンピュータ　*palmtop computer*

手のひら(パーム)に乗る,手帳サイズのコンピュータ。キーボードの代りにペン入力を使っている。アメリカでは無線式モデムや無線式LANアダプタを装着して移動しながらもオンラインでデータをやりとりできるものが登場している。

パラメータ　*parameter*

プログラム処理を実行中にサブプログラムを呼び出す必要がある場合,メインプログラムからサブプログラムに引き渡す情報のこと。また,MS-DOSなどで,プログラムを起動するときにコマンドのあとに置いてプログラムの機能を指定するなどの役割を果たすもの。

パラレルインターフェイス　*parallel interface*

複数の信号線を並べ,同時に複数データを転送するインターフェイス。高速なデータ転送が可能であること,転送の制御が簡単に済むこと,複数のラインが必要なので遠距離の転送にはコストがかかるなどの特徴がある。

代表的なパラレルインターフェイスとしてはセントロニクス準拠インターフェイス,SCSIインターフェイスなどがある。セントロニクス準拠のインターフェイスでは,8本のデータラインをもち,同時に8ビットのデータを転送する。●シリアルインターフェイス

パラレルコンピュータ　*parallel computer*

3台以上の,複数のコンピュータに同じ処理をさせ,多数決原理により,得られた結果の数が多いものを採用する方法。スペースシャトルでは4台のコンピュータがこの方法で動作している。

パラレル処理　【パラレルショリ】　*parallel processing*

(1) ふたつ以上の処理を同時に並行して行うこと。この場合,プロセッサは1個であり,時分割などで実現する。
●タイムシェアリングシステム
(2) 2個以上のCPUでひとつの処理を分割し,同時に行なうこと。

は

Windows NTやMachなどではこの機能をOSが提供する。
◯Windows NT, Mach

パリティチェック　*parity check*

データのメモリへ書き込みや伝送時に誤りが生じないかチェックする方法のひとつ。

まず，2進数データをあるビット数ごとに区切り，その中での1の個数を調べ，つねに偶数（あるいは奇数）になるよう，0か1を1ビット付加する。伝送後に1の個数を調べ，奇数（あるいは偶数）になっていたら誤りがあったと判定する。

付加するデータをパリティデータという。ただし，ブロック内で2ビットのデータ誤りが発生すると偶奇が反転しないので，チェックできない。

パリティビット　*parity bit*

◯パリティチェック

バルク転送　【バルクテンソウ】　*bulk transfer*

NTTのISDN回線であるINSネット64で，Bチャンネルを2本使って，一度に128kbpsの速度転送でデータのやりとりが可能な転送方式。

パルス　*pulse*

きわめて短時間の波形がある程度規則的に繰り返されるもの。

バルーン・ヘルプ　*baloon help*

米Aplle Computer社が開発し，MacintoshのOSであるSystem7から採用されたヘルプ機能のこと。バルーンヘルプに対応しているアプリケーションならば，プルダウンメニューで有効にすることによりウインドウやメニュー，ダイアログボックスなどのGUIのパーツにマウスポインタを合わせるだけで，その機能の説明がマンガの吹き出しのような形式で表示される。

パレット　*pallet function*

ディスプレイ上で自然の色を再現するには，約1678万色の表現能力が必要だが，ビデオアダプタによっては16色とか，256色といった，限られた数の色しか表示できない。そのため，選択した色を配列に登録したものがパレットである。

その色を使うときにパレット配列の番号で指定する。256色表示で複数の画像を同時に表示すると，パレットが切り替えられるため，色が乱れてしまう。

パロアルト研究所　【パロアルトケンキュウジョ】　*PARC*

⊃PARC

パワーオンキー *Power On Key*

Macintoshのキーボードで，キートップに左向き三角印のあるキー。II, Quadra, PowerMacシリーズなどは，このキーを押すことで電源をオンできる。

パワーマネージメント *power management*

一定時間キー入力がない場合，パソコンのCPUクロック周波数を下げたり，ディスプレイの画面を消したりといった省電力処理を行い，消費電力を減らすための機能。米国環境保護庁(EPA)が規定した，エナジースター規格などが有名。

⊃GreenPC

パワーユーザー *power user*

パソコン中級者以上のユーザーをこう呼ぶ。

バーンイン *burn in*

部品の寿命をチェックする耐久試験のこと。これはある一定の期間回路を動作状態にし，初期寿命や初期故障の状況を検査している。

半角文字 【ハンカクモジ】

全角文字と比較して半分の幅をもつ文字をさす。

全角文字と同様に厳密な規定はないので，機種によって半角文字の幅は異なる。

半加算器 【ハンカサンキ】 *half adder*

2個の入力端子と2個の出力端子をもち，ひとつの出力端子が排他的論理和を，もう一方が論理積を出力する回路。⊃加算器

ハングアップ *hung up*

コンピュータを使っているときに，何らかの理由によりいっさいのキーボード入力を受け付けなくなり，制御不能な状態になること。プログラムのバグ，誤操作，CPUの熱暴走，周辺機器のトラブルなどが原因。

プログラムやCPUなどが暴走した場合，シングルタスクOSではシステムをリセットするしかなくなる。UNIXやOS/2のような完全なマルチタスクOSでは，問題のタスクのみを停止することができる。

バンクメモリ *bank memory specification*

メモリ増設方法のひとつ。拡張したメモリをバンクと呼ばれる単位に区切り，メインメモリの一部にバンクと同じ大きさのウィンド

ウを用意して，そこに増設RAMのバンクを充てる。増設RAMのバンクを切り替えることで，疑似的にメモリ空間を増やす。
プロテクトモードをもたない8086CPUや，プロテクトメモリに対応していない増設RAMでメモリを拡張するには，この方法を利用する。

⊃IO バンクメモリ

反射原稿　【ハンシャゲンコウ】

スキャナやコピー機において，通常の紙に印刷，あるいは書かれた原稿，プリントした写真などをさす。表面に光を当て，その反射光が読み取られる。これに対しポジフィルム（スライド）など，後ろから光を当てる原稿を透過原稿という。

⊃透過原稿

パンチカード　*punch card*

穿孔カード。IBMカードとも言った。磁気テープが発明される以前のコンピュータの記憶媒体である。1枚の厚紙に，文字や記号が対応した穴の配列で，プログラムが打ちこまれる。タイプライタを大きくしたような穿孔機で入力する。1枚のカードがプログラム1行に相当するので数百枚の束を単位にしてコンピュータにセットし，バグ修正はカードの差し替えで行った。

ハンディカプラ　*handy coupler*

受話器に付けて，音響的に電話線とデータをやりとりするアダプタ。モデム回路は内蔵していない。端子がモジュラージャック式でない公衆電話やホテルの電話など，おもに移動先でデータ通信をするのに利用する。

⊃音響カプラ

ハンディスキャナ　*handy scanaer*

手持ち式の小型スキャナ。人間が原稿の上をなぞって操作する。最近ではワイヤレスでデータを転送できる製品もある。

⊃スキャナ

反転　【ハンテン】　*reverse*

画面表示や印刷で，背景と文字などのデータの色を逆にしたものをいう。通常プリンタでは文字は黒で背景は白（印刷されない）だが，文字が白で背景を黒としたものをいう。

半導体　【ハンドウタイ】　*semiconductor*

金属と絶縁体の中間の電気伝導度（ρが10^3から$10^{-10}/\Omega cm$）を持ち,温度が上がると抵抗率が上がる物質。

P型

あまった電子
が自由電子に

n型

電子が足りないの
でホールになる

Si

Si

Si   P   Si

Si

リン

Si

Si   Al   Si

Si

Al

アルミニウム

p型半導体とn型半導体

おもな半導体材料としては，シリコン，ゲルマニウム，セレンなど
IV族の共有結合結晶，ガリウムヒ素，インジウム燐などIII族-V族
化合物が使われており，その他有機半導体もある。

きわめて高純度な半導体にごくわずかの不純物を混ぜると，自由電
子が過剰なn型半導体，逆に電子が欠乏した穴（ホール）をもつp
型半導体ができる。このn型とp型の半導体を組み合わせることに
よってダイオード，トランジスタ，FET，発光ダイオード，サイリ
スタ，半導体レーザなど，さまざまな電子デバイスが作られる。

半導体レーザ 【ハンドウタイレーザ】　*semiconductor laser*

半導体の発光作用を利用したレーザ発生器。他のレーザにくらべ
て小型，高能率，高信頼性，長寿命が得られる上に，流す電流によっ
て出力光を直接，高速に変調することが可能である。

ガリウムヒ素，インジウム燐，アルミニウムガリウムヒ素などが材
料としては使われており，近赤外領域の発光が中心だが，最近では
赤色光まで短波長化が進んでいる。

ハンドシェーキング　*handshaking*

データの転送方法のひとつで，送り側と受け側とをデータ転送以外
にハンドシェーク用の回路で結び（ハンドシェークする），受け側
がデータを受け取れる状態かどうかを確認しながら転送する。送

信側より受信側の処理速度が遅い場合，受け側の処理が追い付かなくて，データを取りこぼしたり，壊してしまうのを防ぐために使う。これに対して，RS-232Cでのデータ転送のように双方が十分高速な場合はハンドシェークなしで勝手にどんどんデータを送るようになっている。これを無手順，別名たれ流し式という。

バンドリング　*bundling*

付属させること。ハードウェアに基本ソフトウェアをセットして販売する場合，そのハードウェアには基本ソフトウェアがバンドリングされている，という。ハードウェアにアプリケーションがバンドリングされている場合や，アプリケーションに基本ソフトウェアがバンドリングされている場合など，さまざまなスタイルがある。

ハンドル　*handle*

通信において，本名以外に名乗るニックネームのこと。

半二重通信　【ハンニジュウツウシン】　*half duplex*

データ通信回線において，どちらの方向にも伝送できるが同時に両方向には伝送できない通信方式。送信と受信を交互に切り替えて相互の通信を行う。トランシーバーをイメージすると理解しやすい。これに対し，同時に両方向可能な方式を全二重という。

バンプマッピング　*Bump Mapping*

物体の表面に三次元の凹凸のある面を貼り付けて，モデル面の陰影まで修正し質感を表現する，CGにおける処理のひとつ。

汎用コンピュータ　【ハンヨウコンピュータ】　*general purpose computer*

汎用コンピュータ

　さまざまな目的に使用できるコンピュータのこと。一般には，科学技術計算などで使う大型のコンピュータのことをさす。単に大型コンピュータという意味ではメインフレームということもある。

汎用レジスタ　【ハンヨウレジスタ】　　*general register*

　レジスタのうち，特定の機能に限定せず，データの一時的な保存や，インデックスレジスタの機能など，多目的に使用されるレジスタ。

は

ピア・ツー・ピア　*peer-to-peer*

パーソナルコンピュータ用の簡易LAN構築方法。特定のファイルサーバを置かず, 接続されたパーソナルコンピュータがお互いに対等な立場で接続される。

ピア・ツー・ピア型はクライアントサーバ型に比べてネットワークOS(NOS)の価格が安く, 手軽にLANを構築できる。反面, ディスクアクセスが遅く, データの保護機能に関しても完全とはいえない。数台程度のパーソナルコンピュータでファイルやプリンタを共有する, といった使い方には適している。

ピア・ツー・ピア型のNOSとしてはNetWare LiteやLANTasticなどがある。

◐クライアントサーバ

光ケーブル　【ヒカリケーブル】　*optical cable*

光ファイバーを使ったデータ電送システム。情報スーパーハイウェイなどの高速通信ネットワーク網には必需品。INS1500などはこのケーブルを利用している。

光コンピュータ　【ヒカリコンピュータ】　*optical computer*

現在のコンピュータでは, データ信号は電子の流れ（コンデンサに対する蓄積と放出）で行われているのに対して, 光の強さをデータ信号とするコンピュータ。動作速度は従来の電子式コンピュータより高速とされている。研究中のコンピュータといえる。

光磁気ディスク　【コウジキディスク】　*optical magnetic disk*

◐MO

光ファイバ　【ヒカリファイバ】　*optical fiber*

グラスファイバまたはプラスチックファイバを使用したケーブル。ケーブルに対して電磁波ノイズに強く, 工場などで使用される。またケーブルが非常に長く配線できるのも特徴である。光コンピュータでは, 内部配線材としても使用される。

引数　【ヒキスウ】　*argument*

関数やサブルーチン, コマンドを使うときに与える変数。パラメータともいう。

ピクセル 【ピクセル】 *pixel*

Picture Elementの略。図形や文字を画面表示や印刷するときに, ハードウェアやソフトウェアが制御できる最小の単位のこと。すべてのイメージは, ピクセルで構成されている。カラーディスプレイの場合は, 赤・緑・青の3つをセットで1画素という時とそれぞれを1画素という時がある。

〇画素

ピクチャーマッピング *picture mapping*

別の模様や材質感を持つ図形を直接モデル面に貼りつける, コンピュータグラフィックス処理のひとつ。

ピコ *pico*

数の単位で, 10^{-12}。

ピザボックス型 【ピザボックスガタ】 *pizza box type*

16インチのピザボックスとほぼ同じ大きさ (高さは5センチから7センチ程度) なのでこう呼ばれるデスクトップケースの形状。アメリカNeXT社が低価格NeXTを発売したとき, 薄型のケースを"pizza box type"と呼んだことがはじまりで, 低価格のワークステーションでよく使われる。

ビジー *busy*

パソコン通信やインターネットプロバイダに電話回線を使ってアクセスしたとき, 相手が話し中の状態をさす。商用パソコン通信ネットやインターネットプロバイダはある程度回線数を確保しているが, 一度に多くのユーザーからのアクセスがあると, 用意した回線数では足りなくなってしまう。そこで, 話し中の状態が続いてしまう。最近では, このビジー状態をなくすために, 1回線ごとのアクセスできる人数を10～20人程度に抑えるプロバイダも増えてきている。

ビジュアルコンピューティング *visual computing*

コンピュータを使って計算を行う際に, グラフィックスを用いて操作すること。これによって対話的に計算を実行できる。ビジュアル要素が計算結果や解析結果をグラフィックス表示するのに対して, ビジュアルコンピューティングは計算の遂行のためにグラフィックスを用いることになる。

ビジュアルシェル *visual shell*

MS-DOSのDOSSHELLやフリーソフトウェアのFDなど, ファイルやディレクトリを画面に一覧表示し, カーソルやマウスで操

作できるようにしたシェルのこと。WindowsやMacintoshのように，統一的なGUIを提供するものではない。

‌**⟳GUI**

ヒストリ　*history*

コマンドの入力履歴。MS-DOSでは，ファンクションキーに直前の入力だけが記憶され，呼び出すことができる。MS-DOS5.0から付属したDOSKEY.COMやNorton UtilitiesのNDOS.COM，フリーソフトウェアのHISTORY.COM，KSH.COMなどを常駐させておくと，数十回前までのキーボード入力を記録し，それを呼び出して再実行でき，キーボード操作の手間がはぶける。

非線形計画法　【ヒセンケイケイカクホウ】　*non-linear programming*

数学的なアプローチによって問題を解決する手法のひとつで，最適化問題，割り当て問題などに用いられる。条件が非線形演算である凸関数（ただし可能集合）によって与えられる。数式で解析的に求めることが難しく，コンピュータを使った発見的アルゴリズムによる解法が一般的である。

非線形計画法としてはこの凸計画法の他に，目的関数が2次式で与えられ，制約条件だけが線形で与えられる2次計画法などがある。

‌**⟳線形計画法**

ビット　*bit*

‌**⟳bit**

ビット位置　【ビットイチ】　*bit location*

レジスタ内のビットの位置を表す番号のこと。普通，左端から0，1，2，……と番号を付けるが，メーカーによっては右端から番号をふっているところもある。

‌**⟳レジスタ**

ビット演算　【ビットエンザン】　*bit operation*

ビットを直接操作して行う演算。通常の演算より高速に演算が行える。

コンピュータでは数値は2進数で扱われており，たとえば，10進数の10は2進数では0001010で表現される。ビットを直接操作して0010100というように左に1ビット全体を動かす（シフトする）と数値を2倍したことになる。

また，特定のビットの状態（0であるか1であるか）を調べるために，ビットの論理和や積，排他的論理和を求めることもビット演算という。

ビットスライス　*bit slice*

演算処理用のCPUを複数個接続することによって多ビットのデータを処理できるようにすること。あるいはそのようなアーキテクチャのこと。演算データ長を任意に設定でき，またフレキシブル演算処理装置を作ることができる。

ビットマップ型　*bitmap*

ドット＝点の情報で構成される型のコンピュータグラフィックスの形式。ドットの位置情報を記憶するため，表示のための負荷はほとんどかからず写真などのリアルな画像の忠実な再現が可能。しかしデータ量が膨大になるので規則的な図形の描画は非常に非効率である。拡大すればドットとドットとの間に空白の情報が入るので画質が劣化する。

ビットマップフォント　*bitmap font*

画面の解像度に合わせて，ドットで構成されている文字フォント。表示用フォントなどで利用する。別名スクリーンフォントとも呼ばれる。フォントが点で構成されていることから，拡大すると，その点自体が拡大され輪郭がギザギザに表示・印刷されてしまう。
◑アウトラインフォント

ビットマップ

アウトライン

ヒット率　【ヒットリツ】　*bit rate*

中央処理装置からアクセスがあった場合に，その情報がキャッシュメモリ上にある確率。キャッシュメモリとは，中央処理装置と記憶装置の速度の違いを補うために用いられるもので，ここにはメインメモリの一部が含まれている。中央処理装置からアクセスさ

れた時に，キャッシュメモリ上に必要なデータがない場合の確率を ミスヒット率という。ほかにも，日本語FEPや日本語 IMEで変換を行う際，目的の語句に正しく変換される割合もこう呼ぶ。

必要メモリ 【ヒツヨウメモリ】 *required memory size*
プログラムを実行するのに，最低限必要なメモリの大きさ。

否定的論理和 【ヒテイテキロンリワ】
○NOR

ビデオアクセラレータ *video accelarator*
動画のアクセラレーションチップを搭載したボード。Video for Windowsや Quicktime for Windowsなどの動画を，コマ落ちさせずに表示できる。最近では，グラフィックアクセラレータとビデオアクセラレータの機能をプラスしたチップも登場している。

ビデオアダプタ *video adapter*
コンピュータの信号をビデオディスプレイに表示するため，ビデオ信号に変換する部品のこと。通常，コンピュータのマザーボード上の回路，もしくは拡張ボードとして用意されている。
IBM PC互換機用のビデオアダプタにはCGA，EGA，VGA，SVGA，XGAなど様々な種類があり，アダプタを交換することで画面の解像度や発色数，表示速度などを変えることができるようになっている。

ビデオオンデマンド *Video on Demand*
○VOD

ビデオ会議システム 【ビデオカイギシステム】 *teleconference*
通信でつながった遠隔地の人と，テレビ画面を使って行う会議システム。モニターには，相手の顔と声をリアルタイムに表示することから，遠隔地ながら距離を意識せずに使うことができる。さらに，パソコンを使うことから会議中に資料データを提示したり，プレゼンテーション用の画像データなども会議先に送ることができ，円滑な会議が可能である。

ビデオキャプチャー *video capture*
ビデオデッキからのアナログ信号をデジタル化してコンピュータに取り込み，画像と音声をコンピュータで利用するための装置のこと。最近は，多くのパソコンに採用されるようになってきた。Quick Time(for Windows)や Video for Windowsといったソフトウェアで再生できるようになっている。

ひ

ビデオディスク *video disk*

映像と音声を記録した円盤のこと。光学式のLDと静電容量式のVHDの2種類がある。LDはオランダのPhillips社とアメリカのMCA社が開発したもので，レーザーによって情報の読み取りを行う。

ビデオプリンタ *video printer*

コンピュータのディスプレイ画面に出力されている画像の画素データを取り込み，出力するプリンタ。

ビデオボード *video board*

⇨ビデオアダプタ，グラフィックアクセラレータ

非同期式 【ヒドウキシキ】 *asynchronous*

データ転送において，送信側と受信側でそれぞれ独立した同期信号を発生し，タイミングを合わせる方法。同期式にくらべて伝送効率は下がるが，通信方法や形式の自由度が高く，低速通信でよく使われる。

ひ

非同期転送モード 【ヒドウキテンソウモード】

ATM転送モード。データ転送方法のひとつで，B-ISDNの中核となる伝送・交換技術。データを一定の長さ(53バイト)のセル(ブロック)に分割して，各々のセルごとに転送情報を付加したものを1つの単位として伝送する。特長は，効率のよい伝送ができ多様な伝送速度に対応できる点。また，パケット交換・回送交換等，異なるデータ交換方式で統合できる(ヘッダで行き先が決定する)。

⇨ATM

非ノイマン型コンピュータ 【ヒノイマンガタコンピュータ】 *non von Neumann type computer*

命令を1ステップづつ実行する，ノイマン型の逐次制御方式を使わないコンピュータのこと。並列処理，データフロー，リダクションなどの処理方式を採用している。

ヒープ領域 【ヒープリョウイキ】 *heap*

プログラムに与えられたメモリ領域において，他のプログラムを実行するために，必要がなければシステムに返還する領域。必要になった時点であらためてシステムに要求を出し，データ領域を確保する。

微分回路 【ビブンカイロ】 *differential circuit*

電気信号の微分値，すなわち連続的に変化する電圧の変化の度合(傾き)を求める回路。

〇積分回路
ピボットテーブル　*pivot table*

Excel のピボットテーブル

　表計算ソフトのデータベースで、3つ以上のフィールドをもとに解析を行うため、フィールドの縦横や階層構造を任意に並べ替えて試算することができるテーブル＝表をさす。例えば、商品別と営業所別の縦フィールドに対し、それぞれ月別の横フィールドがある売上表をつくり、営業所フィールドの下層に商品フィールドを置いて営業所別小計のある月次売上推移表を出したり、逆に商品フィールドの下層に営業所フィールドを置いて商品別小計のある月次売上推移表を出したり、または縦横を替えて月別の営業所別小計のある商品売上比較表または月別の商品別小計のある営業所売上比較表を出したりといった並べ替えが簡単にできる機能。

秘密鍵暗号方式　【ヒミツカギアンゴウホウシキ】　*secret key cryptography*

情報通信における暗号化技術。データを暗号化する鍵と復号化する鍵が同じで，第三者には鍵の構造を秘密にしておく暗号方式。データの受け手側と送り手側が同じ鍵を持っているという意味で共有鍵暗号方式ともいう。銀行や証券など，会員制や登録制で送り手と受け手があらかじめ確定している取引や，企業間の電子商取引に応用される。秘密鍵暗号方式は処理速度が速いが，送り手と受け手で鍵をやりとりする必要がありセキュリティレベルは低い。

ヒューリスティック　*heuristic*

発見的方法のこと。あらかじめ分かっている結果に至る経路を見つけることがアルゴリズムなら，試行錯誤により各段階で評価しながら正しい解答を探していく方法のことをヒューリスティックという。

表計算　【ヒョウケイサン】

❍スプレッドシート

標準出力　【ヒョウジュンシュツリョク】　*standard output*

アプリケーションプログラムが使う標準的なデータの出力先。標準出力に書かれたデータは普通はコンソールに表示されるが，リダイレクションによりファイルやプリンタに出力したり他のプログラムの標準入力に使うこともできる。

❍コンソール，リダイレクト

標準入力　【ヒョウジュンニュウリョク】　*standard input*

標準的なデータの入口。何も指定しなければキーボードが標準入力となるがリダイレクションによりファイルや他のプログラムの標準出力を送り込むこともでき，それを前提としたプログラム（フィルタ）もある。

ひ

ファイアーウォール　*firewall*

その名の通り防火壁のようにネットワークを守るためのセキュリティシステムをさす。インターネットは, LAN を数珠繋ぎにしたようなもので, とくに防御対策を施さなければ, サーバに接続されたネットワークに外部から簡単に侵入することができる。つまり, セキュリティの面では非常に危険な状態といえる。そこで, ファイアウォールというシステムを介在させることにより, 外部のユーザーが勝手に内部のネットワークに入り込めないようにできる。ファイアーウォールにより, 特定のユーザー名でしか入れなかったり, 入る際にパスワードを入力しなければならないようなセキュリティ機能を設定できる。

ファイラ　*filer*

(1) ファイルのコピー・移動, ファイル名の変更など, 各種のファイル操作を行うプログラム。

(2) プロテクトのかかっているゲームやアプリケーションなどをコピーできるプロテクト外しツール。これを使ってプログラムをコピーすることはもちろん違法である。

ファイル　*file*

データやプログラム, あるいはデータ入出力装置の総称。一般的にはディスクに記録されたデータやプログラムをさす。

狭い意味ではシーケンシャルアクセスファイル, 索引順編成ファイル, ランダムアクセスファイルなどのデータをさす。

広い意味では, レコード (データファイル) の集まりだけでなく, プログラムの集まり (プログラムファイル) や, ファイルの入っている媒体 (メディア) 自体, さらにはキーボードやディスプレイ, プリンタなど入出力装置を含む。

○ISAM, シーケンシャルファイル, ランダムアクセスファイル

ファイルエクスプローラ　*file explorer*

Windowsでパソコン上のファイルとフォルダを表示し管理するためのプログラム。Windows95ではエクスプローラと呼ばれ, WindowsNT 4.0ではNTエクスプローラという。Windows3.1までの

プログラムマネージャとファイルマネージャに置き換わる機能である。なお，インターネットエクスプローラはホームページ閲覧のためのブラウザである。

ファイル管理プログラム 【ファイルカンリプログラム】 *file manager*

Windowsなどの OSに含まれる，ファイルの配置やファイルへの書き込み，読み出しを管理するプログラム。

ファイルキャッシング *file caching*

LANで，サーバのファイルアクセスを高速化するための手法のひとつ。一度ディスクから読み込まれたファイルをキャッシュメモリ上に置き，次回，アクセス命令があった場合にはディスクからではなく，メモリから読み込む。NetWare 3.1では最大4Gバイトまでのメモリをキャッシュとして管理できる。

ファイル形式 【ファイルケイシキ】 *file format*

データをディスクへ保存する時の形式のこと。ASCIIテキストだけで保存するテキストファイルもあれば，制御コードを含むバイナリファイルなど，アプリケーションプログラムによって各種のファイル形式がある。

⊃テキストファイル，バイナリファイル

ファイルサーバ *file server*

ネットワークOSやUNIXによって実現される機能で，システム内のパソコンやワークステーションが共用できる大容量の磁気ディスクを提供する装置。これにより，ユーザーはサーバ上にあるプログラムやデータファイルを共有したり，自分専用の領域をサーバ上に確保できる。

ファイル転送 【ファイルテンソウ】 *file trasfer*

離れている2台のコンピュータ間で通信回路を使って，ファイルをやり取りすること。

ファイル保護 【ファイルホゴ】 *file protection*

ファイルを誤って消去したり，書き換えないよう，ハードウェア的，ソフトウェア的に保護すること。ハードウェア的にはフロッピーディスクやMO，テープカートリッジの消去禁止ノッチなどの設定，ソフトウェア的にはファイルにリードオンリ属性を設定したり，そのファイルやディレクトリへのアクセスを制限する。

ファイルマネージャ *File Manager*

Windows3.0と3.1に標準添付されていたファイラソフト。ファイルのコピー，移動などがドラッグ&ドロップで実行できる。

ファインダ　*finder*

Macintoshのシステムソフトウェアのひとつで，ファイル管理やインターフェイス管理の役割を果たしているプログラム。System7以前は，通常のファインダと，複数のプログラムを同時に動かすことができるマルチファインダとの2種類が存在したが，System7からはマルチファインダの機能が標準となり，単にファインダと呼ばれるようになった。

システムと呼ばれるファイルと対でMacintoshの環境を作っている。

○漢字 Talk

ファクシミリ　*facsimile*

通信回線によって画像を伝送する装置。原稿表面に光を当て，反射光を強弱に応じた電気信号に変換する。この電気信号を電話回線で送ることのできる音声信号に変換し，相手に送信する。

受信側では送られてきた信号を復調し，感熱方式やインクジェット方式，電子写真式などで出力する。ファクシミリの規格はITU-TS(旧CCITT)で制定されており，現在，一般的に使われているのはデータを圧縮し，A4版の原稿を約1分で伝送できるG3規格である。

ファクシミリ通信網サービス　【ファクシミリツウシンモウサービス】

NTTがFネットと称して提供しているファクシミリ専用ネットワークのこと。ファクシミリ信号をコンピュータにデータとして蓄え，高速デジタル回線で伝送し，相手先の近くから一般の電話回線によって相手側に送信する。

遠距離の場合には，一般の電話料金よりもかなり割安になる。一度に大量のデータを相手先に送信できることや相手側が話し中の際に再送信するサービスなど，一般の電話回線を用いたファクシミリ通信に比べ多彩なサービスが可能になっている。

ファクスモデム　*FAX modem*

モデムとファクシミリアダプタの機能を兼ね備えた装置。

パーソナルコンピュータとはRS-232Cで接続し，通常はモデムとして動作しているが，あるコントロール信号が送られてくると，以降のデータをファクシミリの信号として送り出す。

コントロール信号はヘイズATコマンドを拡張したもので，EIA（アメリカ電子工業会）でTR-29（EIA-578勧告）として制定されている。

ふ

ファックスモデムを利用するためには，そのためのドライバソフトウェアが必要。WindowsやMacintoshではファックスソフトウェアをプリンタドライバとして登録し，ワードプロセッサなどのアプリケーションソフトウェアから印刷命令を実行すると，印刷イメージをファクシミリのデータとして送信できるものが多い。

通常のファクシミリ出力（左）ファクスモデム出力（右）

ファクトリオートメーション *factory automation, FA*

コンピュータを使って工場での作業の自動化を図ること。単なる製造工程のオートメーションにとどまらず，CAD/CAMによる設計段階も含め，材料，部品の運搬からロボットによる組み立て，検査，出荷に至る全工程での合理化を目指すものである。多品種少量生産と製造工程の無人化を図るFMS（フレキシブル生産システム）に技術的基礎を置いている。⇨オフィスオートメーション

ファジィシステム *fuzzy system*

あいまい制御を行うシステム。1965年にカリフォルニア大学バークレー校のL. A. Zadeh教授が提唱したファジイ理論に基づき，状態はメンバーシップ関数という確率関数で与えられ，中間的あるいはあいまいな状態を表すことができる。そのため，従来2値的な制御あるいは決定を行っていたシステムに比べ，よりフレキシブルでダイナミックな作業が可能になる。ファジィシステムは，家電製品を中心とした制御システムで応用されている。

ファシリティマネジメント　*facility management*

企業・団体などの全施設および環境を経営的視点から総合的に企画・管理・活用する経営管理活動を指す。施設の有効利用，施設コストの低減，オフィス環境の整備，知的生産性の向上などを目的に，施設をマネジメントするための経営管理手法として1970年代に米国で生まれた。日本でも1997年に日本ファシリティマネジメント推進協会が社団法人として発足し，専門家であるファシリティマネジャーの資格試験も開始された。従来のコンピュータ運用要員派遣という意味合いでは使われなくなっている。

ファームウェア　*firmware*

CPUのマイクロプログラムやROM化してハードウェアに組み込まれているプログラムの総称。ソフトウェアとハードウェアの中間的な性格をもち，ソフトウェア的なハードウェア，ハードウェア的なソフトウェアといえる。➡ソフトウェア，ハードウェア

ファームバンキング　*firm banking*

工場やオフィスからパソコン等の端末を操作することにより，通信回線を経由して銀行のコンピュータに接続し，残高照会や振り込み等のサービスを受けること。同様のサービスを個人が家庭から行う場合は，ホームバンキングと呼ぶ。

ファンクションキー　*function key*

コンピュータのキーボードで，上部，または左側に並んでいる，F1，F2などと付けられているキー。キーボードの種類によって，その数は若干異なるが10個から20個ぐらいが用意されている。OSやアプリケーションソフトウェアによって機能を割り当てる。

フィジカル層　【フィジカルソウ】

ISO(国際標準化機構)が定めているOSI参照モデルで階層化された第1層目のこと。機能は物理媒体を制御し，ビット単位の転送を行うことである。コネクタのピン配置などの物理的・電気的・論理的条件がこの層に含まれる。

フィードバック　*feedback*

制御系などで出力結果の一部が入力側に戻って信号に加わり，系の出力に影響をおよぼすこと。帰還ともいう。

フィードフォワード　*feed forward*

システムが目的の状態から離脱するのを察知あるいは推測して，あらかじめ制御を行うこと。一般によく用いられるのは過去の状態を利用したフィードバックシステムだが，飛行機の制御などの高度

ふ

な制御においては，システムの将来的な予測に基づいて制御が行われ，これをフィードフォワード制御と呼んでいる。

フィードバックに比べシステム構築が難しいので実用化されているものが少ない。

フィルタ　*filter*

標準出力するために標準入力から受け取ったテキストファイルに，ある処理を加えて書き直すプログラムのこと。パイプ処理やリダイレクトを使い，並べ替えや文字変換などの単純な処理に使われる。UNIXから生まれたプログラムで，プログラムの出力を次のプログラムの入力につなげて主記憶上でデータを渡せる。Grep(文字列検索)，Sort(並べ替え)，Uniq(重複行の整理)，Sed(文字列置換)，Awk(テキスト処理全般)などがある。

フィールド　*field*

レコードを構成する要素，項目のこと。アイテムともいう。文字や数字によりコードや金額，数量，文章などを表す。

⟳レコード

ふ

フェイルセーフ　*fail safe*

システムの一部に故障が生じたり誤操作を行ったときに，システム全体には悪影響を与えず，致命的な結果に至らないようにすること。社会的に影響の大きいシステム，銀行のオンラインや交通管制，さらに原子力発電や軍用などでフェイルセーフはとくに重視されている。

たとえば，あらかじめプログラムに誤データの入力やエラーの発生に対応するための処理を設定しておき，システムに不整合が起こらないようにする。あるいは，ファイルのバックアップやミラーリングによってデータの破壊に備えることなどがあげられる。

フェッチ　*fetch*

命令レジスタに入っているコマンドを読んで対象となるアドレスを求め，命令する基礎的な手続き。

フォアグラウンド　*foreground processing*

マルチタスク処理において，より優先度の高い処理のこと。CPUの空き時間に行う処理がバックグラウンド処理であり，バックグラウンド処理に優先して行われる処理がフォアグラウンド処理である。

フォトレタッチ　*photo retouching*

読み込んだ写真データに編集を加えること。データの色調を変え

たり, 切り抜きを行ったり, 合成したりと, さまざまな作業が行える。代表的なソフトには, Adobe社のPhotoshopなどがある。

フォーマット *format*

コンピュータでのデータ記憶, 入力, 出力の形式のこと。

    (1) ディスクを初期化すること。OSかユーティリティプログラムのフォーマット機能により, データを記録し, 読み出せるように基本情報を記録する。

    (2) データベース管理ソフトウェアでは項目の並びや入力用画面での表示形式, 印字形式などのこと。

    (3) スプレッドシートでは, セルごとの数字や文字の表示桁数や日付などの表示形式。

    (4) ワードプロセッサでは, フォントや文字サイズ, 罫線, ページデザインなど, レイアウトのこと。

フォームオーバーレイ *form overlay*

レーザプリンター等に文字・数値等のデータを印刷する場合, 帳票のタイトルや罫線の書式 (フォーム) を重ねて (オーバーレイ) 印刷すること。あらかじめ印刷された用紙を保管しておいたり, プリンタにセットしたりする必要がなくなる。

フォーラム *forum*

BBSにおいて, 特定の話題に関して話し合うための会議室。一般的にSIGと呼ばれているものと同じ。NIFTY Serveなどで利用。

フォルダ *folder*

プログラムファイルやデータファイルなどをまとめたもので, 画面上にはフォルダアイコンで表現される。Windowsパソコンや Macintoshパソコンで用いられる用語である。フォルダの中にさらにフォルダを持つこともできる。これにより, ファイルを管理しやすい環境が実現できる。

フォールトトレラント *fault tolerant*

故障があった場合に, 性能が低下することがあってもそのシステム全体が停止することなく, その間に故障部分を修理・交換できるような機能のこと。高信頼化技術がめざす目標の1つになっている。サーバなどに組み込まれている。

フォント *font*

文字の形 (書体) のこと。文字の形には明朝体, ゴシック体, クーリエ, ヘルベチカなどさまざまな種類があり, 大きさは級数やポ

イント数などで指定される。MS-DOS用のワードプロセッサでは利用できるフォントは少なかったが, WindowsやMacintosh, TeXでは多様なフォントを使うことができる。

明朝体フォント

ゴシック体フォント

roman font

italic font

slanted font

sans serif font

SMALL CAPS FONT

typewriter font

フォント見本例

フォーンネット *PhoneNet*

Farallon Computing社のAppleTalk用接続アダプタ。LocalTalkアダプタの代りにMacintoshのシリアルポートに接続して使う。アダプタ間は電話線と同じツイストペアケーブルで配線するため, コストが安くすむ。また, ケーブル長が最大3000フィート(約914m), 伝送速度はLocalTalkより速く, LocalTalkとの共存も可能, といった特徴をもっている。⊃AppleTalk, LocalTalk

不揮発性メモリ 【フキハツセイメモリ】 *nonvolatile memory*

一度データを書き込めば, 機器の電源をOFFにしてもその内容が変化しないメモリ。電源がなくともデータ内容が保持されるメモリも, 電池などでバックアップされてデータ内容を保持するメモリも, 不揮発性メモリと呼ばれる。

符号 【フゴウ】

(1) *code*

情報を表現する目的で規定された記号の体系。コンピュータ関連の符号としては, 2進符号などのデータ符号, 誤り検出用のチェック符号, 非同期転送用のスタートストップ符号などの機能符号がある。

(2) *sign*

数の表現に使われる正負を表すコードで，決まった桁位置に入れられる。

符号化 【フゴウカ】 *encode*

データを一定の規則に基づいて文字や数字のコードに変換すること。

--Den8_344b13b84edc
Content-Type: application/octet-stream; name="zuhan.lzh"
Content-Transfer-Encoding: Base64
Content-Disposition: attachment; filename="zuhan.lzh"

電子メールで符号化されたファイル

ブックマーク *bookmark*

Webブラウザで，本にしおりをはさむように気に入ったホームページのURLの情報を記録（保存）しておき，次にアクセスするときにはブックマークに保存したURLを指定するだけで，ダイレクトにそのページに直行することができる機能。お気に入りのページにアクセスする際，その都度URLを入力する必要がなく便利である。ブックマークにURLを登録できるだけでなくブックマークの編集も行え，例えば「基本」，「趣味」，「仕事」などというジャンル別にブックマークを整理することもできる。

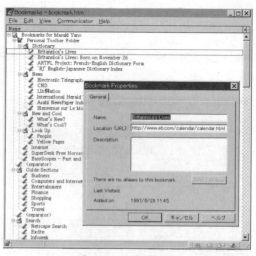

ブックマークの編集画面

プッシュ型 【プッシュガタ】　*push type*

インターネットのサービスで，あらかじめ興味のあるコンテンツを選び登録しておくと，情報が更新される都度，その情報を送付してくれる。このようなサービスをプッシュ型という。従来のテレビ放送のようなもの。プッシュウェアという専用のソフトウェアを必要とする。Castanet, PointCast, BackWebなど。また，Netscape CommunicatorにはNetcaster, Microsoft Internet Explorer 4.0にはActiveDesktopというプッシュウェアが装備されている

○プル型

フッタ　*footer*

用紙印刷で，本文の下部分に印刷する文字列のこと。ページ数を表示するノンブルや，本や章のタイトルを表示する柱などがこれに属する。

物理アドレス 【ブツリアドレス】　*physical address*

コンピュータのメインメモリ上の固定された制御用番地のこと。絶対アドレスとも呼ばれる。コンピュータのメモリはハードウェア的にCPU が認識できるように物理的な制御用番地が付けられ

ている。

これに対して多重処理できるコンピュータシステムにおいては複数のプログラムを実行することができるため，プログラムにおける番地のジャンプ命令などはすべて相対的に（その番地からの変位として）記述され，再配置可能なプログラム形式になっている。したがって，絶対アドレスのどの位置に配置しても実行させることができ，この場合には相対的な制御番地，すなわち相対アドレスが関与する。ハードウェア的には絶対アドレスが問題になり，システムあるいはソフトウェア的には相対アドレスを問題にすることが多い。

○相対アドレス

物理アドレス空間 【ブツリアドレスクウカン】　*physical address space*

メモリ内を物理的な絶対アドレスで表したもの。番地で表される場所は1カ所に定まる。

物理層 【ブツリソウ】　*physical layer*

ISO(国際標準化機構)が規定するOSI基本モデルの最下位層のこと。データ通信回線上で正確なビット伝送を提供することを目的とする。

機能として，物理サービス，データ単位の伝送，物理層の管理などがある。ほかには，物理コネクションの設置と解放，伝送順序制御，データ回線の識別，障害状態通知などを上位のデータリンク層に提供するサービスである。

物理フォーマット 【ブツリフォーマット】　*physical format*

フロッピーディスクやハードディスクなどのメディアをトラック単位に初期化すること。以前に記録されていたデータは完全に消去される。

物理レコード 【ブツリレコード】　*physical record*

入出力記録方式によって決定されるレコードの単位。単にレコードという場合，論理レコード（プログラムから見て1回の処理単位となるもの）のことをいうが，物理レコードという場合，ハードウェアが1回の入出力で扱える単位のことをいう。

○論理レコード

ブート　*boot*

○起動

浮動小数点 【フドウショウスウテン】　*floating point*

数値を仮数部と指数部に分けて表記する方法で表された数。765000

を 7.65×10 の5乗, -0.0765 を -7.65×10 のマイナス2乗という
ように表す。

普通の数表記法(固定小数点形式)に比べ, 同じ桁数で広い範囲を表
現できるため, コンピュータでの実数の計算にはほとんどこの方式
が使われていて, 数値演算プロセッサは主に浮動小数点演算を支援
する。

　○固定小数点

ブートストラップ　*bootstrap*

最初のいくつかの命令によって目的の状態にする装置, または方
法。コンピュータではプログラムを読み込むための短いプログラ
ムを, さらに短いプログラムによって読み込む。このような短いプ
ログラムをブートストラップという。

最初に命令を入力するにはスイッチやキーボードから打ち込まな
ければならないが, たいていは数ステップという短いもので, ボタ
ンひとつで済むようになっているものもある。ただし最近のコン
ピュータではブートストラップは本体のROMに搭載されているも
のがほとんどである。

プライオリティ　*priority*

ジョブの実行優先度のこと。緊急度の高いジョブには高いプライ
オリティを, そうでないジョブには低いプライオリティを設定して
やることにより, 全体の処理効率を上げられる。システムの設計者
が設定したプライオリティにしたがって, OSが実行順を管理する
場合と, OSが状況によりジョブのプライオリティを判断する場合
がある。

　○ジョブ

フライトシミュレータ　*flight simulator*

飛行機やヘリコプターの操縦をシミュレーションするソフトウェ
ア。画面に操縦席から見た周囲の光景と計器類, 地図などが表示さ
れ, オペレータは, 実際の飛行機の操縦さながらに, 離陸から飛行,
着陸の操作を行う。

飛行機免許の取得学習用にも使われるリアルなものから, 空中戦主
体のゲーム性の高いものまである。窓から見る地上の光景も, ポリ
ゴングラフィックスなどの技術を駆使し, 高速な3次元表示を実現
しているものもある。

ブラウザ　*browser*

画像ファイルなどを表示してくれるソフトウェア。最近では, カタ

ふ

プラグ & プレイ

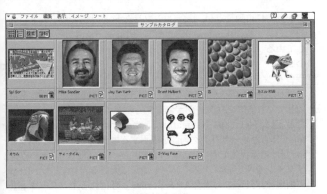

画像ブラウザ

ログファイルを作り指定ファイルを一覧表示させ, その中から必要
なファイルだけをコピーできる便利な機能を搭載しているものも
ある。

また, Netscape Navigatorなどインターネットのホームページを
閲覧するソフトをWebブラウザ, あるいは単にブラウザと呼んで
いる。○Webブラウザ

フラグ　*flag*

データの状態を示すための標識情報。プログラミング時に, 現在の
状況を示す情報として, ON, OFF のどちらの状態にあるかを示す
ために1ビットの情報を設けることがある。あとでこの情報を参
照することで判断の目安とする。また, 入出力の結果が正常終了か
異常終了かなどの情報をもっているプログラム状態語の各情報も,
フラグといえる。

プラグ & プレイ　【プラグアンドプレイ】　*Plug & Play*

Microsoft社とIntel社が提唱しているバスカードの自動環境設定
規格。Plug & Play Specification Special Interest Groupが運
営にあたる。

現在, ISAバスカードを実装するには, DIPスイッチやジャンパス
イッチをユーザーが操作しなければならない。これらの各種設定
を自動的に行うというもの。

Plug & Play規格に準拠したマシンとソフトウェアなら, 割り込み
(IRQ), I/Oアドレス, DMAチャネル, メモリアドレスなどの設定

583

を起動時に自動設定し，競合（コンフリクト）が生じた場合にも自動的に退避する。Windows95ではこのPlug& Playに最初から対応している。

○競合

プラグイン　*Plug-in*

アプリケーションソフトの機能だけで実現できない別の機能を付加してくれるアプリケーション。

たとえば，Netscape Navigatorで，オーサリングソフトのDirectorで作ったオーサリング画像を表示する場合，Netscape Navigatorだけでは再生できないが，ShockWave for Directorというプラグインを所定のプラグインフォルダに入れるだけで，Directorの画像（ただし，この場合AfterBernerと呼ばれるインターネットで表示するためのコンパイルが必要）をブラウザ上に表示することができる。

フラクタル　*fractal theory*

1975年にアメリカの数学者Benoit Mandelbrotによって提唱された幾何学理論。海岸線や雲の形など，自然界にある複雑で不規則な形はいくら拡大していっても微小部分に全体と同じ不規則な形があらわれるという自己相似性をもっているということ。

それまでの，どんな複雑な曲線もその微小部分は直線で近似できるという微分法の考え方を否定し，どこでも微分できない曲線を取り扱う幾何学である。

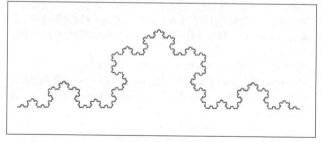

フラクタル図形（コッホ曲線）

フラグメンテーション　*fragmentation*

メモリやディスクにデータを記憶させるとき，記憶領域の割り当て

を繰り返すことでデータの記憶領域が断片化され，それによって小さな空き領域が多数発生すること。これはメモリやディスクの利用効率を低下させる。

プラズマディスプレイ　*gas plasma display*

ガスプラズマの放電現象による発光を利用したフラット（薄型）ディスプレイ。ドットごとに区分けされた透明電極の間にガスを充填し，電圧をかけることでプラズマ放電を行わせる。

構造を薄くできる，コントラストが高い，反応速度が速い，明るく視野が広いなどの特徴がある。

ブラックボックス　*black box*

ある入力に対して決まった出力を返す装置，または機能。中身や内部でどんな処理を行っているのかはわからないが，手順どおりに操作すれば望む結果が求められるもの。

プログラムの中では処理をいくつもの関数やサブルーチンに分けて記述する。メインのルーチンから関数（サブルーチン）に引数（パラメータ）を与えてやると，それに決まった処理をして返り値を戻してくれる。このとき，関数を呼ぶ側は呼んだ関数の中身を把握しなくても安心して使えるような，関数相互の独立性が高い言語やプログラムであることが求められる。すなわち関数をブラックボックス化してしまうのである。

フラッシュメモリ　*flush memory*

プログラム指示によって消去できるROM。従来のEPROMと違って，消去専用の機器を使用しなくても書き換えができる。用途としては，ROM BIOSの代りに使われたり，ハードディスクの代用品として注目されている。

フラットパッケージ　*flat package*

面実装技術（SMT）のひとつで，ICの入ったパッケージを従来より薄くしたもの。基板上でリード線を水平に配置する。

プラットフォーム　*platform*

元々の意味である「演壇」「ステージ」から転じて，あるコンピュータシステムの基盤となるシステムをさす。たとえば，WindowsにとってはMS-DOSがプラットフォームであり，Windows対応ソフトにとってはWindowsがプラットフォームになる。

ブランクディスク　*blank disk*

フォーマットしただけで，何もデータが入っていないフロッピーディスクのこと。購入してまだ1度もフォーマットしていないフ

ロッピーディスクは，一般に，生ディスクと呼ぶ。

ブランチ　*branch*

プログラム中の分岐地点，条件分岐地点のこと。プログラムにおいてはなんらかの理由によって，制御が分かれる地点が必要になる。この理由には，条件判断が用いられ，数の大小あるいは論理の正負などが条件対象になることが多い。

フリーアクセスフロア　*free access floor*

床下に数センチメートルから数十センチメートルの空間をあけてある二重構造の床。電源コードやコンピュータの各種ケーブル類の一切が床下に敷設できるので，コード類が床上や壁などに露出しない。コンピュータやネットワーク機器の設置された部屋ではフリーアクセスフロアにすることが多い。OAフロアと呼ぶこともある。

○OA フロア

フリーエリア　*free area*

メモリの中で利用されてない部分をさす。MS-DOSでは，限られたメモリを有効に利用するために，UMBやHMSなどを使ってメインメモリのフリーエリアを空ける努力をしていた。

プリエンプティブ　*preemptive*

OSが，プロセッサをある特定のアプリケーションで独占しないように割り当てのスケジューリングを行い，プロセッサ資源を公平に複数のアプリケーションに割り当てる方式。これによって他のアプリケーションを停止させることなく別の処理を行うことができる。

フリーソフトウェア　*freeware, free software*

自由に配布できるソフトウェア，あるいは無料で使えるソフトウェア。著作権者に対して許諾を得たり，料金を支払うことなく，配布利用することを認めているソフトウェアのこと。フリーウェアとも呼ばれる。

ほとんどのフリーソフトウェアは自分自身や友人達のニーズのために開発したプログラムを，広く利用してもらおうと公開したものである。BBSやユーザーグループ，ネットワーク上の公開されたファイル，コンピュータショップなどで入手できる。最近は雑誌・書籍の付録としてフリーソフトウェアを集めたフロッピーディスクやCD-ROMが添付されることも多い。

ただし，「営利目的での利用を禁じる」とか「（ソースファイルや説

ふ

明ファイルなど）含まれているファイルはすべてそのまま再配布すること」「この（指定している）BBS以外への転載を禁じる」など，利用できる用途や目的，配布方法について制限や制約を付けているものもある。よく，PDS(Public domain software)と混同されるが，フリーソフトウェアは著作権を放棄していないのに対し，PDSは著作権まで放棄したものである。

○Copyleft, GNU, PDS , シェアウェア

フリッカ　*flicker*

CRTディスプレイの画面のちらつきのこと。CRTディスプレイの1点1点はつねに高速で点滅を繰り返しており，蛍光面の残光と網膜の残像によって連続した画面として見える。これが場合によってはちらついて見えるときがあり，プログラマやオペレータなど長時間CRTディスプレイを見つめ続ける職業の人にとっては眼精疲労の原因となり，問題となっている。

ブリッジ　*bridge*

複数のネットワークを接続するための装置の一種。ゲートウェイがプロトコルの7層全てに対応するのに対して，ブリッジはプロトコルの下位2層(物理層とデータリンク層)のみを接続する。よって上位層が共通のネットワークの接続に用いられる。

ふ

フリップフロップ　*flip flop*

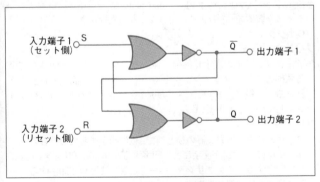

フリップフロップ回路

1ビットのデータを記憶できる電子回路。英語で「バタバタする」といったような意味をもっており，加える信号によってシーソーの

ように状態が交互にパタパタ変化することからきている。

デジタル回路としてはもっとも基本的なもので, 2個のNOR (NOT+
ゲートを交互に接続することで作られている。この回路で

(1) Rを1にすると回路がリセットされて, Qが0になる。
(2) つぎにSに1を加えるとQが1になる。
(3) Sが0になってもQは1のまま保たれる。

この状態は再度Rに1を加える, つまりリセットをかけるまで続く。
この回路で1個の数値が記憶されたわけである。SRAMはこのフ
リップフロップを集積したものである。
◯NOR, NOT, OR, SRAM

プリプロセッサ *preprocessor*

前処理をするもの。または, それらの処理装置のこと。最適化あ
るいは処理の省力化をするため, プロセッシングの前にプリプロ
セッサによる処理を行うことがある。また, 特定の言語をアセンブ
ラなどの原始言語に翻訳するためのプログラムあるいは処理のこ
とをプリプロセッサと呼ぶことがある。

たとえば, 初期のC++処理系のいくつかは, C++で書かれた
ソースファイルをCのソースファイルに変換するプリプロセッサ
であった。

不良セクタ 【フリョウセクタ】 *bad sector*

ディスク装置で, 読み書きができなくなったセクタ。
◯セクタ

ブリンク *blink*

ディスプレイ上の表示状態の一種。カーソルや文字が明滅してい
る状態のこと。フラッシングともいう。おもに強調する目的で行
われる。一般に, コンピュータのディスプレイ上のカーソルはブリ
ンクしていることが多い。

プリンタ *printer*

コンピュータの出力装置のひとつで, 紙に印字するためのもの。
印字単位によって, 1文字ごとに印字するシリアルプリンタ, 1行ご
とに印字するラインプリンタ, ページごとにまとめて印字するペー
ジプリンタに分類される。

また, 印字方式によって, インパクトプリンタとノンインパクトプ
リンタに分けられる。

インパクトプリンタにはドットインパクトプリンタ, デイジーホ

イールプリンタなどがあり，ノンインパクトプリンタには感熱プリンタ，熱転写プリンタ，インクジェットプリンタ，電子写真式プリンタなどがある。

ページ記述言語のPostScriptに対応しているものをPostScriptプリンタという。

パーソナルコンピュータ用プリンタのインターフェイスとしては，セントロニクス規格のパラレル，あるいはRS-232C, LocalTalk, SCSI, Ethernetが使われている。

プリンタスプーラ

❍プリンタバッファ

プリンタバッファ　*printer buffer*

メモリなどの高速な記憶装置に一時的に印字データを記憶させ，CPUをプリンタの制御から開放させるための機構。ハード的な機器（CPU本体とプリンタとの間にプリンタバッファという機器を入れる）とソフトウェア的な手法（パーソナルコンピュータのメモリの一部をプリントデータの蓄積に使う）がある。

プリンタフォント　*printer font*

プリンタに内蔵されているフォント。コンピュータに内蔵されているフォントデータを使って印刷する場合に比べて，高速な印刷が可能になる。

プリンタポート　*printer port*

プリンタとの接続専用に用意されたコネクタ。パーソナルコンピュータでは，ほとんどの場合セントロニクス準拠のパラレルポートが付属している。プリンタポートはプリンタ専用，つまりデータの出力専用で，パラレルポートと呼ぶ場合はプリンタを含む各装置のデータ入出力ができる。

❍セントロニクスインターフェイス

プリントアウト　*print out*

プリンタで用紙に印刷すること。

プリント基板　【プリントキバン】　*printed circuit board*

絶縁物の板に薄い銅箔を貼り付けた基板を，回路図にしたがって不必要な銅箔を取り去り，電子回路を構成したもの。絶縁物にはベークライト，紙にエポキシを染みこませたもの，グラスファイバーなどが使われる。

最近では，より実装密度を上げるため，薄い基板を何枚か貼り合わせて立体化した積層基板が使われている。また，柔らかいプラス

チックフィルムに銅箔のパターンを貼り付けたフレキシブルプリント基板も使われている。

プリントキュー　*print queue*

プリンタバッファ, バックグラウンドプリントなどにおけるプリント待ち行列のこと。

プリントサーバ　*print server*

LAN上にある複数の機器がプリンタを共有できるように管理するためのサーバ。各機器からの印刷データを一時的に保管し, それをプリンタに送る。こうすることによって各機器は短時間で印刷制御を終わらせ, 次の処理を行うことができる。

プル型　【プルガタ】　*pull type*

インターネットでホームページを巡回して情報を集める, 検索エンジンを使って目的の情報を引き出すなど, ユーザが能動的に情報を入手するやり方をプル型という。検索による手間がかかる上に, 得られた情報が更新されても再度引き出すまではわからない。

◇プッシュ型

ふ

フルカラー　*full color*

1600万色(2^{24}色)以上の色数に対応している場合にフルカラーという。自然色というメーカーもある。つまり, RGBの各色(3色)に対して256色の階調に対応している。なお4G色(2^{32}色)対応では, RGBの各色に対して256色の階調は同じだが, 独立した明るさに対しても256階調に対応している。

ブール代数　【ブールダイスウ】　*Boolean algebra*

イギリスの数学者George Boolが提唱したもので, 論理的な命題の真偽関係を演算形式で処理する数学理論。命題算, 論理計算ともいう。

命題Aが真であることを$x = 1$, 偽である(真でない)ことを$x = 0$で表す。命題x, yに対する演算は基本的につぎの3種類ある。

xおよびy	x AND y	$x \wedge y$
xまたはy	x OR y	$x \vee y$
xでない	NOT x	x^{-}

この演算に対する真理値はつぎの表によって定義される。

x	y	$x \wedge y$	$x \vee y$	x^-	y^-
0	0	0	0	1	1
0	1	0	1	1	0
1	0	0	1	0	1
1	1	1	1	0	0

また, $x \wedge y$ を x と y の論理積, $x \vee y$ を x と y の論理和, x^- を x の否定とも呼ぶ。

いくつかの命題を記号で結び, 演算順序を示すための適切な括弧を付けて論理式が作られる。命題にこれらの演算をほどこしたものを論理関数という。

プルダウンメニュー　*pulldown menu*

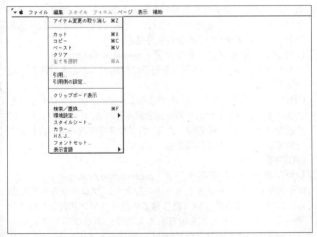

プルダウンメニュー

ディスプレイ上でのメニューや機能一覧の表示方法の一種。画面の上部に表示されている文字やアイコンを, カーソルやマウスで指定すると, ブラインドを降ろすように画面が開かれるもの。

フレキシブルディスク　*flexible disk*

コンピュータの補助記憶媒体の一つ。通常フロッピーディスクと

呼ばれるが, 正確にはフレキシブルディスクカートリッジもしくは
ディスケットという。ディスクの直径により200mm（8インチ）,
130mm（5.25インチ）, 保護ケースの短辺の長さにより90mm（3.5
インチ）の3種類の規格があるが, 現在主流は3.5インチFDであ
る。

○3.5インチディスク

ブレークポイント　*break point*

デバッガあるいはモニタプログラムによってプログラムを監視す
る時, 動作を途中で停止するよう, あらかじめ設定しておく区切り
の位置, アドレス, ラベルのこと。

デバッグの際にブレークポイントを設定することにより, プログラ
ムのバグあるいは不具合といったものを見つけだすことが可能に
なる。

デバッガあるいはモニタプログラムはブレークポイントが設定さ
れると, 監視中のプログラムのインストラクションポインタ(IP)
とブレークポイントを比較し, これが一致したときに内部割り込み
をかけてプログラムの実行を停止させる。

プレゼンテーションソフトウェア　*presentation software*

プレゼンテーション用の資料を簡単に作成することを目的とした
ソフトウェア。

OHPシートなどを簡単に作成できるように, ワードプロセッサと
グラフィックソフトウェアの機能を組み合わせ, すべてのシートに
共通なフォーマットを指定したり, 背景や文字の色の組み合わせを
自動で行ったりできる機能をもっている。

○DTP

プレゼンテーションマネージャ　*presentation manager*

OS/2のアプリケーションセットのひとつ。プログラムの実行あ
るいはファイル管理といった日常よく使うコマンド類などのユー
ザーインターフェイスを改良したもので, ポップアップ式のメ
ニューあるいはアイコンなどを使い, 複数のアプリケーションプロ
グラムの使い勝手を統一する役割もする。

○OS/2

プレビュー　*preview*

印刷を行う前に, 実際の印刷がどのような体裁になるかを画面上で
イメージとして表示させ, 確認すること。(次ページ図参照)

プレビュー画面

フレーム *frame*

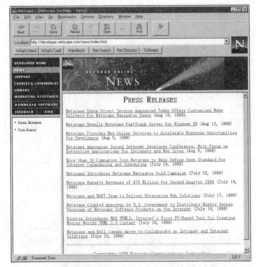

フレーム機能を利用したホームページ

(1) ホームページ上で画面をいくつかのウィンドウに分割して, ジャンプボタンを集めたウィンドウ, 内容を表示するメインウィンド

ウというように分けて表示できるようにするHTMLの機能。それぞれのフレームセルには，別々のHTMLファイルを表示させることができる。ただしWebブラウザがフレームの機能に対応していないと表示できない。Netscape Navigatorならバージョン2.0以降，Internet Expolerは3.0からこのフレーム表示が可能になった。

(2) 人工知能(AI)における知識ベースの表現方式の一種。1975年にMIT（マサチューセッツ工科大学）のMarvin Minsky教授によって提唱されたもので，スロットと呼ばれる個々の情報をまとめた，いわば知識の枠組みといえるもの。

フレーム同期方式 【フレームドウキホウシキ】　　　*frame synchronous communication*

同期をとる，あるいは合わせる方式のひとつ。

デジタル信号の1フレームのはじめの位置に特殊な信号パターンあるいはビットパターンを挿入し，その特殊なパターンを認識することによってフレームの開始位置を認識し，同期を合わせる方式。
⊃HDLC

フレームバッファ　*frame buffer*

ディスプレイに表示する画像を細分化し，色情報を与え保存するメモリ。細分化したものをピクセルといい，1ピクセルに8ビットメモリを割り当てると256色，24ビット割り当てると1677万色の表示が可能となる。フレーム・バッファに蓄えられた情報をディスプレイ制御部が呼び出し，ブラウン管上に画像として表示する。

フレームリレー　*frame relay*

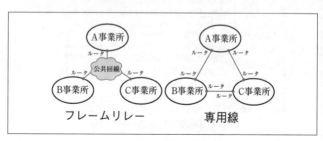

フレームリレー

WAN, LAN間接続で使用される通信方式の一つ。複数のLANを1対1で専用線接続する場合と異なり，重なる部分は公共の回線を使用する（図参照）。フロー制御やエラーチェックを行わないことで高速な伝送を実現する。ダム端末を使用したネットワークでは，端末でエラー処理が行えないためネットワークでこれを行ったが，フレームリレーではパソコン，ワークステーションなどの自分でエラー処理が行えるインテリジェント端末を想定しているためこれを行う必要が無い。また，物理的に信頼性の低い電話回線などが使われず，エラー処理を厳重にする必要がない場合に利用される。

プロキシーサーバ　*proxy server*

代理サーバの意。プロキシーサーバーを設定するとブラウザ(クライアント)が接続先に対してリクエストを要求したとき，そのクライアントマシンがダイレクトにアクセスするのではなく，代理サーバが代わりにその接続先にアクセスするようになる。プロキシーサーバにデータを保存する(キャッシング)ように設定しておくと，イントラネットなどで社内LANとプロキシーサーバが接続されていれば，インターネットを介して外のサーバにアクセスしなくても，プロキシーサーバのキャッシュの内容が表示されるので，処理能力の低い端末でも，高速にアクセスできる。プロキシーサーバは，ファイアーウォールも兼ねている場合も多く，セキュリティの確保にも利用される。

○ファイアウォール

プログラマ　*programmer*

プログラムを作成する人のこと。目的とする業務をプログラミング言語の仕様に沿ってプログラム仕様書を作成する。コーダ（コーディングする人）がその仕様書を元にプログラミング言語の命令に置き換えていく。コーダのこともプログラマと呼ぶことがある。

プログラマブル論理アレイ　【プログラマブルロンリアレイ】　*programmable logic array , PLA*

論理計算半導体素子の一種で，任意の論理関数を定義することができるもの。プログラマブル論理アレイは，基本的に，AND素子とOR素子が配列状に組み合わさっており，この配列状のポイントをオンオフすることによって論理関数を定義する。

LSIなどに用いられるようなランダムロジック回路を効率よく構築できる上に，比較的集積度を上げることが可能なため，最近よく使われている。

プログラマブル論理アレイの論理関数の定義方法としては，製造時にメーカーが書き込むものが一般的だが，PROMの技術を応用してユーザーが任意に書き込むことができる種類もつくられており，フィールドプログラマブル論理アレイとよばれている。

プログラミング　*programming*

プログラムの作成に関すること全般をいう。つまり，プログラムの設計，コーディング，テスト，デバッグ（デバッグ作業はすべての段階で行われる）など，プログラムの設計を開始してから完全なオブジェクトができるまでの一連の作業のこと。

プログラミング言語　【プログラミングゲンゴ】　*programming language*

人間がプログラムを設計するための規則。コンピュータに何かをやらせるには，コンピュータが理解できる形式，つまり0と1の組み合わせによる機械語のプログラムを作らなくてはならない。しかしこれは人間にとっては非常に理解しにくく，人が直接書くのは大変困難である。

そこで，人間にとって分かりやすい形でプログラムを書く工夫がなされるようになった。これがプログラミング言語である。

まず，プログラミング言語の規則に従って人がプログラムを記述する。それを専用のプログラムが言語の規則に基づいて機械語に置き換えていく。こうして実行可能なプログラムができ上る。

言語には用途や規模，その他の条件によりさまざまな種類がある。機械語に近いアセンブラ言語，人間の言語により近付けた高級プログラミング言語としてFORTRAN, COBOL, Ada, PASCAL, BASIC, C , LISP, PROLOGなどがある。

プログラム　*program*

コンピュータが処理を行うための，コンピュータへの一連の指示のこと。命令語や条件文，データなどから構成されている。プログラミング言語によって書かれた状態のプログラムをソースプログラムといい，それが機械語に翻訳されるとオブジェクトプログラムと呼ばれるようになる。

プログラムカウンタ　*program counter , PC*

マイクロプロセッサ上にあり，プログラムの何ステップ目を読み込んで実行しているのかを教える回路。

プログラム仕様　【プログラムシヨウ】　*program specification*

コンピュータのプログラムにおいて，その動作あるいはアルゴリズムを記述したもの。一般にプログラミング作業をはじめる前に決

ふ

められることが多い。

プログラマはこのプログラム仕様に基づいてプログラミングするので, プログラム仕様は正確で, かつ, わかりやすく記述する必要がある。 ◑システム設計

プログラム設計 【プログラムセッケイ】 *program design*

プログラムの仕様を決定し, プログラムを作成する設計作業のこと。プログラム設計には多くの段階があり, 企画, 仕様決定, コーディング, デバッギングという流れを踏む。

プログラムマネージャ *program manager*

Windows3.1のプログラム管理ソフト。

プログレッシブ JPEG 【プログレッシブジェイペグ】 *progressive JPEG*

はじめはぼんやりした全体のイメージが表示され, 次第にはっきりと画像が表示されていく方式に対応したJPEGファイルをこう呼ぶ。バージョン2.0以降のNetscape Navigatorや, Internet Explorer3.0などで利用することができる。

プロシージャ *procedure*

ある特定の処理を行うための一連の命令のこと。処理の単位の一種と考えられる。

ふ

フロー制御 【フローセイギョ】 *flow control*

通信を行う場合に, データの流れ (フロー) を制御してデータの欠落が生じないようにすること。

通信回線でデータを送る場合, 通信速度に受信側コンピュータの処理が追いつかなくなったり, 他の処理が入ったりして, 受信側コンピュータがデータを受け取ることができなくなることがある。その際, 送信をいったんストップし, データの取りこぼしを防がなければならない。

よく使われるフロー制御方法には, X-On/Off方式やハードフロー方式などがある。

プロセス *process*

ある結果を得るための処理の単位であり, OSがジョブの実行手順を管理したり, 資源を割り当てる際の単位である。

通常, ひとつのプログラムはひとつのプロセスに対応しているが, プログラムが自身の複製プログラムを作ったり, 他のプログラムを起動したりすることもあり, 複数のプロセスによって実行される場合もある。

プロセス間通信 【プロセスカンツウシン】

任意のプロセス間において，同期をとったり，情報を交換したり，コストなどの統制や評価を行うこと。

プロセッサ *processor*

一般にはCPUと同義として使われるが，処理を行うもの，たとえばコンピュータシステム全体やプログラムも含めてプロセッサということがある。

プロダクションルール *production rule*

人工知能分野におけるエキスパートシステムに用いられる知識表現方法の一つ。人間の知識を，「もしAであればBである」とか，「もしCであればDをせよ」という，if ～ then ルールで表現する。このルールを用いて，AからBを推論することを前向き推論，BからAを推論することを後ろ向き推論という。経験的な知識を表現しやすいという特長があるが，ルール間の矛盾の検出が困難という問題点もある。

フローチャート *flowchart*

流れ図のこと。処理や作業の手順を決められた記号を使って表したもの。処理の流れが視覚的に理解できるので，プログラムの設計，デバッグにはなくてはならないものといえる。

フローチャートはプログラムの流れを記述するほかに，システムの関数を表すのに用いたり，運用の手順を表したりするのにも用いられる。（次ページ図参照）●流れ図

ブロック *block*

(1) データの論理単位。メインメモリと外部記憶装置，周辺機器の間ではブロック単位でデータの転送が行われる。このとき，ブロックは1個から複数個のレコードからなり，ブロックとブロックの間にはIBG（インターブロックギャップ）と呼ばれる何も書き込まれていない空間がある。

(2) エディタやワードプロセッサなどで編集対象の単位として用いられる長方形の領域。カットアンドペーストや削除などの編集機能を行うときに対象となる長方形の部分。

ブロッタ *plotter*

CADなどで使われる，紙に図形を描く出力装置。プリンタと違うのは，ドット単位やキャラクタ単位で描くのではなく，座標位置と線の種類の命令で描くこと。大きいものはA1版，A0版などに対応しているものもある。

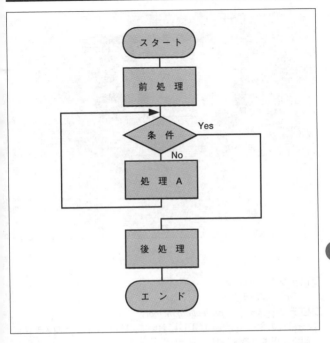

フローチャート

描画にペンを使うペン式，レーザプリンタと同じ原理を使う電子写真式，インクジェット方式などがある。

ペン式は駆動部にDCサーボモーターを用いたり，容量の大きいバッファを搭載することで高速化が図られている。業務用にはより高速な電子写真式やインクジェット式の需要が伸びている。（次ページ図参照）

フロッピーディスク *floppy disk*

磁性体を塗ったシートを円盤状にくり抜き，ケース（クッキー）に収めた磁気メディア。フレキシブルディスクカートリッジ。3.5インチが現在の主流。容量は1枚あたり数百Kバイトから3Mバイト程度である。このメディアを駆動させる装置をフロッピーディスクドライブ(FDD)という。

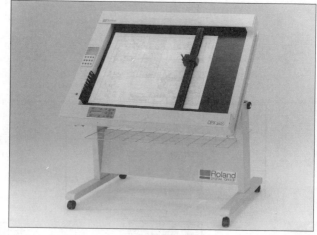

ペンプロッタ

プロテクト *protect*
　○コピープロテクト

プロテクトメモリ *protect(ed) memory*
　Intel社の80286以降のCPUにおいて，1Mバイト以上のメモリ空間で使用されるメモリ。

プロテクトモード *protect(ed) mode*
　Intel社の80286以降のCPUにおいて，1Mバイト以上のメモリ空間を使用する動作モード。80286以降のCPUに内蔵されたMMU（Memory Management Unit）を使用したソフトウェアの動作環境。

ブロードキャスト *broadcast*
　LAN用語で同報通信をさす。すべてのノードに一斉に同じ信号を伝えること。

プロトコル *protocol*
　コンピュータ同士でデータのやりとりをするときの約束ごと全般をさす。もっとも簡単なものではケーブルを接続するときのコネクタの形状から，XMODEMやBPLUSといったファイル転送プロトコル，MNPモデムのエラー訂正，そして各ホスト間でのメール転送システムのような高度なものまで，データ通信に関わるあら

ゆる手順は,プロトコルによって定義されている。

このプロトコルを定める際の基準となるべきものがOSI参照モデルである。

○OSI 参照モデル

プロバイダ

○ネットワークサービスプロバイダ

プロパティ　*properties*

Windows95の各種設定をこう呼ぶ。たとえば画面のプロパティでは,メニューバーやタスクバーの色の設定,使用する壁紙やスクリーンセーバーの選択などの設定項目が用意されている。

フロプティカルディスク　*floptical disk*

INSIGHT社が開発した,新種のフロッピーディスクドライブ。特徴は,現在普及している3.5インチフロッピーディスクと同サイズのメディア1枚に21MBの大容量が保存できること。これは光サーボ技術を使い,従来より精密なトラッキングを実現し,ECC機能によりエラーレートも低く抑えている。しかし,MOの低価格化,ZIPディスクなどの低価格・大容量メディアの登場で影が薄くなってきた。

プロポーショナルフォント　*proportional font*

個々の文字ごとに個別に文字幅などの情報をもち,文字サイズなどを自由に変えても美しい並びを可能にするフォント。DTPで和文と欧文が混在している文書では,欧文の間隔が空きすぎていてあまりきれいではない。しかし,このプロポーショナルフォントを使うと,欧文だけを詰めて全体的にきれいに見えるようになる。

フロントエンドプロセッサ　*front end processor*

略してFEPともいう。メインとなるコンピュータやソフトウェアのために前処理するもの。データ通信制御プロセッサや日本語入力FEPなどがある。○日本語入力FEP

プロンプト　*prompt*

ユーザーの入力を促すため,画面に表示される文字。OSがコマンド入力可能な状態であることを示している。MS-DOSでは通常,C>が表示される。これはCドライブに対する指示を求めている。

分岐予測　【ブンキヨソウ】

分岐命令はパイプラインを乱し,処理効率を悪くする大きな要因となる。この分岐によるパイプラインの乱れをなるべく減らすために,過去の分岐履歴を保存することで,次の分岐が成立するかしな

いかを予測し，予測した分岐方向の次の命令をメモリから取り込んでくる機能。つまりは，パイプライン処理において，次の過程の分岐場所をあらかじめ予測することである。最近ではPentiumやPower PCなどの高速CPUがこれを備えている。

分散 OS 【ブンサンオーエス】　*distributed OS*

ネットワークなどで複数のコンピュータ群が接続されている場合，それを1台のマシンとして管理可能にするOSのこと。システム全体で1つのOSを用いる。特に，ネットワークOSとは区別して用いられる。実際，アプリケーションプログラムは，システムの分散的構造を意識することなく，個々の分散しているコンピュータにアクセスできる。さらに，分散処理システム内の要素群の負荷を均等に保とうとする場合，個々のアプリケーションを意識しなくても負荷はシステム全体に分散される。このように，各要素の物理的性質から独立した柔軟なシステムの構築が可能となる。

分散オブジェクト環境 【ブンサンオブジェクトカンキョウ】　*distributed object environment*

ネットワーク上にオブジェクト（データとそのデータの扱いを定めたメソッドの単位）が分散しているコンピュータ環境。ネットワーク上のどの場所に個々のプログラムやデータがあるのかを意識しなくとも，必要なオブジェクト群がその都度おたがいに通信しあって呼び出され，目的の動作を実現する。多くのコンピュータがつながれたネットワーク全体が1台のコンピュータとして動作するようになる。

分散型データベース 【ブンサンガタデータベース】　*distributed database*

データベースをひとつのコンピュータだけで集中管理するのではなく，ネットワーク化された複数のコンピュータに分散して管理する形態。

分散処理システム 【ブンサンショリシステム】　*distributed processing system*

従来，中央のホストコンピュータで行っていた処理を，ネットワーク化された複数のコンピュータに振り分けて行うこと。ホストコンピュータの負荷を軽減したり，ホストコンピュータを不要にすることもできる。

文節変換 【ブンセツヘンカン】

日本語変換ソフトで，文節ごとに変換するかな漢字変換方式。

きょうはいいてんきなのでせんたくをした
〈単漢字変換〉
今・日・はいい・天・気・なので・洗・濯をした

〈単語変換〉
今日は・いい・天気・なので・洗濯を・した

〈文節変換〉
今日は・いい天気なので・洗濯をした

変換方式の違いによる日本語入力の違い

<u>並列処理</u>　【ヘイレツショリ】　*parallel processing*

　コンピュータの処理を高速にするために処理を分割し，分割された各処理単位を並列マシンで，同時に並列実行すること。最近の，ハードウェアの価格低下により実用段階になってきたといえる。並列処理の手法として，たとえば，CPU内で行われるデータフェッチ(メモリからの取込)→デコード(復号)→データ読込→演算→データ書出し，などの一連の処理を分割して，各処理を並行処理して命令を次々に実行していくパイプライン方式があり，独立性の高い複数の演算(たとえば，ソート，ジョイン，マージなど)を同時に処理するベクトルプロセッサやアレイプロセッサなどが使用されることもある。

<u>ベイパーウェア</u>　*vaporware*

　ベンダーの商業戦略で，顧客が競合他社製品を購入するのを牽制するため，コードネームを使うなどして，開発の早い段階から機能を大々的に宣伝するが，まだ出荷していないソフトウェア。製品化が遅れたり，最悪の場合は製品化が実現しない場合もあることを皮肉った呼び方。Vapor=気化する(妄想の，あやふやな，はったりの)ソフトウェアという意味。

<u>ペイントソフトウェア</u>　*paint software*

　図形処理ソフトウェアの分類の一つで，図形を小さな点（ドット）の集まりと見てドット単位で作成や編集を行うタイプのもの。図を描いたり，塗りつぶしたりすることが簡単にできる。Windowsのアクセサリに付属している「ペイント」もこのタイプのソフトウェアである。なお，正確な描画を行うために図形の座標を数値データで表現するタイプの図形処理ソフトウェアをドローソフトウェアという。

<u>ベクタ型</u>　【ベクタガタ】　*vector*

　ベクタ＝ベクトル情報で構成される型のコンピュータグラフィックスの形式。線の向きの情報を数値化するため，データ量は少なくなる一方，表示のための数値演算の負荷がかかるので不規則な図形の描画には向いていない。幾何の公式で図形を書くことをイ

メージすればわかるように，品質を劣化させることなく拡大縮小が
自在。この特性はアウトライン・フォントなどの印刷技術やCAD
などの設計製図技術の電子化に貢献したといえる。

ベクタフォント　*vector font*
　○アウトラインフォント

ベクタプロセッサ　*vector processor*
　○ベクトルプロセッサ

ベクトル型　*vector*
　○ベクタ型

ベクトルフォント　*vector font*
　○アウトラインフォント

ベクトルプロセッサ　*vector processor*
　科学技術計算によく用いられるベクトル演算（行列のように複数
の要素をもつデータの演算）を実行することができるプロセッサ。
スーパーコンピュータに使われる代表的な方式。

ベジェ曲線　【ベジェキョクセン】　*bezier curve*
　CADやドローグラフィックスなどで利用するアウトライン情報を
持った線。始点・終点の情報だけでなく，傾きや曲がり率などの情
報を持っていることから，拡大・縮小しても線にジャギー(ギザギ
ザ)が現れない。

ページ記述言語　【ページキジュツゲンゴ】　*page descriptive language*
　ページプリンタを制御するための言語。罫線や図形なども，コン
ピュータからビット単位でデータを送るのではなく，ページ記述言
語のコマンドを送ることで印字できるので，高速かつ高精度な出力
が可能。Adobe Systems社のPostScriptやキヤノンのLIPS，エ
プソンのESC/Pageなどがある。

ページプリンタ　*page printer*
　1度に1ページ単位で印字するプリンタ。コンピュータから送られ
てきた印字データをメモリに蓄積し，ページ全体のイメージを作成
し，まとめて印字する。印字中の行単位での紙送りがないので行ご
とのムラやズレが出ず，精度の高い出力が得られる。電子写真式プ
リンタはすべてページプリンタである。

ページャ　*Pager*
　テキストファイルの内容を確認したいときに利用するテキスト
ビューア。ページごとに画面を表示できるのでこう呼ぶ。代表的
なものには，MS-DOS用のMIELなどがある。（次ページ図参照）

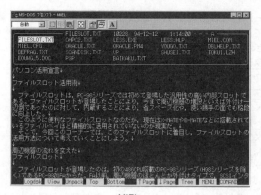

MIEL

ページング　*paging*

仮想記憶（領域）として使用している外部記憶装置上に，プログラムをページという単位に分割すること。また，外部ページ記憶装置と実記憶装置の間でのページ単位のデータの書き出しや読み込みの操作を行うこと。

ベースアドレス　*base address*

基底アドレスともいう。ベースレジスタ方式で，基準となるアドレスのこと。ベースレジスタ方式とは再配置可能なアドレスの指定方式である。このアドレスはプログラムの先頭を表し，これに相対アドレスを加えることで実効アドレスを得られる。

　⟳ベースレジスタ

ベースバンド方式　*base band system*

データ転送を行う上で，伝送路の電圧電流のレベルを各論理値に対応させる信号変換方式。これに対し，より高い周波数で伝送を行うのがブロードバンド方式である。

ベースバンド方式では，どのような媒体を用いてもユーザーはひとつのデータチャンネルしか使用できない。トークンパッシングなどの方式を採用してもデータ伝送に使えるリソースは1個のチャンネルだけである。

しかし，ブロードバンド方式とくらべて受動的な媒体によって伝送されるので，個々のノードで障害が発生してもネットワークの伝送媒体そのものには障害が発生しにくいという長所がある。

ベースレジスタ　*base register*

相対アドレス指定の際，基準となるアドレスを保存しているレジスタ。この値に相対アドレスの値を加えることによって，実際に必要とするアドレスが得られる。

ベータバージョン　*beta version*

製品発売前の，かなり完成度の高いテスト版。ベータバージョンの前の，まだ未完成なものをアルファバージョンという。

ヘッダ　*header*

1. データの集まりの前に付けられた見出しのこと。データの属性や補助的な情報をもっている。

2. ワードプロセッサなどで印刷する場合，ページの上部に付ける日付けページ番号やタイトルなどの情報のこと。

ヘッダラベル　*header label*

ファイルやボリュームの先頭にあって，そのファイルの名称や日付け，アクセス条件などの情報をもったラベルのこと。◯ラベル

ヘッド　*head*

磁気テープや磁気ディスクなどの記憶媒体に，データを書き込んだり読み出したりする部分のこと。磁気ヘッドや光電式ヘッドなどがある。

ヘルパーアプリケーション　*helper application*

アプリケーションから起動する外部のソフトウェアのこと。たとえば，インターネットブラウザでmailto（メールを送る命令）が指定されたときに，Eudoraなどのメールソフトをヘルパーアプリケーションとして指定しておけば，自動的にメーラーが起動し送信が実行される。よく似たソフトにプラグインがあるが，こちらはアプリケーションの機能の一部に組み込まれるもので，そのアプリケーションがなければ使えないが，ヘルパーアプリケーションは，単体でも利用することができる。
◯Eudora, プラグイン

ヘルプ　*help function*

使用するソフトウェアの操作方法がわからなくなった場合に説明を表示させる機能。

ベロシティ　*velocity*

MIDIで音の強弱を表す信号。ピアノで大きい音を出すには，鍵盤を速く押し下げる必要がある。そこで，MIDIでも速度を音の強弱を表す言葉として使っている。

MIDIのノートブックオンメッセージのベロシティは0から127までの値で，127が最大である。電子鍵盤楽器では実際に鍵盤を押し下げる速さを検出し，ベロシティデータとする。キーを押したあとの鍵盤にかかる圧力は，総じてアフタータッチと呼ばれる。

変数 【ヘンスウ】　*variable*

コンピュータのプログラムの一要素で，一定の範囲で様々なデータを格納することができ，ユーザが自由に命名することが可能な領域。プログラムにより，数値や文字，日付など，代入できるデータの型がある。

ベンダー　*vendor*

パソコン関連の製品を開発・販売するメーカー。ソフトウェア関連を扱うメーカーをISV，ハードウェア関連を扱うメーカーをIHVと呼ぶ。

ベンチマークテスト　*benchmark test*

パソコンの性能を数値で表すためのテスト。CPUの処理速度(整数演算+浮動小数点演算)，グラフィックス描画のスピード，メモリ・ハードディスクのアクセススピードなどをチェックする。

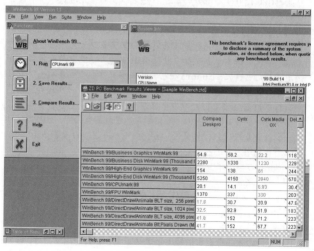

ベンチマークテスト用ソフト WinBench99

ボイスメール　*voice mail*

電子メールで音声データとしてメッセージをやり取りするもの。
声をマイクロフォンで取り込み，サンプリング機能によりデジタル
データ化し，電子メールに付加して送る。

ポインタ　*pointer*

(1) 関連のあるデータやエリアのアドレスを示すフィールドのこと
で，これによって次にアクセスする位置を知ることができる。
(2) マウスなどのポインティングデバイスを操作したとき，それに
合わせて画面上を動くカーソルのこと。マウスカーソル，マウスポ
インタなどともいう。

Macintoshでは通常のポインタは矢印型だが，作業待ちの時には腕
時計型，オブジェクトを移動するときには掌型（グラバー），テキス
ト入力時にはI字型（アイビームポインタ）と変化する。
○アイビームポインタ

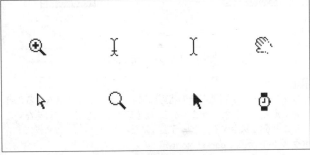

ポインタ

ポインティングデバイス　*pointing device*

コンピュータに対して位置座標を指示するためのデバイス。
机の上で移動させることで距離と方向を指定マウス，マウスを逆さ
まにしたような構造をもっていて，ボールを回転させて距離と方向

を指定するトラックボール，ハンドルを倒すことで方向を指定するジョイスティック，図面をなぞって精密な座標を指示するデジタイザやタブレットなどがある。

ポイント　*point*

(1) 文字サイズを表す単位のひとつ。1/72 インチ（約 0.35mm）が 1 ポイントである。「pt」または「ポ」と略す。

(2) マウスポインタを動かして目的のオブジェクトにポインタの先を合わせること。

ポイント・ツー・ポイント　*point-to-point system*

二地点間方式，直結方式とも。回線の接続方式の一種で，回線の両端にそれぞれ端末もしくはコンピュータがつながれている状態。回線が途中で分岐しない。2 地点間の通信の頻度が多い場合に有効である。

ほ

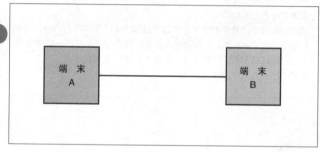

ポイント・ツー・ポイント

暴走　【ボウソウ】

コンピュータが制御不能の状態に陥ること。プログラムすることを「走らせる」ということから，勝手に走り出して手に負えなくなることを「暴走する」というようになった。

ポケットモデム　*pocket modem*

タバコのパッケージサイズの携帯モデム。バッテリーを内蔵しているか，RS-232C ラインから電源を得るようになっている。

通信速度やエラー訂正機能など，基本機能は通常サイズのモデムと変わらない。次ページ参照

ポジショニングタイム　*positioning time*

◆シークタイム

保守性 【ホシュセイ】　*serviceability*

　コンピュータシステムの性能を評価する基準であるラス（RAS）のひとつ。システムに障害が発生したとき，回復までに要する時間で評価される。

　⟲RAS

補助記憶装置 【ホジョキオクソウチ】　*auxiliary memory, auxiliary storage , secondary memory*

　メインメモリの容量を補うために使われる記憶装置。一般にメインメモリよりも大容量だがデータ転送時間がかかる。フロッピーディスク装置，ハードディスク装置などがある。

補数 【ホスウ】　*complement*

　基準になる数から任意の数 N を引いた結果から得られる数を補数という。コンピュータで引き算を行う場合に，補数を利用することによって，足し算だけで計算結果を得ることが可能となる。したがって，補数を使用することによって，コンピュータを構成する電子回路を単純な形で設計することが可能となる。

　基準になる数のベースには，"基数" と "基数−1" の2種類があり，それに対応して補数も2種類ある。たとえば，2進数の場合には，"2" および "2−1" が基準になる数のベースとなって，それぞれに対応した補数を "2の補数" および "1" の補数という。

　n桁の2進数に対する基準になる数は，2の補数を求めるときは 2^n，1の補数を求めるときは $2^n - 1$ である。

　たとえば，2進数の任意の数 N が1011である場合の2の補数は，つぎのようにして求める。

　$n = 4$ なので，基準となる数は $2^4 = (10000)_2$ となって，10000−1011＝0101となる。したがって，1011に対する2の補数は，0101である。

　また，1011の1の補数は，つぎのようにして求める。

　$n = 4$ なので，基準となる数は $2^4 - 1 = (1111)_2$ となって，1111−1011＝0100となる。したがって，1011に対する1の補数は，0100である。

　このことからも判るように，2進数で表現される任意の数 N の1の補数を求めるには，任意の数Nのすべての0と1を逆転すればよい。さらに，2の補数は，求めた1の補数に対して＋1するだけで簡単に求めることができる。

　$A = 10, B = 5$ のとき，「$A - B$」および「$B - A$」の計算は2

ほ

の補数を使った場合，次のように行う。A, Bを2進数で表現すると，$A=(1010)_2$, $B=(0101)_2$となり，Aの2の補数は$(0110)_2$, Bの2の補数は$(1011)_2$となる。

「$A-B$」の場合は，「$A+B$の2の補数」で計算する

```
  1010 ←A
+)1011 ←Bの2の補数
 10101
```

桁上がりがあった場合は，桁上がりを捨てた結果が求める答え5になる

$B-A$の場合は，$B+A$の2の補数で計算する

```
  0101 ←B
+)0110 ←Aの2の補数
  1011
```

桁上がりがない場合は，計算結果について2の補数を再度求めて，符号を負にしたものが求める答えになる。すなわち$-(0101)_2$となって-5となる。

ホストコンピュータ　*host computer*

複数のコンピュータで構成されるシステムにおいて，処理の中心となるコンピュータのこと。オンラインシステムでは，各端末からのデータを受け取り，集中管理するセンタのコンピュータがこれにあたり，BBSでは各ユーザーがアクセスし，書き込みするセンターのコンピュータがホストコンピュータにあたる。

保存　【ホゾン】

❍セーブ

ホットキー　*hot key*

常駐ソフトやキーマクロなどを起動するためのキー。

ホットスタンバイ機能　*hot standby*

稼働しているコンピュータに，故障などの障害が発生した場合に備え予備のコンピュータを用意する機能。予備のコンピュータは，稼働中のコンピュータがダウンした場合，即座に引き継ぎが行われるよういつでも稼働可能な状態(ホットな状態)にしてある。

ホットフィックス　*hot fix*

ディスク上に不良箇所が発生した場合，その箇所を使用禁止にし，別の箇所に書き込む機能。

ポップアップメニュー　*pop-up menu*

メニュー表示方法の一種で，マウスボタンなどが押されたときに，マウスカーソルがある位置にメニューを表示する方式のこと。

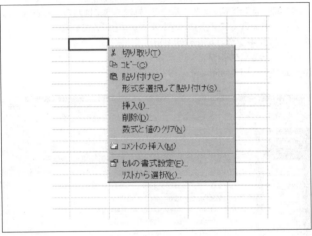

ポップアップメニュー

ポーティング　*porting*

⇨移植

ポート　*Port*

周辺機器や拡張ボードなどを挿すためのコネクタ。

ボトムアップ　*bottom-up*

プログラムの作成やテストのとき，いちばん下位のレベルから行い，順に上位のレベルに上がっていく方式。

プログラムのテストを行う場合，まず最下位のプログラムをテストし，徐々に上位のプログラムにつなげてテストを行っていき，最後に全体がつながったものをテストする。

逆に設計を行う場合は，最上位の仕様から決めていき，徐々に下

ほ

位の設計を行っていくトップダウン方式が用いられることが多い。

○トップダウン方式

ボトルネック　*bottle neck*

ある部分が原因で全体の問題が解決できないことを，細くなっているビンの首にたとえたもの。

ノイマン型コンピュータではひとつ1つの命令の実行にあたってデータが必ずCPUから記憶装置への細い通路を通らなくてはならず，細い通路がネックとなるので，処理速度にはおのずと限界がある。これをとくにノイマンボトルネックと呼んでいる。

ホームバンキング　*home banking*

○ファームバンキング

ホームページ　*homepage*

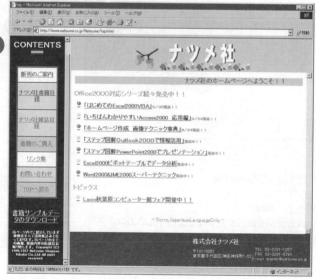

ホームページ

インターネットで利用できるサービスの1つ。もともとはWebブラウザを使ってWWWサーバにアクセスすると一番最初に表示されるページをさし，このページから様々なページに移動できること

から，基本となるページという意味でホームページと名付けられた。最近では，ブラウザで表示されるデータ全体をホームページと呼ぶようになってきている。

インターネットが爆発的な勢いで普及しているのは，ホームページを利用するユーザーの急増とイコールといっても過言ではないほどである。ホームページの多くは他のホームページにリンクしており，このリンクをクリックしながら自分の興味のおもむくままにあちこちのホームページを見ることをネットサーフィンと呼んでいる。個人ユーザーの多くは，ネットサーフィンを行うことがインターネットを利用する主な目的となっているのが現状である。

少し前までは，企業が宣伝用のメディアとしてホームページを利用することが多かったが，最近ではそれに加え，データベースやコマースサーバといったより高度な活用が出現してきている。また，個人向けにホームページの提供を行うサービスプロバイダが増えてきたことから，個人の情報発信にも活用されている。

⟳エレクトロニックコマース，コマースサーバ，サービスプロバイダ

ホームポジション　home position

タッチタイピングで，キーボードに指を置いたとき，基本となる位置。

通常のQWERTY配列では，左手の人指し指を $\boxed{F}$ キー，右手の人指し指を $\boxed{J}$ キーに，他の三本指はその列に沿って置く。他のキーを押したら，すばやくこのポジションに戻すようにする。

⟳タッチタイプ

ポリシー　policy

ネットワークを運営する場合には，管理者，一般ユーザ，ゲストなど，人のグループごとに権限や制限がある。また，公開サーバや部内だけのサーバ，個人使用のコンピュータ，またコンピュータ内のディレクトリやサービス，個々のファイルなど，あらゆる共有可能な資源に対し，一定の基準で階層化や許可・禁止規則が必要になる。その基準，規則をポリシーという。

ポリゴン　polygon

多角形のこと。3Dグラフィックスにおいて，モデリングした図形の表面を複数の三角形や四角形に分解し，これらの多角形を処理単位として立体図形を描く。

複雑な図形や滑らかな表面を描くには，多数のポリゴンが必要に

なる。

ボリュームシリアル番号 【ボリュームシリアルバンゴウ】　*bolume serial number*

MS-DOS 4.X以降でformatコマンドがフォーマット時にディスクに付ける通し番号。volコマンドやdirコマンドで表示される。

```
C>vol a:

ドライブ A のボリュームは DOSV502-1　です
ボリューム・シリアル番号は 1008-0D0A です
```

ボリュームラベル　*volume label*

フロッピーディスクなどに付ける管理用の名前。多くのフロッピーディスクなどを管理する場合それぞれに見出しとして名前を付けておくと便利である。MS-DOSでは，ボリュームラベル属性をもったファイルによって実現されている。

ポーリング　*polling*

ホストコンピュータが各端末にデータの送信要求がないかを確かめ（問い合わせ），あればデータを受信すること。

反対に，ホストコンピュータが送信するために，各端末に受信可能かどうかを確認することをセレクティング，またはアドレッシングと呼ぶ。

ポルタメント　*portamento*

ひとつの音程から，なめらかに周波数を変えて別の音程に移ること。アナログのモノフォニックシンセサイザで多用され，移動の速さによってさまざまな奏法や効果が得られる。MIDIではコントロールメッセージのひとつが割り当てられている。

ボールド　*bold*

太文字のこと。標準フォントの線を太くしたもの。

PostScriptやTeX，写植など，フォントの種類が豊富に用意されている場合には，あるフォントファミリーの中で標準となるフォントに対してあらかじめボールド体フォントが用意されている。

（次ページ図参照）

ほ

通常の明朝体　mincho font
ボールド文字　bold font

<u>ホログラフィ</u>　*holography*

光の干渉や回折を利用し, 物体から反射してきた信号波を干渉じまの形でフィルムに記録し, このフィルム (ホログラム) に別の光を当てることで信号波を立体的に再生する方法。

1948年にロンドン科学技術研究所のD. Gaborによって考案された。その後1960年代に入ってガスレーザが開発されたことで立体映像の記録再生が可能となった。ホログラフィは小さな面積に膨大な空間情報を記録できることからコンピュータの記憶素子としての利用も研究されている。逆にCGを使って計算によりホログラムを作り, 架空の物体の立体像を再生することもできるようになった。

<u>ホワイトページ</u>　*White Pages*

ほ

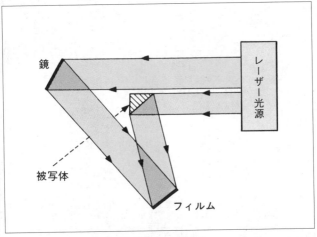

ホログラフィの原理図

<u>ホワイトページ</u>　*White Pages*

インターネットで提供されている, メールアドレスの検索サイト。

イエローページがインターネット上の職業別電話帳なら，こちらは個人電話帳に相当する。Bigfoot（www.bigfoot.com），Four11（www.four11.com），WHOWHERE（www.whowhere.com）など。掲載を希望する人が自分でアドレス情報を登録する。イエローページのように自動で（無断で）検索されることはない。

ほ

マイクロ　*micro*

μ。10^{-6}。100万分の1。

マイクロカーネル　*microkernel*

OSの各機能をモジュール化して切り離し，カーネルの基本機能であるプロセス間制御などの常駐システムとハードウェアに依存する部分だけを残したもの。マイクロカーネルを分離することによってOSの他の機能はそのまま，別のハードウェアにも転用できる。また他の機能がクラッシュしても，システム全体が停止することがない堅牢性がある。UNIX互換OSのMach，Microsoft Windows NTがこの型のカーネルである。

マイクロコンピュータ　*microcomputer*

ワンチップマイクロプロセッサを中心に構成された小型のコンピュータ。最初のマイクロコンピュータは，1971年にIntel社で開発されたMCS-4という電卓用のCPUとして使われていた4004を使った4ビットコンピュータであった。

日本では1976年に日本電気が発売したTK-80がマイクロコンピュータの普及をもたらした。

現在ではキーボード，ディスク装置，ディスプレイなどを周辺装置として使用する汎用のものはパーソナルコンピュータと呼ばれ，電気製品や装置に組み込まれて制御用に使うものをマイクロコンピュータと呼ぶことが多い。

とくにワンチップマイクロコンピュータは1チップでCPU，ROM，RAM，タイマ，I/O などそれだけでコンピュータとして必要な部品をすべて含んでいる。プログラムはROMで搭載されるものが多い。●TK-80

マイクロチャンネル　*Micro Channel*

米IBM社が1987年に発売した，パーソナルコンピュータ「IBM PS/2」で採用した32ビットの拡張スロットバス。これは，周辺機器とのデータ転送を高速にしたが，PC/AT互換機に採用されているISAバスとの互換性はない。PC/AT互換機メーカーは，これに対抗するため1988年に32ビット拡張バスの規格である

EISA(Extended Industry Standard Architecture)を発表した。
⟳EISA, ISA

マイクロプログラム　*microprogram*

メインメモリを参照しないプログラムのこと。CPUの基本的命令であるマイクロ命令のみを使って書かれたプログラム。

マイクロプロセッサ　*microprocessor*

MPUともいう。1個のLSIに演算ユニット，レジスタ，デコーダ，コントローラ，プログラムカウンタなどを組み込んだCPU。パーソナルコンピュータ用語ではCPUとMPUは厳密に区別をせずに使うことが多いが，とくにMotorola社のマイクロプロセッサはMPUと呼ばれる。

マイクロフロッピーディスク　*micro floppy disk*

3.5インチのフロッピーディスクのこと。
⟳フロッピーディスク

マイ コンピュータ　*My Computer*

Windows95, 98やNT4.0で，そのパソコンに接続されているすべての記憶装置へのアクセスや機器の環境設定を行うための窓口。Windowsを起動すると，デスクトップ上にアイコンの状態で表示される。ここをダブルクリックすると，ウインドウが開き，接続されているすべてのドライブがアイコンで表示される。ここでいずれかのドライブをダブルクリックするとそこに納められているフォルダやファイルが表示され，この中かから起動したいファイルをダブルクリックするとそのプログラムを起動することができる。ドライブアイコン以外にも，接続されているプリンタに関する設定を行う「プリンタ」のフォルダ，各種の環境設定などを行う「コントロールパネル」のフォルダが表示される。

マウス　*mouse*

現在，標準的なポインティングデバイス。底面が平らで手のひらで握れる大きさをしている。底面には移動を検知するデバイスが，上面には1個から3個のボタンスイッチが付いている。本体からケーブルが出ている形からマウス（ねずみ）と名付けられた。
移動検知デバイスとしては，一般的にはボールが使われており，机などの平面上でマウスを動かすとボールの回転から移動方向と移動量を得ることができる。このデータによって画面に表示されたマウスカーソル（ポインタ）を移動させる。また，ボタンを押してさまざまな指示を与えることができる。

1968年，SRI InternationalのDouglas C. Engelbartによって考案された。

左から1ボタン式，2ボタン式，3ボタン式マウス

マークシート　*mark sheet*

該当する欄を塗りつぶさせ，OMRで読み取ってコンピュータで集計するための記入用紙のこと。

○OMR

マクロアセンブラ　*macro assembler*

マクロ定義が使えるアセンブラ。複数の命令をひとつのマクロとして定義し，プログラム記述に使えるアセンブラをいう。何度も使うサブルーチンをマクロとして置き換えることで開発の効率をアップすることが可能となる。代表的なマクロアセンブラとしてはCP/M用のM80，MS-DOS用のMASMがある。

マクロウィルス　*macro virus*

アプリケーションを自動化するツールであるマクロでつくられたウィルス。特定のソフトの文書ファイルに感染し，アプリケーションでファイルを開いた時点で実行される。インターネットの普及と，特定のアプリケーションソフトが独占的なシェアを占める環境が整った1996年ごろから問題となったもので，コンピュータウィルスの歴史のなかでは新しい。Microsoft Wordに感染するマクロウィルスがもっともポピュラーであり，1999年電子メールソフ

トのOutlookと連動して伝染するMelissaが大流行し逮捕者を出した。マクロという言語の性質上，感染する以外にシステムに致命的な被害を与えることは少ないと考えられているが，ファイルの書き換えやデータの削除なども可能で，悪意の第三者による改変も容易なため，今後悪質なウィルスの出現が心配されている。

マクロ機能 【マクロキノウ】　*macro*

あらかじめ一定の処理手順を定義しておき，自動的にソフトウェアの処理を操作するもの。特定のソフトウェアから呼出して使用する。表計算ソフトウェアで，必要なデータを入力すると自動的にグラフを表示させたり，通信ソフトウェアでBBSにアクセスする手順を自動化させたりといったことができる。

マクロ命令 【マクロメイレイ】　*macro instruction*

アセンブラで提供している機能のひとつで，頻繁に使われる命令群をひとつの命令語に定義して，以後，プログラムにその命令語を記述すれば，アセンブリ時に複数の命令語に展開してくれるもの。プログラミング時の煩雑さを解消し，設計の効率を上げられる。なお，メーカーによっては，アセンブラ以外でも同様の機能をもつプログラミング言語を提供しているところもある。

ま

マザーボード　*mother board*

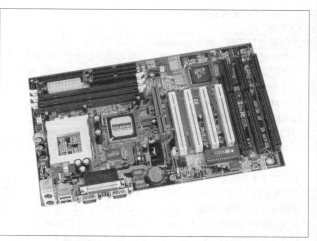

Diamond 社製マザーボード Micronics C200

CPU, ROM, RAM, クロックジェネレータなどパーソナルコンピュータとして基本的な部品を搭載した基板。コネクタによって各種のI/Oボードなどが実装できるようになっている。(次ページ図参照)

マージ　*merge*
複数のファイル同士やプログラム同士を決められた規則にしたがってひとつに併合すること。⟳リンク

マシン語 【マシンゴ】　*machine language*
⟳機械語

マシンサイクル　*machine cycle*
プロセッサがメモリやI/Oなど外部の素子に対して最小限の操作を行うのに必要な時間のこと。命令の読み込み（フェッチ），メモリからの読み出し，メモリへの書き込み，I/O ポートとデータを転送するなどのシーケンスを行う時間。

マスキング　*masking*
ビットパターンの中からある部分に覆いをかけ，必要な部分を取り出すこと。
たとえばある8ビットのデータと$0F_h$(00001111)とのANDを取ると

$$
\begin{array}{r}
11000101 \\
\wedge\ 00001111 \\
\hline
00000101
\end{array}
$$

のように，上位4ビットがマスクされて0となり，下位4ビットはそのまま残る。

マスク ROM 【マスクロム】　*mask ROM*
工場であらかじめデータを書き込まれたROMチップ。ユーザーが開発したプログラムを半導体メーカーにもち込み，製造段階で書き込んでもらう。プログラムに対応したパターンの露光マスクによって，基板に焼き付けてしまうのでマスクROMと呼ばれる。

マスストレージ　*mass storage*
大容量記憶装置のこと。ハードディスク，CD-ROM, MO, テープストリーマなど，メインメモリと比べて大きな記憶容量をもつものをさす。

マスタスケジューラ *master scheduler*

OSの機能のひとつで, センターのオペレータからのコマンドを受け付け実行し, オペレータへのメッセージを出力する。

マスタファイル *master file*

基本ファイルとも。レコードの集まりであるファイルのうち, ある業務で基本となるファイルのこと。通常, このファイルと, 更新データで構成されたトランザクションファイルとを突き合わせて更新処理を行っていく。⊃トランザクションファイル

松 【マツ】

管理工学研究所の日本語ワードプロセッサ。1984年に「日本語ワードプロセッサ」という商品名で登場, 同年, バージョンアップして「松」に。PC-9800シリーズ用日本語ワードプロセッサとしては, もっとも古い歴史をもつ。⊃ワードプロセッサ

マッキントッシュ

⊃Macintosh

マック

⊃Macintosh

マッチング *matching*

突き合わせ, 照合ともいう。ふたつのデータのキーを突き合わせて, 同じであるかどうかを判断すること。

マッピング *mapping*

CGで, 物体の表面や平面にあらかじめ作成してある模様のデータを張り付けること。

絵を張り付けるピクチャマッピング, 柄を張り付けるテクスチャマッピング, 表面に凹凸の形状を張り付けられるバンプマッピングなどがある。(次ページ図参照)

マトリクス *matrix*

(1) 多数の同一の部品を縦横に配置し, それらを導線で網状に連結して構成した装置。たとえば, 符号を別の符号に変換するダイオードマトリクスにおけるダイオードの配列などがこれにあたる。

(2) 数値を格子状に配列した行列のこと。

マニュアル *manual*

ソフトウェアやハードウェアの使用方法を記載し, ユーザーが実際に利用できるように援助する文書のことである。チュートリアルプログラムやオンラインヘルプ, ビデオテープなど, 印刷物以外の

左からテクスチャ, ピクチャ, バンプの各マッピング

形式で提供されることも多い。

マニュアルは, システムや製品がどのように作動するか, どのように操作するかを説明したオペレーションマニュアル (ユーザーマニュアル) と, 各機能の詳細な解説を記載したリファレンスマニュアルに分類できる。

最近では入門用ビデオテープが付属するアプリケーションも多い。

○取り扱い説明書

マルチウィンドウ　*multi window*

複数のウィンドウを開いて作業を行うこと。

マルチシステム　*multiplex system*

複数の装置を用意することにより, 何らかの障害によってシステムが停止することを避けることをいう。

マルチジョブ　*multi job*

1台のコンピュータで複数のジョブを同時に処理できること。パーソナルコンピュータでは, 32ビットのCPUの登場とメモリの大容量化にともない, ウィンドウを使い複数のジョブを同時に処理させられるものが増えてきている。なお, ジョブとはユーザーから見た仕事の単位であり, コンピュータ内部ではタスクという仕事の単位

に再構成されている。

マルチスキャンモニタ　*multi scan monitor*

幅広い水平/垂直周波数に対応し，各種ディスプレモードに対応できるモニタのこと。たとえばナナオのFLEXSCAN 56TSは，

水平同期周波数　　30〜85KHz

垂直同期周波数　　55〜160Hz

というスペックをもっており，PC-9800シリーズ，VGA，SVGA，Macintoshなどに接続できる。また，画面位置，サイズなど30種類以上のモードを記憶し，最適な画像を表示することができる。

17インチマルチスキャンモニタ

マルチステートメント　*multi statement*

プログラミングで，1行に複数の命令文を記述できること。パーソナルコンピュータでよく使われるBASIC言語で用いられる方法だが，あまりマルチステートメントを多用すると，プログラムが煩雑になって見にくくなってしまう。

マルチスレッド　*Multithread*

マルチタスクを行うときに，1つのプログラムをスレッドと呼ばれる個々のタスクを表す単位に細分化し，複数のスレッドを同

時に実行させる方式。マルチスレッド機能を提供するOSには，WindowsNTやOS/2などがある。

<u>マルチセッション</u>　*multi seccion*

フォトCDで，あらたに写真データを追加焼き込みをすること。フォトCDでは1枚のディスクに100枚の写真を焼き込むことができるが，1回目の焼き込み(シングルセッション)と2回目からの追加焼き込みでは記録方式が異なる。そのため，マルチセッションのデータを読み取るにはマルチセッション対応のCD-ROMドライブが必要になる。

◯PhotoCD

<u>マルチタスク</u>　*multi task*

コンピュータ内部で複数のタスクが同時に処理実行されること。

<u>マルチタスク OS</u>　【マルチタスクオーエス】　*multitasking OS*

同時に複数の処理を実行できるOS。パソコン用マルチタスクOSにはWindowsやOS/2, MacOSなどがある。

マルチタスク実行中の Windows98

<u>マルチティンバー</u>　*multi timbre*

MIDI音源で，1台で同時に複数の音色を出すことができるもの。DTM(デスクトップミュージック)でアンサンブルを実現するためには，ドラムやベース，ピアノやギターなど，複数の楽器の音が必要になる。これを1台の音源でまかなえるようにしたもの。現在発売されているMIDI音源はほとんどがマルチティンバー対

応であり，1台で200〜300種類の音色をもち，同時に24音から32音程度出力できる。⊃MIDI, DTM

マルチファイルボリューム　*multiple files volume*

ひとつのボリュームに複数のファイルが存在すること。ボリュームとは記憶媒体の物理的単位のことで，たとえば磁気テープの場合，1本のテープに複数のファイルが記録されていれば，そのテープはマルチファイルボリュームであるといえる。

マルチファインダ　*multifinder*

MacintoshでSystem7が開発されるまで使用されていたシステムソフトウェアのひとつで，複数のプログラムを同時に利用できるOS環境を提供する。System7以降では，マルチファインダが標準となり，ファインダという名称に統一された。

マルチプレクサ　*multiplexer*

多重回線や，データバスなどを，ひとつの出力にまとめる装置のこと。逆の作用をするデマルチプレクサも，マルチプレクサといわれる。

マルチプログラミング　*multi programming*

多重プログラムともいう。複数のプログラムがあたかも同時に動いているように処理を行うこと。コンピュータの内部では，処理をタスクという単位に分けて管理しているので，マルチプログラミングはマルチタスクでもある。

マルチプロセッサ　*multiprocessor*

複数のCPUで構成されるコンピュータシステムのこと。各CPUに処理を分担させ，並列処理によって全体の処理速度の向上を図るアレイプロセッサや，デュアルシステム，デュプレックスシステムもマルチプロセッサの一種である。

マルチベンダ　*multi vendor*

特定のメーカや機種だけでシステムを構築するのではなく，さまざまなメーカの機種を組み合わせてシステムを構築すること。とくにパーソナルコンピュータでLANを構築する場合，既にオフィスに導入されている各社製品を活用しなければならないことが多く，マルチベンダ対応が求められる。

従来は特定の製品を組み合わせないと，システムが構築できなかった。それが汎用ネットワークOSの登場やデータベースの問合せ言語の標準化(SQL)などによって，異なるメーカの製品，あるいはOS間でもシステムの構築が可能となった。⊃オープンシステム

マルチメディア　*multimedia*

動画像，静止画，音声，音楽，文字など，複合したデータをコンピュータで統合して処理，管理するもの。通常のビデオなどが決まったストーリーしかもてないのに対し，コンピュータを使うことにより，ユーザーとの対話的な操作でさまざまなストーリー展開が可能になる。

従来，動画像や写真，音声などはデジタル化するとデータ量が膨大なものになるので，なかなかパーソナルコンピュータでは管理が難しかった。

それがCPU能力の向上，メモリやハードディスクの大容量化，CD-ROMの普及，データ圧縮技術の進歩により，現実的なものとなってきた。

今後は，より自然な画像の再現や応答速度の向上が求められ，またパーソナルコンピュータだけでなく，家電との融合が進むと見られている。⊃MPC

マルチメディアキット　*multimedia kit*

音源やCD-ROMドライブなど，マルチメディア機能をもっていないコンピュータをマルチメディア化するための製品。
⊃マルチメディア, MPC

マルチメディアデータベース　*multimedia database*

通常のテキストだけのデータベースに対して，イラストや写真，音声やムービーなどを貼り込めるデータベースをこう呼ぶ。

マルチモニタ　*multi monitor*

1台のコンピュータに複数のモニタをつなげる機能。全体で1つの大きなモニタとしてあつかい，より広い領域を表示させたり，マルチタスクのウィンドウをそれぞれのモニタに表示させたりといった使い方ができる。Microsoft社のWindows98では9台までのマルチモニタをサポートする。

マルチユーザ　*multi user*

1台のコンピュータに複数の端末をつなぎ，複数のユーザが同時に利用すること。汎用大型コンピュータやUNIXではマルチユーザが基本である。

マルチユーザシステムではマルチタスク機能に加え，パスワード管理，ファイルへのアクセス権などのセキュリティ機能が必要になる。複数のタスクを実行できるが，ひとりのユーザしか同時に使えないものをシングルユーザ/マルチタスクという。

　　⟁マルチタスク

丸め 【マルメ】　　*rounding*

　コンピュータ内部でデータ記憶するには数値の桁が大きすぎる場合，入りきらない桁を切り捨てたり，四捨五入したりすること。

マンマシンインターフェイス　　*man machine interface*

　コンピュータとそれを使う人間との間のコミュニケーション部分のこと。マンマシンインターフェイスの善し悪しが最終的にコンピュータシステムの使いやすさを決定する。

　専門家のみならず一般人がコンピュータに接する機会が非常に多くなった現在では，分かりやすい，使いやすいという部分がとくにクローズアップされるようになっている。

　画面が与える目への影響やキーボードの形状，キータッチなど，人間工学に基づくハードウェアの設計に加えて，ソフトウェアの操作性の良さ，たとえばメニュー方式かコマンド方式かといった部分も使いやすさに大きく関わり，ハードウェアとソフトウェアを総合した観点からより使いやすいマンマシンインターフェイスが求められている。

　⟁GUI，インターフェイス

ま

ミクストモード　*mixed mode*

プログラミング言語において，ひとつの式内に，整数型と実数型など，異なるデータ型を混合して用いる場合などをさす。

未読【ミドク】　*unread*

パソコン通信ネットワークにおいて，会議室の発言やメールボックスの電子メールのうち，まだ内容を読んでいないもののこと。通信ソフトには，よく利用する会議室の未読部分や未読メールを自動的にダウンロードしてくれるマクロ機能などを備えているものもある。

ミドルウエア　*middleware*

アプリケーションソフトに何らかのサービスを行うソフトウェアで，OSとアプリケーションソフトの中間に位置する。基本サービスを行うOSとは違い，データベース管理システムや通信サービス，GUIなどのより高度なサービスを行う。

ミニコンピュータ　*mini computer*

ワークステーションと大型コンピュータの中間クラスのコンピュータをさす。事務処理，技術計算，プロセス制御，ネットワーク制御などに使われている。1965年にDEC社が発表したPDP-8というコンピュータにミニコンピュータという名前が付けられたのが最初。

ミニタワー　*mini tower*

小型縦置きタイプのコンピュータの本体ケース。厳密な定義はないが，デスクトップケースを縦置きするようにデザインしたもので，高さが30センチから45センチ程度のケースをミニタワーと呼んでいる。

標準的なタワー型ケースに比べ，ドライブベイや増設スロットなどが少ない以外は基本機能は変わらない。（次ページ図参照）

ミニディスク　*mini disk*

⊃MD

ミニフロッピー　*mini floppy disk*

5.25インチタイプのフロッピーディスクのこと。パーソナルコン

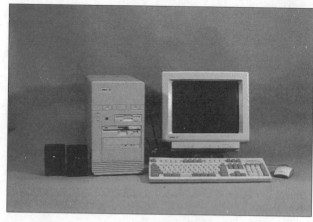

ミニタワー

ピュータでは，マイクロフロッピーディスク（3.5インチ）に次い
で広く使われている。

記録密度によって両面倍密度(2D)，両面倍密度倍トラック(2DD)，
両面高密度(2HD)などがあり，両面高密度で1.2Mバイトの容量を
もつ。最近，パソコンの多くはマイクロフロッピーを採用してお
り，ミニフロッピーの影は薄くなった。

ミラーサーバ *mirror server*

メインサーバが不慮の事故でシャットダウンしてしまった場合に，
もう1台の同一のサーバシステムを用意しておき，復旧するまでそ
のシステムを使ってLANを運営すること。ミラーサーバを設定し
ておくと，自動的にハードディスク内容もミラーリングされるこ
とから，即移行することが可能。
◯ディスクミラーリング

ミラーリング
◯ディスクミラーリング

ミリ *milli*
1000分の1。

明朝体 【ミンチョウタイ】
日本語の基本書体。縦線が横線よりも太く，右端に"うろこ"とい
う飾りがついている。（次ページ図参照）

うろこ

明朝体

む

無限ループ 【ムゲンループ】　　*infinite loop*

プログラムで，繰り返しのループから抜け出せない状態のこと。ループの中で設定するはずの脱出条件がうまく設定されなかったときや脱出するための条件が起こり得ない設定になっているときに発生する。

無線 LAN 【ムセンラン】　　*wireless LAN*

無線や赤外線を使用したワイヤレスのLAN。通常のLANは伝送路として，同軸ケーブルや光ファイバ，ツイストペアケーブル等を使う有線方式のため端末のレイアウトが変わると配線工事をやり直す必要があるが，無線LANではレイアウト変更が自由にできる。有線方式に比べて伝送速度や伝送距離に制約があるが徐々に改善されてきている。

⊃LAN

無停電電源装置 【ムテイデンデンゲンソウチ】　　*Uninterruptible Power Supply*

⊃UPS

無手順 【ムテジュン】

データのやりとりを行う際に，特別な取り決めを必要としない通信方法。

無変換 【ムヘンカン】

かな漢字変換で，入力した文字列を漢字変換せずにそのまま確定する方法。入力したひらがなをそのまま入力したい場合に利用する。またDOS/Vマシン用の106キーボードには，無変換キーが用意されておりそのキーを押せばよい。

メガ *mega*

10進数で10^6，100万の位。コンピュータでは2進数で2^{20} =1048 576。キロの1024倍である。

命令 【メイレイ】 *instruction*

機械語でコンピュータに動作を指示する最小の単位。演算，入出力，制御命令などがある。プログラミング言語の命令語のことをいうこともある。この場合は，通常，ひとつの命令語が複数の機械語の命令に対応している。

命令コード 【メイレイコード】

コンピュータに加算・減算などの演算操作や，あらかじめ格納されているプログラムに従った動作を指定するためのコード。

命令サイクル *instruction cycles*

機械語で，ひとつの命令が取り出されてからその実行が終了するまでの時間のことをいう。

命令パイプライン 【メイレイパイプライン】

中央演算装置(CPU)の高速化技術のひとつ。命令デコーダーを複数のステージに分割し，それぞれで並列実行させるための機構である。一連の役割が，コンビナートにおけるパイプラインの機能に似ていることからそう呼ばれる。

命令レジスタ 【メイレイレジスタ】 *operation register*

メインメモリに格納されている命令語を取り出して格納するレジスタのこと。命令レジスタに格納された命令語は制御部によって解読実行される。

メインフレーム *main frame*

事務計算で使う大型コンピュータ。これをホストにしたオンラインシステムがかつては一般的だった。現在ではダウンサイジングでパーソナルコンピュータやワークステーションをLANで接続したクライアント・サーバモデルへ移行している。

○汎用コンピュータ

メインボード *main board*

○マザーボード

め

メインメモリ　*main memory*

主記憶装置ともいう。CPUが直接アクセスでき，OSやプログラムが利用できるメモリ。MS-DOSでは，利用できるメインメモリが640Kバイトに制限されているので，EMSやUMB, HMA, DOSエクステンダなどを使ってメインメモリを増やす工夫がされている。

メインルーチン　*main routine*

何度も出てくるような処理を取り出してサブルーチンとするのに対し，プログラムのメインの部分となるもののこと。サブルーチンに対する言葉。

メガ　*mega*

100万(10^6)のこと。2進数では2^{20}のこと。Mと省略することもある。

メカトロニクス　*mechatronics*

機械の電子化，機械と電子の一体化といった意味。マイクロコンピュータを組み込んだ機電一体化製品をさし，FAにおける産業用ロボットやNC（数値制御）工作機械などが相当する。

また医療機応用もメカトロニクスのひとつである。⇨ファクトリオートメーション

メガバイト　*megabyte*

1024Kバイトのこと。正確には2^{20}で1,048,576バイトである。

メタキャラクタ　*metacharacter*

メタ文字ともいう。プログラムソースやマクロコマンド，コマンドスクリプトなどにおいて他の文字に関する情報を与える文字。

たとえばC言語をはじめ，バックスラッシュ"¥"は他の文字の前に置くことで改行やタブなどのエスケープシーケンスとしての役割を与えるメタキャラクタである。⇨正規表現

メタ言語　【メタゲンゴ】　*metalanguage*

メタ(meta)という接頭辞は「ともに，後に，変化して，を超越して」という意味であり，メタ言語は「超言語」と訳す。言語学では「ある言語がどのような文法に，基づいているかを記述するために用いられる言語」のことをさす。

コンピュータの分野では，あるコンピュータ言語の構文を記述するために使われる言語のことをいう。また，コンピュータ言語の構文をメタ言語を用いて表現した式などを超言語式(metalinguistic formula)という。⇨コンパイラコンパイラ

メッセージ交換システム 【メッセージコウカンシステム】 *message switching system*

遠隔端末から送られてきた情報を，交換機に蓄積し，内容を変えずに他の目的端末に転送するデータ通信システムのこと。
データ長が一定であるパケット交換システムに対し，データ長は可変であり，リアルタイム伝送である回線交換システムに対し，バッファを使用するので，一定でない伝送遅延が存在するなどの特徴がある。

メッセージ交換方式 【メッセージコウカンホウシキ】

オンライン処理の形態の一つ。任意の利用者端末から他の利用者端末へメッセージを送出する形態のこと。送出されるメッセージは一時的に記憶装置に蓄積され，利用者から送出の要求があったときに改めて記憶装置から読み出されて処理される。

メディア *media*

⊃媒体

メディア変換 【メディアヘンカン】 *media conversion*

データをあるメディア（記憶媒体）から形態，フォーマット形式，種類の異なるメディアへコピーすることをいう。
たとえば，PC-9800シリーズ用の3.5インチ1.2Mバイトのフロッピーディスクに記録したデータをIBM PC互換機で読むことのできる3.5インチ1.44Mバイトのフロッピーディスクにコピーすることなど。

メディアプレイヤー

⊃Windows Media Player

メディアラボ *Media Laboratory*

MIT（マサチューセッツ工科大学）の研究機関で，1985年に設立された。コンピュータの新しい利用方法を研究しており，ホログラフの開発や，双方向テレビの実験などで成果を上げている。また，民間会社との共同研究にも力を入れており，日本企業もスポンサーとして参加している。

メニュー *menu*

処理内容やコマンドの種類を一覧表にして画面に表示したもの。ユーザーはこの中から必要なものを選ぶことによって次の処理に移ることができる。
処理やコマンドを覚えていなくても操作ができるので初心者には使いやすい。

メモリ　*memory*

データを記憶するための装置。一般にはコンピュータの内部記憶装置をさし，フロッピーディスク，ハードディスクなどとは区別して使うことが多い。

基本的にはデータなどの情報を必要となるときまで蓄えておき，取りだそうとするときにはいつでも，高速に取り出せることが求められる。

メモリアドレス　*memory address*

パソコンが利用するメモリは，どこに何を入れたか分かるように番地で区切ってある。この番地のことをメモリアドレスと呼ぶ。多くのパソコンがバイトを単位として番地付けを行うバイトコンピュータなので，番地は16進数を使って表されることが多い。

メモリアロケーション　*memory allocation*

マルチタスクのシステムで，各タスクがメモリを奪い合わないよう，メモリを割りふること。一般には記憶装置内のある領域を割り付けテーブルとして利用するが，このテーブルをメモリアロケーションテーブルと呼ぶ。

メモリ管理　【メモリカンリ】　*memory management*

メモリを効率的に活用するための管理。主にメモリの確保と解放，仮想記憶アドレスのマッピング，各プログラムの保護，CPUの割り当て等の管理を行う。

メモリ管理ユニット　【メモリカンリユニット】　*memory management unit*

MMUともいう。メインメモリを管理し，仮想アドレス（相対アドレス）を物理アドレスに変換するなどする回路。最近のCPUではMMUを内蔵しているものが多い。

メモリスイッチ　*memory switch*

コンピュータの動作環境を設定するスイッチのことだが，物理的なスイッチではない。本体に内蔵されたRAMに，設定内容を保存しておくもの。

通常，RAMの内容は電源を切ってしまえば消滅してしまうが，メモリスイッチはバッテリによってバックアップされており，主電源を切っても内容が保存され，次に電源を入れたときには設定した環境にしたがってシステムを動作させる。

メモリダンプ　*memory dump*

メインメモリや外部記憶装置の内容を，プリンタやディスプレイに

出力すること。普通，16進法のコードを無編集で出力するものをいうが，キャラクタに変換して出力される場合もある。デバッグ時にこのダンプを見ながら不具合な箇所を探すのに使われたりする。

メモリマップ *memory map*

メモリアドレスの使用状態をグラフや数値で表現したもの。どの領域がシステムによって占められ，どの領域にデバイスドライバが置かれており，空きメモリがどれだけあるか，などが分かる。MS-DOSでは付属のmemコマンド，フリーソフトウェアのvmapなどで表示することができる。

メーラ *Mailer*

電子メールを書いて送ったり、届いた電子メールを読んだりするときに使うソフトウェア。

メーリングリスト *mailing list*

インターネット上で，登録したユーザーに対して同じ内容のメールを一度に送ることができるシステム。たとえば，メーカーの情報発信用メーリングリストに登録すると，メーカーからの最新の製品情報が送られてくるというふうに使われる。

メール

⇨電子メール

メールサーバ *mail server*

メールをやりとりするための専用サーバをこう呼ぶ。インターネットのようにTCP/IPを使ったネットワークの場合，SMTPサーバとPOPサーバの2つのメールを扱うサーバがある。SMTPとは，Simple Mail Transfer Protocolの略で，メールをやりとりするための方式を意味しており，ユーザーが送信したメールはSMTPサーバを通して転送される。一方のPOPとはPost Office Protocolの略で，郵便局のような役割を果たしている。具体的には，POPサーバにあるメールを，各ユーザーのパソコンへ転送する。したがって，インターネットでは，送るときはSMTPサーバに，受けるときはPOPサーバにそれぞれログインすることになる。

メールボックス *mailbox*

電子メールにおける郵便箱。ユーザーには固有のアドレスが割り当てられ，そのアドレスにメールを送るとそのユーザーのメールボックスにメッセージが表示される。

メンテナンス *maintenance*

保守。ハードウェアやソフトウェアなど，コンピュータシステムの

検査, 修理のこと。とくに大型のコンピュータでは専門の要員による定期点検, 修理のサービスなど, メンテナンスが重視される。

メンテナンスフリー　*maintenance free*

　保守を必要としないこと。大型のコンピュータの場合, 普通, 定期的に点検が行われるが, ユーザー数の多いパーソナルコンピュータでは, メンテナンスに時間を要するようでは, コストがかかりすぎるのでメンテナンスフリーの製品が望まれている。

め

文字落ち/文字化け 【モジオチ/モジバケ】

データ通信時に，画面上などに意味不明の文字が表示されたり，文字が欠落する現象。電話回線にノイズが混入したり，デバイスドライバやTSRの不具合によって発生する。

文字コード 【モジコード】 *characters code*

⊃キャラクタコード

文字同期方式 【モジドウキホウシキ】 *character synchronous communication*

同期通信方式のひとつ。伝送ブロックの先頭に，特定の同期用パターンであるSYN 文字（同期文字）を付加する。受信側では，SYN 文字を受信したあとに，SYN 文字以外の文字を受信したときからデータ受信を開始する。スタートビット，ストップビットがないので伝送効率が向上する特徴がある。IBMのBSC手順で使われている。キャラクタ同期通信方式ともいう。

モジュラージャック *modular jack*

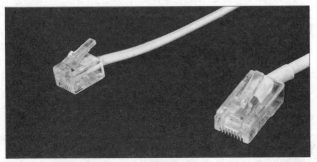

モジュラージャック　RJ-11（左）と RJ-45（右）

電話機やファクシミリ，モデム，10BASE-T，PhonNetなどツイストペアケーブルの接続に使われるプラスチック製のプラグ。小型で抜き差しが簡単で安価である。おもに電話機などに使われる4

ピン/6ピンのRJ-11と，10BASE-TやINSネット64回線に使われる8ピンのRJ-45がある。

モジュラープログラミング　*modular programming*

プログラムをモジュール化し，独立性をもたせることによって，他のモジュールから影響を受けることなく，一部のモジュールの改良や再翻訳を可能にするプログラミング技法のことをいう。各モジュールであるファンクションやサブルーチンは局所的変数を用いることによって独立性を高めており，まとまった機能ごとにモジュール化する。

モジュラープログラミングの考え方は，処理手順だけでなく適用業務に対しても使われており，汎用ソフトウェアの構成法のひとつとなっている。

モジュール　*module*

プログラムにおけるモジュールとは，プログラム内を機能別の単位に分割した部分のことで，フローチャートのひとつ1つの処理や定義済み処理にあたる。モジュール単位でプログラムが構成されていれば，開発やテストも行いやすく，設計者以外の人にも分かりやすいのでメインテナンスが容易になる。

また，ハードウェアでモジュールというときは，メモリボードなどの部品が簡単に取り外せ，交換しやすいように設計されているときのその各々の構成要素のことをいう。

○モジュラープログラミング

モーションキャプチャ　*motion capture*

コンピュータ・グラフィックスで動画を作成する場合，人間の動きをプログラムやデータとして作成するのは大変な手間がかかる。そこで実際の人間の体にセンサーをとりつけ，その動きをビデオカメラ等で撮影し，そのセンサーの動きをディジタルデータ化してコンピュータ・グラフィックスに利用するための仕組みを指す。

文字列　【モジレツ】　*String/Characters*

○キャラクタ

モデム　*modem*

変復調装置のこと。電話回線を通じてコンピュータのデータをやりとりするための装置。modulator（変調器）とdemodulator（復調器）の合成語。コンピュータとはRS-232Cインターフェイスで接続し，デジタル信号を通常の電話回線で利用できるアナログ信号（音声信号）に変換したり，あるいはその逆を行う装置。

ほとんどのモデムが電話回線のON/OFFやダイヤリングなどの回線制御, MNPなどの誤り訂正機能を備えており, 最近ではファクシミリ機能やボイス機能が付いているものの人気が高い。

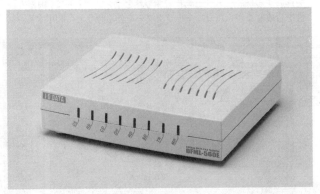

V.90 モデム　アイ・オー・データ機器 (株)DFML-560E

モデムカード

パーソナルコンピュータの拡張スロットや, あるいはノート型コンピュータのカードスロットに差し込むタイプのモデムの総称。小型, 軽量で扱いやすい。

モード　*mode*

基本的な方式にいくつもの種類があるとき, その各々の方式をモードと呼ぶ。たとえば日本語入力FEPの場合, 入力の方式として, ローマ字入力, カナ入力が考えられるが, これをローマ字入力モード, カナ入力モードと呼ぶことができる。

モニタ　*monitor*

コンピュータで使用する画面表示装置のこと。⊃ディスプレイ

モバイルコンピューティング　*mobile computing*

ノートパソコンなどの携帯端末を持ち歩いて, 本来のオフィス以外の顧客先や移動中の列車, ホテル等でオフィスと同等のコンピュータ利用を実現すること。オフィスのコンピュータと通信回線により接続し, データベースや電子メール, グループウェアを利用できるため外出先でも支障なく仕事ができる。携帯端末の進歩と, PHSや携帯電話の通信インフラの進歩でますます実用性が増加し

643

ている。

モーフィング　*Morphing*

あるグラフィックスともう一つのグラフィックスの中間イメージを作成する機能。人間と動物の顔写真をインプットして，両方の特性を合成しながら新たなキャラクターを作る時などに利用する。

モーフィング

問題向き言語　【モンダイムキゲンゴ】　*problem oriented language*

問題向き言語というとき，2種類の使われ方がなされている。

ひとつは特殊問題向き言語と同じ意味で用いられ，シミュレーション用言語のGPSSやSIMSCRIPT，リスト処理用のLISPなど，特定の用途に開発された言語のことをさす。

もうひとつは，問題全般を取り扱う言語といった意味で，COBOLやFORTRANなど，アルゴリズムを用いて記述する高級プログラミング言語のことをさしている。

モンテカルロ法　【モンテカルロホウ】　*Monte Carlo method*

乱数の使用により，数値計算問題の近似解を得る方法。いま，ある事柄が起こる確率がpであるような事象に対して，N 回のランダム試行の結果，n 回，ある事柄が起こったとすると，大数の法則から$\varepsilon > 0$ に対して，

$$\lim_{n \to \infty} P\{\frac{n}{N-p}| < \epsilon\} = 1$$

が成立する。ただし，$P\{\ \ \}$ は $\{\ \ \}$ 内の条件が成り立つ確率を意味する。すなわち，モンテカルロ法の原理は，ランダムな試行回数 N を多くとることにより，$p = \dfrac{n}{N}$ を計算しようというわけである。

確率論的問題は，解析的に解けない場合がほとんどで，その中にランダムな要素を多く含むものは，モンテカルロ法によりシミュレーションを行い，解決の糸口が見いだされる場合がある。たとえば，原子炉内の中性子のランダム運動の振舞いに対する予測などがこれにあたる。

また，偏微分方程式の境界値問題において，境界の形状が複雑な場合に，ある特定の点における解を求めるランダムウォークは，モンテカルロ法の典型例である。

も

ゆ

ユーザ　*user*

コンピュータの利用者のこと。

ユーザインターフェイス　*user interface*

コンピュータとユーザが会話するための仕組み。おもにキーボードやマウス, ディスプレイなどの入出力を通じて行うソフトウェア的なインターフェイスをさす。MacintoshやWindowsではアイコンによるファイル表示, マルチウィンドウ, マウスなどを駆使したグラフィカルユーザインターフェイスシステム (GUI) によって, より人間的な操作性を提供している。🔿マンマシンインターフェイス, GUI

ユーザ辞書　【ユーザジショ】　*user dictionary*

日本語入力ソフトで, ユーザが単語を登録できる辞書のこと。購入時に添付されるオリジナル辞書は数万語の単語が登録されているが, 汎用に作られているため, 特定分野の単語は登録されていないこともある。そのため, ユーザがそれぞれの業務に応じて, 頻繁に使う単語や短文をユーザ辞書に登録し, 使い勝手を向上できるようになっている日本語入力ソフトが多い。
🔿日本語入力 FEP, IME

ユーザ登録　【ユーザトウロク】　*user registration*

(1) ハードウェアやソフトウェアを購入したときに, 製品所有者としてメーカーに登録すること。ユーザ登録をしておかないと, ユーザサポートやバージョンアップ, 保守管理などのサービスを受けられなくなる。

(2) BBSに加入し, IDやハンドル, 氏名, 住所などを登録すること。

ユーザビリティ　*usability*

(コンピュータの) 使いやすさ。

ユースウェア　*useware*

コンピュータのハードウェア, ソフトウェアなどを利用し, 各種業

務を効率良く安定的かつ継続的に推進させるための有料サービスの総称。

具体的にはシステムコンサルティング，システム保守，ネットワーク設計，インストール，導入指導，ユーザサポート，データ入力代行，マニュアル作成，教育，システム開発など幅広い分野を含む。

ユーティリティ   *utility program*

一般には2種類の意味で用いられ，ひとつはプログラムの開発の際に使われるもので，テストデータ作成やテスト環境の設定など，テストや開発を支援するプログラムのことをいう。もうひとつは，ソフトウェアのメーカーなどが提供する補助的なプログラムのことをさす。フロッピーディスクの初期化やディレクトリの管理など，OSの機能として準備されているものもある。

ゆ

横倍角 【ヨコバイカク】

ワープロソフトなどで，標準の印字サイズに対して，縦のサイズ
はそのままに横のサイズを2倍にした文字のこと。Windowsでは，
フォントの長体(縦のサイズはそのままに横のサイズを細くするこ
と)や平体(長体とは逆に横のサイズはそのままに縦のサイズを細
くすること)などの自由なフォントサイズが利用できるものも多く，
あまり利用されなくなっている。

全角文字:横倍角文字

予約語 【ヨヤクゴ】 *reserved word*

プログラミング言語において，あらかじめ役割が決まっており，
ユーザーが任意に使うことのできない単語。たとえば

if then else while int long

など制御命令，変数宣言などに使用する語である。
ユーザーは予約語をラベル，変数名，名前，マクロなどに使用する
ことはできない。

予約文字 【ヨヤクモジ】 *reserved character*

プログラミング言語において，あらかじめ特別な機能が決まってい
る文字で，ユーザーが任意に使うことのできない文字。おもな予約
語としては次のようなものがある。

*	アスタリスク
/	スラッシュ
\	バックスラッシュ
?	疑問符
|	パイプ

ユーザーは予約文字をファイル, ラベル, マクロなどに使用することはできない。

<u>より対線</u> 【ヨリタイセン】　　*twisted-pair wire*
　導線を2本1組でより合わせてできているケーブル。平行型のケーブルよりも信号干渉や混信の影響を抑えられる。安価, 軽量, 設置が簡単, などの利点から構内モデムの回線やLANなどに使用されている。

ライザカード　*riser card*

PC/AT互換機のマザーボード上にある拡張カードスロット部分を切り離し、別のカードとしたもの。ライザカードには拡張カード用のスロットのほかにマザーボード専用のスロットがあり、これをマザーボードのエッジに垂直に挿し込む。拡張カードスロットはマザーボード上では場所をとってしまうが、このライザカード方式だと、そのぶん筐体を小さくすることができる。拡張カード類はマザーボードに平行して「コ」の字型に上に積み上げられる格好になる。

ライトサイジング　*rightsizing*

集積回路の発達によってハードウェアの選択の幅が広がったことから、コスト削減を目指して業務にあったハードウェアを選択していこうという思想。特にネットワークシステムで行われており、ダウンサイジングとアップサイジング(パソコンLANのサーバーにUNIXマシンを利用するなどダウンサイジングとは逆の現象をいう)の考え方を含む。

ライトスルー方式　*write through*

キャッシュの書き込みがあった場合、すぐにメインメモリに書き戻し、常に2つの同期をとる方法。

ライトバック方式　*write back*

キャッシュへ書き込みデータのキャッシング(データ保有)を行うこと。通常、キャッシュは読み込みデータのみをキャッシングするのだが、書き込みデータをキャッシングすることで、より効率のよいデータ転送が可能となる。

ライトプロテクト　*write protect*

フロッピーディスクやテープカートリッジへの書き込みおよび消去を防止する処置。3.5インチディスクではプロテクトノッチを、窓が開く状態にしておくと書き込み、消去ができなくなる。

ライノトロニック　*Linotronic*

Linotype-Hell社のイメージセッタ。PostScriptに対応しており、1250dpiから3386dpiまでの解像度で印画紙およびフィルム出力

が可能。○イメージセッタ

ライブラリ　*library*

プログラムやサブルーチン，またはデータなどをひとまとまりに登録してあるファイルのことで，このファイルを参照することで，自由にプログラムやデータを利用できるようにしたもの。

プログラムの場合，ソースプログラムのライブラリ，オブジェクトプログラムのライブラリ，ロードモジュールのライブラリ，ユーティリティプログラムのライブラリなどが用意されている。

ラインエディタ　*line editor*

編集作業を1行単位で行うエディタ。プログラムをパンチカードで書いていた作業をCRT とキーボードでの対話型環境に置き換えたもの。「5行目から20行目までを画面に表示」「15行目を削除」「14行目に新しい行内容を加える」などと編集する行を行番号で指定しなければならない。

MS-DOSにはedlin というラインエディタが付属している。

○スクリーンエディタ

ラウンドロビンアルゴリズム　*round robin algorithm*

タイムシェアリングシステム(TSS)やオンラインシステムにおける，タスクの実行順位を決める方式の一種。複数の同じ優先順位（プライオリティ）をもつタスクが実行を待っているとき，同じプライオリティ内では実行順位に差を設けず，並んでいる順番に処理していくこと。

ラスタ型　【ラスタガタ】　*raster*

ビットマップ型と同じ。CRTの走査線の交点を念頭に置いたいいかた。

ラスタスキャン　*raster scan*

CRTディスプレイの走査方式の一種。画面を横方向に細く区切り，左端からビームを右側へ移動させ，右端に着いたら，すぐ次の行の左端から再び走査し，画面を構成するもの。

ラスタライズ　*rasterize*

ベクタ型のデータをビットマップ型に変換すること。

ラッチ　*latch*

時間的に変化するレジスタやカウンタ，データバス上などにあるデジタル情報を所望の時刻に読みとって登録（レジスト）する動作，またはその回路をいう。

論理回路でラッチ（D ラッチ）と呼ばれるものはRSフリップフ

ロップの前段に入力ゲートを付加したもので構成されたレジスタで、入力情報はクロックパルスの立ち上がり時刻でサンプリングされて取り込まれ、次のクロックパルスまで以後の入力に関係なく出力に保持される。

継電器回路においては、手動もしくは電磁動作によってリセットされない限り状態を維持するように施錠する動作、またはその継電器。

ラベル *label*

プログラム中で、ジャンプ先に付ける目印のこと。また、ファイルの前後にあってファイルの情報を保持している情報（ヘッダラベル、トレーララベル）のこと。

乱数 【ランスウ】 *random number*

周期性がなく、各々の数字に何の関連もないような数の系列のこと。さまざまな場合を想定するシミュレーションなどで用いられる。

コンピュータでは乱数発生ルーチンによって疑似的に乱数を作り出すことができる。

ランタイムライブラリ *run-time library*

C言語などのコンパイラに付属している、アプリケーションにリンクして実行するためのオブジェクトモジュールを集めたライブラリのこと。

ランダムアクセス *random access*

データ（レコード）の格納順やキーの順番に関係なく、必要とするデータを直接アクセスできること。ダイレクトアクセスともいう。ファイルでは索引順編成ファイルとランダムアクセスファイルがランダムアクセスが可能である。●シーケンシャルアクセス

ランダムアクセスファイル *random access file*

目的とするレコードを直接アクセスできるファイルのこと。

レコードのキーと格納されるアドレスとの間に何らかの関係付けを行って、直接にアクセスできるようにしている。アドレスの関係付けとしては、直接アドレスによる方法と間接アドレスによる方法がある。

直接アドレスとは、レコードのアドレスをそのままキー値とするものや、対比表を使ってキー値とアドレスを結び付けるものであり、間接アドレスとは、キー値に対してある種の計算を行ってアドレスを求めるもの。

ら

<u>ランダム処理</u> 【ランダムショリ】　*random processing*

　レコードを格納順やキーの順番とは関係なく取り出して処理を行う方式。○ランダムアクセス

<u>ランドスケープ</u>　*Landscape*

　建物や地形などをコンピュータグラフィックスを使って描くもの。特長は、一度作成すれば後から自由に視点を変えることができる。

<u>ランニングコスト</u>　*running cost*

　システムや機械を運用するにあたって、かかる消耗品や保守点検の費用。使用頻度などによって同じシステムであっても変わってくる。

　最初に購入するためのイニシャルコストだけでなく、ランニングコストもあらかじめ考慮しておかなければならない。○コストパフォーマンス

<u>ランレングス法</u> 【ランレングスホウ】　*run length method*

　圧縮アルゴリズムのひとつ。連続した文字を個数で表すことでファイルサイズを小さくする。たとえば「がはははは」は「がは5」と符号化する。

　テキストファイルの圧縮には、あまり効果がないが、画像データ、とくにモノクロ2値のデータではかなり圧縮できる。ファクシミリなどで使われている。

ら

リアルタイム OS 【リアルタイムオーエス】　*realtime OS*

一般のOSに対し，ユーザーインターフェイスよりも実行時間の速さ(既時性)を重視したOS。有名なものとして，VxWorksやC-Executive，ITRONなどがある。

リアルタイム処理 【リアルタイムショリ】　*real-time processing*

ユーザーからの実行命令やデータの発生に対し，即座に処理すること。反対に決まった時刻に処理を行うのがバッチ処理である。
❍バッチ処理

リアルタイムレコーディング　*real-time recording*

MIDIシーケンサにミュージックデータを入力するのに，実際にMIDI楽器を弾いて，そのデータを取り込む方法。取り込んだデータは，あとからタイミングや長さなどを編集できる。

とくに，人間が弾くことでずれがちなタイミングを自動的に合わせる機能をクォンタイズという。ただし，クォンタイズをかけすぎると無機的な曲調になりがちである。

海外のMIDIシーケンサソフトウェアは，ほとんどがこの方式である。

リアルモード　*real mode*

80x86CPUにおいて，8086と互換性をとるための動作モード。CPUがリセットされた時，あるいは電源が投入されて起動する時はリアルモードとなる。

MS-DOSでは80286，i386，i486もリアルモードで動作するので，高速な8086としての機能しか発揮できない。

リアルモードでは最大1Mバイトまでのメインメモリしかアクセスできない。また，シングルタスク環境であり，メモリ管理およびメモリ保護機能は使えない。
❍DOSエクステンダ

リエンジニアリング　*Re-engineering*

すでに稼働しているシステムを，より効率よく活用するための技術。プログラムを直接書き替えるのではなく，図表などを部分的に修正するだけでプログラムを自動生成することなどが一例。

リエントラント　*reentrant*

再入可能，再使用可能ともいう。複数のタスクを同時に使用できる形態のプログラム，サブルーチンのこと。

オンラインシステムでは，各端末から同時に同じプログラムを起動する場合が多いので，プログラムはリエントラントであることが要求される。

プログラム内に途中経過を保持するような設計だと，あとから動くタスクによってデータが書き換えられてしまうので，タスクごとに変数値を管理できるように設計されなくてはならない。

リーガル　*legal*

(1) アメリカで一般的に使われている用紙のサイズで，A4判より少し大きく，縦14インチ×横8インチ（縦356mm×横203mm）である。また，リーガルサイズより少し小さいレターサイズも普及している。⇨レターサイズ

(2) 順法という意味で，入力したコマンドやパラメータなどが許容範囲にある，正しいという意味で使用される。反対に許容範囲にない場合にはイリーガルであるという。

離散型シミュレーション　【リサンカタシミュレーション】　*discrete type simulation*

待ち行列を対象とするシミュレーションのこと。離散型とは不連続という意味で，不連続な値を扱うことからこう呼ばれる。

たとえば，窓口業務での人の到着の仕方，並び方，窓口業務の進行などをシミュレートするもの。離散型シミュレーション専用の言語としてGPSSやSIMCSRIPTがある。

リスタート　*restart*

プログラムの全部，または一部を再度実行するため，プログラムのはじめ，あるいはチェックポイントに戻り，プログラムを再開することをいう。

リスト　*list*

コンピュータ内部のデータをプリンタで印字したもの。ソースプログラムを出力したものをプログラムリストと呼び，コンパイル時に出力されるエラー情報とプログラムのリストをまとめてコンパイルリストと呼んでいる。デバック時にはソースリストやコンパイルリストを見ながらチェックを行うのが一般的である。

リストア　*restore*

データを元の位置に戻すこと。割り込みが生じたとき，それまで処

理していたデータをいったん待避させるが，割り込みが終了すると
待避させたデータを戻して処理を再開する。

リスト処理言語 【リストショリゲンゴ】　*list processing language*

リスト処理を行うための言語のこと。代表的なものとしては
LISPがあげられる。ほかにも，PLANNER, CONNIVer., IPL,
SNOBOLなどがある。

リスト処理とは，ポインタによって連結されたリスト構造と呼ばれ
る形式で計算機内部にデータを表現し，これを計算機で処理するこ
とである。

リストは，有限個のデータを一列に並べてカッコでくくったもので
ある。リストの構成要素となり得る最も基本的な要素をアトムとい
う。リストの構成要素は，アトム，もしくはリストである。リス
トの演算には，リスト同士の合併，分割などがある。

リスト処理は記号式の微分，積分，因数分解などの数式処理，翻訳，
コンパイルなどの文章処理，図形変換などの図形処理，推論，ゲー
ム，証明などの述語処理などのいわゆる非数値計算的な問題解決に
よく用いられる。

リストボックス　*list box*

Windowsのダイヤログボックスで，選択候補がリストの形で表
示されるメニュー。たとえば，ワープロでのフォント選択などが
それ。

リセット　*reset*

データ処理機構の全体または一部を，あらかじめ定められた状態に
戻すこと。デジタル回路では，2値素子状態を初期状態に戻すこと
をいう。

コンピュータが何らかの原因で操作不能になった場合は，リセット
キーなどで外部からリセットし，初期状態に戻す作業が必要とな
る。

IBM PC互換機ではリセットするには，Ctrl, Alt, Delの3つの
キーを同時に押すようになっている。

リセットには次の2種類がある。

- ホットリセット
  記憶装置などの一部やワークエリアが保存される。

- コールドリセット
  すべての記憶装置などを初期状態に戻す。

<u>リダイレクト</u>　*redirect*

　MS-DOSなどのOSにおいて，入出力先を一時的に変更する操作のことをいう。

　標準の状態では，入力はキーボード，出力はCRTになっている。出力先を変更する場合は，コマンドの後ろに「｜＞｜」を付け加え，対象となる出力装置を指定する。

例：

```
dir > files.txt
```

　dirコマンドで表示したファイル一覧を「files.txt」というファイル名で保存する。

<u>リターンキー</u>　*return key*

　実行キー，エンターキー，復改キー，キャリッジリターンキーともいう。通常，キーボードからデータを入力するとき，そのデータは文字としてディスプレイに表示されるが，それだけではまだ，処理側のプログラムに送られていない。リターンキーを押すことではじめて，処理データとして入力されたことになる。

　他の機能として，入力した文章の改行を行わせることもあるが，ワードプロセッサ専用機ではリターンキーの代わりに改行キーを使っている。

<u>リターン命令</u>　【リターンメイレイ】　*return instruction*

　サブルーチンの処理を終えて呼び出し元のプログラムへ制御を戻す命令。

<u>リッチテキストフォーマット</u>　*RichTextFormat*

　➲RTF

<u>リードアフターライト</u>　*read-after-write*

　データをディスクに書き込むとき，一度ディスクに書き込んだあとで，その内容をディスクから読み出して，正しく書き込まれたかをチェックすること。データの安全性は向上するが，書き込みに時間がかかるようになる。

<u>リードエラー</u>　*ReadError*

　ディスクを読み込む際に起こるエラーをさす。

<u>リードオンリー属性</u>　【リードオンリーゾクセイ】　*ReadOnly*

　アーカイブ属性で，ファイルに対して読み込み専用にする属性。MSDOS.SYSやIO.SYSなどのように，誤って内容を書き換える

とこまるファイルに対してこの属性をかけておく。

◐アトリビュート

リトライ　*retry*

命令を実行し正常終了しなかったときに，そのエラーが致命的でない場合，再度同じ命令を実行すること。

リネーム　*Rename*

ファイル名やディレクトリ名を変更すること。

リバース　*reverse*

ディスプレイに文字を表示するとき，それまで行っていた文字の表示色と背景色を逆転させて表示する方法。

たとえば黒の背景に白の文字を表示していたのであれば，リバース表示は，白の背景に黒の文字表示となる。おもに強調する目的で用いられる。

リバース表示

リピータ　*Repeater*

通信データを中継するための装置。リピータを使うと，伝送可能な距離が長くなるほか，配線の自由度を高める。

リブート　*reboot*

再ブートともいう。電源スイッチを入れ直したり，リセットスイッチを押したり，ソフトウェアリセットをかけることによってシステムを再起動すること。

リフレッシュ　*refresh*

(1) メインメモリなどのDRAMに，数ミリ秒間隔で電流を流すことでDRAM内のデータを消さずに保存しておく方法。

(2) ディスプレイの画面表示が消えないように，常に電子ビームを発していること。

リポートジェネレータ　*report generator*

報告書作成プログラム。事務処理では，さまざまなデータの中から分析，抽出した結果を，体裁の整った報告書にまとめることが多い。このための，データの処理と印刷上のフォーマットを整えて印字するプログラムをリポートジェネレータと呼ぶ。

事務処理用の言語であるCOBOLを使うことも多いが，さらに簡単にリポートが作成できる言語としてRPGがある。○RPG

リムーバブル　*removable*

コンピュータの部品または媒体の取り外し，差し替えが簡単にできること。リムーバブルメディア（媒体）といえば，通常のハードディスクやROM，RAMを除いた，フロッピーディスク，CD-ROM，MO，Zipディスク，Jazディスク，MD，テープ，ICメモリなど。

リムーバブルハードディスク　*Removeable HardDisk*

抜き差し自由なメディア部を持つハードディスクドライブ。複数のメディアを交換しながら利用できるため，データのバックアップだけでなく，アプリケーションのインストールメディアとしても利用することができる。代表的な機種に米SYQUEST社の3.5インチリムーバブルハードディスクがある。これは，3.5インチサイズながら最大270MBの大容量が利用できるほか，MOに比べデータ転送速度が高速であることが特長。

リモートコンソール　*remote console*

LANが公衆回線などを経て接続されているWANにおいて，他のLANから別のLANにスーパーバイザとしてアクセスし，メンテナンスなどを行う機能。○スーパーバイザ

リモートジョブエントリ　*remote job entry, RJE*

ホストコンピュータから離れた端末からジョブを投入すること。ホストコンピュータはこのジョブをリアルタイムでは処理せず，空き時間にバッチ処理として扱う。

リモートプリンタ　*remote printer*

LANにおいて，サーバに接続されているプリンタではなく，クライアントに接続されているプリンタに他のクライアントから出力する機能。サーバに接続できるプリンタの台数制限や，プリンタ設置位置の制限を受けることなく，自由にプリンタを増設できる。

リモートログイン　*remote login*

遠隔地からサーバにログインする方法。電話回線を使って社内の

サーバにログインすることなどが、これにあたる。

領域確保 【リョウイキカクホ】 *partitioning*

MS-DOSでハードディスクをフォーマットする際、複数の領域に分けることがあるが、それぞれの領域の大きさを指定すること。パーティションを切る、設定するともいう。

量子コンピュータ 【リョウシコンピュータ】 *quantum computer*

現在のコンピュータを古典力学（電磁気学）理論に基づいたものとして見た場合、将来考えられる量子力学理論を適用したコンピュータのこと。従来型コンピュータの演算では、ビット中の値は0か1かであるが、量子コンピュータでは、演算中は不確定性原理により同時に両方の値を持つことができるため、演算処理能力が飛躍的に向上するといわれる。現在のところ、数学的なモデルであり技術的に実用化の目途が立っているものではない。

利用率 【リョウリツ】 *utilization*

システムの可能最大利用量に対する、実際の利用量の割合をいう。利用されているときの状態によって、有効に利用されている利用率を有効利用率、無駄に利用されている利用率を無効利用率といって区別する。

リライアビリティ *reliability*

（コンピュータの）信頼性。

リリース *release*

(1) アプリケーションなどを発売することをさす。
(2) バージョンと同一の意味や同一バージョン内での版をさす。
(3) プログラムが一度取得したメモリ領域を開放すること。

履歴 【リレキ】 *history*

使用したコマンドなどをバッファやファイルに保存すること。PC-9800シリーズ、DOS/Vマシンでは、f・3キーを押すとひとつ前に入力した履歴が表示される。

リレーショナルデータベース *relational database*

複数のデータベースを同時に取り扱い、関連付けて検索を行ったり、新たなデータベースを作成するデータベースの管理方法のこと。

たとえば、商品番号と商品名、単価を項目としてもつ商品データベースと、販売日付け、商品番号、販売台数、顧客番号からなる販売データベース、顧客番号と顧客名、住所からなる顧客データベースとを関連させ、顧客ごとの請求書データベースを作成する、など

ということができる。

これに対し，カード型データベースでは同時には一つのデータベースしか扱うことができない。

リレーショナルデータベースは1970年，IBM社のE.F.Codにより提唱された。

Codのモデルでは，データの物理的な場所をユーザーが考慮する必要がない，スキーマの変更があっても従来のアクセスが保証される，参照整合性が保たれるなど，リレーショナルデータベースとして12の要件が述べられているが，現実にはすべての要件を満たす製品はない。

リロケータブル　*relocatable*
⟲再配置可能

リンカ　*linker*

リンケージエディタともいう。コンパイルしたオブジェクトプログラムとライブラリモジュールなどをリンクし，実行可能プログラム（ロードモジュール）を作成するプログラム。

リンク　*link*

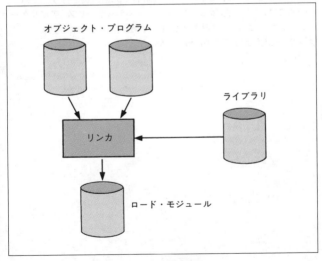

リンクの一連の流れ

(1) コンパイルしたオブジェクトプログラムから実行可能プログラム（ロードモジュール）を作成すること。

通常，ソースプログラムをコンパイルして出力されたオブジェクトプログラムは，ライブラリモジュールなどが組み込まれておらず，メモリのどの位置にロードするのかの情報も含んでいないため，そのままでは実行できない。

また，たいていはいくつかのファイルに分けて分割コンパイルしているので，それらをまとめなければならない。

コンパイル終了後，リンカを起動してこれらの作業を行う。通常はmakeファイルにコンパイル手順からリンクの方法まで記述して作業を自動化する。➲make, コンパイラ

(2) ホームページの内容の一部が別のページに関連付けられていること。関連付けることをリンクを張るという。

リング保護 【リングホゴ】 *ring protection*

リングプロテクションともいう。Multicsシステムで考案された方法で，プログラムの論理的単位にリング上の実行レベルを割り当て，外周から内周への参照を制限する保護方式である。マイクロプロセッサでは，80286が採用し，4階層で記憶保護を行う。それらの名称は，内周から順に，カーネル，システムサービス，アプリケーションサービス，アプリケーションである。

リンケージエディタ *linkage editor*

➲リンカ

り

ルータ　*router*

LANにおいて，メッセージの伝達を行うための中継装置。OSI参照モデルのネットワーク層やトランスポート層の一部のプロトコルを解析し，転送する。ネットワーク層において規定されるアドレスを判断し，他のセグメントに転送すべきパケットだけを転送する。また，使用しているプロトコル以外のパケットは破棄する。
➲OSI 参照モデル，ゲートウェイ

ルーチン　*routine*

ひとまとまりの処理のこと。メインルーチン，サブルーチン，エラールーチンなど，プログラム全体や一部の意味で用いられる。

ルックアップテーブル　*look-up table*

おもに変換処理やデータチェックなどの目的で使われるテーブルのこと。普通，コードとそれに対応するデータとを組み合わせた表になっており，これを検索して得られたデータを利用するようになっている。

ルート　*root*

階層構造における最上位，または主幹。UNIXでは，システム管理者のことをさす場合もある。

ルートディレクトリ　*root directory*

階層ディレクトリ構造において，最上位のディレクトリのこと。

ルビ

ふりがなのこと。ワードプロセッサやDTPソフトウェアにはルビ機能があるものが多い。

例：

　厚岸　枝幸　久遠　蕊取　積丹　寿都　爾志
　あっけし　えさし　くどう　しべとろ　しゃこたん　すっつ　にし

ループ　*loop*

プログラムの中で，同じルーチンを繰返し実行すること。通常は，カウンタや条件判定によって，必要な処理が終了したら繰返しをやめ，次の処理に移る。

ルーラ *Ruler*

ワープロソフトなどの画面上で現在のカーソル位置を示すための
目盛。グラフィックソフトやDTPソフトでは，ミリ，インチ，ポ
イントなどの単位が選択できる。

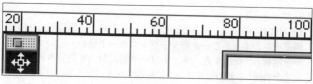

QuarkXpress のルーラ

レイアウト *layout*

(1) ワードプロセッサやDTPソフトウェアなどで図形や文書を配置すること。縦書き, 横書き, 見出し, 本文, ヘッダ, フッタ, マージン, 図形などの設定を行う。

(2) 回路やシステムの構成要素配置。

例外処理 【レイガイショリ】 *exception handling*

例外処理は, プログラムの正常な実行の中断を引き起こす例外事象 (exception)に応じてある操作を実行することである。例外事象の例としては, 演算結果の桁あふれ (オーバーフロー) とか, ファイルの終わりが検出された場合などがある。

多くの高級言語では, 例外状態が発生した場合の処理をプログラマが指定できるようになっている。たとえば, BASICでは, ON ERROR GOTO命令や, RESUME命令があり, FORTRANでは ERR節や, END節がある。

レイトレーシング *reay tracing*

3次元CGにおけるレンダリング手法のひとつ。光源から出た光はさまざまなオブジェクトに当たり, 吸収, 反射, 屈折されて観測者の目に届く。これを, 逆に観測者側から追跡し, 途中の経路で光線がどのような影響を受けるかを計算する。それらの属性をもとに, 画面上に画像を組み立てる。

オブジェクトの輝度, 透明度, 反射などが忠実に再現されるが, 膨大な計算が必要となる。➡レンダリング

レイヤー *layer*

(1) 通信や分散処理において, ある特定の処理を行う構造やルーチンの集まり。OSI参照モデルにおける7つのレイヤー (層) など。➡OSI参照モデル

(2) グラフィックソフトウェアにおける, 層状に重ねられた描画領域。透明なシートを重ねたようなもので, 各レイヤーごとに独立して描画したり, 重なる順番を入れ換えたり, 特定のレイヤーだけを表示したりすることができる。

グラフィックソフトウェアによっては, 2から200以上のレイヤー

をもつことができる。

レコード　*record*

いくつかの値の並びで構成され，1件分のデータとして扱われる単位。レコードの構成要素がフィールドである。

さらにレコードが集まった単位がファイルである。プログラムが1件分として扱うレコードが論理レコードであり，1回の入出力で扱われるレコードが物理レコードである。物理レコードは1個ないし複数の論理レコードにより構成されている。

レーザディスク　*laser disk*

光ディスクを利用した，ビデオディスクのひとつ。正式には光学式ビデオディスクという。当初レーザビジョンディスク(LVD)の名称で市販されたが，商品名のレーザディスクが一般化した。
◯LD-ROM

レーザプリンタ　*laser printer*

電子写真式ページプリンタの中で，レーザ光源によって像を作るもの。電子写真式ページプリンタの総称としても使われている。

電子写真式ページプリンタはコピー機の原理で，感光ドラムにコンピュータからのデータにしたがって文字やグラフィックスのイメージを展開させ，トナーを紙に転写する。この光源としてレーザを使うのがレーザプリンタである。

コンピュータからのデータをいったんプリンタ内のメモリにページ単位のデータとして構築し，それによってレーザ光をコントロールして感光ドラムに像を作る。最近では，レーザ光を使わずにLEDで感光ドラムに像を作るLEDプリンタも登場している。

レジスタ　*register*

CPUの内部にある，演算処理用の高速メモリ。CPU内ではプログラムに従ってメインメモリからデータを読み込み，これをアキュムレータに渡すことで演算処理を行う。その際，メインメモリから読み込んだデータを記憶し，また演算の結果生じる桁上がりや状態の変化を保存するためのメモリがレジスタである。

レジューム　*resume*

コンピュータの電源スイッチを切ったとき，画面やCPUの状態などをメモリに保存し，低消費電力状態でメモリをバックアップしておき，再び電源を入れれば前の状態に戻るという機能。ノートブック型コンピュータやワードプロセッサ専用機などで採用されている。

レスポンス　*response*

応答のこと。対話的システムでは，入力に対してなんらかの応答がないと次に進めない場合があり，遅い応答はユーザーにストレスを与える。時間がかかる処理では進行状況を表示するなどの応答がないとユーザーが不安になる。

レゾリューション

◑解像度

レターサイズ　*letter size*

アメリカで最も一般的な紙のサイズで，11インチ×8.5インチ（279mm×216mm）とA4よりやや小さい。

これよりさらに大きい14インチ×8.5インチ（356mm×216mm）のリーガルサイズもアメリカではよく使われている。

レーダチャート

くもの巣状にグラフ化したもの。項目間のバランスを把握するのにすぐれている。

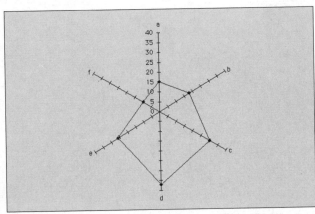

レーダチャート

連続用紙　【レンゾクヨウシ】　*stack form*

印刷用紙で，1枚ごとに切れておらず，数百枚から数千枚程度つながった状態になっているものをさす。両側にトラクタフィーダで用紙を送るための穴があり，ページごとにミシン目が入っている。

<u>レンダリング</u> *rendering*

　3次元CGの制作工程の最終段階で行う色付けとシェーディングの作業。3次元の図形データについて，オブジェクトに対する光源の位置，ハイライト，陰影（シェーディング），色などを計算する。アルゴリズムとしてはレイトレーシングやラジオシティなどが使われる。

　レンダリングは膨大な計算が必要であり，高速なCPUでも時間がかかる処理である。🔵シェーディング，レイトレーシング

連文節変換 【レンブンセツヘンカン】

　日本語入力FEPにおいて，複数の文節をまとめて入力し，自動的に文節の切れ目を判断してかな漢字変換を行う方法。複数文節変換ともいう。

れ

ローエンドマシン　*low-end-machine*

ひとつの製品群で価格，性能がいちばん低いレベルにあるものをさす。⊃エントリーマシン

ローカルエリアネットワーク

⊃LAN

ローカルバス　*local bus*

CPUのバス信号を，拡張スロットや周辺装置へ直接接続するバス機構の総称。

近年，より高速処理が可能なCPUの登場により，その高速なシステムクロックに連動して，高速に周辺装置を制御するためのバス機構として開発された。ローカルバスの採用によりマシン全体のパフォーマンスアップを図ることができる。

従来のバスは8MHz程度の動作クロックだが，ローカルバスではシステムクロックと同じなので高速である。VL-Busや98ローカルバスなどが有名だが，Pentiumとの相性が悪いことから，最近では，あまり見かけなくなった。⊃VL-Bus

ログアウト　*logout*

ホストコンピュータとの接続を終了し，切断すること。ログオフともいう。BBSによってはユーザーのアクセス時間を制限したり，一定時間コマンド待ちの状態のままであると，自動的にログアウト扱いにするところもある。

ログイン　*login*

ホストコンピュータと接続し，利用者のIDおよびパスワードを入力すること。ログオンともいう。ネットワークによっては，IDやパスワードの入力を何度か誤ると，電話回線が自動的に切断されてしまうところもある。

ログファイル　*logfile*

(1) コンピュータ上で行った処理，操作を記録したファイルのこと。履歴ファイルともいう。エラーログ，課金ログ，ログインログなど。

(2) BBSで読んだ書き込みやメールを保存したファイル。一般に

ろ

アクセス直後から終了まで，いったんすべてをファイルに残し，アクセス終了後，必要なところだけを編集して保存することが多い。

ロジックボード　*logic board*

Macintoshでのマザーボードの呼び名。**⊃**マザーボード

ローダ　*loader*

制御プログラムの一構成要素であり，実行のためにプログラムをライブラリから取り出して，メインメモリ領域に配置するもの。

プログラムを実行するときには，まず，プログラムを外部記憶装置などからCPU の管轄メモリにロードし，実行する手順をとることが多い。アセンブラまたは，コンパイラなどの言語処理プログラムが出力するオブジェクトモジュールやリンケージエディタが作り出したロードモジュールを実行可能なコードに結合編集して仮想メモリ領域にロードし実行させるサービスプログラムである。

つまり，リンケージエディタとフェッチプログラムがもっている基本的な機能をひとつのプログラムで備えているが，ライブラリ用のロードモジュールは作り出さない。

ロック　*lock*

マルチタスク環境では，ひとつのファイルに対して複数のプログラムが同時にアクセスすることがある。

もし，ひとつのプログラムがデータの更新を行っているときに，他のプログラムが同じデータに対して更新を行おうとすると，タイミングによって更新の結果が異なってしまうことになる。このような不整合を防止するために，ひとつのプログラムが更新のためにデータを読んだら他のプログラムからは同じデータを更新できないようにする排他制御をさす。

ロックには，レコード，テーブル，ファイル単位などの範囲と，データに対して，書き込みと読み取りの両方を許可しない，書き込みだけを許可しないなど，ロックの程度を指定して行う。OSがロックの機能を提供する場合と，プログラムが独自に提供する場合とがある。

ロード　*load*

ハードディスクやフロッピーディスクなど，外部記憶装置に記録されているプログラムやデータを，メインメモリに読み込むこと。

汎用コンピュータでは，OSやよく使われるプログラムをつねにメインメモリに読み込んだ状態にしておく（常駐プログラム）ことがあるが，一般には，アプリケーションプログラムを実行するには，

そのたびごとにロードする必要がある。

ロードモジュール　*load module*

実行可能なオブジェクトプログラムのこと。汎用プログラミング言語では，一般にプログラム開発がモジュール単位で行われるので，必要なモジュールやユーティリティプログラムが組み合わされてはじめて，実行可能なプログラムとなる。

このように，モジュール化したオブジェクトプログラムが結合してできた実行可能な形式のプログラムのことをロードモジュールという。

◯リンケージエディタ

ロボット　*robot*

人間の代わりに作業を行う，機械や装置またはプログラム。

ロボットの語源は，1920年にチェコスロバキアのKarel Capekの戯曲「ロッサム万能ロボット会社R.U.R」で使われたことにさかのぼる。

ロボットは，人間より効率的に仕事をこなすことができ，また，人間が作業できない高温，高圧の環境下でも仕事を行うことができる。プログラムの世界ではインターネット内を定期的に巡回して新しいコンテンツや更新されたコンテンツを見つけ，データベースに登録してくれるソフトウェアを指す。

ローマ字入力　【ローマジニュウリョク】

日本語入力FEPにおいて，読みをローマ字で入力し，かな漢字に変換するモード。ひとつの音を1ストロークで入力できるかな入力にくらべ，ローマ字では一般に子音＋母音の2ストロークが必要になるので入力スピードには限界がある。

ローミング　*roaming*

ローカルな通信サービス事業者が，自分と契約しているユーザがサービス地域外に出た場合でも，出先のサービス事業者から同様のサービスが受けられるよう，ローカルな通信事業者どうしで提携してサービスを行うこと，またはそのための技術。

具体的には，携帯電話会社やインターネットサービスプロバイダの契約者が，地域外，国外に出た場合でも，提携している出先の携帯電話会社やプロバイダを介して，地元にいるのと同様に電話したり，インターネットを利用できる場合がこれにあたる。

ロム

◯ROM

ロールイン/ロールアウト　*roll in /roll out*

マルチプログラミング実行時に，プログラムの本数が多かったり，プログラム自体が大きかったりすると，メインメモリが不足することがある。

このようなときに，一時的に重要度の低い部分をディスクなどの高速アクセスが可能な補助記憶装置に待避させ（ロールアウト），他の必要なプログラムをその空いた領域にロードする。処理が終わると再び待避させた部分を元の領域に戻す（ロールイン）。

この一連の動作をロールイン/ロールアウトと呼んでいる。

ロールプレイングゲーム　*role-playing game*

ある世界を設定し，その中の人物になり切って役割(role)を演じる(play)タイプのゲーム。

1974年に登場した"ダンジョンズ＆ドラゴンズ(D&D)"がそのはじまりとされる。最初はテーブルトークといって，人間同士の会話でゲームを進行させるものだったが，パーソナルコンピュータ用にWizardryやUltimaといったゲームが登場してから，急速に普及した。⊃RPG

ロングファイルネーム　*Long File Name*

MS-DOSの8.3ファイル名と比較して長いファイル名。Windows95, 98, WindowsNT4.0の255文字までのファイル名やMacintoshの31文字までのファイル名を指す。

Windows95, 98, WindowsNT4.0は，ファイル名に拡張子を含めて255バイト（半角文字255文字）までのスペースを含む文字を認識するが，MS-DOSでは拡張子を含めて12文字（ファイル名8字，ドット1字，拡張子3字）までのスペースを含まない文字しか認識できない。このためWindows95などで長いファイル名がつけられると同時に，スペースを詰め，連番をふった8文字のファイル名の情報も保存される。MS-DOSから同じファイルを見ると，後者のファイル名が表示される。

論理アドレス空間　【ロンリアドレスクウカン】　*logical address space*

仮想的なメモリ空間。プログラムを実行するにあたって，主記憶にアクセスするためにできるアドレス。論理アドレスは，メモリ管理ユニット(MMU)により実在するアドレス(物理アドレス)に変換するためのアドレス変換も行う。

論理演算　【ロンリエンザン】　*logical operation*

コンピュータの行う演算処理の中で数値の加減乗除，すなわち四則

演算以外のものをさす。論理和, 論理積, 論理シフト, 否定, 比較など。

論理回路 【ロンリカイロ】　*logic circuit*
　論理演算を行う回路。論理積回路, 論理和回路, 否定回路からできている。この3つの回路の組み合わせだけで論理演算はすべて実行できる。

論理記号 【ロンリキゴウ】　*logic symbol*
　論理演算を表す記号のこと。この記号を用いて回路の設計図を書き, それに基づいてハードウェアを組み立てる。アメリカ軍の規格であるMIL規格による論理記号がよく用いられる。⊃MIL規格

論理シフト 【ロンリシフト】　*logical shift*
　コンピュータの内部では8ビットとか16ビットとか, 複数ビットを同時に扱うが, この桁をずらすことをシフトといい, そのときに符号ビットを無視してシフトするのを論理シフトという。符号ビットを考慮するのは算術シフトという。⊃算術シフト

論理シミュレーション 【ロンリシミレーション】　*logic simulation*
　設計者が設計したとおりの意図で, 論理回路が設計どおりに動作するかどうかを検証する機能である。信号の値には, 一般に3値, 0, 1, X（不定）を使用する。実際にハードウェアを製作する前段階では, 論理回路の正当性を確かめるために論理シミュレーションを行う。

論理積 【ロンリセキ】　*AND*
　⊃AND

論理積回路 【ロンリセキカイロ】　*AND gate*
　⊃AND

論理フォーマット 【ロンリフォーマット】　*Logical Format*
　物理フォーマットで作成した区画にFAT情報などを書き込み, ディスクを読み書き可能にすること。最近のハードディスクや光磁気ディスクは, 物理フォーマットをすでに行っており, 論理フォーマットだけを実行するだけで使えるようになったものも増えている。⊃FAT

論理和 【ロンリワ】　*OR*
　⊃OR

論理和回路 【ロンリワカイロ】　*OR gate*
　⊃OR

ワイヤーフレーム　*wire frame model*

立体図形の陵の線を透視射影として立体的に表示したものである。隠れ線の消去をしないで立体図を表示すると針金細工のように見えることから名付けられた。

コンピュータグラフィックスにおいてはワイヤーフレームモデルを用いると高速の処理ができる。

⊃サーフェスモデル, ソリッドモデル

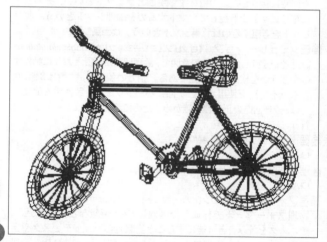

ワイヤーフレーム

ワイヤーメモリ　*wire memory*

磁気薄膜記憶装置の一種で, 磁気薄膜をメッキした導線をワイヤで織物のように織ったもの。磁気薄膜はパーマロイ（鉄とニッケルの合金）の厚さ $0.5 \sim 1\ \mu m$ のもの。

このような薄い磁性体はきわめて弱い外部磁場によっても容易に磁化されるので, 高速に薄膜の磁化方向を変化させられる。それに

よって10 ～ 1ns 程度の呼び出し時間をできる。

ワイヤレスLAN　【ワイヤレスラン】　*Wireless LAN*

無線LAN。電波や赤外線などケーブルを使用しないLANのこと。基本的に有線ケーブルを必要としないので，端末を容易に移動できる。しかし，一般のLANと比べて通信速度が遅い，他の機器のノイズに影響される場合があるなどの問題がある。

ワイルドカード　*wild card*

データベース検索やファイル名検索の際，そこの位置にどのような文字が入ってもいいということを示す文字。たとえばMS-DOSのコマンドでは，1文字一致を意味する"?"と，任意の文字列一致を意味する"＊"の2つがワイルドカードとして使われる。
たとえば，「file?.＊」という文字列は「file1.txt」とも「file2.doc」とも「files.com」とも一致する。

ワークエリア　*work area*

⇨作業領域

ワークシート　*worksheet*

スプレッドシートの表のこと。スプレッドシートで作成したデータファイルのことをさす場合もある。⇨セル，スプレッドシート

ワークステーション　*workstation*

ネットワークにおける端末としての機能と，それ1台でもさまざまな処理が行える機能を合わせもったコンピュータ。
ハイエンドのCISCチップかRISCチップをCPUに使い，Ethernetインターフェイス，ハイレゾリューションビットマップディスプレイ，マウス，ハードディスクを備えている。OSはUNIXを使うものが多い。
⇨Alto

ワクチン　*vaccine*

コンピュータウィルスを発見したり予防するためのプログラム。システムファイルや実行ファイルを書き換えようとしたときに警告するタイプと，既知のウィルスリストをもっていて，ディスクやファイルを調べて警告するタイプとがある。
ファイル書き換えを監視するタイプではプログラムの実行やインストールに必要な書き換え操作でも警告が出てしまったり，既知のウィルスをチェックするタイプでは，つねに最新版を使ってないと，新しいウィルスや変種に対応できない。
⇨コンピュータウィルス

ワークフロー　*work flow*

企業等における業務プロセスを自動化し，管理すること。グループウェアの機能のひとつとして実現されることが多い。物品の購入依頼書や稟議書などの書類の流れを電子化し，条件分岐やフィードバック等の経路を設定して自動化することで転記ミス，連絡ミス，滞留，失念等を防止し，業務効率をあげることを目的とする。

ワード　*word*

→語

ワードプロセッサ　*word processor*

ワープロともいう。文書の作成，編集，印刷をするためのプログラムまたはコンピュータのこと。日本語用，英語用，中国語用，朝鮮語用など，さまざまな言語に対応した製品がある。一度作成した文書をフロッピーディスクなどに保存し，何度でも挿入や削除しながら再利用できるのが最大の特徴である。

ワードプロセッサは，大きく分けてワードプロセッサソフトウェアをパーソナルコンピュータ上で動かすものと，ワードプロセッサ専用機に分けられる。ワードプロセッサソフトウェアは，他の図形作成ソフトウェアや表計算ソフトウェアなどと組み合わせ，多彩な使用が可能であり，パーソナルコンピュータ用ソフトウェアとしてはもっとも需要が多い。

これに対して専用機は，あらかじめ本体，ソフトウェア，プリンタ，ディスプレイなどがセットで設計されているので，組み合わせの手間が省け，低価格化を実現している。また，入力の効率を高めるために専用のキーボードを装備したり，電源を入れるだけで文書作成ができるような簡便さも備えている。

ワードラップ　*word wrap*

英語などで行末の単語が2行に分割されないように，プログラムが単語の前に疑似改行文字を入れ，単語を次の行に移動させること。この疑似改行文字は，ソフトリターンとも呼ばれ一時的なもので，用紙サイズを変更したりすると，再び最適位置に挿入されるようになっている。多くの英文ワードプロセッサなどでは標準で装備されている機能。

ワーム　*worm*

ネットワーク上で増殖するプログラム。接続されているコンピュータのメモリに自らを複写し，増殖する。

ワームそのものがファイル破壊やシステム破壊の機能を備えてい

わ

なくても，コンピュータ内で増殖を繰り返すため，メモリ不足や
CPU時間の占有によってシステムを動作不能にしてしまう。
1988年にコーネル大学の大学院生によって放たれたワームは，イ
ンターネットを機能停止に追い込んだ。

割り込み 【ワリコミ】　*interrupt*

プログラム実行中になんらかの理由でそのプログラムの実行が一
時中断され，別のプログラムが実行するように制御されること。
割り込みの発生はソフトウェアによるもの，I/O に対するデータの
読み書きでおこるもの，マシンやプログラムの障害によっておこる
ものなど，何種類かあり，それぞれソフトウェア割り込み，ハード
ウェア割り込み，ノンマスカブルインタラプトと呼ばれる。

割り込みベクタ 【ワリコミベクタ】　*interrupt vector*

条件が発生したとき，通常処理の流れを変える動作のこと。

割り込みマスク 【ワリコミマスク】　*interrupt mask*

あらかじめ設定されているハードウェアの割り込みを禁止するた
めの命令。拡張メモリのパリティエラーのようにマスクできない
割り込み（ノンマスカブルインタラプト）もある。

割り込みルーチン 【ワリコミルーチン】　*interrupt routine*

割り込みが発生した場合に実行されるルーチン。MS-DOSの
int21コールのようにあらかじめDOS やBIOSで用意されてい
る場合と，プログラム中で記述されることもある。

わ

【海外編】

1400年代	● Leonardo da Vinci, 歯車式の計数機構を考案
1623	● チュービンゲン大学教授, W. Schickard (シックハルト), 機械式の計算機を考案
1642	● Blaise Pascal, 歯車式の加算器を発明
1671	● Gottfried Whlhelm Leibniz, 乗算機械を発明
1804	● J. M. Jacquard, パンチカード式織り機を発明
1822	● Charles Babbage, 階差機関を製作
1855	● George Bool, 記号論理学に関する論文,『思考の法則』を発表。ブール代数を提唱 ● Allan Marquand, 電気式論理機械を設計
1890	● Herman Hollerith, パンチカードシステムを国勢調査に使用
1896	● Hollerith, ニュージャージー州で Tabulating Machines 社設立
1906	● John A. Fleming, 二極真空管を発明
1907	● Lee DeForest, 三極真空管を発明
1910	● James Pawards, Pawards Tabulating Machines 社を設立
1911	● Tabulating Machines 社, 買収されて Computer Tabulating Recording (CTR) 社となる
1924	● CTR 社, International Business Machines (IBM) 社と名称を変更
1927	● Remington Rand 社設立, Pawards Tabulating Machines 社を吸収
1931	● マサチューセッツ工科大学の Vannevar Bush, 機械式アナログ微分解析機 (differential analyser) を開発
1933	● Suppery 社設立
1936	● Alan M. Turing, チューリングマシンを発表

1937	● Claude Shonnon, 「継電器とスイッチ回路の記号的解析」によってブール代数を模擬的に実現する方法を発表
1939	● アイオワ州立大学の Jhon V. Atanasoff と Clifford E. Berry, 世界最初のデジタル式コンピュータ ABC マシンを試作 ● David Hewlett と Bill Packard, カリフォルニア州パロアルトで Hewlett-Packard 社を設立
1940	● AT&T ベル研究所でリレー式計算機「Model 1」完成
1944	● ハーバード大学, IBM 社共同で「MARK I」を開発
1945	● Von Neuman, プログラム内蔵式のコンピュータを提唱 ● Vannevar Bush, 『アトランティック・マンスリー』誌に「われわれが考えるように」を発表し, 人間の思考や記憶を助ける情報処理機械 memex を提唱
1946	● ペンシルバニア大学ムーア・スクール・オブ・エンジニアリングの John Mauchly と J. Presper Eckert により, 世界最初の汎用コンピュータ ENIAC が完成 ● Mauchly と Eckert, Electric Controle 社を設立。後に Eckert Mauchly Computing Corporation (EMCC) 社と社名変更
1947	● AT&T ベル研究所でトランジスタ発明される ● ISO 発足
1948	● Nobert Weiner, 『サイバネティックス』を発表
1949	● 世界最初のプログラム内蔵式コンピュータ EDSAC が完成
1950	● EDVAC が完成 ● Remington Rand 社, EMCC 社を買収 ● Remington Rand 社, 世界初の商用コンピュータ, UNIVAC I を完成 ● マサチューセッツ工科大学, コアメモリを実用化 ● Digital Computer Corporation (DEC) 社設立される
1952	● Remington Rand 社, Engineering Research Associates (ERA) 社を吸収合併
1954	● IBM 社, FORTRAN の開発を開始する

1955	● Remington Rand 社, Superry 社と合併し, Suppery Rand 社となる
	● IBM 社, 磁気コアメモリを開発
	● William Shockley, カリフォルニア州パロアルトに Shockley Semiconductor 社を設立
1956	● マサチューセッツ工科大学でプログラミング言語 APT を開発
	● ITU に CCITT を設置
1957	● UNESCO に IFIP (国際情報処理連合) を設置
	● Suppery Rand 社から旧 ERA 社員が独立し, Control Data Corporation (CDC) 社を設立
	● Shockley Semiconductor 社を退職した 8 人により, Fairchild Semicomductor 社設立
1958	● Supeery Rand 社, 世界初のトランジスタ式コンピュータ, UNIVAC Model80 を発表
	● CDC 社, トランジスタ式科学用コンピュータ 1604 を開発
1959	● Texas Intruments 社の Jack S. Kilby, IC の特許を出願
	● Fairchild Semiconductor 社の Robert Noyce, IC の特許を出願
1960	● マサチューセッツ工科大学の John McCarthy, LISP を開発
	● CODASYL, COBOL-60 が発表される
	● Algol-60 制定される
	● DEC 社, PDP-1 を開発
1962	● FORTRAN IV 発表
	● マサチューセッツ工科大学の E. I. Sutherland, グラフィックディスプレイとライトペンによる対話型操作ができる Sketchpad を開発
1963	● ダートマス大学の John Kemeny 教授, Thomas Kurtz 教授, プログラム言語 BASIC を開発
	● CDC 社の Seymour Cray, 世界最初のスーパーコンピュータ CDC6600 を開発
1964	● IBM 社, SYSTEM/360 を発表
	● インテルサット (国際電気通信衛星機構) 発足
	● ベル研究所でプログラミング言語 SNOBOL 開発

1965	●DEC 社, 初の量産ミニコンピュータ, PDP8 の納入を開始
1965	●IBM 社, プログラミング言語 PL/I を完成
1967	●マサチューセッツ工科大学の Symour Papert 教授, プログラミング言語 LOGO を開発
1968	●Fairchild Semiconductor 社元社員の Robert Noyce, Intel Development 社設立 ●SRI International の Douglas C. Engelbart, 初めてユーザーインターフェイスにマウスとウィンドウを使った ARGMENT を公開
1969	●USASI が ANSI に名称変更 ●ベル研究所で UNIX の開発がはじまる ●アメリカ合衆国司法省, IBM 社を独占禁止法違反で提訴 ●IBM 社, ハードウェアとソフトウェアのアンバンドリング（価格分離）を発表 ●ARPANET によるインターネットの実験が始まる
1970	●Xerox 社, カリフォルニア州パロアルトに Palo Alto Research Center (PARC) を設立 ●DEC 社, PDP-11/20 を発表
1971	●IBM 社, SYSTEM/370-195 を発表 ●Intel 社, 世界初のマイクロコンピュータ i4004 を発表 ●スイス連邦工科大学の Nikulas Wirth 教授, プログラミング言語 Pascal を開発
1972	●ベル研究所の Denis Ritche, プログラミング言語 C を開発 ●Xerox 社 PARC の Allan Kay ら, プログラミング言語および環境 SmallTalk を開発 ●Seymour Cray, Cray Research 社を設立
1973	●Xerox 社 PARC の Chuck Thacker と Ed McCreight, 世界最初のワークステーション Alto を完成 ●Intel 社, 8 ビット CPU, 8080 を発表
1974	●MITS 社, 世界最初のマイクロコンピュータキット Altair-8000 を発売 ●Motorola 社, 8 ビット CPU, M6800 を発表 ●Gary Kildall, 8 ビット OS, CP/M を開発

1974	● ISO で HDLC が制定
	● IBM 社, ネットワークアーキテクチャ SNA を発表
1975	● Zailog 社設立, 8080 の上位互換 8 ビット CPU, Z-80 を発表
	● Benoit Mandelbrot, フラクタル理論を発表
	● Microsoft 社設立
	● Cray Research 社, 初のスーパーコンピュータ CRAY-1 を発表
1976	● Steve Jobs と Steve Wozniak, Apple Computer 社を設立
	● Shugart 社, 5.25 インチフロッピーディスクを開発
	● Gary Kildall, Digital Research 社を設立
1977	● Apple Computer 社, Apple II を発表
	● Commodore 社, PET を発表
	● Tandy Radio Shack 社, TRS-80 を発売
	● DEC 社, VAX-11/780 を発表
1978	● B.W.Kerninghan, Denis Ritche, 『プログラミング言語 C』を著す
	● Cray Research 社, CRAY-1 を納入
	● Intel 社, 16 ビット CPU, 8086 を発表
	● Donald Knuth, TEX を発表
1979	● Motorola 社, M6809, M68000 を発表
	● Personal Software 社 (後の VisiCorp 社) が初のスプレッドシート, Visicalc を発売
1980	● Xerox 社, Ethernet を発表
	● IBM 社, PC の開発に着手。OS の開発を Microsoft 社に依頼する
	● プログラミング言語 Ada の基準書が完成する
	● アメリカ合衆国著作権法改正。プログラムが著作権の対象に
1981	● IBM 社, PC を発表
1982	● IBM 社, PC/XT を発表
	● Intel 社, 80286 を発表
	● Microsoft 社, スプレッドシート Multiplan を発売
1983	● Apple Computer 社, Lisa を発表
	● Lotus Development 社, 1-2-3 を発表
1984	● Apple Computer 社, Macintosh (128K) を発表
	● IBM 社, PC/AT を発表

1984	● Motorora 社, 32 ビット CPU M68020 を発表
1985	● Intel 社, 80386 を発表
	● Aldus 社, PageMaker を発表。
	● Tandy Radio Shack 社, ポータブルコンピュータ TANDY200 を発売
	● Steve Jobs, NeXT 社を設立
1986	● 東芝, IBM PC/AT 互換ラップトップ T-3100 を発売
	● Compaq 社, IBM 社に先駆けて 80386 を搭載した PC/AT 互換機, DeskPro386 を発売
	● マサチューセッツ工科大学, X-Window を開発
	● NFSNET (National Science Foundation Network) が稼働
1987	● IBM 社, PS/2, OS/2 を発表
	● Apple Computer 社, Macintosh II を発表
	● Apple Computer 社, HyperCard を発表
	● Superry 社と Burroughs 社合併し, UNISYS 社設立
1988	● IBM 社, DEC 社, Hewlett-Packard 社, Apollo Computer 社, Bull 社, Nixdorf 社, Siemence 社の 7 社によって UNIX の標準化を進める OSF 発足
	● IBM 社, AS/400 を発表
	● NeXT 社, NeXT Cube を発表
	● Hewlett-Packard 社, Apollo Computer 社を吸収合併
	● インターネットでコーネル大学学生によるワーム事件。
1989	● AT&T 社などが中心になり, UNIX の標準化を進める UNIX Iinternational (UI) 発足
	● Novell 社, NetWare386 を発表
	● Apple Computer 社, GUI の知的所有権に関する訴訟で Microsoft 社, HP 社に勝訴。後に逆転敗訴
	● 各社から i486CPU 搭載パーソナルコンピュータが発表される
1990	● Microsoft 社, Windows3.0 発表
	● Lotus Development 社, 表計算ソフトウェアのユーザーインターフェイスに関する著作権侵害訴訟で Borland International 社と Santa Cruz Operation 社に勝訴
	● Apple Computer 社, Macintosh Classic を発売
	● Motolora 社, 68040 の出荷を開始
	● Open Software Foundation, OSF/1 を発表

1991	● Go 社, Pen OS の PenPoint を発表
	● Microsoft 社, マルチメディアの MPC 規格を発表
	● 「ACE (Advanced Computing Environment)」が提唱される。
	● IBM 社, 創業以来はじめての赤字を計上
	● IBM 社と Apple Computer 社が業務提携に合意。Kaleida 社, Taligent 社を設立
	● Apple Computer 社, PowerBook を発表
	● Apple Computer 社, System7.0 を世界同時発売
	● Apple Computer 社, QuickTime1.0 を発表
	● Microsoft 社, MS-DOS 5 を発表
	● Borland International 社, Ashton-Tate 社を吸収合併
	● Novell 社, Digital Research 社を吸収合併
	● フリーの OS Linux が開発される
1992	● Silicon Graphics 社, MIPS Computer Systems 社を吸収合併
	● Microsoft 社, Windows3.1 を発売
	● Microsoft 社, WindowsNT を発表
	● AT&T 社, パーソナル通信機器用 32 ビット CPU, Hobbit を発表
	● Microsoft 社, Video for Windows を発表
	● Microsoft 社, Windows for Workgroups を発表
	● IBM 社と Motorola 社, PowerPC マイクロプロセッサの最初のバージョンである PowerPC 601 を発表
1993	● NeXT 社, ハードウェアの開発・製造部門をキヤノンに売却
	● Intel 社, Pentium を発表
	● IBM 社, 元 RJR Holding 社会長の Louis V. Gerstner を CEO に迎える
	● Microsoft 社, MS-DOS 6 を発表
	● Apple Computer 社, 個人用携帯情報機器 NewtonMessagePad を発売
1994	● Adobe Systems 社が Aldus 社を買収
	● 初の PowerPC 搭載パソコン PowerMacintosh 発売
	● Netscape Communications 社設立、Navigator が登場する
	● IBM 社, 個人向け低価格 PC シリーズ Aptiva を発売
	● Pentium プロセッサに演算エラーを起こす欠陥がみつかり騒動となる

1995	● Sun Microsystems 社の HotJava が登場し Java 言語が注目される
	● Sun Microsystems 社と NetscapeCommunicátions 社、Java Script を共同発表
	● Oracle 社インターネット Java 端末として NC を提唱
	● 8月24日、Microsoft 社 Windows95 を発売
	● Netscape Navigator が Java 対応 2.0 になる
	● Lotus Develpment 社がソフト業界史上最高の 35 億ドルで IBM 社に買収され、子会社化
	● 米司法省、Microsoft 社の Intuit 社（会計ソフト開発）買収を差し止め請求
	● IBM 社 PowerPC 搭載パソコンを発売
	● Intel 社、PentiumPro を発売
	● Microsoft 社 Java ライセンス取得を表明
1996	● Corel 社、Borland 社のデータベースソフト Paradox を買収
	● Microsoft 社と Intel 社、NC に対抗する NetPC 仕様を発表
	● Microsoft 社、Windows NT 4.0 を発売
	● Netscape Communications 社、Navigator 3.0 を発売
	● Microsoft 社、グループウェア Exchange を発売
	● Corel 社、Novell 社よりワープロソフト WordPerfect 部門を買収
1997	● Microsoft 社、InternetExplorer4.0 正式版の無償提供開始
	● Apple Computer 社 MacOS 8 を発売
	● Netscape Communications 社、Communicator4.0 を発売
	● Apple Computer 社に Microsoft 社が資本参加、業務提携
	● Sun Microsystems 社と Microsoft 社が Java ライセンス契約をめぐり対立
	● PC メーカーへのバンドル契約を違法として、米司法省が Microsoft 社を告発
	● Compaq 社、Tandem Computers 社を買収し子会社化
	● Intel 社、Pentium II を発売
	● AMD 社が PentiumII 互換の CPU「K6」を発売
	● Sun Microsystems 社、「JavaOS 1.0」を出荷
	● Intel 社、MMX 対応 Pentium を発売
	● Microsoft 社、統合アプリケーション「Office 97」を発売

1998	● Compaq 社 DEC 社を吸収合併
	● Netscape 社 Communicator4.0 の standard 版を無償化
	● Netscape 社 Communicator5.0 のソースコード公開
	● Claris 社が FileMaker 社に社名変更
	● Borland 社が Inprise 社に社名変更
	● 米司法省が Windows98 をめぐり Microsoft 社を反トラスト法で提訴
	● 米連邦取引委員会が Intel 社を反トラスト法で提訴
	● 米連邦控訴裁判所が Windows95 と IE のバンドル販売を禁止した地裁の仮決定を覆し, Microsoft 社に逆転勝訴の判決。
	● 6 月 Windows98 の出荷開始
	● 10 月 MacOS8.5 発売
	● AOL 社 Netscape 社の買収と Sun 社との戦略的提携を発表
	● iMac 発売
	● Microsoft 社が 1999 年発売予定の WindowsNT5.0 を Windows2000 と名称変更
1999	● Intel 社、Pentium III を出荷
	● Apple Computer 社、MacOS X Server を出荷、OS 基本部分のソースコードを公開
	● 米連邦取引委員会が Intel 社を反トラスト法で提訴した問題で両者が和解
	● 5 月 MacOS8.6 発売
	● Microsoft Office2000 発売
	● iBook 発売
	● 9 月 Windows98 Second Edition 発売
	● 10 月 MacOS 9 発売

【国内編】

1950	● 阪大工学部の城憲三, 真空管式演算回路を試作
1951	● 東大工学部の山下英男, 文部省科学研究費によるコンピュータの開発に着手する
1952	● 東大の真空管式コンピュータ, 「TAC」に研究費 1000 万円が付き, 東芝に発注
1953	● 商工省電気試験所, リレー式の ETL「Mark I」を完成 ● 城憲三, 阪大真空管計算機の開発に着手
1954	● 東大大学院生の後藤英一, パラメトロンを発明 ● 富士通信機, リレー式の「FACOM100」を完成
1955	● 電気試験所, リレー式の「ETL Mark II」を完成
1956	● 富士フイルムの岡崎文次, 真空管式コンピュータ「FUJIC」を完成 ● 電気試験所の和田弘, トランジスタ式のコンピュータ「ETL Mark III」を完成 ● 有隣電機精機, 初の計算センター設立 ● 東大と日本電子測器, パラメトロン式コンピュータ「PD1516」を完成
1957	● 電電公社武蔵野通研の喜安善市, パラメトロン式コンピュータ「MUSASINO-1」を完成 ● 日立, パラメトロン式コンピュータ「HIPAC MK-1」完成 ● 京大の江崎玲於奈, エサキダイオードを発明
1958	● 東大の高橋秀俊, 後藤英一, パラメトロン式コンピュータ「PC-1」を完成 ● 電気試験所の高橋茂, 渡辺定久, 機械翻訳システム「やまと」を開発
1959	● 東大の真空管式コンピュータ「TAC」, 完成 ● 日立, 国鉄に座席予約システム「MARS」を導入
1961	● 国内コンピュータメーカー 7 社により JECC（日本電子計算機）設立

1962	●日本データプロセシング協会発足
	●第 1 回日本電子計算機ショウ開催
1964	●日本アイ・ビー・エム, システム/360 発表
	●国鉄, HITAC3030 でみどりの窓口を開始
	●電電公社, データ通信専用回線サービス開始
1965	●三井銀行, 初の普通預金オンラインリアルタイム処理を開始
	●初の『コンピュータ白書』が発表される
1967	●JIS, FORTRAN と ALGOL を制定
1969	●通産省, 情報処理技術者試験を開始
1970	●ソード電算機システム設立
1973	●日本電気, 4 ビット CPUμCOM-4 を発売
1974	●日本電気, 8 ビット CPUμCOM-8, 16 ビット CPU μCOM-16 を発表
1976	●JIPDEC (日本情報処理開発協会) 発足
	●日本電気, トレーニングキット TK-80 を発売
	●日本電気, 秋葉原にアンテナショップ Bit-INN を開設
	●星正明, 西和彦, 郡司明郎により日本最初のマイクロコンピュータ専門雑誌『I/O』創刊
1977	●富士通, マイクロコンピュータキット LKit-8 を発売
	●第 1 回マイコンショウ開催
	●西和彦, 郡司明郎, 塚本慶一郎によりアスキー出版設立。月刊『アスキー』創刊。
	●精工舎, 国産初のパーソナルコンピュータ, SEIKO-5700 を発売
	●日立, マイクロコンピュータキット H68TRA を発売
	●ソード, パーソナルコンピュータ M200 シリーズ発表
	●パナファコム, マイクロコンピュータキット LKit-16 を発売
1978	●日立, ベーシックマスター レベル 1 発表
	●東芝, 初の日本語ワードプロセッサ, トスワード JW-10 発売
	●アスキー, Microsoft 社と提携。アスキーマイクロソフト設立
	●日本電気, TK-80BS 発売
	●シャープ電子部品事業部, MZ-80K 発売

1979	● 日本電気, COMPO-BS/80 発売
	● キヤノン, レーザービームプリンタを開発
	● 日本電気, 8 ビットパーソナルコンピュータ, PC-8001 を発売
	● シャープ, 日本語ワードプロセッサ書院 WD-3010 を発売
1980	● ソード電算機システム, 簡易言語 PIPS を発表
	● シャープ産機事業本部, 8 ビットパーソナルコンピュータ PC-3100S を発売
	● 任天堂, 家庭用ゲーム機ゲーム・アンド・ウォッチを発売
	● 沖電気工業, if800 を発売
	● パケット交換サービス, 認可される
	● ソニー, 3.5 インチフロッピーディスクを開発
	● アスキー副社長西和彦, Microsoft 社極東販売担当副社長に就任
1981	● システムズ・フォーミュレート, BUBCOM80 を発売
	● 三菱電機, MULTI16 を発売
	● シャープ, MZ-80B を発売
	● 富士通, FM8 発売
	● 富士通, 16 ビットコンピュータ, FACOM9450 発売
	● 日本電気, PC-8800 シリーズ, PC-6000 シリーズを発売
	● 孫正義, 日本ソフトバンクを設立
	● 松下電器, JR-100 を発売
	● 弘済堂出版, 『RAM』創刊
1982	● KDD, 国際データ通信サービス VENUS 開始
	● ICOT (新世代コンピュータ技術開発機構) 発足
	● 日本パーソナルコンピュータソフトウェア協会 (パソ協) 発足
	● 日本電気, PC-9801 を発売
	● 日本電気, 16 ビットコンピュータ N-5200 を発売
	● 東芝, パソピアを発売
	● 富士通, FM7 を発売
	● 富士通, FM11 シリーズを発売
	● セイコーエプソン, ハンドヘルドコンピュータ HC-20 を発売
	● シャープ, X1 を発売
	● ソニー, SMC-70 発表
	● 東京地裁, ソフトウェアを著作物として認める判決
1983	● 日本電気, スーパーコンピュータ SX-1, SX-2 を発表
	● 日本電気, PC-8001mkII を発売
	● 日本電気, ハンドヘルドコンピュータ PC-8201 を発売

- ●ソフトウェアインターナショナル, dBASE II を発売
- ●楽器メーカーが中心になって MIDI 協議会発足,『日本語版 MIDI 1.0 規格』を発行
- ●日本アイ・ビー・エム, マルチステーション 5550 を発売
- ●アスキー, Multiplan を発売
- ●シャープ, UNIX オフィスプロセッサ OA-8100 を発表
- ●Microsoft 社, アスキー, 電機メーカー 14 社によって家庭用パーソナルコンピュータの統一規格, MSX を発表
- ●日本電気, PC-6001mkII を発売
- ●日本電気, PC-9801F1/F2 を発売
- ●任天堂, ファミリーコンピュータを発売
- ●キヤノン販売, Apple Computer 社の販売代理店に
- ●日経マグロウヒル,『日経パソコン』を創刊
- ●日本電気, PC-8801mkII と PC-6601 を発売
- ●日本電気, PC-9801E を発売

1984
- ●通産省, ニューメディアコミュニティ計画を開始
- ●富士通, 16 ビットパーソナルコンピュータ FM-11BS を発売
- ●富士通, FM77/FM NEW7 を発売
- ●TRON プロジェクト発足
- ●日本電気, PC-9801F3 を発売
- ●日本電気, PC-9801M2 を発売
- ●富士通, FM16β を発売
- ●電電公社, 東京三鷹市, 武蔵野市で INS の実験開始
- ●電電公社, CAPTAIN サービスを運営開始
- ●ファミリーコンピュータ, 爆発的ヒット

1985
- ●ソード, 東芝の傘下に
- ●日本電信電話公社, 民営化により日本電信電話株式会社 (NTT) に
- ●財団法人情報処理振興事業協会, シグマ計画をスタート
- ●アスキー, MSXII 規格を発表
- ●アスキー, アスキーネットの実験運用を開始
- ●日本電気, PC-9801VM/VF シリーズを発表。OS に MS-DOS を採用
- ●シャープ, MZ-2500 シリーズを発表
- ●日本アイ・ビー・エム, マルチステーション 5560 を発売

1986
- ●改正著作権法実施, コンピュータプログラムに関する知的所有権の保護
- ●Microsoft 社とアスキーの提携を解消
- ●Microsoft 社, 日本法人マイクロソフト株式会社を設立

- 日本電気, PC-VAN の運用を開始
- 東京地裁, ソフトウェアのレンタルを違法とする判決
- 東芝, ラップトップコンピュータ, J3100 発売
- 日本初の Macintosh 専門雑誌『MAC ワールド』, ピーシーワールド・ジャパンより創刊。3 号目より『MAC+』に名称変更
- 日本電気, ラップトップコンピュータ, PC-98LT を発売
- ジャストシステム, 日本語ワードプロセッサー太郎を発売
- 日本電子工業振興協会により TRON 協議会が発足
- ソニー, UNIX ワークステーション NEWS 発表

1987
- 筑波高エネルギー研究所のミニコンピュータに西ドイツのグループが侵入していたことが公表される
- セイコーエプソン, PC-9800 シリーズの互換機 PC-286 を発表
- 日本電気, PC-286 の製造販売差し止め請求。セイコーエプソン側が和解金を払うことで和解
- シャープ, X68000 を発売
- セイコーエプソン, PC-9800 シリーズ互換ラップトップコンピュータ PC-286L を発売
- 日本電気ホームエレクトロニクス, 家庭用ゲーム機 PC-Engine を発売
- AX 協議会発足

1988
- トロン協議会よりトロン協会発足
- 日本電気, PC-9800 シリーズ互換ラップトップコンピュータ, PC-9801LV21 を発売
- 三洋電機, 初の AX マシン MBC-17J シリーズを発売
- 台湾のコンピュータメーカー Acer 社が日本エイサーを設立
- 日本電気, 80386 を使った PC-9801RA 発売
- 大手 BBS, PC-VAN でパスワードを盗むトロイの木馬が配布される
- 朝日新聞社, 「Asahi パソコン」創刊

1989
- 東芝, 三菱, 日本電気が 16M ビット DRAM を開発
- 富士通, FM-TOWNS を発売
- ジャストシステム, 一太郎 Ver.4 を発売
- 日本語入力コンソーシアム (NICOLA) 設立
- 東芝, 初のノート型コンピュータ J-3100SS（ダイナブック）を発売
- ウインドウズコンソシアム設立
- 文部省, 小・中・高校にパーソナルコンピュータを本格導入

付録

1990	● ソニー, 手書き文字認識対応の Palm Top 型コンピュータ, パームトップを発売
	● ジャストシステム, PC-9800 シリーズをベースにした製版システム, 大地を発表
	● AST リサーチ, PC-9800 シリーズと IBM PC の両互換機を発表
	● アスキー, MSX turbo R の仕様を発表
	● 管理工学研究所, PC-9800 シリーズ用データベース管理ソフトウェア, 桐 Ver.3 を発売
	● NetWare386 日本語版 (NetWare3.10J) が発売される
	● 日本アイ・ビー・エム, IBM DOS バージョン J4.0/V (DOS/V) を発表
1991	● 日本アイ・ビー・エム, DOS/V の製品・技術情報を公開
	● 第 1 回 MACWORLD Expo/Tokyo, 千葉市幕張メッセにて開催される
	● 各社から日本語 Windows3.0 発売される
	● ハードディスクへのアプリケーションインストール規格, MAOIX 提唱される
	● DOS/V の普及を目指す PC オープンアーキテクチャ推進協議会 (OADG) が発足
	● AX 協議会, AX-VGA システム仕様を発表
	● 技術評論社, PC-9800 シリーズ用通信ソフトウェア, CCT-98III を発売
	● Compaq 社, コンパック株式会社を設立
1992	● PC-9800 シリーズの累積出荷台数が 500 万台を突破
	● アップルコンピュータジャパン, アップルコンピュータに社名変更
	● アップルコンピュータ, 漢字 TrueType を発表
	● ミケランジェロウイルスの被害が相次ぐ
	● パーソナルメディアから BTRON パーソナルコンピュータ, 1B/note-L が発売される
	● 第 1 回目の PC WINDOWS World Expo / TOKYO '92 が千葉市の日本コンベンションセンター（幕張メッセ）で開催される
	● 情報処理技術者試験に C 言語が導入される
	● デジタル・リサーチ・ジャパンから日本語 DR DOS 6.0/V 発売される
	● ノベル, NetWare Lite V.1.01J を発売

- 日商岩井, Gateway2000 社の販売代理店に
- 日本コダック, フォト CD サービスを開始
- コンパック, 最低価格 12 万 8000 円の DOS/V マシン ProLinea シリーズを発売
- DOS/V に参入するメーカー, ショップ相次ぎ, 値下げ競争はじまる
- 日本アイ・ビー・エム, 日本語版 OS/2 J2.0 を発売
- 日本電気, マルチメディア対応の PC-9821S シリーズ (98 multi) を発売
- DELL Computer 社がデルコンピュータ株式会社を設立。低価格 DOS/V マシンの通販をはじめる
- 日本アイ・ビー・エム, 80386SL を搭載したノート型コンピュータ PS/55 note を発売

1993

- 日本電気, PC-9821A シリーズ (98MATE) を発売
- デルコンピュータ, 9 万円台からの DOS/V マシンを発売
- シャープ, MC68EC030/25MHz を搭載した X68030 を発売
- 日本アイ・ビー・エム, プリンター一体型のノート型パーソナルコンピュータ, ThinkPad 550BJ を発売
- 日本アイ・ビー・エム, 高品位フォント機能と高密度テキスト機能 (V-Text) を提供する IBM DOS/V Extension V.1.0 を発表
- 中学校の技術家庭科で情報基礎の授業がはじまる
- マルチメディアの国際会議, TED4KOBE が神戸国際会議場で開催される
- ジャストシステム, 一太郎 Ver.5 を発売
- 各社から日本語 Windows3.1 が発売される

- 株式会社インターネットイニシアティブ企画, インターネットへの接続ビジネスを開始
- ロータス, MS-DOS 用日本語電子メールソフトウェア cc:Mail を発売
- マイクロソフト, 日本語 MS-Windows3.X 対応の電子メールソフトウェア, Microsoft Mail を発表
- 日本電気, Pentium 搭載マシン SV-H98 を発表
- 日本アイ・ビー・エム, VL-Bus を採用した PS/V Model 2405/2410 を発売
- コンパック, Pentium 搭載マシン, DESKPRO 5/66M を発売

1994

- Windows NT 日本語版が発売
- Mosaic の普及がはじまりインターネット商用利用が進む

- セイコーエプソンがエプソン・ダイレクトを設立して PC/AT 互換機販売を開始
- 日本アイ・ビー・エム PC-DOS J6.3/V を発売
- 富士通が FENICS 回線を転用しインターネット接続事業 InfoWeb を始める
- ネットワーク業界の展示会、第 1 回の NETWORLD+INTEROP Japan が開催

1995
- ジャストシステム、一太郎 Ver.6 続いて Ver.6.3 を発売
- ソフトバンク、米コンピュータショウ COMDEX を買収
- 日本アイ・ビー・エム国内向けに Aptiva の発売開始
- セイコーエプソンが PC/AT 互換機市場へ本格参入を発表し PC-9801 互換機主力路線を変更
- 松下電器 PD を開発、発売
- 各社から DVD プレーヤー発売される
- 11 月日本語版 Windows95 発売され、パソコンがブームになる

1996
- ジャストシステム一太郎 7 発売
- 東芝から Windows95 搭載ミニノートブックパソコン Libretto が発売
- シャープなどからインターネットアクセス機能付きTVが発売される
- PC メーカー各社から MMX Pentium 搭載機が発売される
- 日本アイ・ビー・エムが、日本語音声認識ソフト VoiceType 日本語版を発売
- 日立製作所が MPEG カメラ発売
- 「2000 年問題」がクローズアップされソフト業界の対応進む
- インターネットを利用した電話ソフトの普及が始まる
- NTT が新通信網 OCN サービスを開始

1997
- ジャストシステム一太郎 8 を発売
- 松下電器、東芝などから PHS 内蔵携帯情報端末が発売される
- PC メーカー各社から Pentium II 搭載機が発売される
- 大手パソコン通信アスキーネットと日経 MIX が撤退
- カシオ計算機、日本電気が日本語版 WindowsCE 搭載のモバイルコンピュータを発売
- アップルコンピュータ、MacOS 8 日本語版を発売
- NEC が PC/AT 互換機　PC 98NX シリーズを発表し PC-9801 依存から路線転換

1998	●西和彦が株式会社アスキー不振の経営責任を問われ代表取締役社長を退任。
	●7 月日本語版 Windows98 発売
	●10 月日本語版 MacOS 8.5 発売
1999	●一太郎 10 発売
	●アップルコンピュータが iMac のデザインを模倣したとしてソーテックの eOne の製造販売禁止を申請し仮処分決定。

参考文献

- 久保田祐：インターネット時代の著作権とプライバシー (アルファベータ, 1998)
- 西垣通 編：思想としてのパソコン（NTT 出版, 1997)
- トム・シェルダン：ネットワーク事典（ソフトバンク, 1996)
- T. ラクウェイ/J. C. ライア：Internet ビギナーズガイド（アジソン ウェスレイ ・トッパン, 1993)
- 日本ユニシス広報部：UNISYS コンピュータ関連資料（日本ユニシス, 1992)
- ロバート・スレイター：コンピュータの英雄たち（朝日新聞社, 1992)
- ティム・スキャネル：パソコンビジネスの巨星たち（ソフトバンク, 1991)
- ジョエル・シャーキン：コンピュータを創った天才たち（草思社, 1989)
- 奥田喜久男監修：ザ・PC の系譜（コンピュータ・ニュース社, 1988)
- スティーブン・レビー：ハッカーズ（工学社, 1987)
- ハワード・ラインゴールド：思考のための道具（パーソナルメディア, 1987)
- J. バーンスタイン：ベル研 AT&T の頭脳集団（HBJ 出版局, 1987)
- T. R. リード：チップに組み込め！（草思社, 1986)
- George E. Pake：ゼロックス社パロ・アルト・リサーチ・センタ (PARC) の研究, 日経エレクトロニクス, 1986 年 4 月 21 日号
- 情報処理学会歴史特別委員会編：日本のコンピュータの歴史（オーム社, 1985)
- フライバーガー/スワイン：パソコン革命の英雄たち（マグロウヒルブック, 1985)
- 高橋秀俊：情報科学の歩み（岩波書店, 1983)
- 月刊アスキー（アスキー）
- 日経バイト（日経 BP 社）

索引

■数字

■A

■ B

■ C

■ E

■ I

■ J

■ K

■ L

■ N

■ O

■ S

■ T

■ W

■ウ

■エ

■オ

■キ

■ク

■サ

■シ

■ソ

■タ

■チ

■ツ

■テ

■ヒ

■フ

写真・資料提供

●

アイ・オー・データ機器株式会社／アイワ株式会社／アップルコンピュータ株式会社／アドビシステムズ株式会社／インテル株式会社／エプソン販売株式会社／オムロン株式会社／株式会社 IDG ワールドエキスポジャパン／株式会社ジャストシステム／株式会社セガ・エンタープライゼス／株式会社ダイヤモンド・マルチメディア・システムズ／株式会社メルコ／キヤノン株式会社／蔵守伸一／コンパック株式会社／シャープ株式会社／ソニー株式会社／ソフトバンク株式会社／東芝株式会社／中村正三郎／ナナオ株式会社／日商エレクトロニクス株式会社／日本 AMD 株式会社／日本アイ・ビー・エム株式会社／日本オラクル株式会社／日本コダック株式会社／日本サンマイクロシステムズ株式会社／日本シリコングラフィックス株式会社／日本電気株式会社／日本電気ホームエレクトロニクス株式会社／富士ゼロックス株式会社／富士通株式会社／富士電機株式会社／マイクロソフト株式会社／松下電器産業株式会社／丸紅エレクトロニクス株式会社／森山美代子／レックスマーク　インターナショナル株式会社／ロータス株式会社／ローランドディージー株式会社

執筆者 ● 安　達　仁・安部季史・天野貴弘
　　　　飯島哲也・飯野泰弘・板矢剛一
　　　　市川瑞恵・井上真吾・上　坂　顕
　　　　上原武将・大　崎　篤・大部真季
　　　　加藤俊樹・加藤智子・川　崎　晃
　　　　吉川邦夫・熊谷義孝・境　博　子
　　　　笹田昌樹・白井宏明・白井裕司
　　　　菅　野　篤・杉山広和・高田美子
　　　　瀧　沢　桂・多田哲也・谷川静香
　　　　土　屋　勝・土屋光司・中村晶子
　　　　原口明久・帆苅雅宏・吉野敏也
　　　　渡辺朋恵

編集協力 ● 株式会社エルデ・有限会社電脳事務

監修者略歴

高橋三雄（たかはし みつお）

1943 年，福島県生まれ。1973 年一橋大学大学院商学研究科博士課程単位取得退学。横浜市立大学，成蹊大学，筑波大学大学院教授を経て，1998 年麗澤大学国際経済学部教授。「経営におけるコンピュータ利用」が専門であり，パーソナルコンピュータのソフトウェアを中心に研究，教育を行っている。また，放送大学においても客員教授として「情報管理学」を担当している。

おもな著書に，「ビジネスゲーム入門」（日本経済新聞社），「Multiplan ビジネス活用法」（ナツメ社），「パソコン DSS の理論と実践」（日本経営協会総合研究所），「情報管理学」（放送大学教育振興会），「パソコン・ソフト入門」「パソコンソフト実践活用術」（以上岩波新書），「コンピュータリテラシ for Windows」（サイエンス社）などがある。

わかりやすいコンピュータ用語辞典

発　行	1996 年　1 月 15 日　第 1 版第 1 刷
	1999 年 12 月　6 日　第 5 版第 1 刷
監修者	高橋三雄
発行者	田村正隆
発行所	株式会社ナツメ社
	東京都千代田区神田神保町 1-52　加州ビル 2F（〒 101-0051）
	電話　03(3291)1257（代表）
	振替　00130-1-58661
制　作	ナツメ出版企画株式会社
	東京都千代田区神田神保町 1-52　加州ビル 3F（〒 101-0051）
	電話　03(3233)8961（代表）
印刷所	東京書籍印刷株式会社

ISBN4-8163-2677-4　　　　　　　　　　Printed in Japan